うまれたての星

大島真寿美

集英社

目　次

うまれたての星

第1章
1969年

空の彼方にアポロがいる。

アポロ十一号。

あと数時間ほどで、月面に着陸するのだという。

通勤途上の夏空を見上げ、牧子《まきこ》は、アポロかあ、とつぶやいた。

じつのところ、月面に着陸するのはアポロではなく、アポロ十一号から分離して降下していく着陸船イーグルなのだが、牧子はそんなこと知らないから、刻々と月に近づいていくペンシル型のロケット、アポロ十一号を空に思い描いて、はーっとため息をつく。

今日のお昼は社食はやめて、テレビの置いてあるどこか外のお店で食べようかな、とちらりと思う。放映されるという月着陸の瞬間をぜひ見てみたい。って、お昼休みの短い時間に運良く見られるとも思えないんだけど、でもせっかくだし。

これまでロケットだの、宇宙だのにさして興味のなかった牧子だけれども、さすがに、宇宙飛行士がもうじき月面に降り立つらしいときくと無関心ではいられなかった。

だって、宇宙だぜ。月だぜ。月に人間が降り立つんだぜ。すごいじゃないか。

と今朝、弟の慎也《しんや》が新聞を開いて興奮気味に騒いでいたけど、ほんとにそのとおりだ、と牧子も思う。

今はそんな時代なのだ。

人間が、あの夜空に輝く月の表面——そこにうさぎはいないのだろうか。ほんとうに？——に降り立つ時代なのだ。

しかもそれがテレビで見られるなんて。

すごいなあ、と牧子は無邪気に思う。

向こうからもこちらを見ているだろうか。

あのロケットに乗っている宇宙飛行士たちは。

この星を。

この地球という星を。

見ているのだろうか。

そうか、だから、わたしも、今、星の上に立っているんだ、と牧子は気づく。

地球という、この星の上に。

ここもまた、星なんだ。

星の上なんだ。

ふうん。

すごいや。

牧子は思わず足元を見る。つま先でとんとん、と舗装された道路——この星の感触——を確かめてみる。

ふいに立ち止まった牧子をじょうずに避けて、人々が足早に通り過ぎていった。

この辺りには会社や商店が多い。朝はいつも出勤する大勢の人々が流れるように移動していく。だが、誰ひとり、天空を気にしている者はいなかったし、牧子を気にしている者もいなかった。

そのことに牧子は少し驚き、でも、すぐに歩きだした。

もたもたしていたら遅刻してしまう。

そうして勤め先の八階建てのビルの正面玄関の階段を駆け上がっていったのだった。

1

辰巳《たつみ》牧子は神保町《じんぼうちょう》の出版社で働いている。

とくにこの会社を希望していたわけではなかったし、出版という職種もよくわかっていなかったのだが、高校の就職支援室から推薦をもらえたので、事務職の採用試験を受けてみたら合格して、この春から勤めだした。

経理課での三ヶ月間の研修期間を終え、今月からは経理補助として、少女漫画誌――《週刊デイジー》と《別冊デイジー》――を作っている部署に配属されている。

どこの編集部も雑誌作りに手一杯、経理業務が疎《おろそ》かになりがち、というわけで、いつ頃からか、牧子のような事務員が、経理課から派遣されるようになったのだそうだ。

といっても牧子のような新人がいきなり配属されることは稀《まれ》で、なぜそうなったのかといえば、前任者が突然、寿退社するといいだしたからだった。経理部長が必死にもう少しだけいてくれ、せめてあとひと月、と拝み倒しても、頑として聞き入れてくれなかったそうで、急遽《きゅうきょ》決まった牧子は引き継ぎもろくにしてもらえなかった。

だいじょうぶよ、やあねえ、そんなに心配しなくたってやれるって、こんなの、べつにそう難しい仕事じゃないんだし、と辞めていく前川福美《まえかわふくみ》はのんびりとした口調で牧子にいった。経理課に持っていく仕事さえきちんとやっていたら、わたしたちはそれでいいのよ、あとはもう、あなたは、えっと、なんだっけ、辰巳さんか、辰巳さんが好きなようにやればいいの。あれやれ、これやれ、っていわれるから、はいはい、っていうことをきいて、なんでもいわれたことをやってりゃいいの。わからなかったらきけばいいんだし。遠慮しないで、なんでもきくの。どしどしきくの。あとは、そうね、編集長とか、副編集長とか、あの辺にすわってる偉い人たちからいわれたことを先にやるのが肝腎ね。いっぺんにはやれないんだから、上の人が先。そこをうまくやりくりする。コツはそれくらいかしら。

前川福美は、寿退社するというわりに、結婚のことも結婚相手のことも、これから始まる新婚生活のこともいっさい何も語らなくて、牧子がひそかにふしぎがっていたら、最後の日に、あなたにだけは教えてあげるけど、じつはわたし、寿退社じゃないの、と打ち明けた。経理部長に退職願を出したら勝手に寿退社って勘違いしちゃって、みんなに言いふらしちゃって、おめでとうなんてみんなにいわれちゃうし、まったくもう、なんでそうなるのよ、って腹立たしかったんだけど、部長に悪気はないんだろうし、もう、いいや、って、わたし、訂正しなかったのよ。訂正したら、ますます引き留められそうだったし、それはそれで困るし、早く辞めたかったし、と笑う。牧子が驚いていたら、ひみつよ、ひみつ、といって唇に一本指をあて、しーっといって、ぺろっと舌をだした。じゃあなんで辞めるんだろうと、牧子は思うが、さすがにそれはきけない。なんにせよ、前川福美は不幸せそうに見えなかったから、きっと、なにか楽しいことがこれから待っているのだろう、と想像した。

編集部での仕事は、たしかに、前川福美が言った通り、そう難しくはなかった。領収書のチェックをしたり、精算書を作ったり、書類の整理をしたり、ファイルして番号をつけたり、帳面をつけたり計算をしたり、といった経理補助としての本来の業務を慎重にやりさえすれば、あとはおおむね雑用だった。編集長や副編集長の事務的な書類仕事の手伝い、代筆や、清書や、あるいは文房具や切手や備品の購入手配や買い出し。他にも、タクシーを呼んだり、みんなにお茶を出したり、別の部署へお使いにいったりと、範囲は多岐に及んだ。来客のお世話もするし、お土産のお菓子を分けたり、ゴミを捨てたり、殺虫剤を撒《ま》いたり、失くし物をさがしたり、タバコの吸殻でいっぱいになってる灰皿を集めてまわって綺麗にしたりもする。電話の取次や、棚の整理もする。コップを洗ったり、出前のお皿を洗って廊下に出しておいたりもする。

　なんでこんなことをあたしがやるのかな、という仕事もいわれれば素直にやった。すすんでやるわけじゃないけれど、いわれたことはいちおうやる。この部署へ来て三週間ほどだが、牧子が戸惑うような仕事はまだ一つもない。つまりそれは牧子で事足りるようなことだけ、頼むからだろう。

　女中さんだな、と牧子は思う。

　ようするにわたしは女中さんなんだ。

　ここは会社だから事務員ということになってるけど、お屋敷で働いていたら、わたしは女中さんと呼ばれているはず。もしくはお手伝いさん。

　すごく下に見られているんだろうな、とも思うし、もしかしたら、前川福美から牧子に替わったことすら気づいていない人がいるかもしれない。

　だって、牧子はまだ、この編集部にいるおじさんたちにろくに名前すら覚えてもらっていない。おーい、ちょっと、としょっちゅう名無しで呼ばれている。牧子もそれに甘んじている。女の子どこ？

と声がきこえると、はーい、と返事をしている。このフロアで制服を着ているのは牧子一人だけだから、牧子に用事を頼みたいときは、おそらく制服を着た〝女の子〟を探しているだけなのだろう。

べつにそれについて不満はない。

少女漫画を作っているというのにおじさんだらけの編集部はなにしろ大所帯だし、人が出たり入ったりして、とにかくやたら忙しそうだし、牧子だっておじさんたち全員の名前を把握しているわけではない。どっちもどっちだ。

編集部には女の人も何人かいたけれど、彼女たちは、牧子より年上で先輩だったし、それぞれ専門的な仕事をしていて、見るからに優秀。牧子はどうしても気後れしてしまう。彼女たちは牧子のことをちゃんと辰巳さん、と呼んでくれたし、あるいは、名前なんだっけ、とたずねてくれたりもしたけれど、それでもやっぱり、牧子に頼むのは簡単な雑用だけで、おじさんたちが、おーい、女の子どこ、と探していても、自分たちが呼ばれているのではないと察して知らん顔している。同等に見てくれているとはいいがたかった。あの人たちは編集部員。わたしとはちがう。牧子のような制服ではなく、それぞれ自由な服装をして溌剌《はつらつ》と、かっこよく、おじさんたちに混じって、忙しく働いている。その姿を間近で見ていると、牧子は、自分がひどく子供じみて感じられてしまうのだった。

「辰巳さん！　あなた辰巳さん、よね！」

定食屋できょろきょろしていたら名前を呼ばれた。

驚いて飛び上がったら、笑われた。

「やだもう。そんなに驚かなくたって。えっと、あなた、辰巳さん、だったわよね、合ってるよね」

うなずきながら、この人は、西口《にしぐち》さんだ、と牧子は思う。《別冊デイジー》編集部の西口克子《かつこ》さん。

カッコちゃん、とみんなに呼ばれている。

「ねえ、誰か、さがしてるの？　待ち合わせ？」

きかれて、うっかり口が滑ってしまった。

「アポロを」

西口克子が、はあ？　と聞き返す。

「あ、いや。ちがった。テレビ。テレビを、さがしてました」

「テレビ？　テレビは、このお店にはないけど？」

「え。そうなんですか」

いかにもありそうな外観なのに、と牧子はがっかりする。するとまた克子が笑う。

「お。がっかりしてる！　いかにもがっかりしてる！　あなた、わかりやすいわねえ。いちいち漫画みたいに動くのね。辰巳さん、漫画好きでしょう」

うーん、と牧子は考える。

どうなんだろう？

牧子はまだそんなに漫画を知らない。この部署へ配属されて、少女漫画の面白さに目覚めたところではあるけれど、はたして、そんな程度で大きな顔して、好きです、なんていっていいものだろうか。いや、好きは好きだけど、それも、もしかしたらものすごーく好きなんじゃないかという気はしてきているけれど、こんな大先輩を前に好きっていったら、いろいろきかれて、そんなに知らないことがばれちゃって恥ずかしい思いをするかもしれない。うーん、どう答えるべきか、と考え込んでいたら、おすわんなさいよ、と向かい側の椅子をすすめられた。いいから早くおすわんなさいよ、どうせ相席になるんだから、あなたがすわってくれたほうがいいの、ほら、すわってすわって、おばちゃーん、ここ日替わり定食もう一つ追加ね、と注文までしてくれた。

「即答できないってことは、辰巳さん、もしかして漫画、好きじゃないの？」

と克子がまたきいた。「いいから、正直にいっちゃいなさいよ」

「えっ、いや、ちがいますちがいます、好きです好きです。好きなんですけど、んー、でも、ええと、じつはわたし、まだ、あんまり知らなくて」

「え、なにを？　漫画を？」

「わたし、小さい頃から本はふつうに読んでたんですけど、漫画はほとんど読んでなくて。あと、弟がいるんで、少年漫画はたまーに読んでましたけど、少女漫画はお友達の家とかで、ほんとに少し読んだくらいで。それもけっこう小さい頃で。漫画は学校の図書室にもなかったし。だから《別冊デイジー》も《週刊デイジー》も知らなくて。名前はなんとなくきいたことがあったけど読んだことはなくて。ここで働くようになってはじめて読んだんです」

「あらー。で、どうだった」

「とてもおもしろいです。おもしろくて、おもしろすぎて、びっくりしました」

「お。うれしいことといってくれるじゃないの」

お世辞でもなんでもなく、牧子は本当にびっくりしたのだった。子供の頃、牧子が読んでいた少女漫画は、もっとずっと素朴で幼い感じがしていたし、ほのぼのとした地味なものが多かったように記憶しているが、《別冊デイジー》や《週刊デイジー》に載っている漫画は、現代的でおしゃれで、子供向きといえば子供向きだけど、絵も華やかだし、カラーページはきれいだし、お話も起伏に富んでいておもしろく、すっかり夢中になってしまったのだった。

いったい、いつの間に少女漫画はこんなふうになっていたんだろう？

くわしいことはわからないけれど、ここにはあたしをわくわくさせるものがある気がする、と牧子は思ったのだった。

「いろいろ貸していただいて読みました。編集部の棚にあるものは借りていいっていわれたんで」

「うん、いいわよ。どんどん読みなさいよ」

「先々週出たばかりの《別冊デイジー》八月号、一昨日、編集長さんにいただいてしまいました。見本が余ってるから、読みたいなら、あげるよ、って」

「小柳《こやなぎ》さん？」

「はい」

「八月号から小柳さんが編集長だからね。みんなに読んでもらいたいのよ」

「昨日は、うちでずっと読んでました」

「あらま、辰巳さんの貴重な休日は《別デ》に奪われてしまったわけね」

「はい」

　ふふふ、と笑いあう。

　運ばれてきた定食に箸をつける。鯖の味噌煮にほうれん草のお浸し、ひじきと煮豆、味噌汁にごはんに漬物。

「辰巳さん、ここ、よく来るの」

　克子がきいた。

「いえ、はじめてです」

「あ、そうか。だからテレビをさがしてたんだっけ。あ。ごめんごめん、もしかしてテレビのあるお店に移りたかった？　なんだっけ、アポロだっけ？　あれでしょ。ロケットの。なに、辰巳さん、そんなのに興味あるの？　それが見たかったの？」

「いえ、あの、着陸するところを放送するっていうからなんかすごいなあって。あ、でもいいんです、そんなにちょうどよくこの時間に着陸するわけないんだし。なんとなく来てみただけですから」

「そかそか」

克子が味噌汁の椀を持ったまま、ここの定食、おいしいのよ、わりと安いし、穴場なのよね、という。意外と会社の人たちにも会わないし、ここ、おすすめなのよ、と味噌汁をすすり、うん、おいしい、とうなずいた。克子は息抜きがてら、お昼は外で食べることにしているのだという。

まあ、そうはいってもさ、ここでこうやって、ゆっくりお昼を食べられるなんてことは、月に何回もないんだけどね、出先で食べちゃうこともあるし、打ち合わせがてら食べることもあるし、忙しくて、てきとうにパンをかじっておしまいって時もあるし、と克子がいうので、社員食堂へは行かれないんですか、と牧子はきいた。牧子は基本、お昼ご飯は八階の社員食堂で食べる。月初に食券がもらえるし、八階からの眺めはいいし、同じビルの中なので、時間も有効に使える。

社食かー、いかないわねえ、と克子がこたえた。社食を使うのは、忙しすぎてお昼を食べ損なったり、定時に仕事が終わりそうもなくて夕方にちょっとなにか食べておきたい時だけなのだそうだ。

辰巳さん、そんなに社食が好きならあげる、と克子が財布を取り出し、今月分の食券を五枚くれた。食券がなくなったらお金払わなくちゃならないでしょう、どうせ余らせちゃうんだから、これ使いなさいよ、と気前がいい。

今月はまだ十日近くあるのにいいのだろうか、と、もじもじしていたら、克子が、手をひらひらさせて、とっととしまえ、という素振りをする。

お礼を述べつつ、牧子は巾着袋に食券をしまった。ついでにハンカチを出して、額の汗を拭う。路地に面した窓から風は入ってきていたし、扇風機も勢いよく回っていたが、なんだか暑い。先輩とこんなふうに食事をするのが初めてだから知らず知らず緊張しているのだろうか。

「辰巳さんてさ、ときどき、こう、じーっとわたしたちの方、みてるよね。こんなふうに」

克子がいたずらっぽく、牧子の目つきを真似《まね》した。

「え。え、え、そ、そうですか」

「いかにもみてる、って感じで、立ち止まって、こっちをじーっとみてる。なにみてるんだろう、って思ってた。あれ、なにみてるの」

牧子は首をかしげる。なにをみていたのだろう。自分でもわからない。というか、そんなにいつもなにかをみていたのだろうか。思い出せない。編集部というところは今まで経験してきた学校生活と、なにからなにまでちがっていて、それでいちいち、あれはなんだろう、あれはなにをしているのだろう、と気になって、だから、ひょっとしたら、そういうとき、つい、みるともなしにみてしまっていたのかもしれない。しかしそれにしたって、人から指摘されるほどじろじろみていたのか、と思うと我ながらちょっと不気味な気がした。

「すいません」

「いや、謝らなくてもいいんだけどさ」

「これから気をつけます」

「いや、べつに気をつけてくれなくてもいいんだけどさ。だってそんなの、べつにたいしたことじゃないんだし、ただわたしがなんだろうって思ってただけで」

「いろいろ気になっちゃって。つい」

言い訳がましく牧子は説明する。

「経理課では、こう、みんな机に向かって静かーに仕事してたんです。話をするときも小声だったし、来客もそんなになかったし、電話も少なかったし、そろばんのぱちぱちいう音がきこえるくらい静かで。お昼休みも、時間通りにみんなで一斉にとるし、だけど、ここへきたら、ぜんぜんそんなことなくて、みなさん勝手気ままというか、いや、勝手気ままって、そんなことはないんでしょうけど、そういうふうにみえるというか、うろうろしてらっしゃる人もいるし、話し声がしょっちゅうきこえてくるし、でもそれでいいみたいだし、みたことないものもたくさんあって、郵便とかも毎日すごく多いし、なにがどうなってるのかわからないけど、いつのまにか毎週雑誌ができていくし。なんだかあっちもこっちも珍しいことばっかりで。お客さんもよくいらっしゃるし、ちょっと変わった人なんかもいるし、わたし、動物園とかにいっても、檻の前でずーっと動物みちゃう方なんです。自分ではそんなに長くみているつもりはないんですけど、ずいぶん長くみてるらしくて、それで、いっつもみんなに置いていかれちゃうんです」

「動物園って」

克子が呆れた顔をする。「我々を動物扱いするとはたいした新人だ」

「え！　あ、すみません！」

牧子が思わずひょこっと椅子から浮き上がると、克子が笑いながらちょっとちょっと、と制した。

「冗談よ、いいわよいいわよ、動物園で。いわれてみれば、動物みたいな人、たしかにいるし。あっちにもこっちにも生息してるし。でもさ、気になるんなら、遠くから見てないで、もっと近づいてらっしゃいよ。離れて見てたってわからないでしょう。危険な猛獣じゃないんだからさ、嚙《か》みつきゃしないわよ。近くに寄ってきたって大丈夫」

「あ、ありがとうございます。こんどからそうします」

克子がうなずき、にやにや笑っている。そうして、箸を動かし、黙ってご飯を食べだした。克子の箸がめまぐるしく動き、大きな口に食べ物が次々、放り込まれていく。編集部でも克子はきびきび動いているが、食べるのもきびきびしていて早い。気持ちのいい食べっぷりだとしばし見惚《みと》れていたが牧子も負けじと食べだした。のろのろ食べていたら置いていかれてしまうと気づいたからだ。

「たしかにさ、あなたの言う通り、編集部ってなかなか特殊な職場だとは思う」

食べ終えた克子がお茶を飲みながらいう。はい、と牧子がうなずく。

「いろいろ気になるのもわかる。働きだしたばかりの頃、わたしもそうだったから。でもさ、わたしは辰巳さんとちがって、そういうところを気取られないように、むしろ、必死に隠してたけどね」

「隠してた？」

牧子はまだ食べ終わらないから、箸を動かしながらきく。たくあんをかじったら思いがけず大きな音がして、急いで飲み込むようにして食べた。

「なんでもわかってます、なんでも知ってます、って顔して、すましてたもんよ。役に立たないと思われたくなくて。ほんとはなんにもわかってなかったんだけどね。なんだそんなことも知らないのか、っていわれるのが嫌で。必死に取り繕ってた。今思うと恥ずかしい。あんなの絶対ばれてたよね」

克子が湯呑みを手元に置き、遠い昔のような気がするけれど、それはまだほんの二年前のことなのだ、といった。大学を出ている克子は牧子より歳はだいぶ上のはずだが、社会人としては、たった二年しか先輩ではない、ということがわかる。自信たっぷりに見えていたから、てっきり大ベテランかと思っていたが、どうやらそれほどでもないらしい。

牧子が食べ終わると、克子が、ちらりと腕時計をみて、そろそろいこうか、と立ち上がった。そうしてさっさと牧子の分の支払いもすませてしまう。牧子が戸惑っていると、克子が、いいからいいから、と牧子を店の外へと押し出した。

「辰巳さんて、ほんと、わかりやすい。今、ここに吹き出しが浮かんでたよ」と宙を指差した。「セリフもみえてた」

「へ？」

「わわわわ、どうしようどうしよう、わたし、払います、払います、あたふたあたふた、みたいな？ほら、いいから、お財布しまって」

「あの、ほんとに、あの、わたし、払いますから」

「いいってことよ。わたしがむりにつきあわせちゃったんだし。先輩風吹かせられるのは、辰巳さんくらいなんだからさ、気にしない気にしない」

強い日差しに手をかざし、一瞬、空を見上げてから克子が歩きだした。

牧子もそのあとを追う。


アポロの月着陸を、牧子はその日、家に帰ってから、テレビのニュース番組で見た。

宇宙服を着た宇宙飛行士がふわんふわんと跳ねるように月の表面を歩いていた。

あれが月か、と牧子は食い入るように見てしまう。

ざらざらした画面の質感、途切れ気味の英語の音声、ざーっという雑音。いかにも遠い宇宙の彼方から送られてきているかのような臨場感のある映像。

ねえ、牧子、あれが月だって、信じられる？　いっしょにテレビを見ていた姉の和子《かずこ》がいう。

信じられないけど、あれが月なんでしょ。

そういうと、そうなのよね、あれが月なのよね、まるで信じられないけど、月ってあんなふうなのね、歩き方もああなるのね、すごいわねえ、と感に堪えないといった調子の声で和子がいう。

夕飯がすんで弟の慎也は自室へ、母のナオは台所へ、和子の娘、千秋《ちあき》もアポロに飽きたのかいつのまにか居間からいなくなり、テレビにかじりついているのは牧子と和子だけになっていた。

ちょっと千秋ー、テレビみないのー、アポロまだやってるわよー、お月さんに人がいるのよー、歴史的な瞬間なのよー、と和子が声を張り上げて呼んでも返事はない。代わりに台所から、子供はそんなもの、いつまでもみてやしないよ、とナオの声がする。それより、和子、あんた、このお肉、どうすんの、持って帰るの、明日もうちで食べるの、だったらここに置いとけばいいし、ちょっと、どうすんのよ、ときく。和子が、どうしよっかなー、といいながら立ち上がる。

和子は結婚後もずっと、すぐ近くのアパートに住んでいて、娘の千秋を連れてしょっちゅう、やってくる。ご飯もしょっちゅういっしょに食べていく。和子の夫の達郎《たつろう》は建築技師として長期に家を空けることが多いので、母娘で泊まっていくこともしばしばだった。

千秋が生まれた時も、産後しばらくはこの家で過ごしていたし――赤ん坊の千秋の世話を牧子もおもしろがって手伝ったものだ――一昨年、父謙次郎《けんじろう》が突然亡くなった時も、呆然《ぼうぜん》と立ち尽くすばかりの牧子と慎也を励まし、夫とともに葬儀のことやらなにやら、そのあとのことまで献身的に助けてくれたものだった。やがて母のナオが和裁の内職を始めると、それを手伝うようにもなっていた。

大学進学を諦めた牧子に、お金のことならなんとでもなるから、行きなさいよ大学、あんた、成績いいんだから、奨学金だってもらえるでしょう、諦めることないって、と最後までいいつづけてくれた唯一の人でもあった。母さんはわかっちゃいないのよ、これからはね、女の子だって大学へ行く時代になるんだから、きっとなる、わたしだって行けるものなら行きたかったんだから、牧子ちゃん、行きなさい。

行けばよかったのかな、と牧子はテレビをぼんやり眺めながら、ふと思う。あの時はなんだか意地になって、大学なんか無理して行かなくったっていい、そこまでして勉強がつづけたいわけじゃない、高卒だろうとあたしはこれから先もちゃんと生きていけるんだって意気込んでいたけど、今思えば、大学へ行くっていうことの意味をほんとうにはあまり深く考えていなかったのかもしれない。未来が漠然としすぎて、よくわからなかったというのもあるし、父親をいきなり喪《な》くしたことにまだ動揺していて、いつまでも甘えていられない、早く大人にならなくちゃと肩に力が入っていたところもあった。就職して社会に出たからってべつにそれですぐに大人になれるわけでもなかったんだな、と今ならよーくわかるけど、あのときはわかんなかったんだよなー、と牧子は西口克子の姿を思い浮かべながら思う。大学を出て、あんなふうにばりばり働くっていう選択肢があったんだ、ということを牧子は今日はじめて実感したのかもしれなかった。

さすがにアポロも月もじゅうぶんに見た気がして、牧子は立ち上がると、テレビを消した。居間から出ていくついでに襖《ふすま》をあけて隣室を覗《のぞ》いたら、千秋が畳に寝そべってなにか読んでいた。

「なによんでんの」

こたえはない。

きこえなかったのかと思って、

「千秋、なによんでんの」

もう一度きいた。

んー、と千秋が雑誌をちょっと上に持ち上げる。

ちらりと表紙が見えた。

大きな貝を持った、外国人の女の子。

「え、別デ？」

あれは、夏休みおたのしみ号と銘打たれた最新号――八月号――だ。

「千秋、それって、別冊デイジーじゃない」

「んー」

生返事がかえってくる。

「あんた、そんなの、読めるの？」

千秋は四月に小学校へ上がったばかりの一年生。

別冊デイジーの読者としては小さすぎる気がするが、そんなことないのだろうか。

「よめるー」

と千秋がこたえる。

「へー、読めるんだ。ねえ、それって、わたしの別デでしょ。わたしの部屋にあったやつでしょ」

「そうー」

こたえつつも、千秋の目は別デからまったく離れない。小学一年生ながら千秋はたしかに別デが読めているようだった。それどころか夢中になって読んでいるようにも思われる。子供ならではの集中力で、いや、おそらく牧子なんかより遥かに集中して、千秋は別デに没頭している。

すいっとページをめくる。

ときおり、ぱたんぱたんと足が不規則に動く。頭が少し傾いたり、また元に戻ったりする。

そのすべてが千秋の心のうちを表しているようで、やけに楽しげにみえた。

牧子は、ほー、と声を出してしまった。

こんな小さな子供でも、別デの面白さがわかるんだ。

それにしても、この雑誌をよくぞ見つけたものではないか、と牧子は感心する。

別デは牧子の部屋の机に置いてはあったものの、他の本が上に無造作に重ねてあって、ちょっとみたくらいではわからないようになっていた、はずなのだ。

いくら自分の働いている職場で作っているとはいえ、少女漫画をひそかに楽しむようになっているなんて、誰にも知られたくなかったし、漫画に時間を費やすなんて、あまり褒められたものではない気がしたし、それになにより家族に職場のことを詮索されたくないという気持ちが強くて、だから、隠すというほどではないにせよ、なるべく目立たないようにしていたのだったが、まさか千秋に嗅ぎつけられるとは思わなかった。

牧子は家で職場の話は滅多にしない。

なにかたずねられても、当たり障りのないことしかいわない。

出版社で働いているといったって、わたしは女中、わたしはお手伝いさん。

話せば話すだけ、その正体があからさまになってしまうのだから、なるべく家では仕事の話をしたくなかったし、ましてや少女漫画の話など決してするものか、と思っていた。

それなのに。

牧子は、今、ふつふつと誇らしいような気持ちになっている。

あれは別冊デイジー。

千秋があんなにも夢中になって読んでいるのは、わたしの職場で作っている雑誌。

「ねえ、おもしろい？」

千秋にきいた。

自分が作ったわけでもないのに、まるで自分が作ったかのような錯覚すら起きはじめている。

「ねえ、どうなのよ、千秋。それ、おもしろいの?」

千秋の姿をみればきかなくたってこたえはわかっている。それでも牧子はきかずにいられなかった。

「んー、おもしろいよー」

千秋の声がする。

うれしい。

なんともいえない喜ばしさが牧子の内から湧き上がってくる。

「ねえ、千秋、それさ、その別デさ、わたしが働いている会社で作ってるんだよ!」

ついにいってしまった。

千秋が牧子を見る。そうして、また別デに目を落とす。そうしてまたすぐに牧子を見る。

「そうそう、それ。その本。わたしの会社で作ってんの。その別デはね、買ったんじゃないの。編集長さんからいただいたの! わかる? 編集長さんっていうのはね、その雑誌を作っているところにいる、いちばん偉い人」

「へえ」

うすい反応、かと思ったが千秋がいきなり、ひょいと起き上がった。別デを膝に置き、牧子と別デを交互に見る。牧子がうなずくと、千秋もうなずいた。

「そうなんだ」

ひとことそういうと、じっと表紙を見つめ、しかしまたすぐに読みかけのページをさがして開く。

わかっているのかいないのか、それ以上なにもいわず、あっさりまた別デの世界に戻っている。

蛍光灯の笠の真下で俯《うつむ》いて読んでいるから、手暗がりになって読みにくかろうと思うが、千秋はまったく気にしていない。目が悪くなるよ、と注意すべきかどうか。

迷いつつ、黙ったまま、牧子は心の中でつぶやいた。

うー、わかるよ、千秋、それ、読みだすと、止まんないんだよね。暗くたって、読めちゃうよね。読んじゃうよね。わたしも昨日、そうだったもの。もう寝なくちゃ、と思いながら、寝床で読みつづけちゃったんだもの。

千秋とは十歳以上、年齢差があるのに、なぜだか別デのことならすんなりわかりあえる気がしてしまう。

千秋ー、もう帰るわよー、と台所から和子の声がした。

はーい、と千秋の代わりに牧子がこたえる。

千秋は顔をあげ、

「牧子ちゃん、これ、貸して」

といった。

「いいけど、持って帰って漫画なんか読んでると、お母さんに叱られるんじゃない？」

千秋が首を傾《かし》げる。

「じゃ、明日、ここで読むー」

と差し出してくる。

かがんで受け取りながら、

「明日も来るんだ」

ときくと、

「来るよ。だって夏休みだもん」

高らかに千秋がこたえた。

「あ、そうか、千秋は夏休みか。いいなー、夏休み。いいなー、子供はー」

千秋がぴょんと立ち上がる。

「慎ちゃんが、明日プールに連れてってくれるんだって」

「慎也がプール」

「泳ぐの教えてくれるんだって」

おいおい、あいつはそんなに暇なのか、大学へ行くつもりなら高二の夏休みは大事なはずだが？　と思うがどうなんだろう。

「牧子ちゃんも一緒にいこうよ」

「え、だめだよ、わたしは明日、仕事だもん」

「えー夏休みないのー」

「ないよー、ないない。あたしはもう学校を卒業したんだからさ。立派な社会人なのさ。えへん」

牧子が手にした別デをなでる。

「えへん」

千秋が真似る。「えへん、えへん」

「えへん、えへん。大人はね、プールなんていってらんないの。明日も仕事なのさ。えへん」

そういいながら、別デを千秋の目の前に掲げる。

わたしが明日行くのはこれを作っているところ。

わたしはそういうところで働いていたんだ。

そうか。

そうだったんだ。

わたしは明日またそこへ行くんだ。

牧子は、それを楽しみにしている自分に気づいて驚いていた。わたしはプールへ行けなくてもぜんぜん残念に思っていない。それどころか仕事に行きたいと思っている！

いやー、なんかすごいや。

牧子は目をぱちくりさせ、ぶるっと頭を振った。

ひょっとしたら、働きだしてから今まででいちばんやる気がみなぎっているような気が……しないでもない。

つまりあれかな、わたしは、アポロに乗って月に行くわけではないけれども、ヒューストンでそれを支える仕事をしている人たちみたいな仕事をしてるってことなんじゃないのかな、なんて調子いいことを思ってみたりして、ちょっとばかりにやついている。

千秋が、怪訝《けげん》な顔で牧子を見る。

牧子はちょっとわざとらしいくらい、まじめな顔を作ってから、

「千秋、これ、わたしの部屋に置いとくからさ、明日、こっそり読みな。でも、ちゃんと宿題もするんだぞ」

千秋がにっと笑って、うなずいた。

2

西口克子は、唸《うな》っていた。

克子が任されている巻頭の懸賞ページの校正刷が出てきたのだが、当初、克子がめざしたものとは

すっかり趣《おもむき》がちがってしまっている。

「ちょっとお、カッコちゃん、これではだめよう。ビートルズやテンプターズのＬＰレコードなんて、小学生の女の子には早すぎるわよう」

克子が揃《そろ》えた懸賞用の商品の物撮《ブツど》り写真をみていた先輩の戸田育江《とだいくえ》が指摘したのが始まりだった。

「そうでしょうか」

「ビートルズなんて小学生はしらないわよう」

克子も、うすうすそう思ってはいた。

思ってはいたものの、買い出しにいって、ついふらふらと、これらの品々を選んできてしまったのだった。

「でも、別デの読者は小学生だけじゃないですよ。高校生だって読んでますよ。そこが強みだって小柳さんが」

「うん、まあ、それはそうなんだけど、あんまり上の年齢層に合わせるな、って、つねづね、いわれてるじゃない。もっと下げないと。高校生が喜ぶものより、もっと下の子供たちを意識しないとね」

戸田育江はできる先輩だ。

克子はそれをよく知っている。尊敬もしている。この編集部へ配属されてからずっと彼女の下で働いてきたから、いわんとするところはよくわかっている。黙っていると、育江は、他の賞品の写真も一つずつ、じっくり検分していった。

ほっそりとした瓜実顔《うりざねがお》で、長い髪をくるくると上手に束ね、いかにも着物が似合いそうな楚々《そそ》とした雰囲気の人ではあるのだけれども、こういうときの目つきは鋭い。

すべて見終わると、

「いいわ。あとはわたしがやるから、カッコちゃん、これ、こっちにもらっとくね。レイアウトでなんとかしましょう」

と、あっさりいう。こういうとき、育江はいちいち咎《とが》めない。能力が高いから、代わりに自力で巻き返しを図る。克子は従うしかない。

それで育江にすべてを委ねたのだった。

その結果がいま、目の前にやってきたというわけだった。

克子はまた唸る。

うー、わかるけどー。

わかるんだけどー。

これじゃないんだよなー。

克子が目玉賞品と考えていたインスタマチックカメラやレコードプレーヤーは育江の指示によってびっくりするほど扱いが小さくなり、LPレコードはすべて隅に追いやられ、テンプターズもタイガースもメンバーの顔はひとりもわからなくなっていた。むろん、ビートルズも。代わりにかわいいお洋服を着た外国人モデルの写真がずらりと大きく並べられ、ミルク飲み人形や鏡やオルゴールやネックレスには明るい色の装飾をつけ、さりげなく目立たせている。うまい、といえば、うまい変更だ。だが、実際目にすると、克子は残念でならない。戸田育江の容赦のないページ作りに、ううう、いまさらながら唸りたくなろうというものだ。

「昨日はごちそうさまでした」

唸っていたら、ふいに上から声がして、机の端に湯呑みがすっと置かれた。

見上げると、

「あら、アポロちゃん」

辰巳牧子がお盆を手に立っていた。

牧子がふしぎそうに、こきゅっと大きく首を傾げる。うわ、この角度！　こういうところよ、こういうところ、この子のこういうところが、いちいちおかしいのよ、と思いつつ、

「昨日、わたしもみたわよ、アポロ、テレビで。月着陸。辰巳さんがみたかったのって、あれでしょう？」

と話しかける。

「え。あ、はい」

「なに、どうかした？」

「いまアポロちゃんって」

克子が笑う。

「辰巳さん、アポロちゃん、って感じがするじゃない。アポロちゃん。ね、かわいい」

うーんとまた辰巳牧子が大きく首をひねる。

笑いをこらえながら、克子は校正刷を牧子に見せてみた。

「ね、辰巳さん、これ、どう思う？」

「うわあ四千円。豪華ですね」

「んん、そこかい」

「だって四千円ってこんなに大きく書いてありますよ。あ、こっちにも書いてある」

「うんそう。今月は賞金金額がどかんとふえたの。小柳さんの編集長就任祝い、ってわけでもないんだけど、ああ、今月から賞金金額がふえました、って、それもちゃんと書いてあるね。戸田さんが付

け加えたのね。戸田さんらしい」

大躍進記念、デラックス、とわかりやすく、大きな文字が躍っている。

「辰巳さん、カメラ、ほしくない？」

「カメラ？」

ほら、これ、と指を差す。

「あ、インスタマチックカメラ。弟が欲しがってたやつだ」

「弟」

「フィルムをぽんっ、ってやつですよね。あとはシャッターをおすだけ」

「そうそう、子供でもうつせる。って、アポロちゃん、よく知ってるじゃない。でもそうか、やっぱりこういうのを欲しがるのは男の子か。レコードは？　ねえ、レコードプレーヤーは？　女の子だってほしいわよねえ」

牧子がビートルズ、テンプターズ、タイガースと校正刷を見ながらつぶやいている。

「高校の友だちにジュリーのファン、いました。わたしはそうでもないけど、好きな人はものすごく好きです。こういうのも別デの懸賞であたるんですね」

「バラエティに富んでるほうが楽しいでしょう。それで賞品に入れてみたんだけど、うーん、週デはわりとこういうのをやってるし、いいかな、と思ったんだけどねえ……」

「え、これ、西口さんが決めてるんですか」

牧子が目を丸くしている。

「そうよ。懸賞ページはおおむねわたしが作ってる。わたしか、戸田さん。これ、たいへんなのよ、あちこち買い物にいって、撮影して、お洋服はモデルに着てもらわなくちゃならないでしょ。その手配もして、地下のスタジオで撮影して。それがすんだら、おおまかなレイアウトの案を考えて、レイアウトマンに回して、それができたらレタリングライターに文字を作ってもらって、双方とやりとりしつつ、版下作ってもらって、校正して、って、たった一ページ作るのもたいへんなんだから」

へえええ、といいながら、牧子が校正刷を凝視している。すごいすごい、とつぶやいている。って、いやいやいや、そんなに感心されることではないんだけど。それにこれはわたしがやりたかったものでもないんだけど。と、なんだか面はゆいような、気恥ずかしいような気持ちになってしまう。だって、わたしたちがこのページを担当しているのは、わたしたちが優秀だからではなく、わたしたちが望んだからでもなく、男の人たちがやりにくい仕事なので、こちらに回ってきているだけで、女子供の喜ぶものを女子供で選んでこい、と、つまりは、そういうことなのだ。だからこそ、わたしたちも、かわいいお洋服や、ふわふわしたぬいぐるみや、お人形、定番のお花のついた文房具や小物、きらきらしたアクセサリー、レースのハンカチ、オルゴール、毎月そんなようなものをざーっと並べてよしとしている。いつも、似たり寄ったり。

克子はそれに少しばかり異議を唱えてみたかったのだった。けれども、そう。だからこそ、戸田育江の判断が正しいのだろうと、あらためて、それもよく理解できるのだった。

「あー、むしゃくしゃするなー」

両手を大きく伸ばして、声にだしたら、牧子がぎょっとしている。

「むしゃくしゃする、むしゃくしゃする。あー、むしゃくしゃする。むしゃくしゃするっていうのはね、暑くて暑くて、むしゃくしゃするっていうことで、あー、暑い！　暑い、暑い。扇風機はどこへいった？　ここは、蒸し風呂だ。そこの窓、開けよっか」

あ、はいい、と牧子が機敏に動き、閉められていた窓を全開にした。

そして、その結果、惨事になってしまったのだった。

「うわっ、もうなにやってんだよ、なんで急に窓開けるんだよ。バカヤロー。柱が飛んだだろ、柱が。閉めろ、窓！　ほら早く閉めろって」

怒鳴られて固まってしまった牧子の代わりに克子が素早く動き、すみませんすみません、ごめんなさいごめんなさい、を連発しながら、窓を閉める。

ごつい身体を器用にかがめて机の下にもぐりこみ、散らばった柱を拾い集めているのは、週刊デイジー編集部の綿貫誠治《わたぬきせいじ》だった。別冊デイジーと週刊デイジーは同じフロアを分け合って使っているが、共用部分がかなりあって、空いているところは好きに使える。とはいうものの、よりにもよってこんなところに綿貫誠治がいるとは思わなくて、克子も謝りながらあわてて、柱をいっしょに探しだした。ようやく牧子もなにをすべきかわかったようで、克子に倣《なら》って、床に四つん這いになった。

「あの、柱って、これですか」

と、ぴらぴらした細長い紙を克子にみせる。

「そうそう。それ、みおぼえあるでしょ、漫画の横の」

「ああ！」

うれしそうに牧子が声をあげる。

綿貫誠治が途端に顔を顰《しか》め、牧子を睨《にら》んだ。

「あっ、あの、綿貫さん、すみません！　窓開けてって頼んだの、わたしなんです。わたしのせいなんです」

「いいよ、もう」

「まさか綿貫さんがこんなところで作業していると思わなくて」

「だから、いいって。集めたらこっち渡して。うちの編集部、いま、たいへんなんだ。知ってるか、昨日の夜中、明石《あかし》さん、原稿受け取ってタクシーで戻ってくる途中、後ろから追突されちゃって」

ええーっと驚く。

「原稿は無事だったんだが、そのまま入院した。命に別状はないが、数日は出てこられそうもない。ってことで、漫画班は、その煽《あお》りをくって、いま大忙しなんだ」

柱を束ねて、ひらひらさせる。

「そんなことになってたんですか」

「なってた。なってる。現在進行形。おれ、このあと、原稿の受け取りに行かねばならんのだが、その前にこっちも急ぎでやらねばならなくなった」

週デ編集部はいつでもあわただしいが、いわれてみれば、今朝はなんとなく、いつもより人が多いような気がしたし、ざわついた空気が感じられた。とはいえ、別デと週デは別の編集部なので克子にはそれ以上のことはわからなかったのだった。

「別デも、校了近いよなあ。忙しいよなあ」

「ですねー。月末校了、ですから」

「だよなあ。そっちのきみはええと、経理の子だよね。きみはいま、忙しいの？　手が空いてたら、ちょいとばかしこれ貼るの手伝ってくれると助かるんだが。お詫《わ》びの証《しるし》に」

「お詫びの証に」

辰巳牧子が鸚鵡《おうむ》返しにいって、きょとんとしている。

まあ、たしかに、お詫びの証は催促されるものではないだろうが、ここはもうこの子を差し出すしかあるまいよ、と克子は思い、牧子に手伝うよう、促した。

「え、わたしが？　やれますか、わたしが」

「やれるやれる。その細長いのをセメダインで貼っていくだけだから」

「かんたんかんたん。どこに貼るかはおれがいうから」

牧子が誠治に連行されていく。

きょとんとしたまま、とととと、と身体をやや斜めに傾《かし》がせて連れられていく姿はどことなく楽しそうにも見える。だからまあ、これでよかったんだろう、と克子は自分の仕事に戻ることにした。

漫画班。

週デの漫画班。

後ろ髪引かれる思いで克子は自分の席にすわる。

明石さんが入院。

人手が足りない。

そんな言葉をきくと。

だったら、わたしが。

そんな思いがむくむく湧いてきてしまう。

明石さんの代わりにわたしが。

抑えつけていた気持ちがもぞもぞと蠢《うごめ》きだしてしまう。

そんなの無理だとわかってはいるけれど。

そもそもわたしは週デじゃなくて別デの人間だし。

いきなり明石さんの代わりが務まるだけの経験値もないし。

引き継ぎもなしにやれることではないし。

それはもう重々承知していることではあるのだけれども。

いつぞや戸田育江に、わたしたちはどうして漫画のページをやらせてもらえないんですか、ときいたことがあった。漫画家の担当をやらせてもらえないのがなぜなのか知りたかったからだが、すぐさま嫌な顔をされた。カッコちゃん、わたしたちがやってる仕事だって、大切な仕事なのよ、わたしたちが担当しているページは、とってもとっても大事なページなんですからね、たとえば懸賞のページだって、子供たちの声を掬《すく》い上げる、別デの基盤になってるのよ、と諭された。それは克子だってよくわかっている。だからこそ真剣にやっている。でも。

克子は、読者のページ〈デイジールーム〉の校了紙に目を落としながら、ため息をつく。

この仕事にしたって、雑誌と読者を繋《つな》ぐ大切なページだ。わかっている。任せてもらってありがたいと思っている。だけど。

別デには戸田育江の他にも五年半前の創刊時からいる井森征江《いもりまさえ》という大先輩がいる。その少しあとに入った、戸田育江とほぼ同期の湯山登和《ゆやまとわ》という先輩もいる。

だが、誰も漫画家の担当はしていない。

別デは週デから派生した小所帯の編集部ゆえ、編集長と副編集長が要を担い、あとはこの面々——その一番下っ端が克子だ——が阿吽《あうん》の呼吸で回している。あらゆる仕事に精通しているし、というか、精通せざるをえないのだけれども、しかし、それなのに、どういうわけか漫画家の担当だけはまかせてもらえないのだった。

解《げ》せぬ、と克子は思う。

いや、はじめはそういうものかと克子も思っていた。

なにかきっと理由があるのだろう。

だが、だんだん、その理由とはなんだろう、と考えるようになった。担当をやれといわれれば、皆、今すぐにでもやれるだろう。そのくらいの実力は備わっている。そのうえ、克子がここへきてからの二年というもの、別デの部数はすばらしい勢いで増えつづけている。それにともない漫画のページ数もどんどん増えていっている。新人もどんどん育ってきている。編集長と副編集長だけが漫画家を担当する慣習をそろそろ変えてもいい時期にきているような気がするのだが。

週デ編集部のようにはっきりと班に分かれていないぶん――週デで漫画を担当するのは漫画班の人たちで、それは男の編集者のみで構成されている――、変化は容易《たやす》いように思うのに、そうならないのが不思議だった。

克子は普段から漫画家の先生のところへ原稿を取りに行かされていたし、先生方が編集部にくればお世話をすることもあったし、顔をあわせているうちに、それなりに親しくなる人もいるにはいたが、しかし、どれほど親しくなろうとも、打ち合わせに同席させてもらったことはこれまで一度たりともないのだった。漫画の原稿を入稿したり、校了までの仕事は当然のように任されているのに、いったいなぜ。克子は、だから、小柳さんたちが、漫画家の先生方と、作品について、どのように話し合っているのか、一切知らない。彼らが、どのような提案をして、どのようにそれが採用され、芽吹いて新しい作品に繋がっていくのか、克子には皆目わからない。知りたくても知れない。もちろん、克子の意見や提案が漫画家の先生に伝えられることもないし、それを求められてもいないのだった。

いいじゃないの、カッコちゃん、そんなことべつにできなくったって、ここはじゅうぶん、いい職場よ、働きがい、あるでしょう、と戸田育江はいう。すっかり納得しているようでもあったし、別段それ以上望んではいないようでもあった。

わたしはね、日々、お稽古事で忙しいの、だから、これ以上働きたいとは思わないな。

細長い外国製のタバコをほっそりとした指で弄びながら、戸田育江は断言する。学生時代の友人たちが、すぱすぱと男勝りな感じで吸っていたのとちがって、戸田育江はじつにエレガントに吸う。克子はそれに少し憧れる。

だって、カッコちゃん、担当なんかうっかり持たされてごらんなさいよ、お原稿をいただくまで気が気じゃないわよ、おちおちお茶なんて点《た》てていられなくなっちゃう、わたし、それは困るのよ、高いお月謝払っているんですもの、仕事は休めてもお稽古事は休めませんことよ、おほほほほ、なんて冗談めかして笑うのだが本心なのだろうか、と克子は疑っている。たしかに育江はお茶だのお花だのと、かなり熱心に習っているようだし、腕前もかなりのものだときくが、それにしたって、長年この編集部にいて、漫画の担当を持ちたいと思わずにいられるものなのだろうか。彼女のように能力の高い人なら尚更、それを望まないのはむしろ不自然ではないのか。

校了紙に目を落としながら、そんなことばかり考えていたら、小柳さんに呼ばれてしまった。

「おーい、西口さん、ちょっといいかい」

はっとする。

ぜんぜん仕事に身が入っていなかった。遠目からでもそれを見透かされたのだろうか、と、あわてて姿勢を正し、立ちあがろうとしたら、小柳さんがすたすたと先にやってきてしまった。

「きみは、今、なにしてるの」

「えっ。あっと、デイジールームの最終チェックを。読者の名前の確認を」

作業がろくに進んでいなかったので声がふわふわしてしまう。

「そうか。じゃあ、手、空かないか」

「え、いえ、空けられますが。なにか?」

「ちょっとね、辻内《つじうち》さんをみてきてはくれまいか」

「辻内さん」

「電話してみたんだが、どうもよくわからなくてね」

「もしかして、またですか」

「うん、まただ」

「風月館《ふうげつかん》」

「そう」

「あー」

小柳さんと顔を見合わせる。言葉はなくとも、お互いの胸の内はなんとなくわかる。小柳さんが口角を少しあげて、笑顔らしきものを作った。いやいやいや。そんなの、笑顔じゃないから。そもそも眼鏡の奥の目が笑っていない。克子を安心させるためかもしれないが、苦笑にすら見えない。そのちぐはぐな感じにうっかり笑いだしそうになって、克子はあわてて唇をひき結んだ。

辻内ゆきえの原稿はたいてい遅れる。

遅れるどころではないほど大幅に遅れる。

まだデビューして三年に満たない新人だが、これほど遅れる漫画家は見たことがない、というほど激しく遅れる。あおりを喰ってしゃかりきになって働かされるのは克子たちだから、のんきに笑ってなんぞいられない。

もちろん遅れることを見越してこちらも先回りして動いているわけだが——近くの旅館、風月館に彼女を缶詰にして描かせているのもその一環——、それでもかなり厳しいところにまで追い込まれることがままあって、克子たちは戦々恐々としている。なにしろ辻内ゆきえは、小柳さんが差配して印刷所その他を、なんとかぎりぎりのラインでコントロールしているにもかかわらず、新人らしからぬ豪胆さでしれっと描き直しをしていたりするからやっかいなのだ。

今回は、ネームの段階でページ数が少し増えていた。どうしても収まり切らなくなった、といいだしたからで、それが許されたのは、増やせば明らかに面白くなると小柳さんが判断したからだろう。ネームの段階ですでに遅れているのだから、今回もまた遅れるのは、当然といえば当然なのだった。

「まずいですね」

「うん、でも、まあ、とりあえず進捗状況を把握して、知らせてください」

すたすたと去っていく。

それほどあわてているようには見えない。

辻内ゆきえも豪胆だが、ある意味、この人も豪胆だな、と克子は感心する。

面白くなると思えば、この人は必ずそちらを優先する。それはもう潔いほど、はっきりしている。だからこそ、これだけ遅れるとわかっていても、毎月原稿を依頼し、描かせているのだ。ひとつでも別デに面白い漫画を載せようと、ただそれだけを念頭に、この人は毎月、綱渡りを繰り返している。

よく懲りないと思うが、懲りないというなら辻内ゆきえもまた同じで、頼む方も頼む方なら引き受ける方も引き受ける方、面白くなると思えば、彼女は必ずそちらを優先し、周囲の混乱や迷惑など二の次になってしまう。

やれやれ、と思いながら克子は机の上を整理し、やりかけの仕事を脇にどけた。風月館へいくなら、なにか差し入れを持っていくべきだろう、さて、なににしよう、暑いし、アイスクリームにでもしようか、どこで買おう、などと考えつつ、鞄《かばん》を探していたら、辰巳牧子が足早にやってきた。

「終わりました、柱」

わざわざ報告にきたらしい。

「あら、そう。かんたんだったでしょ」

「はいっ、とてもおもしろかったです。綿貫さんに、褒められました」

暑さのせいか、喜びのせいか、興奮のせいか、牧子の頬が紅潮している。

「そう。それは、よかった」

「はい。わたし、今まで、柱のことなんて気にしたことなかったんですけど、漫画の横には、あんなにたくさん柱が貼ってあったんですね」

「空いたスペースを無駄にできないからね」

立ちあがろうとするが、牧子はまだ動かない。

「別デの柱もありました」

「うん、あれは、こっちで作ってんの。代わりに別デには週デの柱がある。そうやって、お互い、宣伝しあってるんだな。新たな読者獲得のために」

牧子が、なるほど、という顔をして、うなずいている。

「広告じゃないのもありました。漫画の内容のことや、漫画家の先生のことや、いろいろ。これから漫画を読むとき、柱も読みます」週デは漫画の下に豆知識もありました」

「豆知識？　ああ。それなら別デにもあるじゃない。九月号は、月にまつわる豆知識。あ！　あなたの好きなアポロがでてくるかもよ」

「アポロ」

「好きなんでしょ、アポロ。アポロちゃん」

「それって八月号にもついてましたか」

「ついてたわよ。夏のちえ」

「夏のちえ」

牧子が顎に指をあて、ふうむ、と考え込む。

「思い出せた？」

「いいえ、ぜんぜん」

まじめに考え、まじめにこたえる様子に克子は吹き出しそうになった。

「あーあ、井森さん、がっかりだわね」

「井森さん」

「井森征江さん。ほら、うちの編集部に肝っ玉かあさんみたいな人、いるでしょ」

「肝っ玉かあさん」

「テレビでやってるじゃない、肝っ玉かあさん。あんな感じの人、井森さん。大先輩。わかんないかな。今は……あれ、どこいっちゃったかな、いないわね、ま、いいわ、そのうち紹介してあげる。あの人がね、ずっとやってんの。少しでも子供たちに新たな知識に触れさせようって」

へええ、と牧子が感心している。

「いや、少女雑誌にはね、もともとそういう伝統があるの。井森さんが長らくそれを担当してる」

克子は鞄を手に立ち上がった。いつまでものんびりおしゃべりしていられない。

「ということで、アポロちゃん、わたし、これから出かけなくちゃならないからさ、またね」

「はい。あのう」

「ん？」

「あのう、わたしがさっき貼った柱、次の週デに載るんですよね」

「え、そりゃ、載るわよ。あたりまえじゃない。そのためにあなた、貼ったんでしょう」

「ですよね。わたしの貼った柱、週デに載るんですよね」

うれしそうに笑っている。

克子は虚《きょ》を衝《つ》かれた。

雑誌に載る。

それがうれしいのだ。

載る、といったって、あれは牧子が作った柱ではない。そんなの、一本もない。牧子はただ、すでにできあがっている柱を漫画の端に、綿貫誠治の指示どおりに糊《のり》で貼っていったにすぎないのだ。誰が貼ったかなんて、そんなもの、誰にもわかりゃしない。それなのに、なぜこの子はこんなにもうれしそうな顔をしているのだろう。

にこにこしたまま、ぺこり、とおじぎをして牧子が自席へ戻っていく。

どう捉えたらいいのかしばし克子は迷い、そのくせ、その後ろ姿がひどくまぶしく感じられたのだった。

少なくとも、あの子にとって、柱を貼るという作業が楽しかったのはまちがいなさそうだ。

柱なんて、面倒なだけだ、と近頃とみに、短時間でやっつけていた己の態度を顧みて、恥ずかしさを感じてしまう。柱なんてそう重要でもないし、時間に追われていると、正直、どうでもいいや、と思いがちになる。たいして吟味もせず、てきとうな文言に逃げてしまう。

でも、そうか。

あの子はそれをあんなにもうれしそうに貼ってくれたのか。

たしかに、以前の克子は、楽しく柱の文言を考えていた。読者の興味を次号へ誘う引き柱なんてとくに。そうしてそれが楢橋《ならはし》さん――小柳さんの前の編集長――に褒められると嬉しくもあったのだった。すっかり忘れていたけれど、柱の書き方を教わったばかりの頃は、自分なりにどういう文言が効果的か、いろいろ研究してみたりもしたものだった。いつしか、たくさんの仕事のうちの一つとして克子の中で埋没していってしまったが、そういえば……と脇にどけたばかりの校了紙に目をやる。

デイジールーム。

ここにも雑誌に関わろうとする子供たちがたくさんいた。

スタイル画や似顔絵。

替え歌や笑い話。

お便りコーナー。

文通相手募集コーナー。

毎月毎月、熱心に投稿してくる子供たち。

ほんとうに膨大な数のハガキが送られてくる。

中には常連もいる。

稚拙なものから、やや大人びたものまで。

大半は不採用でおわりだが、それら一枚一枚にさえ、いうにいわれぬ味わいがあった。

この子たちも、自分の作品が取り上げられたり、自分の名前が雑誌に載ったりするのが、きっと喜びなのだろう。いや、載っても載らなくても、どちらでもいいのかもしれない。雑誌に関われるだけで楽しいのかもしれない。

克子は、辰巳牧子を通してこの子たちの熱意と情熱に、ふいに触れた気がしたのだった。

吊り革につかまり、車窓を流れる景色を眺めながら、綿貫誠治は考えていた。

あの子の名前はなんというのだろう。

こっちの都合で、急ぎの仕事を手伝うだけ手伝わせてさっさと出てきてしまったが、きちんと礼を伝えていなかった、と電車に乗り換え、一息ついて、ようやく誠治は気づいたのだった。

アポロちゃん、とかなんとか、西口克子は呼んでいなかったか。

「アポロちゃん、手伝ってあげなさいよ」

そんな言葉をきいた気がする。

それがあの子のあだ名なのだろうか。

アポロといえばこの時節柄、月着陸をやり遂げたアポロ十一号を連想せざるをえないが、それとなにか関係があるのだろうか。

わからん。

吹き出す汗をなだめようと内ポケットにいれていた扇子を取り出しぱたぱたと風を起こしながら、誠治はわからん、と今度は声に出してつぶやいていた。目の前にすわる客にちらりとみられた気がして、誠治はごまかすように咳払いする。

わからん。

ああ、そうだ。

わからんわからん。

心の中で声をあげる。

わからんといえばわからんことばかりだ。

まったくもう、なぜこうもわからんことばかりなのだろうか。

漫画班に配属されてからというもの、誠治は、わからん、わからん、と思いながら、仕事している。

その心許《こころもと》なさといったら。

いや、もちろん、まるでわからないというわけではない。

ある程度はわかる。わかっている。わかっているつもりだ。とりあえず日本語で書かれているのだし、もともと小説はよく読む方だし、読解力もそれなりにあると思うし、まあ、それで魔がさして出版社なんかの試験を受けてしまったわけだが――そして運良く受かってしまったわけだが――、まさか少女漫画誌の編集部で働くことになるとは思ってもみなかった。

少女漫画。

瀬戸内の海辺の町で、男兄弟しかいない家で育ち、高校は男子校、大学は男子寮、少女漫画に触れる機会など、ついぞなかった田舎者の自分がなんでまた、このような都会の出版社で少女漫画なんてものを仕事にすることになったものやら。

運命の皮肉に笑い出したくなる。

それでも、まだ活版班にいた時はよかった。

週デにきて、はじめは、活版班で記事ものを担当していた。取材先へいって話をきいてまとめたり、ネタを拾ったり、企画を出したり、とくにやり方を教えられたわけでもなかったが、編集部にくるや否や、有無をいわせず、いきなりページを任されてしまったので、ともかく見よう見まねで動いているうちにコツを摑《つか》んだ。事件記者のごとく飛び回り、出張の多さと締切のキツさに音を上げつつも、記事を作りつづけるのは存外楽しかった。少女向けを意識しろといわれて初めの頃は戸惑いもしたが、そうはいっても恐い話や不幸な話など思った以上に受けるし、多少硬めの文章や表現にもついてきてくれるし、少女というのはわりあいなんでも楽しんでくれるものなのだな、とだんだんわかってきて、次第に伸び伸びと、好きにやるようになっていった。評判も悪くなかったし――といってべつだん良くもなかったのだが――、大きな失敗もなかったし、ひそやかな自信も持ち始めていた。

ところがこの春、活版班から漫画班へ配属がかわり、その途端、その自信が木っ端《こっぱ》微塵《みじん》に打ち砕かれてしまったのだった。

わからん。

少女漫画の良し悪しが、誠治にはどうにもよくわからないのだった。

いくら読んでも、どれもこれも似たようなもの、としか捉えることができない。甲乙もつけられない。これから人気になりそうなものの予想もできない。よいといわれればよいと思うし、いまひとつだといわれればたしかにいまひとつのような気がする。他人の意見に左右されまくりなのだ。

それでも担当は持たされるし、仕事としてどうにかこなしてはいるものの、手応えは一向になかった。どこをどう評価すべきか、確信が持てないままなのだから、担当する漫画家とのやりとりもどこか空疎《くうそ》になってしまう。

漫画班のみんなで遊びがてらやっている読者アンケートの結果予想もことごとくはずれた。

ワタちゃん、まだまだやなあ。ちっともあたらんなあ。先輩方にいわれると悔しかった。

先輩方はいったいどこをみて判断しているのだろうか。どうしてあんなにも的確に予想できるのだろうか。真似したくとも、どこをどう真似ればいいのか、誠治にはわからなかった。暇があれば近所の雀荘で麻雀ばかりしている同期の武部《たけべ》でさえ、そこそこ当てているというのに、なぜ自分は当たらないのだろう。わからん。武部はずっと漫画班にいるから経験の差なのだろうか。時間が経てばそれなりにわかってくるものなのだろうか。ろくに風呂にも入ってなさそうな、タバコばっかり吹かしている、あんな薄汚い不潔野郎に少女漫画が理解できて、なぜ自分にはできないのか。わからん。

ばかをいえ、おれだって風呂くらい入ってるし、麻雀ばかりやっているわけではない、と武部はいうが、少女漫画から程遠い人間であることはひと目でわかる。それなのに。

「綿貫さん、毎度はずしてるんだってね」

この間、香月《こうづき》美紀《みき》にまでいわれた。

「わたしが教えてあげよっか」

あの見下すような態度。

「わたしなら、当てられるよ」

「ふうん、そうかい」

「週デは、かんたんだもん。別デより当てやすいじゃない。わたしの予想、知りたい？」

余裕綽々《よゆうしやくしやく》の態度でそれだけいって香月美紀はいなくなった。

え、なんだよ、そこでいなくなるのかよ、おいっ、なんだよもう、わかってんなら予想、いってけよ、もったいぶるなよ、と忌々《いまいま》しい気持ちになるが、すぐに誠治はうなだれる。

武部にいわせると、香月美紀は漫画の目利きなのだそうだ。

ひょっとしたら、あいつは漫画班で我々と互角にやれるだけの力はあるかもしれんな、といってはいるが、たとえそうであったとしても漫画班は男がやるものと決まっているので、香月美紀は漫画班に入れない。そこになんらかの屈託があるのだろうか。といって、グラフ班で、グループサウンズの芸能記事なんかを楽しそうにやっているのだから、屈託といったってそうたいした屈託でもあるまいよ、と誠治は思うが、ならば、なぜ、あいつはわざわざ、ああいう、むかつくことをいうのだろうか。わからん。もっと素直に我々を補佐してくれてもよさそうなものではないか。ったく、わからん。

そこへいくとさっき柱を手伝ってくれた経理の女の子はじつに素直だった。嬉々として指示に従ってくれた。なぜ香月美紀には、ああいう素直さがないのだろうか。女だてらに大学まで出て、嫁にもいかず、こんなところでうろちょろと、男勝りに働きつづけていると、ああなるのだろうか。わからん。

電車を降りて、誠治はてくてくと歩き出した。

タクシーに乗りたいが、それほどの距離ではない。

炎天下を歩く羽目になって、すぐに汗がふきだしてくる。背中にシャツが張りつき、ズボンにもじっとりと汗が染みてくる。気持ちが悪い。喉も渇いた。どこかで一服したい。だが、あいにく、そんな暇はない。

唐津《からつ》先生のところへいって、読み切りの原稿をいただいたら、すぐに編集部へ戻らねばならない。できているだろうか。

できているはずだ。

昨日、明日取りにきてくれと電話がかかってきたのだから、まず大丈夫だろう。

唐津先生はわりあい締切を守ってくれる方だときく。

とはいえ、まだ唐津先生の担当になって日が浅いので、安心しきってはいない。とくに今回の読み切りはページ数が多いし、ぎりぎりのタイミングになってきているので、ひやひやものだった。

唐津先生は忙しい。

ふつうに忙しいのではない。途轍《とてつ》もなく忙しい。

週デだけでなく別デでもほぼ毎月読み切りを抱えているし、うちでもついこの間、連載を終えたばかりだ。秋からは、また新たな連載を始めていただくことになっている。それだけでもじゅうぶん忙しいのに、新連載がスタートする前に無理をいって読み切りを一つ、お願いした。その途中で誠治が担当を引き継ぐことになったのだが、そのせいでいくらか時間のずれが生じてしまい、催促が遅れた。別デの原稿が順調に進んでいなかったら、こちらも危うかったろう。

それにしても、二十歳そこそこの女の子がよくもまあ、これほど過密なスケジュールをこなしているものだと感心する。女工哀史ならぬ少女漫画家哀史だ、などと冗談の一つもいいたくなるほど、働き詰めに働かされている。

とかいいつつ、働かせているのは我々なのだが、唐津先生の場合、別デと週デで調整はしているものの、どちらも原稿を熱烈に欲しがっているのだから致し方なかった。別デの担当は小柳さん——今や別デの編集長——で、唐津さんは別デの漫画スクール出身なのだから、別デで描くのは当然、との考えだし、うちの沖《おき》さん——漫画班主任で唐津担当の前任者——も、唐津さんはデビューの時からうちにもずっと担当がいて、関係性ができているんだから別デに遠慮することはない、と一歩も譲らない。その結果、やたらぎゅうぎゅう詰めのスケジュールになってしまう。

新任の誠治が口を出せることではないので、黙って従うのみだが、どれほど過密なスケジュールになろうとも担当となったからには原稿をいただかなければならないわけで、気が気でなかった。読み切りならまだしも、連載ともなれば、さぞかし胃の痛む日々になるだろう。

その連載についても、そろそろ時期や回数など、詰めていく必要があった。

さいわいなことに、誠治は唐津先生の漫画がわかる。

わかる、と胸を張っていえる数少ない漫画家の一人で、唐津先生の作品を心から面白いと思うし、うまいと思うし、いつも楽しく読める。

まあ、そうはいっても、そもそも唐津先生の漫画がわからん、つまらん、なんていってる輩《やから》は編集部広しといえども、一人もいないのだから、誠治がとくに優れているわけでもなんでもなく、しかし、それでも堂々とわかるといえたことが大きかったらしく、それならおまえやれ、と主任になって忙しくなった沖さんに突然、後任をまかされたのだった。

その引き継ぎで、ご挨拶がてら一度だけ会わせていただいたが、誠治はなんとなく、唐津先生とはうまくやっていけそうな気がしていた。一緒に仕事ができるのが楽しみでならない。

今回いただく読み切り原稿はただ受け取るだけの仕事だが、次の連載からはともにやっていくことになる。いい連載にしたい。あわよくば人気連載にしたい。

誠治としては、ここを突破口にしたかった。漫画班へきてからというもの、絶えず靄《もや》のようにうっすらとまとわりついている心許なさ、自信のなさから、そろそろ脱却したかったのだ。そのきっかけになるんじゃないか、きっかけにするのだ、と自分で自分にいいきかせていた。

きっとうまくいく。

ようし。

唐津先生の住むアパートの前で、誠治は気合を入れた。

今回の原稿が無事いただけたら、そろそろ新連載の打ち合わせをしたい旨、お伝えしよう。お時間をどこかでいただきたいとお願いしよう。別デの締切でこの先もずっと忙しいのは承知しているが、飯でも食いながらゆっくり話せたらいい。なんとかして、約束を取りつけたい。

と、そこまで思った瞬間、誠治は自分が手ぶらだと気づいた。

はっとして手元を見るが、見たところで、手ぶらは手ぶらだ。なにもない。あーっと思いながら両手を開く。初めて原稿をいただきにあがったというのに、なんたる失態。

嗚呼《ああ》、と天を仰ぐ。

朝から明石さんのことで慌ただしく、時間に追いまくられていたため、そこまで気が回らなかった。

嗚呼……。

うなだれながら、誠治は、アパートの外階段に足をかけた。

いかんいかん暗くなるな、暗くなるな。

明るくだ、明るく明るく。

叱咤《しった》しながら誠治は階段をのぼる。

せめて明るく。せめて明るく。

誠治はちょっと笑ってみた。

わざとらしくならないように笑うのはとても難しかった。

3

なんでわかんないのかなあ、と香月美紀はふしぎに思う。これはいい、これはかわいい、これはおしゃれ、そういうのはもう、理屈じゃなくて一発でわかる。直感でわかる。わかりすぎるくらい、わかってしまう。一目みれば、あるいは一読すれば簡単にわかってしまうので、逆に理由をいえない。

「だからだめなんでしょうか」

藤原修子《ふじわらしゅうこ》にきくと、

「理由をいえたからって、それがなんだ、っていわれるのがオチだと思いますけどね」

にべもない。

週デ編集部の大先輩、ひとまわり年上の藤原修子は、ずけずけものをいう。美紀を甘やかしてくれない。でも、そこがいい。ききにくいことをきいてもどこにも忖度《そんたく》せず、ずばりとこたえてくれる。さっぱりしているし、裏表のない、じつは心根のやさしい人なので話しやすい。

美紀は去年、大学を出て、嘱託《しょくたく》として週デ編集部に潜り込んだ。他社を含め、女性編集者の正規の採用枠はほとんどなく、あっても、なにしろ狭き門で、知り合いの知り合いの知り合いと伝手《つて》を辿《たど》っていって、ようやく週デに雇ってもらえたのだった。

週刊デイジー！

美紀は少女漫画が大好きだ。

だから願ったり叶ったりの職場だった。

いろいろやってみたかった。

少女たちの喜ぶ雑誌を作りたかったし、新しい挑戦もしてみたかった。美紀が力を発揮できる余地はまだいくらでもありそうに思えた。

夢いっぱいの船出だった。

けれども、働きだしてすぐに、美紀は幻滅することになる。

美紀が雇われたのは、芸能記事の担当を補佐するための人員に過ぎない、とわかったからだった。どうあがいても他の仕事をやらせてもらえない。その溝は埋め難く、編集部の男の人たち——さすがに美紀の立場で編集長や副編集長への直訴は躊躇《ためら》われた——に訴えてみても無駄だった。そのうえ、そんなあやふやな、いってみればアルバイトみたいな立場ながら、芸能事務所やレコード会社、テレビ局へもいったりするわけで、やりにくいったらありゃしなかった。それぞれが揃いも揃って癖が強いし、おまけに注文も多い。あちらをたてればこちらがたたず、こちらをたてればあちらがたたず、その反面、かなりいい加減というか適当というか、なあなあというか、おろおろしつつ、ハプニングなどにも瞬時に対処せねばならず、気苦労の絶えない仕事なのだった。合間に若い歌手やタレントからぼそぼそと愚痴をきかされたりもしたし、たまには相談を持ちかけられたりもしたし、そうして、ついうかうかと親身になってこたえようものなら、すぐさま決まって、余計なことをしてくれるなとマネージャーに詰め寄られたりいじわるをされたりする。

うんざりした。

やってらんない。

この気持ちを誰かにぶちまけたい。

しかし、美紀のような立場で編集部へ出入りする者――正式な社員ではなく、個別契約で働いている者――は、ちらほらいても、編集部に常駐していないので、すれ違いになりがちで、それに短期間で辞めていく人もけっこういたから、なかなか親しくなれなかった。連帯することなどままならず、だから、悩みを打ち明けられる人も、相談できる人もなく、美紀はつねに孤独だった。

隣の別冊デイジー編集部には、美紀と似た境遇で働く女性もいるが、編集部が別だとどうしても近づきにくい。別デはライバル誌というわけではないが、週デと競い合っているという面があるにはあるので、やはり、そこにはけじめが必要。

となると、美紀が心やすく話せるのは、週デ活版班の藤原修子だけなのだった。

藤原修子はベテラン記者だ。

美紀のような曖昧な立場ではなく、女性ながら、正式な記者、というか編集者として、ここで働いている。

女性週刊誌を振り出しに――しかし、その雑誌はわりとあっけなく潰れてしまったそうだが――、創刊直後の週デ編集部にきて以来、長らく紅一点で奮闘している。男たちばかりの職場で、彼らに擦《す》り寄るわけでもなく、上の人間に媚《こ》びるわけでもなく、かといって孤高というわけでもなく、独特の存在感でその一角を占めている。軽々しい扱いもされていないし、それどころか若い男の人たちからは、一目置かれているようでもあった。

こういう女の人が編集部にいてくれてうれしいと美紀は思ったたし、腰掛けではなく、長く働くことをめざしている美紀にとって、憧れですらあった。

いろいろ学びたいと思うし、教えてほしいと思うし、だから尊敬と親しみをこめて、修子さん、と美紀は呼ぶ。

はじめ藤原修子は、あなたみたいな若い女の子がわたしに懐いてくるのは珍しいわね、と怪訝な顔をしていた。

そうですかね、でも他に話し相手もいないし、とお菓子の箱を持っていく。取材先からのいただきものなんですけど、おひとついかがですか、おいしそうでしょう、なんていいながら蓋をとると、修子はあら、ほんと、おいしそう、とすぐに手を伸ばしてくる。食いしん坊の修子は、とくに、おいしいお菓子には目がない。美紀に警戒はしていてもお菓子に警戒はしない。そこにつけこみ、ついでになにか飲み物でも持っていけば、一緒におやつの時間になる。自然と話をするようになった。

「あなた、そろそろ一年におなりになる？」

きかれて、美紀はうなずく。

「一年と少しですかね」

「グループサウンズの子たちと仲がいいんですってね」

「え、いやいや、そんな。仲がいいってほどでは」

「なんとかってグループの子たちとお友達みたいに話してるって、ききましたよ」

修子はあんがい地獄耳なのである。

「あーと、ええ。うん、それは、まあ、そうですね。よく顔を合わせるんで、それに歳も近いし、だんだん打ち解けて話すようにはなりますね」

「うるさい人たちもいるでしょう。やきもちやく人も」

「いますね。もう、そういう人だらけですね。うさんくさい人もいっぱいいるし。あ、そうだ、いやらしい人もいっぱいいるんです。わたし、エッチなことしてきたやつがいたら、すぐ蹴飛ばしてやるの。そうすると、あいつは凶暴だ、って噂になるから、みんなおとなしくなる」

修子が、あははは、と大きな口を開けて笑った。

「あなた、初めっから、ずいぶんお上手にやってらしたものね。芸能界って、なかなか難しいところだから、向かない人にはとんと向かないものだけど、あなたは平気そうだった。度胸がいいのね」

美紀のまとめた記事も褒めてくれた。

「読む人のことをちゃんと考えてる」

それは美紀がいつも気にしていることだったので、修子に褒められてとてもうれしかった。

女の子たちが楽しく読んでくれたらいい、美紀は、つねにそう考えていた。この芸能人のファンだけでなく、さほど興味のない人にも、あ、いいな、と思ってもらえるような記事にしたい。どうすればそうなるのかわからないけれど、自分なりに試行錯誤をつづけていた。

藤原修子はよくみてくれていて、ああいう記事はよくない、ああいう企画はよい、と率直な意見をくれる。

美紀自身、それほど芸能人に興味がある方ではないので、どこかしら、自分を奮い立たせてやっている面があって、奮い立たせすぎて、わざとらしくなっていないか、バランスを取るうえで、修子の意見はとても参考になった。

修子さんは芸能記事、やったことないんですか、焼き菓子を食べながら、あるとき、ふときいてみたら、意外や意外、修子は、ある、とこたえた。

えっ、あるんですか、と驚くと、すました顔で、ありますよ、スターの取材とか、前はたまに行かされてました、という。昔はね、編集部の人数が少なかったから、芸能も読み物も実話もみんな一緒くたで、なんでもやらされたものよ、と修子も焼き菓子をばりばり食べながらいう。

だけど、ここ二、三年で、スターがぐっと若返ったでしょう、グループサウンズなんてものが出てきて、若い子が、わあわあきゃあきゃあ、趣がすっかり変わってしまって、それでこの際、記者も若返ったほうがいいって、あなたみたいな若い人に手伝わせるようになったのよ、と教えてくれた。

「へえ、そうなんですか」

「グループサウンズなんて、よくわからないもの。まあ、わからないっていうんなら、編集部の男連中、みんなわからないだろうけど」

「あの人たちよりは修子さんのほうが断然わかるんじゃないですか」

「いいえ、そんなことありません。ちんぷんかんぷん」

きっぱりしている。

「だから、あなたみたいな方がやはり適任」

「そうですかねえ。でも、修子さん、わたしは、芸能記事より、漫画がやりたいんですよ」

と、美紀はいってみた。

「漫画ねえ」

「修子さんは、漫画の担当、したことないんですか」

「ない」

やはり、きっぱりしている。

「やりたいと思ったことは」

「ない」

「ないんだ。それはどうしてですか。身の上相談とか、占いとか、特集記事とか、そっちの方が楽しいからですか」

「あなたね、楽しいとか楽しくないとか、そんなことで仕事してるわけじゃ、ありませんよ」

ぴしっといわれて、美紀は思わず首をすくめ、すみません、と謝ってしまった。

「あなたは、戦後の生まれかしらね」

「はい。戦後すぐの生まれです」

「そうよね。もう戦後生まれの方が働く歳になってるのよね。わたしたち戦前に生まれた人間とは、やはりどこか、考え方がちがうのかもしれないわね」

そうして、修子は、教師になりそこねた身の上をさらりと語った。わたしたちの頃は、大学を出た女が働ける場所が今よりずっと限られていてね、というより、ほとんどなくてね、先生にでもなるのが順当というかな、それくらいしかなくて、それがまあ、まともな道ではあったんだけれども、どうもわたしは向いてない気がして、んー、ですけど、そうはいっても、もう大学まで出てしまったでしょう、働かないわけにはいかないし、それでいちおう、少しだけやってみたんだけど、やっぱり、先生にはなれないなあ、と思って、うろうろしてるうちに見つけたのがここの記者募集の記事だったの。女性向けの雑誌を創刊するっていうんで募集をかけててね、うまいこと試験に受かって、それで先生になるのはやめてしまったんだけど、その雑誌はじきに潰れてしまって、まあね、うすうす潰れそうだなとは思ってたんだけど、案の定、潰れちゃって、あーたいへんだ、どうしよう、って、そこで馘《く》首《び》になってもおかしくなかったんだけど、わたしは運良くここの編集部に拾ってもらえて、それで皮一枚になってた首が繫がったというわけ。どうして拾ってもらえたのか、詳しいことはわからないけど、まあ、おそらく、ここも創刊したばかりで人手は足りないし、少女向けの雑誌だから男の人だけではやりにくい仕事もあるし、そういうのをあいつにやらせちまおう、って、そんな感じだったんでしょう。おかげで、わたしは路頭に迷わずにすみました。大袈裟《おおげさ》じゃなくてほんとうに。そりゃあ、だって、そんな歳になっていきなり放り出されてごらんなさい、いったい、どこで働くっていうの。途方に暮れて、先生にならなかったことを悔やんでいたかもしれないわね。ほんとうにね、あのとき、ここを辞めてしまった同僚の記者の女の人たちも何人かいたの。辞めてしまった、というか、辞めざるをえなかった、というか。ほとんどの人が辞めてしまった。あの人たち、今頃どうしているかしらね。いい仕事、見つかったかしらね。幸せに暮らしているといいけれど。そんなね、あなた、楽しいとか、楽しくないとかいってられなかった。

しずかにきいていたら、

「でもね」

といって、美紀をじっとみる。

「ほんというと、まあ、この仕事は楽しいわね。ちょっと病みつきになるところ、あるもの」

「ですよね」

「あなたは漫画がお好きなようだから、どうしてもそれを上に見てしまわれるようだけど、週刊誌にとって、漫画はたくさんある読み物のうちの一つ。上も下もないんですよ。ああ、別デはべつですよ、あちらは漫画ばかりを集めて新しい雑誌を作ろうって創刊したんだから。でもうちは総合週刊誌ですからね、漫画だけが特別ではないんです」

修子はそういって、美紀をなだめる。

修子になだめられると、美紀も少しはそんな気持ちにもなる。

けれども、編集部で、漫画班の男の人たちの会話をうっかり聞いてしまおうものなら、もうだめだった。ピントはずれなことをいう人が一人でもいると、むらむらと腹が立ってくる。なんでわかんないかなあ。そんなの、すぐにわかるじゃないの。わかんないほうがおかしいじゃないの、といらいらしてくる。あまりにもわかっていないことをいってるやつがいると、もどかしくて泣きそうな気持ちにすらなった。

とくに、あの綿貫誠治。

綿貫誠治のとんちんかんぶりは驚きですらあった。あの人を漫画班にしとくより、わたしを漫画班にしたほうがよくないですか、こっちに入れてくださいよ、と、つい、またしても、よけいなことを口走ってしまった。

武部俊彦《としひこ》が眠たげな目をこちらに向ける。

美紀は武部俊彦が近くにいると失言しがちだ。いや、もしかしたら、失言したふりをして、いいたいことをいっているのかもしれない。

俊彦は、まあまあ、そうかりかりしなさんな、とゆったりとした動作でタバコに火をつける。ざりざりした無精髭《ぶしょうひげ》が目立つところをみると、昨夜は家に帰っていないのかもしれない。

わたし、かりかりしてますか、とむすっとした声をだしたら、してるしてる、目が三角になってる、といって、けけけ、と笑った。

武部俊彦の態度はいつでもおおむね横柄で、まったく心が込もってる感じがしない。ぞんざいだし、適当だし、見た目も中身も野暮天《やぼてん》で、洗練さのかけらもない。だが、それでも、ちゃんと反応してくれるだけで、美紀にはありがたかった。自分も編集部の一員だという気持ちになれるし、無視されるよりよっぽどいい。たまに漫画の話もした。漫画班の男の人たちの中で、美紀の相手になってくれるのは彼くらいなものだから美紀には貴重な存在だった。

武部俊彦は、ぷかりとタバコを吹かし、香月ちゃん、綿貫はさ、まだ漫画班にきたばかりの、これからの人物なんだからさ、ま、長い目でみてやってよ、と美紀をあしらうようにいう。武部俊彦と綿貫誠治は同期入社のはずだが、なにやら上司のような物言いだ。そうして、おお、そういえば、と、綿貫誠治が唐津先生の担当になったというおそろしい事実をついでのように明かしたものだから、美紀の頭が沸騰した。ええっ、ちょっと武部さん、綿貫さんなんかにやらせていいんですか、あの人、わかってないですよ、きっとなにかとんでもない失敗をしでかしますよ、そうなったらどうすんですか、美紀がぐいぐい詰め寄ると、はあ？　そしたらやつは、すぐに担当クビさ、そんなもんだよ、かんたんだ、とあっさりいう。だったらそのときは、わたしが担当しますよ、唐津先生、となお迫っていくと、俊彦は、ははは、と乾いた笑い声をたてた。そんな権限、おれにはないよ、と、これみよがしに煙を吹きだす。きみ、前にもそんなようなことといってたけど、おれらにいったってどうしようもないんだ、無意味だ。煙を顔に吹きかけられて、げほげほと咳《せ》き込んでいるうちに美紀は涙目になった。

きみねえ、はなはだしく誤解しているようだけど、漫画家の担当ってのは生易《なまやさ》しいもんじゃないんだぜ。ぶほーっと今度は煙を鼻から天井に向けて盛大に吐きだしていう。たしかにきみは、漫画がよくわかるようだし、いい読者なんだろう。それは認める。だが仕事となると話はまた別なんだ。楽じゃないんだよ。耐え忍ぶことも、そらあ多いよ。いやもう、耐え忍んでばっかだよ。待てど暮らせど原稿が上がらないときの、あの寒々とした心地。きみにわかるか？　頼むから早く描いてくれ、早く描けよ、って怒鳴り散らしたくなる、あの気持ち。わかるか？　どんなに苦境に立たされようとも、ただひたすら待つだけなんだぜ。だからって代わりに描けるわけじゃないしな。へたな口を出してへそまげられたら終わりだしな。むなしいよ。そんな仕事を、いくつも並行して抱えるんだぜ。漫画班にいるとな、時間がいくらあっても足りないんだよ。原稿いただくってのはな、そらもう、たいへんなんだ。しかもいいお原稿を、だ。少しでもいいお原稿を、だ。そのために汗水垂らして働くんだよ。おれの青春はなあ、原稿のために消えてなくなっていったんだよ。ああ、もう、ほんとに、おれの青春、返せーっておれは叫びたいね。週刊誌の漫画班ってのはな、それくらい過酷なんだよ。それにな、きみ、ひょっとして自分は女だから、漫画家の先生とは女同士、与《くみ》し易《やす》い、なんて思ってんだったら大間違いだぞ。大御所先生はもちろんのこと、若い新人の女の子だって、そこらへんの女の子とはちがうんだ。同じように見えて、やっぱりちがうんだよ。おれたちだって御《ぎょ》し難《がた》いんだから。きみになんかできやしないよ。難しいんだ。

そうなんだろうか。

そんなに難しいんだろうか。

与し易いとまでは思わないけど、通じ合えることは多いんじゃないか、と美紀は思っている。

編集部で見かける漫画家の先生たちは、美紀とそう変わらない年齢の女の子が大半だったし、美紀より、もっと年下の子たちも次から次へとデビューしていた。美紀には彼女たちがとても素朴に見えた。中学時代や高校時代のクラスメイトや、幼馴染や、部活仲間や、美紀のよく知るそんな誰彼を思いださせる、なつかしい面影がそこかしこにあった。

わたしはあの子たちのことがわかる気がする、と美紀は思う。

だって、あそこにわたしがいるもの。

言葉ひとつ、挨拶ひとつ交わしたことはないけれど、彼女たちの描いた漫画を読めば美紀にはそれがよくわかる。

わたしが憧れるものを、あの子たちも憧れていると思うし、わたしがときめくものに、あの子たちもきっと、ときめいている。

向かいの席の机の上に無造作に置かれたカラーページの原画——つい先ほど、美紀もつくづく眺めたばかり——を、立ったまま、うっとりと眺めている女の子がいた。

制服を着ているから、今月からここで働くようになった経理の辰巳牧子だとすぐにわかる。通りすがりに絵を見つけたのだろう。

「きれいでしょう」

思わず美紀が声をかけると、

「はい、とっても」

声までうっとりしている。

やはりそうなのだ。

理屈じゃないのだ。

わかるものはわかる。

それだけなのだ。

美紀だって、ここで働くようになって、初めてカラーページの原画を見たときは、印刷されたものとは別次元の美しさにおののいたものだった。心が丸ごと持っていかれてしまった。

それは美紀だけではない。

編集部に時折やってくる、漫画家志望の女の子たちも同じだった。

デビューしたばかりの新人漫画家。

まだデビュー前の、別デの漫画スクールで佳作をもらったばかりの子。

佳作さえもらえず、小さく名前が載っただけの子。

大半が学生だった。

高校の制服を着た子もよく見かける。

彼女たちが編集部に現れると、居合わせた漫画班の男の人たちが応対していた。彼らは彼女たちを決して邪険にしない。ちゃんと話をきく。原稿も見る。そうして、参考になれば、と、プロの漫画家の原稿や、カラーページの原画なんかを見せてやっている。

彼女たちは、皆一様に、あんなふうに——辰巳牧子はまだうっとりしたまま立ち尽くしている——漫画の原稿や原画に見入っていた。

あるいは目をきらきらさせて食い入るように矯《た》めつ眇《すが》めつ、何かを学ぼうとしていた。

どこが違うんだろう、と美紀は思う。

すでに漫画家になった女の子たちと、その卵たち。

漫画家や、漫画家の卵たちと、辰巳牧子。

そして、わたし。

外から見ていると皆そっくりに見える。

では、外からではわからない違いとはなんなんだろう。

もっと近づいてみたいと美紀は思う。それを知りたい、と美紀は思う。

だが美紀には、その術がない。

その術を手に入れる方策もない。

きれいだったなー、と帰り道、辰巳牧子は思い出していた。

目に焼きついているのは、桐谷晃子《きりたにあきこ》先生が描いた女の子の絵。先生が描いた、おそらく、それは、原画、というやつだった。

こちらを向いて、ふんわり微笑《ほほえ》む、長い金色の髪のお嬢さん。

ふわあ、きれいだったなー。

革のショルダーバッグ——紺色のころんとした形のそれは姉のお下がり——とはべつに社名の入った紙袋をぶらぶらさせながら、牧子はバス停へと急ぐ。

たった一日、働いただけなのに、なにやらぐったり疲れていた。

今日はやけにやる気がみなぎって、今までで一番よく働いた、といいたいところだけど、よく働けたのかどうかはわからない。でもともかくよく動いた、とはいえる。柱を貼る、なんて仕事もしてしまった。柱。あれは、柱というのか。今日、はじめてその名を知った。

なんか楽しかった。

アポロちゃん、なんて呼ばれてしまった。

アポロちゃん、だって。

急にそんなふうに呼ばれてびっくりしたけど、でも、なんかちょっとうれしかった。

小柳編集長にはまた漫画をもらってしまった。

古い別デの見本誌の残りだそうで、どうせゴミになるのだから持っていってもよい、と棚の隅の段ボール箱のことを教えてくれたのだ。いずれ処分される予定の段ボール箱の中身はぜんぜん整理されていなくて、同じものが複数冊あったりもするし、そもそも、こんなにたくさん持って帰れない、と困惑していたら、小柳編集長に指示されたらしい戸田育江が段ボール箱に〝重要〟という紙を貼ってくれた。ほらね、こうすれば、もう誰も捨てやしないでしょ、あなたの好きなときに、好きなだけ持って帰ったらいいわ、と社名の入った紙袋をくれた。でね、いらないやつはどんどん捨てちゃってほしいのよ。こういうの、すぐたまっちゃうから、邪魔なの。

そこからまずは三冊もらってきた。

その重みが牧子をうきうきさせる。

きれいだったなー、とまた牧子は思う。

桐谷先生ならではの、特徴的な形の輝きを持つ大きな瞳――だからすぐにそれが先生の絵だとわかる――、薔薇色の頬。ふっくらしたくちびる。

赤いリボン。レモン色のドレス。たっぷりとゆるーく巻かれた髪。

背景の花びら。折り重なる緑色の葉。

雑誌で見るのとはまた違って、そこには鮮やかすぎるほどの色のきらめきがあった。ちょっと見ただけで、ぱーっと華やかな気持ちになる。ふわーっといい気持ちになる。

「きれいでしょう」

といわれたら、

「はい、とっても」

というしかない。

あんなきれいなものが、あんなにもごちゃごちゃした汚ならしい机の上にぽんと置いてあるんだから、編集部って、ほんと、ふしぎなところだ、と牧子は思う。ああいうのって、なんていうんだっけ、掃《は》き溜《だ》めに鶴？　ああいうむさくるしい机をきちんと整頓して、なんなら机の上を雑巾掛けしたいと思うのだが、それは牧子の領分ではない。

出張費の精算に必要な書類が埋もれてしまって、探すからちょっと待ってて、なんていわれて、引っかき回しているうちにますます混沌としていく机の脇でぼんやり突っ立って見てたりすると、ちょっともう、わたしにやらせてください、と、うずうずするときもある。

でも、牧子はそれをしない。我慢する。

前任者の前川福美に、机の上のものを触ったり動かしたりしてはならない、と注意されていたからだ。あのね、経理のわたしたちには、どれが大事なものか、わからないでしょう、だから、へたに手を出したらだめなのよ。灰皿くらいなら、気になったらきれいにしておけばいいけど、紙にはなるべく触らないほうがいい。だって、なにかあったらたいへんだもの。やってくれっていわれたらやってもいいけど、いわれなかったらやらないほうがいい。わたしはずっとそうしてた。

だから牧子は桐谷先生の絵に触らなかった。

思わず手が伸びそうになったけど、ぐっとこらえた。

それでも今日、牧子は柱を貼った。

触っちゃいけないといわれていた紙に触っただけではなく、牧子はそれを手に作業をしたのだ。

はじめはどきどきした。

あの紙は校了台紙というものなのだそうだ。とても重要なものだ、ということくらい、教えてもらわなくたって牧子にもわかる。

雑誌に印刷されたものよりもずっと絵が鮮明だった。くっきりとした線の強弱まではっきりわかる。きれいだなあ、と牧子は思った。

雑誌ではたいして見ていなかった漫画のコマの中の背景までもが、くっきりと目に飛び込んでくる。一つ一つのコマがこんなにも細かく丁寧に描かれているものだったとは……。

それにしても、これはいったい、どんな話なのだろう、と、牧子は手にしている、たった一枚の原稿を頼りに、想像を逞《たくま》しくしてしまう。女の子の瞳からじわっと、涙がにじみでている。深い悲しみの表情。もう、それだけで、この女の子の過酷な運命が伝わってくる。

柱を手にしたまま、つい見惚れていたら、

「見てないで、さっさと手を動かす」

綿貫誠治に注意された。

「あ、はい。すみません」

「その広告柱二本貼ったら、次は、これ。これをここに。そうそう、まっすぐまっすぐ」

いわれたとおり、丁寧に貼っていった。

曲がっていないか、慎重に確かめながら、裏にセメダインをつける。わずかな量を細いヘラで薄く伸ばして、ふーっと息を吹いて乾かしてから慎重に貼る。貼ったところをとんとんと押す。綿貫誠治は牧子の動きを横目で見ながら次の柱を渡してくる。軽く説明してくれつつ、自分の手も動かし続けている。牧子はひたすら誠治の言葉に耳を傾け、従うのみだ。もくもくと作業を続けていく。

「じゃ次、これ。こういうときは、ケツに合わせて。あっと、下、下の、そう。その線に合わせて。その次のは、ええと、これが見本。こういうふうにする。わかるか」

「わかります」

「よしよし。あとはさっきと同じようにこれとこれをこのページとこのページに貼ったら終わりだ」

牧子が貼っていると、

「きみ、漫画好きなの」

ときかれた。

「はいっ」

とこたえた。

昨日、西口克子にきかれた時はあんなに躊躇ったのに、なぜだか今日は自分でも驚くほど、はっきりこたえてしまう。

「ふうん。好きか。そうか。まあ、そうだよな」

綿貫誠治はそれだけいって、腕時計をちらりと見る。急かされているわけではないが牧子は焦る。最後の一枚をやりおえると同時に向こうから手が伸びてきて、ひったくるように持っていってしまった。いやもう、ほんとに助かったよ、きみ、はじめてのわりにはうまいよな、うん、なかなか器用だ、と褒められた。そうして立ち上がると、おおい、武部、これ、頼めるか、と叫んだ。いちおうおまえも確認してくれ、確認してから校了にしてくれ、あとは、ええと、広告柱の残りはこの封筒に入れとけばいいか、そっちか、そっちに渡すのか、などと、まくしたてながら去っていく。

牧子は椅子にすわったまま、ふふふ、と笑っていた。

どうしてだか、笑いがこみあげてくる。

少しのぼせたみたいな心地だった。

綿貫誠治は脱兎《だっと》の如《ごと》く、編集部を出て、すでにどこかへ行ってしまった。ほんとに忙しそうだ。

牧子が柱を貼った原稿は、武部俊彦の手に渡り、なにやら点検されている様子が見てとれた。まちがえていないといいけれど。失敗していないといいけれど。そう思いながら、牧子は、指先にかすかについてしまったセメダインのぺたぺたした感触を楽しんでいる。親指と人差し指をくっつけたり離したりして、なんとなく誇らしげな気持ちになっている。いつもの自分の目ではなく、べつの目——まるで編集部員にでもなったかのような？——でフロア全体を眺めている。ふしぎな感覚だった。わたしはわたしなんだけど、でも、ちょっとだけ、わたしではないような。

あのときのふわふわした心地が欠片《かけら》になって、まだ牧子のからだのどこかに残っている気がした。その欠片を取りだして、ゆっくり眺めてみたいと牧子は思う。夏の空気を含んだそれを、牧子はどこかにたいせつに仕舞い込みたかった。

夕方の神保町は、ざわざわしていた。

空はまだ明るい。

そして蒸し蒸しと暑い。

都電に乗る人、都営バスに乗る人、国電の駅まで歩く人。仕事帰りにいっぱい飲みにいく人、ごはんを食べにいく人、これから遊びにいく人だっているのだろう。牧子はおとなしく家に帰って、家族とともに、ごはんを食べる。おそらく和子や千秋もいっしょだろう。千秋は今日、慎也とプールに行ったのだろうか。慎也に泳ぎ方を教えてもらっただろうか。ぱさぱさした髪から消毒の匂いをほのかにさせて、泳げるようになっただの、なれなかっただのと、ごはんを食べながら、報告してくるにちがいない。慎也の教え方がうまいの、うまくないのと、みんなで大騒ぎになるにちがいない。

それからこっそり、牧子は千秋と、二人で別デの話をするのだ。

牧子の部屋で。

千秋はきっと、プールから帰ってきたあと、牧子の部屋にこそこそと入り込んで、昨日のつづきを読んでいるはずだった。うん、きっとそう。まったくもう、漫画なんか読んでないで夏休みの宿題をしなさい、なんて叱られないように大人たちの目をかいくぐって。昼寝でもするふりをして。

牧子はそんな千秋を想像してくすくす笑った。

なんだか早く家に帰りたくて、少し早足になる。笑いながら、上を向いたり、下を向いたり、リズミカルに進んでいく。くくくくく、と、こみあげる笑いに正直に、体が動いてしまうのだ。

アポロちゃん。

だから、そんな声はざわめく雑踏の音にかき消され、牧子の耳には届かなかった。いや、かすかにアポロちゃん、ときこえたようにも思ったが、空耳だろうと牧子は即座に判断し、そうしてあらためて思い出す。

アポロちゃんだって。

わたし、そういえば今日、そんなふうに呼ばれちゃったんだよなー、アポロちゃん、って。牧子はちらりと空を見上げ、ぶるんぶるんと紙袋を振り回す。

おっかしいよ。アポロちゃん、なんて。なんだかちっちゃな子供になったみたい。勢いよく振り回していた紙袋がくしゃり、と音をたてる。漫画の重みで紙袋が破れる危険性に気づいて、牧子はぎゅうっとそれを抱え込んだ。あぶないあぶない。

すると、唐突に、

厚くて安くておもしろい。

別デの宣伝文句が頭に思い浮かんだのだった。

ほんとに厚い。たった三冊なのに、紙袋からその厚みがじかに伝わってくる。

厚くて安くておもしろいという文言は小柳編集長が考えたのだと、ついさっき、戸田育江に教えてもらったばかりだった。あらー、小柳さんたら、一年も前から、この言葉を使っていたのね、と古い別デを開きながら戸田育江がつぶやいた。あ、そうだ、思い出した、小柳さんたら、これ考えたとき、ずいぶん得意げだったのよ。

厚みに比例して、読み応えもたっぷりだ、ということを牧子はすでに知っている。

厚くて安くておもしろい。

だから、気をつけないと、と牧子は自分を戒める。うっかり夢中になって、また夜更かししちゃったらたいへんだもの。バス停の列の最後尾に並んで牧子はもう一度、紙袋の厚みと重みを確かめた。


あの子ってば、ほんとに漫画みたいに動くのね、と西口克子はあんぐりしてしまう。編集部にいる時だけでなく、神保町の町なかでも、あんなに浮かれて歩いているだなんて、びっくりだ。それとも、克子の目が瞬時にあの子だけを捉え、いくらか偏《かたよ》って見てしまうから、そう感じるのだろうか。

なんにせよ、
アポロちゃーん。

呼んでみたけど、辰巳牧子はふわふわと身体を揺らしながら、大通りをそのまままっすぐ進んでいった。道行く人が克子の声に反応し、こちらを向く。途端に恥ずかしくなって、克子は顔を伏せた。アポロちゃんだなんて、いい歳をした大人が、なんでまた、そんなへんなあだ名で呼んでしまったのだろう。

だって、あの子、いかにもそんな感じなんだもの、と言い訳がましく克子は思い、アポロちゃんなどという、そんなかわいらしい呼び名が似合う、辰巳牧子の若々しさ、初々しさを少しだけ羨んだ。

それは克子が失いかけているものだった。

二十代も半ばになれば、いつまでものんきに若者ぶっていられないと、克子にはよくわかっていたし、少なくとも、若さに甘えられる時期は過ぎつつあると自覚していた。

と、そんなことをつい思ってしまうのも、先程まで克子よりうんと年下の辻内ゆきえが一心不乱にペンを走らせ、素晴らしい勢いで原稿を進めていくさまを、間近で見ていたせいかもしれなかった。

辻内ゆきえは、この春、高校を卒業し、上京してきたばかりの十八歳。辰巳牧子と同学年である。

近頃、別デ周辺では、高校を卒業後、就職しないで、漫画家になる子、なろうとする子が、目立ち始めていた。地方から出てくる子も多い。

編集部が才能を見極めたうえで後押ししているからでもあるのだが、彼女たちは、あんがい躊躇《ちゅうちょ》することなく、すんなり決断する。こちらとしては、ちゃんと自活できるのか心配になる場合もあったけれど、彼女たちは、いざとなったら、バイトでもなんでもするし、なんとかなると思います、となんとかいって、あっさり動いてしまう——そして、実際、なんとかしてしまう——。

原動力は漫画が好きということ。

漫画が描きたいということ。

漫画を描きつづけたいということ。

ただそれだけ。

単純ではあったけれど、だからこそ、しなやかだったし、潔かった。

十代の娘たちが大半だから、世間知もなく、少々危なっかしいところがあるにはあったが、彼女たちを見ていると、克子は、はちきれんばかりの若さと伸び盛りの勢いを感じる。

辻内ゆきえもそうだった。

描けば描くほどうまくなる。

手取り足取り教えられるわけでもないのに、それはもう、ただ描いているだけで本能的にうまくなってしまうようだった。

線がこなれ、話の運びに無理がなくなる。

読者の目を意識するようになり、どうすれば読み手の気持ちを引きつけられるか、効果を考えるようになる。

印刷されたものと原画との差にも気づくので、当然描き方も変化する。

読者の反応、他の漫画家の存在、編集者にすすめられる映画や本、さまざまなところから刺激を受け、センスがよくなり、絵の魅力が増す。

辻内ゆきえの場合、それが顕著で、みるみるうちに、読者の人気を集めだした。

高校二年でデビューして以降、在学中も作品をコンスタントに発表しつづけ、卒業する頃には人気投票のトップ争いに加わっていた。これほどの急上昇も珍しい。

だからこそ、多少締切に遅れようと、毎月ページを任されているのだが、それがいい循環なのか、悪い循環なのか、このところ校了間際になると、克子たちは振り回されっぱなしなのだった。

やれやれ、と克子は思う。

でもしかたがない。十八歳なんて、まだまだ子供だもの。

小柳編集長に命じられ、克子は風月館へと様子を見にいく。

その役割は、いつもは戸田育江が担っているので、克子が風月館へ赴《おもむ》くのは初めてだった。通常、漫画家のところへ原稿を受け取りにいくことはあっても、漫画家の仕事場――描いている現場そのもの――までみることはない。ましてや缶詰の現場になんぞ、足を踏み入れたことはない。

若い漫画家たちが、締切間際の切羽詰まった状態のことを、修羅場、修羅場と騒いでいるのは知っているが、克子はじつはその実態をよく知らない。原稿を受け取りにいくと疲れ果てた顔でよろよろと出てくる漫画家もたまにはいたが、わりあいにこやかに、すがすがしい感じで渡してくれる人が多い。修羅場というものが、はたして、どの程度のものを指すのか、克子にはわからないのだった。それがみられるだけでも赴く甲斐はあろうというものだ。いったい、缶詰の現場とはどういうものなのだろう。アシスタントが一人入っているはずだが、まじめにやっているだろうか。

部屋に入った途端、克子は目を瞠《みは》った。

旅館の一室が、完全に辻内ゆきえの仕事場と化していた。

旅館の客室をこんなふうに使用してもいいものなのか、とまず驚き、それからすぐに、この部屋はまるで彼女に支配されているようだと気づく。

支配、というか、この密室に籠《こも》ってペン入れをしている辻内ゆきえは、まるで危険な爆発物のようだった。ぴりぴりとした緊張感が伝わってきて、克子の顔まで、こわばってきてしまう。アシスタントの子まで、その波に呑まれ、異様に真剣な面持ちで原稿に向かっている。

ゆるんだ空気など微塵もなかった。

頬を張られたというか、活を入れられたというか、克子は気圧《けお》され、呆然となってしまった。

漫画とはこんなふうにうみだされるものだったのか。

こんなに鬼気迫る現場だったのか。

ゆきえの集中力のすごさにも驚いたが、もっと驚いたのは彼女の手にいっさい迷いがないことだった。迷っている時間がないから覚悟を決めて描いているだけかもしれないが、墨汁の匂いが充満する部屋のなかで、神懸ったようにペンを動かしつづける少女を見ていると、克子は自分がここへ何しにきたのか、ふいに、わからなくなってしまう。

魅入られたように、ペン先の動きをただただ、ひたすら見つめてしまう。

描かれているものが何かもわからない。そこまで目がいかない。いや、見ているのに見えない。

ペン先が紙をこする、しゃっ、しゃっ、しゃっ、しゃっ、という小さな音のリズムが空気を切り裂き、克子は黙り込む。

そのくせ、どこか楽しげにも見えるのだった。それがいっそう、不気味だった。笑いながら人でも殺しそうな、といったら語弊があるが、つい、そんなことを思ってしまうほど、アンバランスな印象を受ける。鬼と仏が同居しているかのような……。

克子は唸った。

もう唸るしかなかった。

すでに完成している数枚の原稿をようよう受け取り、部屋を後にしたのだが、差し入れにと持っていったアイスクリームを渡しそこねて、風月館のおかみさんに委ねる始末だ。

ゆきえとはろくに口もきけなかった。

「それは、できてます」

「あ、じゃあ、先にこれだけ編集部へ持っていきますね」

「よろしくお願いします」

たったそれだけ。

編集部へ戻り、入稿作業をし、しばらくしてから小柳さんに命ぜられ、また風月館へ様子を見にいった。

辻内ゆきえはまったく同じ姿勢で、まったく同じようにペンを走らせていた。克子が後ろに立っても気づきもしない。ベタ塗りをしているアシスタントの女の子とだけ、軽く会釈《えしゃく》を交わす。

小柳さんからは、原稿が終わりそうな頃合いの予想を立ててこいといわれていたので、しばらく仕事を眺めたあと、進捗状況をききだした。本当なのか、あるいは苦し紛れの回答なのか、判断はつきかねたが、編集部へ戻って彼女の言葉を小柳さんに伝える。小柳さんは克子の報告をきき、熟考したうえで、印刷所へ連絡する。そのやりとりの横で、克子たちは仕事の分担を決める。それから、あらためて小柳さんと相談し、段取りを決定し、それを伝えに、また風月館へいく。

今度はアシスタントの子が部屋の隅でごろんと横になっていた。

ベタの塗れる原稿が尽きたのか、彼女の体力が尽きたのか、どちらかだろう。

辻内ゆきえは、相変わらず、もくもくと描きつづけていた。髪を振り乱し、やや蒼白な顔で。

さきほどよりいっそう、ペンの動きは速くなっている。

自分と同じ人間とは思えなかった。

まるで部屋の中央に鎮座する神のようだった。

どうしてそんな突拍子もないことを思ったのかわからないが、なぜだかそこがひとつの宇宙のような気がしてならなかったのだ。真っ暗な宇宙の星雲のなかで、辻内ゆきえはペンを操っている。神が今、世界を作りだしている。

しかし、それはある意味、真実でもあるのだった。

紙の上にあらたな世界が、今まさに作りだされつつあったのだから。

克子は思う。

この子には無限の可能性がある。

そして、それはどこまでも開かれている。

これから先、この子は、まだいくらだって、こうして世界をうみだしていくのだろう。

今はまだ、この世に存在していない世界を。

誰もみたことのない世界を。

この子は、己がうみだす数多《あまた》の世界とともに、大きく空に羽ばたくのだ。

伝えるべきことを伝えると、ゆきえはうなずいた。

だいじょうぶですね、まにあいますね、と克子がしつこく念を押したら、うなずきながら、少し笑ったようだった。

風月館を出ると、外はまだ明るく、克子はほっと息を継ぐ。

神保町のいつもの街並みがそこにあって、夏の夕刻の、なまぬるい風がゆるやかに吹いていた。

どこか遠いところから帰ってきた心地だった。

人が行き交うさまを、ぼんやり眺める。

この人たちは誰だろう、と思う。ざわめきにまじって、どこからか鰻《うなぎ》の蒲焼きの匂いがしてきて、途端に克子は我に返った。ぐう、と、お腹が鳴って、自分が空腹であったことに気づく。今日は一日中、ばたばたと忙《せわ》しなく、そういえば昼食はクリームパンひとつとコーヒー牛乳だけだった。

そうか。なにか食べておいたほうがいいだろう。

おそらく今日は残業になる。

別デ編集部はなるべく残業しない方針で、定刻で帰るようにと小柳さんからつねづねいわれているが、校了が近づくにつれ、それはさすがに守れなくなる。小柳さんも渋々、それを認めている。

ともかく、あの子の原稿が明日、約束の時間、ぎりぎりになったとしても対処できるようにあらゆる準備をしておかねばならない。

克子はもう一度頭のなかで、いくつかのパターンを組み立ててみた。

あの子はときおり、決まっていたはずのネームを描き換えてしまうことがあった。貼るだけにして待機していても写植からやり直す羽目になることさえある。それどころか、すでに貼ってしまった写植をどうにか削って貼り直したこともあった。まったくなにが起きるかわからない。そういえば、出来上がった何枚かの原稿を捨てて、一から描き直していたこともあった――当然、時間は大幅に遅れた――。こんな締切間際になって描き直したのか、と編集部で驚愕《きょうがく》したことをおぼえている。

つまり、決して安心できないのだった。限られた人数、限られた時間で、どう転んだとしても最適解で動くにはどうすればいいか考えておかねばならない。その作業が無駄になったとしてもかまわない。労を惜しむつもりはない。

そのためにわたしがここへ遣わされたのだもの。

そして気づく。

ひょっとしたら、小柳さんは、わたしにこれを見せたかったのではないか、と。

度重なる校了間際の、間に合うの、間に合わないの、といったせめぎ合いに、このところ克子はたしかにいささかうんざりしていた。小柳さんはそんな克子の心中を見透かしていたのかもしれない。

鶴の恩返しじゃないけれど、ああやって隔絶された一室で、漫画家が我が身を削って原稿をうみだしているところを見てしまったからには、もう、うんざりなんて気持ちにはなれなかった。

あの子たちが――あの子だけでなく、他の漫画家たちもきっとそうだ――精魂込めてうみだしたものを、わたしたちは全国の少女たちに届けねばならない。そのために克子にできることは、原稿をミスなく、的確に、時間内に印刷所へ回すこと。

とりあえず、編集部に戻って小柳さんに報告したら、そのあと、やはり、なにかお腹にいれておこうと決める。腹が減っては戦はできぬ。

そうだ。戦だ。

克子はふーっと息を吐き出した。

西口克子ハ、眦《まなじり》ヲ決シテ校了ニ挑ム所存デアリマス。

そんな言葉を口にして勇んで歩いていたら、目の前を辰巳牧子がふわふわと通りすぎていった。

アポロちゃーん。

思わず声が出た。


アポロちゃんてなによ、と戸田育江はふしぎに思う。

誰のことよ。

職場に向かう細い路地を歩いていたら、目の前の通りに西口克子が現れ、いきなりそう叫んだのだった。アポロちゃーん。

育江のところからは克子しか見えなかったし、だから、その時たまたま隣にいた綿貫誠治――角のところで出くわし、なんとなく並んで歩いていた――にきいてみたのだった。

「あれでしょ、経理の子でしょ」

と綿貫誠治はいった。

「えっ、そうなの。あなた、知ってるの？」

こたえが返ってきて、むしろ育江は驚いた。

「うちのフロアの経理の子のことじゃないかな。そんなふうに呼んでいたのをきいた気がする」

西口克子はすでに、育江たちの前を通り過ぎていったので確かめることはできないが、綿貫誠治のこたえは正しいのだろうと歩きながら育江は思った。

「ふうん。あの子、そんなふうに呼ばれてるの。それをあなたは知っているのね」

「なんていうの」

「え、なに」

「あの子、なんていうの」

「だからアポロちゃんって、あなた、今、そういったじゃない」

「いや、だから、そっちの呼び名じゃなくて、名前ですよ、名前。あの子のほんとうの」

「ほんとうの、ってなに」

といったところで気づいた。

「ああ。あの子は辰巳さんよ。辰巳牧子さん。あなた、そんなことも知らないの。やあねえ、もう一ヶ月近く、うちのフロアで働いているじゃないの」

路地を出て左に曲がると、西口克子の後ろ姿が見えた。

しかし、育江は追わない。呼びかけもしない。ただ、その後ろを少し離れたまま、ついていく。

「タツミマキコっていうんだ、あの子」

「そうよ。あなた、そんなことも知らずに、よく経費の精算、してもらってたわね。ずうずうしい」

「ずうずうしい」

「名前くらいいちゃんとおぼえなさいよ」

「戸田さんはきついなあ」

「きつくありませんよ。当たり前のことをいってるだけ」

綿貫誠治が、はー、わかりました、と返事をする。

育江は、綿貫誠治が新入社員として週デ編集部に配属されたときから知っている。彼が新人としていきなり活版班に入れられ、右往左往しているときに、基本中の基本、必要経費の受け取り方だの、精算のやり方だの、出張費の書類の出し方だの、残業簿の書き方だの、電話の応対の仕方だの、そんなあれこれを、ざっと教えてやったのだ。取材のやり方なんぞは教えられないが――それは週デの先輩が教えてくれるはずだ――、こういったことを懇切丁寧に教えてくれる者はいない。忙しいんだから勝手におぼえろ、といった精神で放っておかれる。といって、別デの育江がしゃしゃりでる必要もなかったのだが、そこはまあ、同じフロアのよしみで、目についたときに、世話を焼いてやった。親切心からではなく、目障りだったからだ。綿貫誠治はむだに身体が大きく、うろうろしていると邪魔なのだ。そのくせ、どことなく善良そうな空気を漂わせているので、おろおろしている姿が少しかわいそうにも見えた。どこからか迷い込んだ、野生動物のような切ない仕草をするのである。

「漫画班、どう？」

と、きいてみた。「だいぶ慣れた？」

「いや、ぜんぜん」

即答だ。

「ぜんぜんって。だって、もう三ヶ月か……四ヶ月にはなるでしょう？」

「はあ」

「はあって」

「まあ、なんとかやってます」

「なんだか消極的ねえ」

「わからんなりになんとか」

「ますます消極的」

こんなことで大丈夫なのだろうか、と心配になる。べつに心配してやることもないのだが。

「活版班に戻りたい？」

「え、いや、まあ、そういうことでもないんですが」

「ってことは、やる気はあるんだ」

「やる気か……うーん、まあ、あるといえばある、とは思うんですが……どうも、まだよくわからなくて。あ、戸田さんも、漫画、担当してるんですよね」

「してない」

「え、してるじゃないですか」

「え、してない。わたしはただ、いわれるまま動いているだけ。あそこへ原稿を取りにいけ、といわれれば取りにいき、入稿作業をしろといわれれば入稿作業をし」

まさに今もそうだった。近くの製版所に急いで持っていくようにといわれたものを運んでいき、踵《きびす》を返してあわただしく編集部へ戻るところだった。伝書鳩のように。

「わたしたちに、決まった担当はないの」

「ああ、そうか。別デはそういうやり方でしたね」

「なんとなーく、どの漫画家へは誰がいく、みたいなのはだんだん決まっていくんだけどね。でも、いわゆる担当とはちがうのよ」

「唐津さんは？」

「唐津さん？」

「誰がいくんです？」

「唐津さんは誰って、決まった感じではないわね。彼女の方が原稿を持って編集部へ来てくれてたから。家まで取りにいくようになったのは最近なのよ。そっちが仕事をどんどん増やすから、忙しくて彼女、持って来られなくなっちゃったんだな。ほんとにもう、週デさん、いい加減にしてほしいわよ。

唐津さんはうちからデビューした、うちの漫画家だってこと、忘れないでよね」

綿貫誠治が石ころを蹴飛ばし、うー、といった。まさに動物の唸り声をきいたようで、なんなのよ、と育江がちらりと顔を見る。誠治も育江を見ていた。立ち止まると誠治も立ち止まった。なにかいいたいことでもあるのだろうか。そんな気がして、黙って待ってみたが、誠治は無言だ。

「ひょっとして唐津さんの担当になったの」

思いつきでいってみると、

「そうなんです」

と返ってきた。

「あらそう。それはよかったじゃない」

と歩きだす。綿貫誠治もすんなり歩きだした。

「よかったですかね」

「よかったわよ。よかったでしょう？」

「仕事が始まるのはまだこれからなんです」

「いい頃合いだと思うわよ。このところ、唐津さん、脂が乗ってきてるもの。そろそろ大ヒット、飛ばすんじゃない？」

「ですかね」

「うん。そろそろ連載で大きいのが来るわよ」

「そう願ってます」

それが別デの作品であればいうことなしだが、大ヒットに繋がる作品というのはやはり連載ものになりがち、週デからうまれやすい。

読み切り中心の別デでは、作品というより、漫画家そのものにファンがつき、この人の描くものが読みたい、と待ち望まれる存在になっていく。唐津杏子《きょうこ》はすでにその領域に入った漫画家だった。

「唐津さんの実力は折り紙付きだし、人気も安定してきてる。あとはあなたの腕次第よ。唐津さんは漫画スクールの金賞を、初投稿でいきなり獲っちゃった人なんだからね。受賞作をそのまま掲載した初めてのケース」

「やっぱりすごかったですか、唐津さん」

「すごかったなんてもんじゃないわよ。いきなり高校生があんなの描いて送ってくるんだもの。わたしたち、驚喜した。でもねえ、うれしくて騒ぎすぎちゃって、週デが嗅ぎつけて首突っ込んできて、小柳さんといっしょに唐津さんのところへ挨拶に行っちゃったんだな。それで、週デも当然のような顔で原稿をいただくようになっちゃったの。ほんとにもう、ちゃっかりしてるんだから」

それに懲りた小柳さんは、それ以降、受賞作品を発表前に週デ編集部の人たちにいっさい見せなくなった、と育江は気づいている。トンビに油揚げを攫《さら》われるのはまっぴらごめん、というわけだ。

それでいいと育江も思う。

作品数を確保するために始めた漫画スクールなのだから、受賞作も、受賞作家も、こちらで――別デ編集部だけで――大切にすべきだ。

別デは週デで人気のあった作品を総集編にして載せるという目的で創刊された漫画雑誌だが、一年半後、季刊から月刊へと移行したあたりですでに掲載する作品が枯渇しだしていた。週デの創刊は別デより半年ほど早い程度だから総集編に回せる作品なんて初めっからたかがしれている。当然の帰結だったのだが、では、なぜ、そうとわかっていながら月刊に舵《かじ》を切ったのか、といえば、部数が伸びていたからだった。売れているなら月刊にしよう、と部長の鶴の一声で決まってしまったのだ。そうなると編集部は、なんとしても掲載できる漫画を探さねばならない。といったって、目ぼしい漫画家は、皆、他誌にがっちり握られている。苦肉の策として思いついたのが新人発掘なのだった。

小柳さんが発案した。

当時編集長だった楢橋さんが、いいねえ、やってみよう、とゴーサインを出した。

発掘というより育成を主眼としよう、ということから〈漫画スクール〉と名づけられた。

育江は、半信半疑だった。

スクール、学校、という言葉に引っぱられたせいもあるけれど、どうせ子供の落書きみたいなものが送られてくるだけだろうと高を括《くく》っていた。そんな中から育て甲斐のある子を探しだすだけでも、至難の業。たとえ、いくらか見込みがありそうな子が見つかったとして、では、どう育てるか。スクールと名づけたところで、われわれにはそのやり方がわからない。プロの先生に頼んで添削してもらうのが関の山。そんな牧歌的なやり方で、はたして間に合うのだろうか。雑誌に掲載できるほどの漫画家が育つ前に別デが潰れてしまうのではないか。

杞憂《きゆう》だった。

隔月実施の三回目で早くも応募作は百を超え、応募者の裾野が広がるにつれ、作品のレベルは上がっていった。

そこに現れたのが唐津杏子だった。

たった六回。

たった六回で即戦力になる漫画家が現れたのだ。

育江はあの時の編集部の興奮を肌でおぼえている。

楢橋さんの、おおお、これはいいねえ、という熱のこもった声。小柳さんの、してやったり、といった感じの満面の笑み。井森さんの、これならすぐに載せられる、と珍しく大きく弾んだ声。原稿をめくりながら育江の腕には鳥肌が立っていた。あれが始まりだった。あれ以降、あちらからも、こちらからも、若くて、新しい漫画家が続々と現れだしたのだ。

まさか、これほどたくさんの才能がそこかしこに眠っていただなんて、驚きでしかなかった。

そこに目をつけた小柳さんの慧眼《けいがん》、としかいいようがない。

なにも心配することはなかったのだ。

育てるもなにも、われわれは、ただ耕しさえすればよかった。

種はすでにそこらじゅうにたくさん埋まっていて、それらは勝手に芽吹き、勝手にすくすくと育ち、静かに蕾《つぼみ》をつける。花を咲かせる。それも大輪の花が次から次へと競い合うように咲き始めていた。

おかげで別デは潰れるどころか、今や、快進撃の真っ最中だ。

育江の隣で綿貫誠治が、ぽつぽつと、唐津担当としての意欲を語りだしていた。

近日中に打ち合わせをする約束を取り付けてきたこと。秋からの新連載にどういうものを提案しようか悩んでいること。時間がないなかでどう詰めていけばいいのか難しい、という愚痴。できれば新しい路線を見つけたいし、ヒットさせたい、という希望、願望。

育江は別デの人間なのに、かまわず話す。溜め込んでいたものを吐きだすように。話しながら自分の頭を整理していくかのように。唐津杏子の作風にはどういうものがあっていると思うか、もしくは、どこまでそれをずらしても大丈夫か。彼は考えていることを開陳する。開陳しつつ、育江の反応をさぐっているようでもあった。育江は押し黙る。別デの人間だから黙ったのではなく、なにをいえばいいのか突然わからなくなったからだった。

唐津杏子のことならよく知っている。

デビューしたてで編集部へ初めて現れた日のこともよくおぼえている。可憐な小枝みたいな、ほっそりとした色の白い少女だった。おどおどしているくせに、好奇心いっぱいのくりくりした目で編集部を見渡し、時折、小さな声で話をし、明るい笑い声をあげていた。育江は、小柳さんにいわれて、彼女が上京後に住むアパートをさがす手伝いをしたし、その後、電話をひく手続きもした。区役所へ連れていって転入届の手続きもしたはずだ。お茶を飲んだり軽い食事をしたことだってある。

だがしかし、育江は、唐津杏子と、彼女の作品について話したことはほとんどないのだった。おもしろいわね、かわいいわね、すてきね、などと簡単な感想を述べるくらいのことはあっても、その程度。事細かな感想を彼女に伝えたことはなかったし、むしろ余計な口出しをしてはならないと思っていた。彼女とは彼女の作品についてだけでなく、漫画の話すらろくにしたことはない。

その代わり、他愛ない話はした。

東京の感想をきいて笑いあったり、アパートの住み心地をたずねたり、暮らしにまつわる相談に乗ったりもした。バスの路線の説明をしたり、都内の画材屋さんの場所を教えたり。育江が必要とされていたのは、そういう漫画以外の生活面だったから。

だから今、誠治に求められているらしい〝なにか〟を育江が述べることは難しかった。

デビュー以来、彼女の作品はずっと読んできたし、入稿作業をしたこともある。唐津杏子という作家、作品についてかなり詳しい方だとは思う。育江ならではの感想もある。別デの読者の反応も知っている。だが、はたして、育江が今、誠治に求められているのは、そういうものなのだろうか。

甚《はなは》だ自信がなかった。

職歴はたしかに綿貫誠治より長い。漫画を含めた編集作業全般についても熟知している。だが育江は、漫画家との打ち合わせに同席したこともなければ、深く作品に関わったこともなく、したがって連載における編集者の役割がどんなものなのか、おそらく上っ面でしかわかっていない。

育江には、誠治と対等に語り合える知識や経験の蓄積が、圧倒的に欠けているのだった。

こういうときに、小柳さんなら軽々とできるであろう、具体的なアドバイスや成功へ導くヒントなど何一つ思い浮かばなかった。

だから育江は、黙って聞き役に徹するしかなかったのだ。

誠治の言葉にふんふんとうなずきつつ、大通りを渡り、社屋に入って、エレベーターを待つ。

そうして乗り込んだエレベーターの箱の中で、育江は、ふと、西口克子のことを思ったのだった。

つい先ほど、育江たちの前を歩いていった西口克子。

カッコちゃん。

漫画の担当をやりたくてやりたくてたまらなくて、けれども、決してやらせてはもらえなくて、悔しくて悔しくて、歯軋《はぎし》りしながら働いている、あの子。あの子はそれを隠せない。そんな子はこれまで別デ編集部に一人もいなかったし、今だって、あの子の他にはいない。

エレベーターで階数ボタンを押す誠治の指をみつめながら、育江は、克子の焦燥、苛立《いらだ》ちが、唐突に理解できた気がしたのだった。

西口克子の、戸田さん、わたしたちはどうして漫画のページをやらせてもらえないんですか、ときいてきたときの声。真剣な、それでいて少しつっけんどんな口調。あのときのあの子の顔を思い出す。前のめりになって、なにかに挑むような目をして。

戸田さんは漫画家の担当を持ちたくないんですか、ともきかれた。

育江は少し怖かったし、正直、うんざりもしていた。

わたしたちにはわたしたちの領分がある。

まずはそれを完璧にこなせるようになるべきだ。できないうちは、つべこべいわず、その努力をしてほしいと、育江は思っていた。そんな余計なことを考えてなんになる、というのが偽らざる本音でもあった。わたしたちは、彼らとはちがう。仕事の内容うんぬんより、身分からしてもちがうのだと肝に銘じるべきだと育江は思っていた。そのちがいを理解したうえで、了解したうえで働くしかないではないか。育江はこれまでもそうしてきたし、これからもそうしていくつもりだった。むしろ、そうできなくなった場合にどうするか、優先して考えるべきはそちらだと思っていたし、ここからいつでも出ていけるように——辞めさせられたり、辞めざるをえなくなったりしたとしても大丈夫なように——準備を怠らないようにしていた。独身で、両親がすでに他界している育江には、頼れる実家がない。親類縁者も少ないし疎遠だ。となれば、頼れるのは我が身しかない。賢くならなければ、と育江はずっと思ってやってきたのだった。

隣でのっそりと立っている綿貫誠治を盗み見た。

恵まれた体軀《たいく》の誠治は、エレベーターの箱の中で、その大きさが際立つ。まったく、すくすくと育ったものだ、と感心する。たしか、戦禍とは無縁の瀬戸内の素封家の生まれだときく。戦後の物資が不足するなかにあっても、たいして不自由なく育てられたくちだろう。家族の期待を背に東京へ出てきて、大学で学び、就職試験を受け、サラリーマンになった。きっと自慢の息子にちがいない。

恵まれていると思わずにはいられなかった。

少なくとも、わたしよりずっと恵まれている。そう、わたしたちよりもずっと。

彼はそれに気づいているのだろうか。

エレベーターが、がくんと音を立てて止まり、扉が開く。

彼が先に足を踏み出し、育江が後につづく。

この人たちには、カッコちゃんの焦燥は決してわからないだろうと育江は思う。

当たり前のように仕事を割り振られ、当たり前のように仕事をこなしていく彼らには。

綿貫誠治の背中を見る。

彼は目の前の仕事だけ見つめている。

それもわかる。

彼は誠実に、その仕事に取り組んでいる。

それもよくわかる。

だからこそ彼は、わたしたちの心の奥底にある、このもやもやした焦燥や怯《おび》えに、決して気づかないだろうし、というよりおそらく、気づけないだろう。

「あ、それじゃあ」

と彼がいった。

「ええ」

と育江がいう。

やらせてあげたいわね、カッコちゃんに、とおそらくこのとき初めて育江は思った。

漫画の担当を持たせてあげたいし、あの子に思う存分、のびのびと働かせてあげたい。

わたしはもういい。

わたしはこれからも、これまで通り、同じやり方で、領分を守って粛《しゅく》々《しゅく》と働いていく。

わたしはそれで、ぜんぜんかまわない。

わたしはそれで満足しているんだから。

でも、あの子には。

あの子は、
と、育江は、克子の歳を数える。

あの子はまだ若い。まだまだいろいろやれる年齢だ。

わたしたちがそれをやらなかったからといって、あの子もそのやり方を踏襲《とうしゅう》する必要はない。わたしたちは望まなかったけれど、あの子は望んでいる。理由はそれでじゅうぶんではないか。

どうしたらそのチャンスを与えられるのだろう、と育江は考える。なにかうまいやり方があるんじゃないか、と頭の中をさぐってみる。ともかく、どこかでチャンスの芽が吹いたら、わたしはきっと味方になろうと、育江は決める。

その芽を潰してはならない。なにより、その芽を早く見つけるのが肝腎だ。

別デでは今、新しい少女たちが、どんどん新しい花を咲かせている。二年前、三年前には思ってもみなかった誌面が作られつつある。こういう時にはきっと何かが起きる。

予期せぬ出来事がきっとある。

そこにチャンスのうまれる隙間ができるのではないだろうか。

育江はちょっとうれしくなった。

あの子たちも新しい芽だった。

思いがけずそこからたくさんの花が咲いた。

まだまだ、これから芽吹くだろう。

もっともっと芽吹くだろう。

これが新しい時代というやつなのかもしれない。そういえば昨日、人類は月に到達した。

芽吹けばいい。

どんどん芽吹けばいい。

あの子たちが暴れてくれれば、なにかが変わる気がする。

愉快だな、と育江は思った。

4

日曜日の昼下がり、辰巳牧子はアイスキャンディーを舐《な》めながら、居間で別デを読んでいる。

先週出たばかりの最新号、九月号だ。もらってばかりでは申し訳ないので、これは職場の近くの本屋さんで発売日に買ったものだ。

牧子の隣では姪の千秋が、グラスに注いだ牛乳を飲みながらアポロチョコレートを平皿に並べて遊んでいる。ぎざぎざした小さな円錐形《えんすいけい》の頭の部分はいちごチョコ。その下にミルクチョコレートがスカートを穿《は》いたみたいにくっついている。二色使いが鮮やか。

「千秋、食べ物で遊んじゃだめだよ」

牧子が注意すると、

「確かめてるだけ」

と千秋がいう。

「なにを」

「形」

よくわからないが千秋なりに、なにか思うところがあるのだろう。

それは西口克子からもらったものだった。

「アポロちゃん、はい」

　と手渡されたのは、小さな横長の四角い箱だった。

「アポロチョコレートだって。知ってる？　発売になったばかりの新商品」

「アポロチョコレート」

まじまじと見る。箱の一部が透明なセロファンなので、特徴あるチョコの色と形が外からでもわかるようになっている。

「そう、あのアポロ。細長いロケットの方じゃなくて帰還用のなんとかに似せたらしいけどね。ついこのあいだ月へいったと思ったら、ひと月もしないうちにチョコレートになっちゃうんだから商魂たくましいよね。なんでもかんでも商売にしちゃうご時世なんだな。ってことはですよ、じきに、巷《ちまた》は万博商戦に突入だろうよ、と思ってね」

「万博？　来年の？」

「来年、ったって三月に始まるんだもの、すぐよ、すぐ。別デの台割だって、もう新年号がおおむねできてるんだから。来年なんて、あっという間」

まだ八月なのに。

と思わず、牧子は窓の外を見やる。いや、べつに見なくたって、蒸し蒸しと暑い室内の空気を掻《か》きまぜる扇風機の音が聞こえているのだから、今はまだ夏、真っ盛りだ。

しかしながら克子はすでに十一月号の懸賞の品々を買い集めているのだった。その買い物の最中に店の人にアポロチョコレートを教えられたらしい。

「それでまあ、万国博覧会にちなんで、今回はいろいろな国の商品を選んできたってわけ。国の紹介にもなるしね、どうかな？」

領収書の束といっしょに克子が説明する。

アメリカ、イギリス、ドイツ、イタリー。インド、メキシコ。中国、スイス、オランダ。克子が挙げていく国名をきいているだけで、牧子はわくわくした。海の向こうの知らない国にはあこがれる。別デの表紙を一枚めくったら、そんなさまざまな国の品がいっぱい載ってるなんてさぞかし素敵だろう。しかも当たったらそれがうちに送られてくるかもしれないなんて。

「夢がいっぱいって感じですね」

牧子がいうと、

「お、それ、いいね、もらった。夢がいっぱい」

と克子が手近な紙に書きつけた。鉛筆でなにか書いたり線で消したりしている。

「これはどうかな。外国の夢がいっぱい、お買物大けんしょう。うん、いいね。これで決まりだ。ありがとう、アポロちゃん。はい、アイディア料」

と、もうひとつ、アポロチョコレートをくれた。

牧子はそれを千秋にあげた。

お菓子というだけでうれしいうえに、みたこともない珍しいチョコレートを手にして千秋は目を輝かせた。どうしたの、これ。

会社でもらったの。

千秋は矯めつ眇めつ、ふうううん、牧子ちゃんの会社っていいところだねえ、漫画もくれるしお菓子もくれるんだ、いいなあ、とつぶやいている。

すでに千秋は、牧子が今読んでいる先週出たばかりの別デを読んでしまっていた。

古い別デや週デも、うちにあるものはだいたい読んでしまったようで、牧子ちゃん、もっともらってきてよー、とねだられている。読むスピードが速いのか、夏休みで暇なのか、ともかく勉強そっちのけで漫画に夢中になっている。まずいことになった、と牧子は内心ひやひやしていた。そのうち、大きな雷が落ちるのではないか。そして、そのトバッチリを牧子も受けるのではないか。

千秋は、昼間、一人でここへやってくることもあるそうで、いくら近所に住んでいるとはいえ、いったい何しに？　と牧子の母、ナオは若干訝《いぶか》しんではいるものの、あの子はすすんでお手伝いをしてくれるし、ずいぶんしっかりしてきたよ、一人にしといたって、ちゃあんと静かにしてるし、と、さして問題にはしていないようだった。テレビを見たりおやつを食べたり、あとは本でも読んでるんだろ。本、というくくりに漫画は入っているのだろうか、と牧子はききたくなるが黙っている。

「ねえ、千秋ぃ、あんた漫画ばっか、読んでるけどさ、勉強はちゃんとしてるの」

「え、うん」

「ほんとにー？」

「してるよ」

「夏休みの宿題は？　やってるの？」

「うーん、うん」

あやしい。

「お友だちと遊んだりもするの？」

「するよ」

「お友だちとはなにして遊ぶの」

「えー、いろいろだよ。お人形さんごっことかー、あと、んー、縄跳びとか、鬼ごっことか、んー、人生ゲームとか」

「なにそれ、人生ゲーム？」

「うん。おもしろいよ。牧子ちゃん、しらない？」

「人生ゲーム。しらないなあ」

「すごろくみたいなやつだよ。みわちゃんちにいくとだいたいそれやってる。みんなで。さいころじゃなくて、ルーレット回すんだよ」

もごもごしていた勉強のこととはちがって、遊びのこととなると、はきはきこたえる。

千秋は、慎也とプールにいくのはもうやめたのだそうだ。プール、いっつも混んでるしー、浮き輪つかったらだめっていわれるしー、慎ちゃん、うるさいしー、いばるしー、友達にあうと、千秋のこと、すぐ忘れちゃうしー、と文句たらたら、慎也は慎也で、千秋はちっとも泳ぐ練習をしない、まじめさがたりん、とぷんすか怒っている。

慎也は、近頃、図書館で受験勉強に励んでいる。

という触れ込みで、毎日、出かけていくそうだがなにをやっているのやら。

「ねえ、牧子ちゃん、お母さんたち、いつ帰ってくるの」

「えー、いつかなー。夕方かなー」

内職で仕上げた着物を呉服屋に届けにいき、そのあと二人で買い物をしてくるといっていたので、まだ当分帰ってこないだろう。それゆえ、こうして堂々と居間で漫画を読んでいられるわけだった。

食べ終えたアイスキャンディーの棒に〝あたり〟の文字はなかった。

「はずれだ」

千秋が、ふふふ、と笑う。

「あたんないよ。そんなの、あたったことないもん」

「生意気だなー」

「それよか、牧子ちゃん、早く読みなよ」

「えーなんでよ」

「牧子ちゃん読んだら、もいっかい読む。なんかまた読みたくなった」

「わかった」

別デを二人で読むようになって、千秋との距離が縮まったような気がする。赤ん坊の頃から知っているせいか、牧子は千秋を見くびっていたふしがあった。一年生といったって、幼稚園児みたいなものだと思いこみ、ずっと、そのように扱いつづけていたのだが、身体が小さいだけで、じつはすでに一人前の人間に近づきつつあるとはっきりわかってしまったのだ。別デを間において話しているうちに、千秋の中身がもう、牧子とそう変わらないくらいになっている、と知った。あれが面白い、これが面白い、と言い合い、これはつまんない、そんなことない、と主張し合う。そんなことが、一回りも年下の千秋とできてしまう不思議……。漢字にはすべてふりがながなが振ってあるし、そう難しい話は載っていないし、それに、多少難しかろうと、千秋は直感的に理解してしまえるようで、たまに、ねえ、牧子ちゃん、これどういう意味？　ときかれたりはしたけれど、それは単なる知識の差にすぎない、と牧子は思っている。いちばん大事なところは、千秋とわかりあえているような気がする……。

それとも、牧子の方が、自分で思っている以上にほんとは子供っぽかったのだろうか。

中学や高校での成績はまずまずよかったし、わりと優等生で、みんなに頼られることも多くて、だから自分は大人びた方だとばかり思っていたが、どうやらそうでもなかったらしい。その証拠に、編集部でも牧子のことをアポロちゃん、と呼ぶ人がじわじわ増えていた。

アポロちゃん。

明らかに子供扱いされている。

わかっている。親しみを込めて呼んでくれているのだということは。

だけど、
アポロちゃん。

いいんだろうか、こんなあだ名が似合うと思われたままで……。

だがまあ、それも仕方がない。

編集部の女の人たちに比べたら、牧子は見るからに、てんで子供だった。化粧もろくにしていなかったし、パーマもあててなかったし、なにしろ一人だけ制服で、見劣りすることこのうえない。

それに漫画家の先生たち。

牧子とそう変わらない年齢の人でも皆、〝先生〟と呼ばれている。

片や先生、片やアポロちゃん。

その落差たるや。

辻内ゆきえ先生に至っては、牧子と同学年というのだから驚きだった。それを教えてもらったとき、牧子はびっくりして、うっかり大声を出してしまった。ええーっ！

あらあら、そんなに驚かなくてもいいじゃないの、そのくらいの歳でデビューする人多いのよ、と戸田育江がさらりといい、西口克子がにやにやしながら、辻内先生がデビューしたのは高校二年生の時ですけどね、とますます牧子を驚かせてくれた。

ということは、もしかしたら辻内先生が自分と同じ教室にいたのかもしれないのだ、と想像すると、驚きを通り越して、牧子は、ちょっとぼんやりしてしまう。辻内先生が隣の机で教科書を開いたり、板書を書き写したりするところを思い浮かべて、牧子はぶるぶると頭を振った。ありえない……。いや、ありうるのか。ひょっとしたら牧子の教室にだって、そんな人がひっそりと混じっていたかもしれないではないか。ひそかに漫画を描いて、ひそかに応募して、ペンネームでデビューした人がいたかもしれない。牧子がその正体に気づかなかっただけで。

それを思うと。

あー、わたしはなんて子供なんだろう。

あー、わたしはなんて凡人なんだろう。

つくづくそう思う。

牧子は別デの辻内ゆきえ先生のページをさがしだす。

これだもの。

これを同じ歳の人が描いたんだもの。

はらはらどきどき、外国の推理小説を読んでいるみたいなスリルとサスペンスが満載の漫画だった。主人公が姉の死の真相を探りだし、復讐に燃える。恋もする。ステキな恋。海賊船のうえでのカーニバル。愛と裏切り。かっこよくて、ドラマチックで、ページをめくる手が止まらなかった。

はーっと牧子は息を吐き出した。

世界って広いなあ。

「牧子ちゃんさあ、それ、もう、さっき読んだでしょ」

千秋がのぞきこむ。

「うん、読んだ」

「また読むの」

千秋が待ってるのに、という言葉が聞こえてきそう。

「いや、この漫画がさ、ここに載るために、編集部の人たちが、すごおく、たいへんそうにしてたのを思い出しちゃったからさ」

「へんしゅうぶのひとたち？」

「会社の人」

「牧子ちゃんの」

「そう」

遠くから眺めていただけだけれど、小走りに編集部を出たり入ったりしていた西口克子の口から、辻内さんの。辻内さんの。辻内さんの、という言葉ばかりが聞こえていた。ほら、これ、早く、辻内さんの、写植貼り終わったらすぐ印刷所へ持っていくから手伝って。あ、それが辻内さんの最後のページ。印刷所はどうなってるの？　辻内さんの原稿まだここにあるのよ。あと少し。ああ、だめだって、ちょっと待ってて！

牧子はその声に吸い寄せられるように、つい別デの編集部を見てしまう。なにが起きているのだろう。近寄りたくても近寄りがたい緊迫感があって、だから、少し離れたところから、こっそり眺めつづけていた。

いっとき、別デの編集部は辻内先生の原稿のためだけに動いていたような気がする。それくらい、ぎりぎりのタイミングだったのだろう。

「会社ってさあ、どういうふう？　ビル？」

「え、うん、ビル」

「おっきい？」

「うん、わりと大きい。八階建て。神保町ではわりと目立つ」

「じんぼうちょう。どこ」

「どこって。ここからだとバスでいくんだよ」

「バス。いきたい。バス、のりたい」

「いってみる？」

「いきたい！」

ひゅん、と千秋が立ち上がった。えっ、いくの？　と牧子は目を瞬《しばたた》く。ほんの気まぐれにいってみただけだったのに、千秋はすっかりお出かけする気まんまんになっている。

「うそ、ほんとにいくつもりなの」

「いこうよ、牧子ちゃん、いこう」

えー、といいつつ牧子も立ち上がる。どうせ暇だし、散歩がてらバスにのって出かけていくのも悪くない。


あれえ、あそこにいるのは、うちの編集部の経理の子じゃないですか、と武部俊彦は、別デの小柳編集長に声をかけた。日曜日なので、今のところ、編集部には二人だけである。がらんとした編集部で煙草《たばこ》を吸って一服しながら、夏の太陽が照りつけている外を眺め、ひょいと下をのぞいたら、見覚えのある娘が上を見上げていたのだった。

んんん、と小柳さんが眼鏡を指で押し上げ、ちらりと俊彦を見る。

「子連れ、なんですが。ちがうかな」

小さな子供と話しながら、時々、こちらを見上げている。俊彦には気づいていないようだった。

どらどら、と小柳編集長がやってきて、のぞきこむ。

日曜日とはいえ、致し方なく仕事をしに編集部にやってくるのはおおむね俊彦の属する週デの人間と決まっているが、例外的に別デの小柳さんもたまにやってくる。この人は副編集長の頃から、こんな感じでふいに現れがちで、だから、休日によくここにいる俊彦と鉢合わせして、なんとなく親しくなっていった。平日に顔を合わせるよりも、休日に顔を合わせる方が、編集部の垣根を越えやすい。

「ああ、そうだよ、あれは、うちのアポロくんだよ」

「アポロくん。なんですか、それ」

「きみは知らないのかい、あの子のあだ名だよ。辰巳牧子くんの」

「へえええ」

知らなかった、と武部俊彦は思う。このフロアのあらゆる人間とわりあい親しく付き合い、編集部の人間はもとより、デザイナーやアンカーマンやカメラマンなんぞともよく雑談をし、それぞれの背景や関係性や噂話にも詳しいほうだと自負していたが、経理の子は埒外《らちがい》だった。あの娘にそんなあだ名があったとは。しかも小柳さんですら知っているほど浸透しているとは。負けた。べつに勝ち負けの争いではないが、負けた負けた、となぜか思ってしまう。

「あの子供は誰かな」

小柳さんがそういいながら目を凝らす。

「誰ですかね、妹にしちゃ、歳が離れているようだが。しかし、あの子の子供ってことはないでしょうから、やはり妹かな」

「呼んできてあげなさい」

「え」

「ここへ、呼んできなさい」

「え、ここへですか。なんで。呼んでどうするんです」

「ほら、早く。いってしまうじゃないか」

は、はい、と返事をして、俊彦は駆けだした。

階段を一段飛ばしに駆け降りて裏口から表へ出る。当てずっぽうに辰巳牧子の行方を追った。おーい、おーい、と呼びかけながら走っていく。早々に辰巳牧子は見つかった。

うわわあ、と辰巳牧子が怯えた声を出す。

なんだ、どうした、と思うが、辰巳牧子は硬直してこちらを見つめて突っ立っているだけ。反応がない。隣で小さなおかっぱ頭の女の子が、きょとんとしている。

「小柳編集長がさ」

息を切らせていう。「呼んでこいっていうから」

辰巳牧子が目をぱちくりさせている。ぱちくり、ぱちくり。目だけがわかりやすく動く。なんなんだこいつは、漫画か、ギャグ漫画の登場人物か、と俊彦はおかしくなる。経費の精算なんかを頼みにいくと、すぐに、ぱぱっと暗算して的確にまちがいを指摘してくるし、書類の確認も領収書のチェックも厳しいし、ずいぶんしっかりした子だと思っていたが、なんだかイメージがちがってみえる。ああ、そうか、私服だからか、と気づく。

「小柳、編集長が、で、ですか」

よろよろした声で辰巳牧子がきく。

「ん。たまたま、きみたちを上から見つけちゃってね、そしたら小柳さんが呼んでこいっていうんだ。いやや、べつに怒ってるわけじゃあないよ。ん、ええと、きみは、だれだい」

女の子に話しかける。

「め、姪です。わ、わたしの姪の千秋です。千年の千に春夏秋冬の秋。ち、千秋。千秋といいます。千秋。小学一年生です」

つっかえそうになりながらも牧子が早口でまくしたてる。きいているだけでこっちがつんのめりそうになる。なんなんだ、ほんとに。

「そうか、きみは千秋ちゃんか。こんにちは、千秋ちゃん。おいちゃんは武部俊彦です。けべちゃんとでも呼んでください」

「けべちゃん。会社の人ですか。牧子ちゃんの」

「そう。けべちゃんは会社の人です。週刊デイジーってところで働いてます。週刊デイジー、しってますか」

「しってます!」

「おお、いい返事だ。きみ、小さいのに、週刊デイジー、しってんだね。すばらしい!」

「はい!」

辰巳牧子より、ずっと話しやすい。

小さなお客さんだな、と思いながら、編集部へ案内する。辰巳牧子が後ろからついてくる。日曜日なのに人がいるなんて、とか、小柳編集長がいるなんて、とか、小声でぶつくさいっているのがきこえてくる。いや、あれは心の声が漏れ出しているのかもしれない。振り返って教えてやる。日曜日だろうと、われわれ、こなくちゃならないときはこなくちゃならなくてね、何人かはいつも、出たり入ったりしてるものなんだよ、週刊誌ってのはそういうもんなの、おれの青春はね、こうして過ぎていったんだよ。え、え、せ、せいしゅんですか、せいしゅんが、せいしゅんが、す、すぎて、と辰巳牧子がつぶやいているのがきこえる。うるさい。

編集部へいくと、小柳さんが、別デを手にして待っていた。

またしても、姪の千秋です、と辰巳牧子が忙しなく紹介をはじめた。焦っているわけではないのだろうが、わたわたとした早口で、だが、そのわりにぎくしゃくぎくしゃくつっかえつっかえ、挨拶だか紹介だかをしだしたのを横目に、俊彦は給湯室にお茶をいれにいった。どうせ、そうしろ、といわれるとわかっているから先に動く。

戻ってみるとやはり、小柳さんが来客用のブースに二人をすわらせているところだった。すかさず、湯呑みを並べていく。辰巳牧子はまだ立ったまま、遠慮している。何度も何度も遠慮して固辞している。小柳さんは、先にすわったちびっこに、別デを、どうぞ、と差し出している。手を伸ばしかけた少女はしかし、すぐに手を引っ込めた。遠慮しているのかと思ったら、ちがった。

「もう読みました」

という。

「おや」

と小柳さんがたじろぐ。

「もう読んだのかい」

「はい。読みました。とても、とてもおもしろかったです」

俊彦は感心した。なんという、殺し文句を。こんなちっこいくせに。小柳編集長が今、もっとも欲しているであろう言葉を、こんなにもすらすらっと吐いちまうんだから、たいしたもんだ。

小柳さんが、おい、武部くん、ケーキを買ってきなさい、と財布を取り出した。だろうなあ、と思いながら、へいへいと、お金を受け取る。ちびっこの顔に笑みが広がる。だろうなあー。おまえ、うまいことやったなあ、と思いながら、俊彦は買い出しに行った。

漫画家に差し入れするときによく使う近くの洋菓子店だ。

戻ってくると、辰巳牧子もすわっていた。

三人で別デの話をしているようだった。

あ、といって辰巳牧子が立ち上がる。わたしがやります、といってケーキ屋の箱を受け取り、給湯室へいく。ちびっこは一瞬迷ったようだが、そのまま動かなかった。

俊彦も一瞬迷い、給湯室に手伝いにいった。紅茶をいれる準備をする。小柳さんはケーキには紅茶、というタイプだから察して動く。隣で辰巳牧子が皿にケーキを載せながら、どうもすみません、と謝っている。お仕事の邪魔をするつもりはなかったんですが、あの、ええと、わたし、ただ、姪に、外から、ここが会社だよ、って教えて、それだけで帰るつもりで。

「いいよいいよ、小柳さん、喜んでるし。別デの読者なら立派なお客さんだ」

俊彦がいうと、はあ、と、牧子がいう。

「おれもどうせ暇だし」

「へぇ？」

辰巳牧子がおかしな声をだす。

「なに。どしたの」

「だって……あの、だって、忙しいから日曜日も出勤してきてるんじゃないんですか」

「そうだよ」

「でも今、暇って」

「そうだよ。今は暇なんだよ。忙しいのに今は暇。わかる？　このもどかしさ、この苛立ち。仕事っつうもんはね、思い通りには進んでくれんのよ。進もうとしても信号は赤ばかり。といって、進まぬわけにはいかないの。なぜって、それがわれわれの仕事だから。ああ、また赤信号だ。待つ。青だ、進んだ、でもまた赤だ。待つ。そんなんばっか。やんなるよ。でも我慢。それが仕事だから。もうなあ、家に帰るのも面倒になってくんだよ。わかる？」

辰巳牧子が首を傾げた。理解しようとはしてくれてるようで、少しうなずく。

「というわけで、ケーキだ、ケーキ。ケーキ食おう、ケーキ」

もうじき桐谷晃子先生から、いつ頃、原稿を取りに行けばいいか、連絡がくるはずだった。今夜じゅうにもらえるのか、明日になるのか、それがはっきりしないうちは、帰るに帰れない。他の仕事も思うように進んでいなかった。デザイナーに頼んだ仕事もまだ上がってこない。上がってきたらすぐにチェックして、明日の朝いちばんで製版所へ持っていけるようにしなければならないのに、どうなっているんだ。おそらく仕事が殺到しているのだろう。そうなのだ。滞りだすと、どれもこれも滞ってくるものなのだった。あれも待ち、これも待ち。赤信号、赤信号、赤信号。ケーキでも食って、待つしかない。そのくせ、動きだすと一気に動くのだから参る。まあ、こうなるだろうと予測はしていた。せめて桐谷さんが早く連絡をくれれば。

催促したい。急かしたい。

だが、桐谷先生にはなにもいえない。俊彦より歳は一つ下だが、桐谷先生はすでに大御所である。俊彦ごときに口は出せない。ただ約束を信じて待つだけだ。

おおそうだ。

「白ばらの咲く庭、どうでしたか」

目の前のちびっこにきいてみた。

いちごのショートケーキを食べていたちびっこは手を止め、少し考える。

小柳さんが別デの該当ページを開いて見せてやる。ちびっこがのぞきこむ。

それは桐谷先生の作品だった。

今回、別デに総集編として前後編のうちの前編が掲載されたが、もともとは三年前、俊彦が新人だった頃、一時的に桐谷先生の担当になったときに一から関わった、思い出深い週刊デイジーの連載作品なのだった。

ちびっこが、ああ、と声をあげ、おもしろかった、と、いった。ね、牧子ちゃん、おもしろかったよね、と隣を見る。辰巳牧子がうなずく。

「おおー」

途端に報われた気持ちになる。

こんな小さい子供に、あの作品の背景——ジェイン・オースティンばりの、イギリス階級社会の上流や中流に属する娘たちの暮らしぶり——がそう易々と理解できるはずはないし、物語の中に、ヒロインが創作した絵物語が作中作として登場するという、そもそも幼い子供向けの内容ではまったくないのだが、それでもおもしろく読ませてしまうところに桐谷晃子の底力がある。と、俊彦は思う。

あの頃はまだ、そこに気づけなかった。桐谷作品だけでなく、少女漫画そのものへの理解も足りていなかった。だから、ちょうど担当が空いた桐谷さんを、勉強がてらやってみろ、と任されても、なにをしたらいいのかてんでわからず、戸惑ったまま、適当にお茶を濁していた。

今では考えられないが、もともとずうずうしい性格でもあったし、桐谷さんもまだ、ここまでの大御所ではなかったから、打ち合わせと称してのこのこ出かけていき、仕事場まで入り込んで、よもやま話に花を咲かせたりもしたものだった。求められてもいないのに、学生時代のアホな失敗談なんかを嬉々として語り、先生、ネタとして漫画に使ってくださいよ、などと、新人にありがちな赤面もののの冗談を飛ばしたりもしていた。桐谷さんの作風も顧みず、なんちゅう無神経なことを。それを仕事だと勘違いしていたのだから、なんともおめでたい新人だった。桐谷さんも、さぞや閉口していたであろう。

　紆《う》余《よ》曲《きょく》折《せつ》を経て、今また、桐谷担当になっているが、もうあのような失敗はできない。というより、そもそも、そんな時間を取ること自体できなくなった。桐谷さんとは打ち合わせもほとんどしない。つい最近、新連載がスタートしたばかりだが、一回目の原稿のネームをいただくまで、俊彦はくわしい内容をほとんど教えられていなかった。それでも、ともかく、信じて待つしかない。そうして、いわれた時間に受け取りにいく。そのとき、うまくいけば玄関先で事務的な話をちらっとできる。それすら、できないこともある。だとしても支障はなかった。ようするに、おれでなくともかまわん、ということだろう。まあ、いい。それでも読者の心を摑む作品を仕上げてくださるのなら、やり方を変える必要はない。この域まで達してしまった先生に、よけいな手は出せない。

「この作品、連載時は、きみの担当だったか」

　とページに目をやりながら、小柳さんがいう。

「ええ、そうです」

「わわわ、そうなんですか」

　と辰巳牧子が声をあげる。なに？　とちびっこが牧子を見る。

「千秋、これね、この漫画ね、この、武部さんが、漫画家の先生のところへ漫画を貰いにいく係の人だったんだって」

　なんかちがう、と思うがすぐに、でもまあ、それで合ってるか、と思い直す。

「けべちゃんが」

と女の子がいう。

「そう。けべちゃんが」

と俊彦がいう。「すごいだろ」

すごいのかな？　と思いながら、つい、口が滑ってしまった。

「すごいです」

わかってんのかな？　と思うが、まあ、いい。そう思っててくれ。けべちゃんはすごい。おれもそう思いたい。

小柳さんが笑っている。どうにも気恥ずかしいが知らん顔を決め込む。

それからじきに、小さなお客さんと辰巳牧子が帰っていき――その前に素晴らしい手際良さで、紅茶茶碗やケーキ皿を給湯室へ運び、洗って片付けてくれた――、俊彦はしばし、ぼんやりしていた。

小柳さんはすでに机に向かって仕事をしている。おそらくネームを見ているのだろう。

別デの進行は早い。あの人は掲載予定の作品、すべてのネームを見て、台割を作っているのだそうだ。俊彦の知る限り、副編集長の頃からずっとそうで、ようするに、別デは小柳さんが一人で漫画のページ、すべてを見ている。それゆえ、いくらでも融通がきく。たとえばネームの段階で、これはだめだと思えば、躊躇いなくボツにできるし、ボツでなくとも新人なんかにはけっこう直させてもいるようだ。つまり、彼のお眼鏡にかなうところまでいかなければ別デには掲載されない。漫画家がネームをあらためて練り上げる時間を確保するためにも、進行を早めていかねばならないのだろうが、その結果、彼の手元にはいつも余分な球数があるから、差し替えはいくらでもきく。それらを頭の中で、組み立てたり、組み直したりして先々の台割を決定していくようだった。独裁的ともいえるが、その分、甚だしい労力が必要だし、責任も重大だから、始終、気が休まらないいんじゃないかと俊彦は思う。

おまけに漫画スクールだ。あの人は、応募作すべてに目を通しているといっていた。始めた頃にそう決めたらしい。そうはいっても、応募作が加速度的に増えているのだから、どこかでやり方を変えたらいいじゃないか、と側《はた》から見ている俊彦なんかは思うわけだが、まあ、そこが小柳さんの小柳さんたる所以だろう。手を抜けないのだ。手を抜けば王国が滅びるとでも思っているのかもしれない。

そうなのだ。

別デはあの人の王国なのだ。

楢橋編集長の時代から、地道に築き上げた、別デは彼の王国だった。今や、なにからなにまで、彼の掌中にある。

そこが週デとは決定的にちがうところだった。

週刊デイジーは、漫画班、活版班、グラフ班と分かれ、それぞれに主任がいて、その上に副編集長がいて、と分業制が徹底しているから、編集長といえども、細部はある程度、手放すしかない。携わっている人数も格段に多いし、指揮官としてどこを押さえるべきか考えたうえで、省くところは省き、全体を把握するのに腐心する。それでなくては週刊のスピードについていけないのだから、当然といえば当然のやり方だった。時間との戦いに敗れないために編み出された合理的方法だろう。

俊彦なんぞ、そのやり方にすっかり慣れきってしまっているから、細部を担う一員に徹し、それで満足している。責任も己の関わる範囲のみですむし、他への目配りもいらない。それは編集長の仕事だからだ。俊彦は漫画班以外の、活版班やグラフ班がどんな仕事を進めているか、ろくに知らないまま、日々働いている。出来上がった週デも漫画以外、ほとんど読みもしない。そんな暇はないし、いちいち読んだところで、得るものはない。どうせ読むなら小説であるとか、他誌に載ってる漫画であるとか、なんなら少年漫画でもめくっていた方が益はある。とわかっていても、少しでも時間ができると、ついつい雀荘に入り浸ってしまうのが俊彦の悪い癖だった。雀荘が近くにあるのがいけない。メンツがすぐに揃ってしまうのもいけない。だが、なにより、誘惑に弱い己が最もいけなかった。まったくどうしようもない。

小柳さんが、鉛筆で何か書き込みをしているのを見ながら、俊彦は煙草に火をつけた。ゆっくりと吸い込み、ゆっくりと吐き出す。

雀荘ではのべつまくなし、誰彼となく煙草を吸っている。俊彦も負けじと吸うが、あそこで吸っている煙草は、煙草であって煙草でない。なにかべつのものだ。味などしないし、喉がいがいがするばかりだ。それなのに吸う。そうして身体じゅうが煙草臭くなる。骨の髄まで臭くなりそうだった。まったくろくでもない。

しかし俊彦は、そんな空間に身を置いていると、なんともいえず、ほっとするのだった。

あんなにもうるさい、落ち着かない場所で、煙草をくわえて、ぐだぐだすればするほど、身も心も安らぐのだから呆れたものだと自分でも思う。どこからどう見ても、少女漫画に出てくる清潔で美しい青年たちとは相容れない、いかにもむさくるしい、情けないおっさんどもに囲まれて、子供みたいに夢中になって牌《パイ》を掻き回していると、やれやれと、重い荷物を下ろしたような気になるのだった。もうもうとした煙草の煙の中で、店屋物の天津飯なんかをかっこみながら、おいっ、そんな手で上がるやつがあるか、ばかめ、とくだを巻く。うるさい、だまれ、おまえだってさっき似たような手で上がっただろう、と言い返され、そんなことあるか、と言い返す。わあわあ、わあわあ、どうでもいいことをしゃべりまくる。それが心地いい。

自分はそうやって、バランスをとっているのかもしれないな、と考えたりもする。

担当する少女漫画家たちにとって、それも、とくにデビューしてまもない若い娘たちにとって、やや年上の異性である自分は兄であり、先生や親であり、時には恋人のような存在だった。ごく自然にそうなっていく。というか、そういう役割を一方的に背負わされてしまうのだったが、そして、そんなものは、いってみれば幻想みたいなものだとよくわかってはいるのだが、どの役割をどのパーセンテージで背負わされているのか不明なまま、適当に役割をこなしつづけていると、俊彦自身わけがわからなくなるときがままあった。変幻自在に適当にこなせるからこそ――器用といえば器用、雑といえば雑――、真実がどこにあるのかわからなくなってしまうのかもしれなかった。真実、というのは、担当編集者としての自分であるはずだが、それがあまりにも弱々しくなってはいまいか。それが芯でなければならないはずなのに、芯が削り取られていっている。

――おれはあいつらにおれを食われている。あいつらはおれを食うことでふてぶてしく作品を肥えさせている――

そんな妄想を抱くことさえあった。

成長著しい漫画家に目を瞠るとき、俊彦の中で、喜ばしい気持ちと同時に、かすかに苦々しい気持ちも湧き起こるのが、自分でもふしぎだった。その気持ちの正体が、俊彦にはよくわからない。悔しさのようなものなのか。あるいは寂しさのようなものなのか。

「小柳さん」

声をかけた。

「ん？」

「疲れませんか」

「んん？」

「そんなにしゃかりきになってネーム見てて、いやになりませんか」

小柳さんが心持ち頭を上げ、天井近くを見る。

「きみはいやになるのかね？」

「ときには。なにもかも放り出して、逃げ出したくなることがありますよ」

ややや乱暴に煙草を灰皿に押しつけ、揉《も》み消した。

「そうか」

「そういうとき、どうしたらいいんですかね」

小柳さんがにやっと笑って、

「逃げたらいいじゃないか」

という。

「え」

「ひと思いに逃げた方がいい。逃げなさい」

俊彦を見る目がいやに鋭い。冗談でいっているのではないようだった。へたなことをいって怒りを買うのはごめんだ。といって、なにをいえばいいのかわからなかった。そもそも自分がなんであんなことをいってしまったのかすらわからないのだから困ったものだ。疲れているのかもしれない。

「うちにも娘がいるんだよ」

小柳さんがいった。

「はあ」

「小学三年だ」

ということは、今のちびっこより二つ上か、と俊彦は思う。小柳さんに娘がいることはなんとなく知ってはいたが、本人の口からそれをきくのは初めてだった。

「うちの娘がさっきの、あの子くらいの頃、ここへ連れてきたことがあったんだよ。いや、べつに職場を見せたかったわけじゃあないんだが、どうにもままならない事情があってね、しばらくの間、休みの日に連れ歩いた。原稿をいただきにあがる漫画家のところへ連れていったこともあったな。そうやって育ったせいか、漫画が好きでね」

「へえ。じゃあ、小柳さん、お嬢さんから尊敬されてますね」

「尊敬？」

「されてませんか」

「尊敬か。どうだろうね。ただ、まあ、親が作ってるんだから、おおっぴらに漫画を読んでるよ。わたしもそれでいいと思っている。武部くん、うちの娘も、今の女の子も、ああして漫画を読んで育っていくんだよ」

「はあ」

「子供たちは漫画から社会を読み解いていく。漫画は悪だ、低俗だ、という人もいるが、ああ、そういえば、漫画が悪書追放運動の槍玉に挙げられたこともあったなあ。だがね、漫画は悪書なんかではない。むろん、漫画は漫画、娯楽なんだから、品行方正な、修身の教科書に載るようなものではないよ。子供が喜ぶおもしろいものを選んで雑誌に載せているんだからね、それは当然だ。だがね、わたしは、うちの娘に読ませても大丈夫だと胸を張れるものしか載せてはいないつもりだよ。うちの娘がこれを読んで育つことに微塵も不安はない。少なくとも、うちの編集部から出すものは、そういうものだ」

「はあ」

「週デは今、何万部だね。百万部に手が届きそうになっているんじゃなかったか」

「なってますね」

「良くも悪くも、きみらは、いや、きみは、それだけ大きな影響を与えているんだよ。わかるかい。われわれはそういう仕事をしているんだよ」

ぐうの音も出ない。

たしかに。

たしかにそうだ。

百万の子供たちがこちらを向いてなにか叫んでいるような気がした。そうだった。つい忘れてしまうが、あの雑誌の向こうには、今のちびっこみたいな子供が百万近くいるのだった。いや、買わずに借りて読んでる子もいると思えば、百万などとうに超えているかもしれない。

「われわれは未来を作っているんだよ」

追い打ちをかけるように小柳さんがいう。

小柳さんの眼鏡の奥の目がきらりと光った気がした。ああ、と俊彦は思う。この人には芯がある。削り取られていない。それどころか、むしろ、仕事をすることで、いっそう強くなっているようにすら思われた。なぜなのだろう。なぜこの人は、おれみたいにふらふらしないのだろう。それに、なによりこの人、ちっとも疲れている様子がない。

「おーい、けべちゃん」

と小柳さんに呼ばれた。

「は、はあ」

と間抜けな返事をする。そんなにいきなり小柳さんにあだ名で呼ばれても反応しにくい。

「けべちゃんはすごいんだろ」

小柳さんが、至極まじめにいう。

「へ？」

「きみ、さっき、あの子にそういってたじゃないか。けべちゃんはすごいって。いってたろう」

「えっ、あーと、え、ええ」

「あの子は信じたぞ。けべちゃんはすごいって」

「ああああああ。小柳さん、やめてくださいよ。やだなあ、小柳さん、人が悪いや」

小柳さんが呵々大笑《かかたいしょう》する。

俊彦もいっしょになって笑う。といっても俊彦の笑いは苦笑いだが。

小柳さんがすっと視線を落とし、またネームのチェックに戻っていった。

未来か。

その言葉が俊彦の頭の中で大きく膨らんでいく。

未来。未来。未来。

自分の仕事をそんなふうに捉えたことなど一度もなかったから、俊彦にとって、それは新鮮な驚きであり、新鮮な響きだった。

未来。

その言葉によって、俊彦の内側に、ふいに風穴が開けられたようだった。

さっきのちびっこが大人になったところを想像してみる。あの子は、どんな大人になっていくのだろう。週デを読んで。別デを読んで。

なるほどな、仕事ってそういうものなのか、と俊彦は思う。おれの仕事は、あの子の未来と繋がっているのか、なるほどな。

立ち上がると俊彦は窓辺に行った。

ふいに青い空が見たくなったからだった。

5

百万部。

ふーん、と藤原修子は思う。

百万部といわれたって、実感はあまりない。

とはいえ、その可能性が近づくにつれ、編集部内の空気はやはり微妙に違ってきてはいる。

週刊デイジーが百万部を突破したら、パーティーでもやるか。

そんなことを、つい先日、修子にいったのは、川名《かわな》編集長だった。冗談っぽい口調ではなく、北国なまりの抜けきらない、いつもながらのあの朴訥《ぼくとつ》な口調で。

へー、川名さんがこんなことをわざわざわたしにいうなんて、へー、ってことは、いよいよ、百万部突破が現実味を帯びてきているのだな、と修子は思い、即座に賛同した。

パーティーだなんて、ほんとにそんな仰々しいことをやるのかしらん、という気はしたし、百万部っていうけれど、そこまで浮かれることなのかしらん、と思わなくはないけれど、喜んでいる親分に——当人に向かって親分という人はいないが、陰で親分といっている人は多い——、楯突《たてつ》くことはない。それに、この雑誌を創刊し、ここまで育ててあげたのはまさしく彼に違いないのだから、喜びに水を差すのもよくない。もっといえば、そもそも記者として働いていた雑誌が潰れて、路頭に迷う寸前だった修子をおそらく拾ってくれた恩人が川名さんで——本人の口からきいたことはないが、それしかありえない、と後になって修子は理解した――、それ以来、彼の下で働き、いい上司だと認めているので、けっこう誰にでもいいたいことをいいがちな修子だけれども、なぜか彼にはわりあい従順になってしまう傾向があったのだった。

この編集部で修子が働きだした頃、週刊デイジーはいつ潰れてもおかしくないような弱々しい雑誌だった。

今ではフロアの隅の一角から、編集長というより親分然とした態度で皆を睥睨《へいげい》している川名さんだが、当時はまだ自ら率先して動き回っていた。

ここに配属されている人間もうんと少なくて、今よりずっと小さな編集部だったし、部数も今とは比較にならないほど少なかったし、先行する大手出版社の少女雑誌を抜くに抜けず、デッドヒートを繰り返し、というより食らいついていくだけで精一杯、なかなか思ったような結果が出ず、川名さんもさぞ肝を冷やしていたことだろう。

なにしろ、週刊デイジーは、この出版社が社運を賭けて、といっても過言ではないほどの期待をかけて創刊した総合少女週刊誌なのだった。

創刊号は六十五万部。

えっ、いきなりそんなに刷ったのか、とまず、それだけでもじゅうぶんに驚くが、もっと驚くのは、そのすべてを無料にして巷に配布したことだった。いったい、いくら経費がかかったことやら。

そんな恐ろしいこと、誰がいいだしたのか、って、そりゃ川名さんに違いないが、巷に撒いた創刊号は瞬く間になくなったらしい。宣伝効果は抜群で、週刊デイジーの名は世間に広く知れ渡った。

だからといって、二号目も三号目も六十五万部売れるのかといったら、それほど甘い世界ではないのが難しいところ。破天荒な荒技でスタートした分、思わしい結果がついてこないのだから風当たりは強かったろう。

そんな状況のなか、川名さんは奮闘していた。

反対する声を押し切ってこれほど大胆な試みをした挙句、週刊デイジーは失敗でした、無料配布は経費の無駄遣いでした、ということになれば、責任を問われる。彼の能力に疑問符がつく。出世の道は途絶え、会社人としての将来はなくなる。

それゆえ、川名さんは週デを軌道に乗せるために躍起になるしかなかったのだった。

おかげで修子が拾ってもらえた。

週刊デイジーに掲載された漫画だけを集めた別冊デイジーを季刊で出すようにもなり、当初はそれも週刊デイジーの編集部で作っていたから慢性的に人手が足りず、加えて、忙しい男の編集者どもから、ファッションだの、おしゃれだの、やりにくくてかなわん、という声があがりだし、修子に白羽の矢が立ったらしかった。修子は前職でファッション関連のページを担当していたし、ファッションショーなどの取材経験もあって文章もそこそこ書けたから即戦力としてちょうどよい人材だったのだろう。編集のイロハはむろん理解していたし、それに、なにより修子には、なんとしても働きたい、働きつづけたい、という熱意とやる気が人一倍あった。男たちの中に放り込まれてもへっちゃらだ、という簡単にはへこたれない強さもあった。それをも見抜いていたのだとしたら、川名さんは、人の使い方を心得ていた。

女の記者がこの編集部に雇われることはむろん初めてだったし、修子自身、異例中の異例の僥倖《ぎょうこう》だと、よくわかっていたから、しくじるわけにはいかなかった。女の記者が入るというので、おそらく周囲はかなり身構えていただろうが、修子はなるたけ淡々とした顔で働こうと決めていた。わたしは素人ではないのだし、新人でもないのだから、おたおたするのはみっともない。女だからといって、みくびられるのはいやだったし、性別が違っていたって、普通に仕事はするし、できるのだ、というところをアピールせねばならない。

ほんとうに、そこは男だらけの世界だった。

少女向けの週刊誌だというのに、むくつけき男しかいない。

前職の女性誌編集部には女性記者がたくさんいたというのに、このアンバランスさはどうしたことだろう。

しかも、紳士的な男たちではなく、なんだかいい加減そうな、まともなサラリーマンとは言い難いような男たちがうようよと蠢いていたのだった。川名さんこそ、多少ましではあったが、下にいる連中は、どこかしらちょっとずつ崩れているというか、やくざっぽいというか、とにかく変わった感じの人が多かった。インテリはインテリなりに。バンカラはバンカラなりに。よくいえば個性的、悪くいえば規律もへったくれもなく自由気まま。周囲を気にせず、我が道をいく感じ。小さな出版社に拾われてくる男の人たちっていうのは——それも、たいしてやりたくもないであろう少女雑誌の編集部に流れつく人たちっていうのは——、こういうタイプの人が多いのだろうか、と思い、いや、川名さんが目をつけたんだから、これは川名さんの好みなのかもしれない、とも思うのだった。って、それをいうなら修子もまた、その一人ではあるのだけれども……。

しかし、こんな連中が、かわいらしい少女たちの心を摑む雑誌を作れるものなのだろうか。

ファッションのファの字も縁がなさそうな、見るからにさえない人々に、ファッション記事を書けといったってそりゃ無理な話だろう。女の子たちにおしゃれ指南なんぞできるはずもない。

夏の盛りの編集部の風景といったら、まるで横丁の店先だった。まだ新しいビルは箱こそ立派だが、中身がまったく追いついていない。あぢい、あぢい、と扇子をばたばたさせ、煙草をすぱすぱ吹かし、吹きだす汗を拭いながら、いい歳をしたおじさんらが漫画の柱の文言を考えている。やがてあぢいあぢいが高じて、上着を脱ぎ捨て、ズボンを脱ぎ捨て、ランニングシャツにステテコ姿で、どこからか持ってきた氷の入ったバケツに足を突っ込んで仕事をしだす始末。修子はあんぐりと口を開ける。傍若無人にもほどがある。冬は冬でストーブの奪い合いだ。もちろん、修子に譲ろうなんてジェントルマンは一人もいなかった。女扱いされていないというより、修子のことなど見えていない。修子は仲間であって仲間でないから、遠慮がない。強固な男たちの世界に女という異物は存在しない。いやあ、こう寒くちゃ頭が回らんなあ、とかなんとかいいながら、何人かが、ちょっと一杯ひっかけたりしていたが、修子に酒が回ってきたことは一度もなかった。まさか、女は酒を飲まないと思っていたわけではないだろうが、そんなふうに、背徳的に職場で飲むときには数に入らない。べつに目くじらをたてていたわけでもないし、意見したことがあったわけでもなかったのだが、当たり前のように修子ははずされていた。多少なりとも煙たがられる存在ではあったのだろう。それゆえ、むしろ、修子には編集部の景色がよく見えていた。そうか、ここはこういう場所か、とやや外側から観察しているかのようだった。修子は煙草を吸わなかったが、編集部にはいつも煙草の煙が充満していて、空気が悪いこと、このうえなかった。整理整頓からは程遠い乱雑な机の引き出しの奥には、ウィスキーの瓶がこっそり仕舞われ、誰が持ち込んだのか、小型ラジオから音楽やニュースが流れていることもあった。ビールの栓抜きが鉛筆や定規や鋏《はさみ》にまじってペン立てに挿さっていたし、一升瓶の空き瓶がそこらへんに転がっていることもたびたびあった。酔っ払うほどではないにせよ、職場に酒があるなんて由々しき事態のはずだが、川名さんはべつだん叱らなかった。男たるもの、そんなもの、という認識でいるからか、とくにおかしいとも思わないようだった。

時を経て、だいぶまともになってきたが、昔はそんなものだった。

それが今や、百万部だ、百万部。

昔を知る修子にしてみたら、夢のような数すぎて、実感が湧かないのも無理はない。

よくもまあ、あんな編集部で作っていた少女雑誌がここまで大きく成長したものではないか。

修子はあの頃、ともかく潰れなけりゃいいと、そればかり願っていた。

週刊デイジーの部数は、ありがたいことに、少しずつ伸びていった。

あんな連中がわいわいがやがや作っていたのだから、毎度、雑な出来栄えではあったものの――と、修子には見えたのだったが――、もしかしたら、それが良い方に転んでいたのかもしれない。四角四面に小さくまとまるより、なんでも有りの雑多なエネルギーが、雑誌に伸びやかな広がりを与えていたのだろうか。編集部には意気揚々とした闊達《かったつ》な空気がたしかにあって、やりたいことは好きにやればいいというのが川名さんの方針だったから、皆、のびのびと働いていた。川名さん自身、あれをやろう、これをやろう、と次々思いつく人だったから、それをいかに素早く実行に移すかで、皆が競い合っている面もあった。

ともかく、川名さんの目論見通り、週デは売れ出したのだった。

創刊号で打った大博打《おおばくち》が負けずにすんで川名さんは胸を撫《な》で下ろしていたにちがいない。

修子も同じように胸を撫で下ろしていた。これで当分、異動させられることも馘首《くび》にされることもなくなった。修子にとって、それが大事なことだった。生活の基盤がようやく安定したのだ。

部数の増加にともない編集部の人員も増やされた。

カメラマンやデザイナーや、編集部に出入りする人間もある程度決まってきて、関わる人間も増えた。広いフロアへ引っ越しをした。会社の景気が上向いているからか、ビル全体の設備もいくらかよくなり、什器《じゅうき》や備品も充実してきて、職場環境はだいぶ改善した。

別冊デイジーの方も部数は堅調で、週デから分かれて独立した編集部が作られた。

そちらは楢橋さんが編集長として就任し、女性アルバイトが幾人か採用されて、編集作業を手伝うようになった。

漫画家の女の子たちもちょくちょく出入りするようになった。経理課から女の子がやってきてフロアに常駐するようにもなった。

新しい青年たち——やや身綺麗で、ややスマート——も入ってきたし、編集部はますます活気が出て、いつのまにかステテコ姿で働くような者は見かけなくなった。環境の変化と心持ちの変化で、暑くても脱がずに我慢できるほどにはなったのだろう。修子が目のやり場に困ることも、眉を顰《ひそ》めることもなくなった。洗練、とまではいいすぎだけど、このくらいなら、まあ、許容範囲だ、というところまでにはなってきている。

それもこれも、すべては全国津々浦々の少女たちが、週刊デイジーを買ってくれたおかげだった。彼女たちが、我々——週刊デイジーや別冊デイジーの編集部——を育ててくれたのだ。

修子は、それを、〝時代の変化〟と捉えていた。

もちろん漫画の人気は無視できないし、それこそが週デ飛躍の原動力だという声は大きい。それはそうだろう、と修子も思う。否定はしない。だが、それにもまして、少女たちがそれを買えるだけの力を得たことが大きいのではないか、と修子は考えていた。

戦後、日本は豊かになり、だんだんと人々が娯楽にお金を注ぎ込める時代になってきてはいたが、その波がとうとう少女たちにまで押し寄せたのだ。

川名さんは、おそらく、そんな少女たちの出現を遥か前に予感し、そこに勝機を見出したからこそ、大博打に出たのだろう。

豊かになる、というのはこういうことだったのか、と修子はしみじみ思う。

少女にも、そんな特権が与えられる可能性があったのだ。

子供たち――少女たち――が、お小遣いを好きな漫画のために遣える自由。

楽しいもの、面白いもの、好きなもの、きれいなもの。

心を動かすそれらを欲望のままに愛でる自由。

そこにお金を注ぎ込める自由。

戦中戦後の最も貧しい時期に少女時代を過ごした修子にとって、それは目が眩《くら》むような現実だった。

日本の豊かさはここまでたどり着いたのだ。

その楽しさ、その贅沢《ぜいたく》さに、彼女たちは気づいているだろうか。

そのありがたさがわかっているだろうか。

わたしたちの世代には、そんな贅沢、許されなかった、と修子は思いを馳《は》せる。

終戦を迎えた年、修子はまだ十一歳だった。

疎開先でずいぶんひもじい思いをして暮らしていた。

生きるのに必死で娯楽どころではなかったし、辛い思いもたくさんしてきた。

その挙句、戦争に負けたのだ。学校で教えられることも先生のいうことも手のひらを返したように
いきなり変わった。人間不信になりそうなほどの変化だったが――大人たちはでたらめだ――、それでも親や教師に従順でいつづけなければならないのが、どうにも解せなかった。なんかおかしい、と思いはすれど、無力な子供に、なにができるというのか。鬼畜米英と敵視していた国に占領され、今度は彼の国を崇《あが》め奉《たてまつ》り、修子らは価値観の変化に翻弄されつづけた。教科書も変わった。教えられ方も変わった。ついこの間まで、男女七歳にして席を同じゅうせず、といっていたのに、男女は互い

に敬重し協力し合わなければならない、などといいだして、ついには男女は平等なのだとまでいう。

えっ、と思ったし、戸惑いもした。

そうだったんだ、と思い、だったら、わたしにも、もっとなにかできることがあるんじゃないか、という気はしたが、なにをどうすればいいのか、すぐにはわからなかった。どこかにもっと楽しいことがあるんじゃないか、ありそうだ、という気配も感じたけれど、それまでがあまりにも窮屈で不自由な時代だったため、すぐにはその在処《ありか》を見つけられなかった。

戦後もまだ日本は貧しかった。

まだまだ、子供が――少女たちが――娯楽にお金を注ぎ込める時代ではまったくなかったのだった。そもそも自由になるお金なんぞ、修子はあの頃、ほとんど持っていなかった。あればあったで、もっと必要なことに遣っていた。食べ物だったり、文房具だったり、身の回りの品だったり、優先順位の高いものから遣うしかない。

時間だってそうだ。

修子は学ぶことが好きで、できることなら大学へ行きたいと思うようになっていた。となれば、奨学金をもらうために学問に励まねばならない。

親に反対されても周囲に莫迦《ばか》にされても、信念を貫き通すためには、それしか方法がなかったのだった。

修子には遊んでる暇などなかった。

時間はすべて勉強に費やした。

漫画なんてとんでもなかった。

だから修子はいまだに漫画に興味がない。

週刊デイジーで働くようになって、漫画をいくらか読むようにはなったけれど、なにが面白いのか、どこが面白いのか、正直、修子にはさっぱり理解できなかった。つまらなくはないけれど、ずいぶん幼稚だな、と思われてならない。がんばって読んでみたところで、すぐに飽きてしまう。

そんな体たらくではあったけれど、幸い、この編集部はチームに分かれて仕事をするから、活版班かグラフ班で働いていれば、漫画に関わらなくてすむ。修子は漫画班からお呼びがかからなかったので、いつも活版班かグラフ班のどちらかに属していて、つまり、ちょうどよかった。

と、思っていたのだったが、ずっと後になって、男たちが、はなから漫画の仕事を女の修子に渡すつもりがなかったらしいと知って、気が抜けた。

彼らは、漫画の仕事は新人や女には無理だと決めつけていて、だから漫画班に修子は入れなくて、ということは、修子の能力を彼らはじつは下に見ていたということにちがいないのだった。川名さんも、適材適所などと表向きにはうまいことをいっていたが、ほんとうはそれだけではなかったのだろう。どちらが上でもどちらが下でもないはずなのに、そうすることによって、上と下が自然と作られていたのだった。

修子はそれを黙って受け入れた。

漫画のページがやりたかったなら辛かったかもしれないが、修子はそうではない。波風を立てる必要はない。

だから、去年、グラフ班に香月美紀という娘が入ってきて、漫画漫画と騒ぎ出した時には、さすがにちょっとぎょっとしてしまった。漫画はやれない、週デの漫画班は男だけ、とはっきりわかっていながら、しかも正規採用ではなく、アルバイトとそう変わらない身でありながら、なんでまた、そんなことをおおっぴらにいいだしたのか。

この娘は、いったいなんなんだろう、と修子は思った。

曲がりなりにも大学出の女が。

漫画漫画、って。

わきまえないにもほどがある。

香月美紀は漫画班の男たちに、直談判までしたらしかった。

修子は頭を振る。そんなことをしたって無駄だとどうしてわからないのだろう。

おそろしいまでの聞き分けのなさだった。

修子の時代は大学出の女がとても珍しかったし、最高学府を出たからにはそれなりにプライドもあったものだが、香月美紀にはまるでなさそうだった。近頃は、大学出の女の子も増えていたし、昔より特別ではなくなってきているのかもしれないが、それにしたって……。

香月美紀は、学歴をひけらかすというより、むしろ学歴をなかったことにでもしているかのように、飄々《ひょうひょう》と、自由に振る舞っていた。さりげなく流行のファッションに身を包み、派手なイヤリングやネックレスをし、色使いの珍しいスカーフなんかを果敢に合わせ、ベルトやブーツなども大胆なものを好んでいた。編集部きっての冒険的な装いは、似合う似合わないはべつにして、ファッションを長らく担当してきている修子の目を楽しませた。センスは悪くはなかったし、あの子はうちの編集部、というか、このフロアに出入りする女の子のなかでいちばんのお洒落《しゃれ》さんだ、と早くから気づいていた。小柄だけれど、スタイルがよく、それに、あの子の頭の良さは、あの着回しのうまさからも一目瞭然だ、とも思っていた。

だが、その一方で、お洒落すぎて、逆にこの子の賢さが伝わらないだろう、というのにも気づいていた。おまけに、子供さながらに漫画漫画と騒いでいるのだから、なおさらだ。

もったいない、と修子は思ったものだ。もっとうまく立ち回ればいいのに、と。

だから修子はいってやった。

漫画が上ではない、と。

香月美紀に気づいてほしかったのだ。

週刊誌の記事に上も下もない、と。

それは長らく修子が自分自身に言い聞かせ、己のプライドを保ってきた呪文でもあった。漫画が上ではない。わたしは下ではない。

香月美紀は納得したようには見えなかった。なまじ漫画のことがよくわかるゆえ、簡単には諦めきれなかったのだろう。そういえば、〝百万部〟という言葉を、編集部で最初に口にしたのも香月美紀だった。

まだあの子がここへきてまもない頃だ。

「ねッ、藤原さん、週デ、百万部、いきますね。もうまもなくですね。いや、すぐですよね、すぐ」

たいして打ち解けてもいない先輩に向かって——まだ彼女が修子のことを藤原さんと呼んでいた頃のことだ——、香月美紀は自信満々でそう断言したのだった。

あの時、部数はどのくらいだったろう。

少なくとも、修子はそれまで百万部という言葉をきいた記憶がなかったし、意識したこともなかった。編集部内でそれを口にする者はまだ誰もいなかったはずだ。下っ端の者が下手なことをいって、そのあと部数が落ちでもしたら、親分の機嫌を損ねて睨まれかねない。部数の話題はデリケートなので、皆、軽々に口にしないものなのだった。実際、実売部数が落ちたり、部数会議で編集長が販売部長からこてんぱんにやられて編集部へ戻ってきたりすると、編集部内にぴりぴりした空気が走る。

そういうことにも新人の香月美紀はまだ気づいていなかったのだろう。

「この連載、これから、もっともっと人気が出ますよ。この調子でいけば、まちがいなく週デは百万部です。もう、そんなの、わかってんだから、どんどん刷っちゃえばいいのに！」

香月美紀の手にした週デは、スポ根漫画のページが開かれていた。

この連載がスタートしてから、まだ半年かそこらだったが、たしかに読者人気は高かった。といって、編集部内でそれほど評価が高かったか、といったら、それほどでもなく、アンケートの結果がやけにいいから、もうしばらく連載を続行しようとなっていた漫画だった。

「そんなにおもしろいの？」

と修子はきいた。これほど熱烈にこの漫画を支持している者が周囲にいないから――担当の沖でさえ、アンケートの人気の高さにやや戸惑っていた――、ちょっときいてみたかったのだ。

美紀は驚いた顔をする。

「もしかして、藤原さん、これ、読んでらっしゃらないんですか」

「読んでない」

「えっ、なんで」

ますます驚きの表情になる。

「班がちがうと、そんなものですよ。時間もないし。どういう漫画かはペラペラやってればなんとなくわかりますし。アンケートや読者のハガキもみてますし。似顔絵とか、先生へのお便りとか」

「えー、でも、それは、読んでるのとはちがいます。藤原さん、興味ないんですか。こんなにおもしろい漫画が載ってるのに」

「興味？　ない」

美紀が目を丸くする。

「だって、あなた、バレーボールなんて、いまさらでしょう」

修子がいうと、美紀はむきになった。

「そんなことありませんよ。人気は根強いですよ。東洋の魔女、かっこいいじゃないですか」

「東洋の魔女？　あの人たちが脚光を浴びたのは東京オリンピックの頃ですよ。そりゃ、あの頃はわたしも夢中になったものだけど、もうみんな、やめてしまわれたし、今度のオリンピックはあそこまで盛り上がらないんじゃないですか」

「いいえ、藤原さん、メキシコオリンピックもきっと盛り上がりますよ。大丈夫。それに、蔵野《くらの》先生のこの漫画は、ぐっと身近な学園ドラマにして、あらためてバレーボールの魅力を読者に気づかせてくれてるんです。そこがね、抜群にうまいんですよ。実業団じゃなくて、学校のバレー部にしたところが。しかも胸のすくような天才ぶり。読んでると、バレーボール、やりたくなっちゃう。わたしが学生だったらきっとバレー部に入ってますね。もう、ほんとにね、蔵野先生のストーリーの盛り上げ方が、すばらしいんです。ライバル校との戦いはいつも白熱の展開で目が離せないし、次から次へと事件が起きるし、あーそれに、女の子たちの友情の物語としても胸が熱くなるんです。仲間たちが信頼しあってて、それがバレーボールという競技とうまく嚙み合ってる。よくできてるんです。もっともっと人気が出ますよ。この漫画、ちょっと今までにない人気になるはずです」

「で、百万部？」

香月美紀はうなずいた。自信たっぷりに。

たった一つの連載が当たったからといって、そう易々と雑誌の部数を引っ張らない、というのは経験上、修子にはよくわかっていたし、百万部の根拠としては薄いな、この子、思い切ったことをいうけれど、やはりまだてんで素人だな、と感じたものだった。

ところが、である。

香月美紀の予言はずばり、当たっていたのだった。

彼女がいった通り、この連載の人気は鰻上りだった。

秋に始まったメキシコオリンピックでも、女子バレーボールチームは金メダルこそ取れなかったものの人気は再燃、すると競合する他社のライバル誌がすぐに追随して、似たようなバレーボール漫画の連載が始まった。普通はつぶしあいになるところだが、勢いのあるときは不思議なもので、それさえも、人気を盛り上げる助けにしてしまう。それと前後して、テレビ局がカラー動画でテレビ化したいといってきた。話はすぐにまとまり、現在鋭意制作中、その番組は、今年の年末に始まることになっている。他の連載も負けじと、力作が次々届き、ラインナップにスポ根ものをもう一本加えようと新しい連載も始まったところだった。

まさに一つの連載に引っ張られ、週デの部数は伸びつづけていた。

修子はひそかに香月美紀に感服していた。

あの子にはなんの権限もないし、誰もあの子の意見に耳を貸さないが、ひょっとして漫画班の男たちに匹敵するくらい、あの子は漫画のことがわかっているのではないだろうか。

川名さんが百万部といいだしたのも、おそらく、年末にスタートする、この番組のことが念頭にあったからだろう。近頃では、テレビ番組の影響も馬鹿にできなくなってきている。

連載担当の沖茂太《しげた》は、川名さんに評価され、この春、漫画班の主任に抜擢《ばってき》された。テレビ局とのやりとりも一切合切、彼が担い、始終忙しくしている。

まったく、おかしなものである。

彼はたまたま蔵野先生の担当になり、たまたま先生から次はこういうものはどうかと提案があり、ではお願いしますとまかせたにすぎない。それでも、ヒットすれば大きな顔ができる。スポ根は蔵野先生得意の題材だったし、そう気負いもなく、いつもと同じように連載を始めたのに、なにかがうまく噛み合うと、漫画はヒットしてしまうのだ。

そして、ヒットするかしないかが、担当としての明暗を大きく分けてしまうのだった。

勝てば官軍の世界だった。

このまま順当に週刊デイジーが百万部を突破したら、ますます彼の評価は高くなるだろう。

いや、それ以上に、川名さんの評価が社内で高くなるのは間違いなかった。

川名さんにしたって勝てば官軍だ。

ああ、そうか、だからパーティーか、と修子は思う。勝《か》ち鬨《どき》をあげるのか。

勝ち鬨ねえ……。

あの子は――香月美紀は――、誰よりも早く、この作品の成功を見抜いていた。

だが、彼女は、なにひとつ、評価されない。

もちろん沖茂太だって、修子には見えないところで、この連載を必死に支えていたかもしれないし、ヒットの陰には彼の力があったのかもしれないとは思う。彼の評価に水を差すつもりはない。

だが、香月美紀にはそうやって力を発揮するチャンスすら与えられていないのだった。

いくらやりたいと叫んだところで、漫画班に迎え入れられる日は来ない。あの子の、作品を見る目が活かせる日は来ない。それどころか、いつ馘首にされるかわからないような不安定な立場にいる。

川名さんは近頃ますます親分然とした顔つきで、編集部の一角から睨みをきかせているけれども、香月美紀の存在など気にも留めていないだろう。彼は偉くなった。彼の下には二人の副編集長がいて、週刊デイジー編集長としての実質的な仕事は彼ら二人が担っている。その下に主任もいる。香月美紀と川名さんが接触する機会はほとんどない。あったとしても、彼女の仕事や役割に彼が興味を示すとは思えなかった。

ここはそういう場所なのだ。

修子はそれをよく知っている。

ここから——この位置から——わたしはそれをずっと見てきたのだから。

内側にいるのに外側にいるかのような、少しはずれて周回しているかのような、わたしはここにしかいさせてもらえなかった。それでもありがたく、わたしはここで働かせてもらっている。

そしてそれはここだけにかぎったことではないということも、修子はよく知っているのだった。日本中、いたるところで、ここと似たような景色が広がっていると修子にはよくわかっていた。戦後になって、民主主義や男女平等が高らかに標榜《ひようぼう》されるようになってはいても、内実は、男女七歳にして席を同じゅうせず、なのだった。同じ席にすわらせてはもらえない。

それでも、わたしたちは、ここで生きていかねばならない。

生きるさ、もちろん、と修子はうなずく。生きてきたんだもの、わたしは。ここで。

修子はふと、東洋の魔女のことを思う。

彼女たちが東京オリンピックで活躍した時、修子も声を嗄《か》らして応援したものだった。バレーボールどころかスポーツに興味を持ったことすらなかったし、オリンピックやメダルに惹《ひ》かれたわけでもなかったのに、なぜあの時、あの種目にだけ、あれほどテレビ観戦に夢中になったのか、修子は我ながらずっとふしぎではあったのだが、わたしたちは戦えると、彼女たちがわたしたちに見せてくれていたからかもしれない、とふいに気づいたのだった。

そう、まさに、東京オリンピックが開催されたのは、修子がこの編集部へきてすぐの頃だった。今また少女たちが、蔵野先生の漫画で、修子が感じたのと同じものを感じているのだとしたら、百万部にも意味があるかもしれない、と修子には思えてくる。東洋の魔女たちはあれからすぐに引退してしまったが、漫画の世界にふたたび甦《よみがえ》ってきたのだとしたら、それはそれで面白いではないか。

6

アパートのドアの手前に立つ綿貫誠治を見て、

「誰、この人」

といったのは、辻内ゆきえだった。

「えっ」

咄嗟《とっさ》に声が出る。

誠治が訪ねたのは唐津先生のアパート——仕事場兼住居——だったのに、ノックしたドアを開けてくれたのは辻内ゆきえなのだった。なぜ。と、誠治は動揺する。辻内ゆきえといえば、別デの小柳さんの秘蔵っ子。そして、原稿の遅いことで名を轟《とどろ》かす人気漫画家である。別デと週デ、編集部は違えども、そこらあたりの事情はなんとなく耳に入ってくる。この人は、今頃、風月館で缶詰になっているのではなかったか。ちがうのか？

奥から出てきた唐津杏子が、

「あら、いらっしゃい。その人、わたしの担当さん。週デの。綿貫さん」

と、辻内ゆきえに紹介してくれている。

「んん？　唐津さんの週デの担当って沖さんなのでは？」

「うん。そう。でも、替わったの。最近」

「へー」

辻内ゆきえがじっと誠治を見る。

「うむむ。この方、なんとなく、みおぼえがあるような」

「ええ。わたしは何度か編集部で先生をお見かけしております。わたしは週デの、綿貫……ええと、名刺、名刺、名刺はどこだ」

あちこち探っていると、辻内ゆきえが、あ、いいです、いらないです、名刺、といい、さ、どうぞ、と中へ促した。

座布団にすわってから、あらためて自己紹介する。そうして、差し入れの水羊羹を渡す。

ぶうんぶうんと、部屋の隅で小さな扇風機が首を振っている。

室内は外よりいくらか涼しい、とはいえ、暑い。

窓から入ってくる風もぬるい。

懐からハンカチを出して額の汗を拭い、扇子を取り出し、ばたばたと扇《あお》いだ。誠治は汗っかきだ。

汗臭くならないように気を遣う。

机の上に散らばった原稿が目に入る。

ペンや定規といった仕事道具。

それから墨汁の匂い。

まさに今、仕事をしていたところ、であろうと思われた。

二人がきゃいきゃい話をしながら、ガラス皿に載った水羊羹と、麦茶を出してくれる。

みんなで食べよう、ということらしい。

よく呑み込めないが、これは切羽詰まっていない状況、とみていいのだろうか。にしても、辻内ゆきえが気になる。彼女はいったい、ここで何をしているのか。

漫画家同士の交流について、誠治はほとんどなにも知らない。

それなりに交流があるらしいと認識している程度で、誰と誰が親しいとか、具体的なことにはまるで疎《うと》い。

漫画家たちは編集部へ来たときに顔を合わせることがあったし、その際、編集者を介して知りあうこともあるようだったし、漫画家仲間でアシスタントを融通しあったりしているうちに仲良くなったり、それに、週刊デイジーと別冊デイジーが合同で年に一度、貸切バスでの遠足——通称バスハイク——なんて懇親イベントをやっていたから、そこで親しくなったりもするようだった。この二人も年齢が近いし、どちらも別デの漫画スクール出身だし、デビューした年も、その後、地方から出てきているところもほぼ同じだから、親しくなっていてもふしぎはない。

ひょっとして、これから二人でどこかへ出かける約束でもあるのだろうか。

だとしたら、切羽詰まっていなくとも、唐津先生の今日の予定はすでに埋まっているということになる。さて、どうしたものか……。

誠治は先月からずっと、唐津先生に、新連載の打ち合わせがてら一度食事でも、と、お願いしつづけているのだった。

だが、いっこうに約束は果たされないまま、はや一月経過してしまっていた。

たんに忙しいのか、避けられているのか。電話でたずねてみても、やや迷惑そうな声だったりもして、まあ、たしかに、原稿に集中しているときに間が悪く電話がかかれば、あんな声にもなるだろう、とは思うものの、こちらとしても、打ち合わせをせぬまま放っておけないから、しつこく電話してしまう。まだまったく親しくないので、電話でそのまま打ち合わせを、というわけにもいかないし、ともかく一度、唐津先生と直接会って、突っ込んだ話しあいをしておきたかった。新担当として、仕事が始まるまでに唐津先生のことをもっと知っておかねば、という焦りもある。さて、どうしよう、と思いつつ、会議で進行具合をきかれたので正直にそのように報告したら、あほか、といわれた。おまえ、そんなことで大丈夫か、ちゃんと描いてもらえるんだろうな、と主任に詰め寄られた。

はあ、たぶん。

たぶん？　ぎろりと見たあとで、沖主任は、うなずいた。それは大丈夫という意味の、たぶん、だろうな。

え、いや、そんなことといわれたって描くのは唐津先生なんだし、と心の中でつぶやきながら、はあ、もちろんです、と、こたえる。

おい綿貫、漫画班はな、今、好調の波に乗ってんだ、ヘマするなよ、と主任からダメ押しが飛ぶ。同期の武部俊彦には、おまえねえ、足を使えよ、足を、といわれた。向こうさんにしてみたら、新しい担当ってだけで面倒臭いんだから、電話でちょいちょい、っとお願いしたくらいで、ほいほい出てきちゃくれんのよ、まめに顔を出して、状況を把握して、このあたりならよさそうだな、ってところを見極めてだな、ぴしっと頼むんだよ、ぴしっと。なんなら、今からどうですか、ってきいてみろ。よさそうならそのまま打ち合わせに突入だ。連載、秋だったよな、だったらもう、もたもたしてられんぞ。夏はじきに終わるぞ。すぐだぞ。急げ急げ。と、尻を叩かれた。

いわれてみればその通りだが、そのまま真に受けていいのかどうか。

漫画班にきてからというもの、武部のアドバイスに翻弄されて、誠治は若干、混乱していた。漫画家とのやりとりがつい遠慮がちになると、武部はすかさず、ワタちゃん、あんた、遠慮しすぎだ、もっとしっかり自分を持て、と誠治にいう。そうかと思えば、あの人らはああ見えて繊細なんだから、そんなにぐいぐい、いってどうする、もっと気を遣え、などといったりもする。いったい、どっちなんだ。むっとしていると、笑え、という。そんな仏頂面でいい原稿をいただけると思うなよ、笑え、と付け加える。

ったく適当なことをほざきやがって、と思うが、武部俊彦はきっちり漫画班で仕事をしているので——沖主任の信頼も厚い——、あながちでたらめとも思えない。

ようするに誠治にはわからないのだった。

少女漫画もよくわからなければ、少女漫画家もよくわからない。それを見透かされないようにと、どうしても肩に力が入ってしまう。

「ええと、おふたりは、今、何をされていたんですか」

水羊羹の皿を手に、机の原稿をちらりとのぞきこみながらきく。

「カット。いくつか、頼まれてたやつ。別デの」

唐津杏子がこたえた。

「ああ、カット」

ふたりとも水羊羹はすでに平らげてしまっている。早い。誠治もつるつる、っと喉に黒い塊をすべらせた。

「わたしはそれを手伝いに」

「へ。辻内先生が手伝いに？　ア、アシスタント？」

むむむ。この人にそんな暇があるのだろうか、とつい怪訝な顔になってしまうが、本人はからっ

とした調子で、

「そ。わたしは押しかけアシスタント。といっても唐津さん、ベタ塗りはやらせてくんないんだけどね、この人、ベタ塗り好きだから」

とかいっている。

「そもそもカットにアシさん、いらないし」

といって唐津杏子が笑っている。

よくわからない。

ふたりが顔を見合わせて笑っている。

ますますよくわからない。

「それより、あなた、綿貫さんでしたっけ、綿貫さんは何しにきたの。唐津さんは今、週デの締切ないでしょ。だから別デのネームやりつつ、カット描いてたんだもん。ねえ？」

「うん。週デで次にやるのは、短い連載。しかも、まだ先」

「ですから、その連載の打ち合わせをさせていただこうと、こうして、やってきたわけでして」

誠治が切り出すと、うーん、と唐津杏子が唸った。

「まだなんにも考えてない」

「そうかもしれませんが、そろそろ準備を始めないと」

「締切はいつなの」

辻内ゆきえがきく。

「十月」

「十月！　って、まだ二ヶ月も先じゃない！　何回くらい？」

唐津杏子が首を傾げる。

そりゃそうだろう。まだ誠治とは、はっきりしたことを話しあってはいない。わかるはずがない。

「五、六回……くらいかな？　一回の枚数は少なめ。全体も少なめ。読み切りより、そっちの方がいいかな、と思って、沖さんにそうしてもらった」

「あー、なるほどねー。唐津さん、別デもあるからね」

「そうそう。並行してても、少ない枚数の連載なら気分を変えてやれるし」

「唐津先生、しかし、もう、それほど時間がありませんよ。そろそろ打ち合わせをしないと」

「だから唐津さんは、別デのネームを先にやってたんじゃない。先に終わらせようって。ね、唐津さん、そうだよね」

「そうそう。こっちのネームにOKをもらえないと落ち着かなくて。週デに気持ちがいかないんです。

小柳さん、OKしてくれるかなあ」

「してくれる、してくれる。……ってことで、綿貫さん、唐津さんは大丈夫。帰った、帰った」

「ええええ」

「まだぜんぜん間に合うって。余裕、余裕」

「余裕、余裕って、し、しかし、つ、辻内先生」

「大丈夫だって！」

「そうそう。短い連載だし、辻内さんに比べれば、ぜーんぜん平気」

「そうそう。わたしに比べればぜーんぜん平気。って、なにいわすんだ」

「だってえ、この人、十月号の読み切り、これからペン入れなのよー。まだ一ページもペン入れしてないのよー。きゃー、こわーい。締切まであと何日？　きゃー。こわいー、きゃー。きゃー」

「こらこら。きゃー、って楽しそうにいわない」

「きゃー」

唐津杏子が指を折りながら、一、二、三、四、と数えはじめる。

「こらこら、人の締切で遊ばない」

「あーあ、これから、何日、寝ないで描くことになるのやら。うきゃー」

「ううう。やめて。いわないで。うー、つらい。今月は何日寝られないんだろう……。うー、そうだよね、そろそろ風月館に戻るべきだよねー」

「戻りなさい、戻りなさい。ここにいるの、もうばれちゃったんだから」

「ふわーい」

風月館……。

「もしや、あのう、辻内先生は……先生は……そのう、缶詰を抜けだしてきたんですか」

おそるおそるきいてみる。うちの仕事ではないものの、もしやたいへんな現場に居合わせてしまったのではないだろうか。

「え、ちょっと、やだなあ、綿貫さん、抜けだしてきたって、そんな脱獄犯みたいな言い方、しないでくれる？　わたしはね、ネームがぶじ終わって、いったん家に戻ってただけ。着替えやなんかを持って、また、やっこらさっと風月館にいくところ。でもさ、そんな往復だけってのもあんまりだよなー、って、ちょっとだけ、息抜きがてら、ここへ寄らせてもらったの。唐津先生、お邪魔しました」

「ほいほーい」

部屋の隅に置いてあったチェック柄のボストンバッグを唐津杏子が辻内ゆきえに渡す。

受け取って、しみじみいう。

「まったくさー、せっかく東京でおうちを借りたっていうのにさ、あそこにいられる時間なんてほんのちょっぴり。風月館がわたしのおうちみたいになっちゃってるよ。ちゃんと家賃払ってんのにさー、なんだかなあ。あーあ」

「それはあなたが締切を守らないから〜」

「守ってますって。ぎりぎり守ってますって〜」

わあわあ、わあわあ、ああいえばこういう、次々会話が流れて、なにやら楽しそうに戯れあっている。こういう少女たちの会話が誠治には新鮮でもあった。まるで子供だ。麦茶を飲み干しながら、しかし、この二人は、うちの雑誌を支える大切な漫画家たちなのよなあ、とあらためて思う。こうしていると普通の少女たちにしか見えないが、この人たちは、頭抜けた才能の持ち主なのだ。

誠治には、それがなんともつかみどころがないようにも感じられるのだった。普通の少女という一面と、あふれんばかりの才能で次々作品をうみだしている漫画家としての一面と、それがどこでどう繋がっているのか、どこが突出して、どこが欠けているのか、見極めがつきかねる。とくにこの二人のような、デビューしてまだそう時間が経っていないような若い漫画家たちにそれは顕著だった。

裏表がある、というわけではないが、一面だけでは判断しきれない難しさがある。こういう人たちをいったいどう扱えばいいのか、どう接すればいいのか、要領がつかめない。

だから誠治は、あやふやなまま、ときに子供に接するように話してみたり、ときに大事な先生として馬鹿丁寧に扱ってみたり、ぐらぐら、ぐらぐら揺れつづけているのだった。この揺れはやがて収まるのかと思っていたが、漫画班に来たばかりの頃より、近頃の方がいっそう、ぐらぐらしている気がする。わからん。

わからんわからん、と思いながら仕事をするのにも少々疲れてきていた。

わからん。

疲れるほど接していても、つまるところ、わからんものはわからん。

二人の少女が、唐突に、笑いながら、目の前でなにかをさらさらと描きだしていた。

締切前の切羽詰まった姿を互いに揶揄《やゆ》しながら、言葉で言い合うだけでは飽き足らなくなったのか、そのへんのざら紙に絵として描いて見せあっている。げらげら笑って、しゃべりながら適当に描いているのに……う、うまい。

言葉がすらすら絵になっていく。

いや、ちがう。言葉を補足し、言葉で表せないものを表し、解釈を加えていく、って、それは、もはや、言葉を超えていっているのではないか。

カリカチュアした互いの姿が次々描かれる。

締切に追われて白目を剝いて七転八倒している絵面のバリエーションは辛辣《しんらつ》でありながら軽妙。やり取りがつづくうちに次第にシュールな展開になっていく。

ものすごい速さで、ふざけあいながら描いているのにこの的確さ。

脳からこぼれたものが指から、なんの苦もなく漫画になっていく。

横からちらりとのぞきみしていてもその楽しさ、おかしみがわかった。絵を介して、二人がやり取りする世界に誠治まで取り込まれそうになってしまう。

まるで漫画を使って、しゃべっているかのようだった。

いや、実際、二人は漫画でしゃべっていた。

きゃはは、と笑って紙を見せあっているだけで、会話が成立している。漫画も言語なのか。漫画でしゃべれるものなのか。

はあああああ、と誠治はため息をつく。

おれらとはぜんぜんちがう。少なくとも、おれはそんな、漫画で会話なんぞ、したことはない。って、そりゃ当たり前だ。おれはこんなふうに絵が描けない。

呆気にとられて眺めているうちに、
鵺《ぬえ》か。

と誠治は思った。

こいつら、鵺か。

ふと、そんな言葉が浮かんできた。

鵺。

こいつら、見た目はふつうの人間だけど、じつはちがう生き物なんじゃないか。

そうか、
そうだったのか。

だから、ぐらぐらぐらするんだ。

なるほどな、おれはこんな得体の知れない妖怪どもを相手にしていたから、ぐらぐらしてたんだ。

ぐらぐらするに決まってるんだ。だったら、もう、そのまま、ぐらぐらしてりゃいいんじゃないか？

ぐらぐらして、ぐらぐらさせられて当然だろう。なにしろ相手は鵺なんだから。

「辻内先生」

「はい」

「これから風月館に行かれるのでしたら、わたしが車でお送りしましょう。先生は一刻も早く、戻られた方がいい」

「え」

誠治が突然きびきび提案しだしたので、辻内ゆきえが面食らっている。

「締切まで、そう時間を無駄にできないはずだ。そうですね」

「えと、はい、それはそう、です」

「タクシーで一緒に神保町へ戻りましょう」

「いや、そんな、タクシーだなんて、わたしがこれから描くのは別デの原稿だし、綿貫さんにご迷惑かけるわけには。それに、綿貫さんは、唐津さんのところへきたんでしょう。水羊羹食べただけで、神保町へ戻るんじゃあ、あんまりじゃないですか。申し訳ないです」

「かまいません。唐津先生」

「は、はい」

「唐津先生の、そのカットはもう上がっているんですか」

「えっと、まだです。……あと少し」

「では、今すぐ、やってください」

「え」

唐津杏子も面食らっている。

「で、でも……」

「早くやってください。終わったらそれを持って、我々と一緒に車で編集部へ参りましょう」

「えっ。えっとえっと、ちょっと待って。このカットは別デに頼まれたやつで」

「わかってます。いいから、ともかく早く描き上げてください。それを別デの編集部に渡したら先生はお役御免でしょう」

「はあ」

「そしたらそのあと」

「え、あ、いや。それなら。編集部へ行くなら、こっちのネームもいっしょに持っていっていいですか。これはもう、できてるんで。小柳さんにみてもらわないとならなくて」

「もちろんです。みてもらってください。で、そのあと、わたしにお時間をください。次の仕事について、少し話をしたい。これから先のことも話したい。いかがでしょう。まだ、なにも考えてなくてもいいです。ともかく、飯でも食いながら話しましょう。唐津先生は何がお好きですか。好きなものを食べながら、ゆっくり話しましょう。いかがです」

唐津杏子がうなずいた。

やった！

と思ったが、そういう顔をせず、カットを急がせる。

辻内ゆきえが、心得た様子で、水羊羹の皿と、麦茶のコップを下げ、台所のシンクで洗いだした。

そのあと、カットを描いている唐津杏子の隣にぺたんとすわり、出来上がったものを扇風機の方へ向け、手で揺らし、しっかり乾かしていく。乾いたことを確認してから封筒に入れる。

誠治は、さきほど二人がふざけて描いた紙を集め、眺めていた。いつもとちがってギャグ漫画タッチで描かれているが、それぞれの画風はしっかり残っており、たしかなオリジナリティがあった。うまいもんだなあ、とあらためて思うと同時に、おもしろいなあ、と感心する。一瞬を切り取るセンスに長《た》けている。うん、おもしろい。

「そんな熱心に見られても」

と、辻内ゆきえがいう。「そんなの、いたずら描きですよ」

「うん、そうだね。だが、うまいもんだな、と思ってね。味があるよ。さすがだ。きみたちは、いたずら描きでここまで描けるんだなあ」

「そんなの、いくらでも描けますよ、ねえ」

唐津杏子がいう。「だって、いたずら描きだもん」

「そうですよ、だけど、いくら描いたってそんなの仕事にはならないんだよなー。それに、担当さんに、いたずら描きをそんなに褒められてもねー」

褒めるんならこっちを褒めてくれないと、と辻内ゆきえが乾かしていた紙をひらひらさせる。

「たしかに」

と、誠治がこたえる。

「でも、いたずら描きにはいたずら描きのよさがあるんだ。丁々発止の呼吸、とでもいうのかな、きみたちの楽しさが伝わってくる」

「わかります？」

「わかるよ」

あれ、と誠治は思う。

わからんわからんといいつつ仕事しているが、それなりにわかることもあるではないか。

ふふふ、と唐津杏子が笑いながら、

「とはいえ、それは、地獄絵図なんですけどねー」

とこちらをちらりと見ていう。

「地獄絵図？」

「この人が今からいくところ。風月館の徹夜地獄」

ははは、と笑って、ペン先でちょんちょん、と辻内ゆきえを指す。

「ううう。そうでございました。わたくし、辻内ゆきえ、今から地獄に出発いたすのでございます」

芝居がかった声で辻内ゆきえが応じる。

「お送りいたしますよ、地獄まで」

と誠治もふざけた感じでいう。

「お。ということは、あなたは地獄におられる獄卒でしたか」

「ごくそつ？　はは、そうです、そうです、われこそは獄卒でござーい。じゃ、行きますか」

そろそろカット、描き終わるな、と見極めてから、先にタクシーを捕まえに、誠治は外へ行く。


綿貫誠治に伴われ、唐津杏子と辻内ゆきえが編集部へ現れたのを見て、戸田育江は、あれ、と思う。珍しい組み合わせだ。

唐津杏子はともかく、辻内ゆきえは週デで仕事をしていない。ゆえに、綿貫誠治の出る幕はない……はずなのだが。

しかしながら、彼が一緒にいるということは、ひょっとして、辻内ゆきえは、週デで仕事をする予定があるのだろうか。うちの仕事だけで手一杯のはずだし、小柳さんがそんなことをあっさり受け入れるとも思えないが。

と思っていたら、綿貫誠治はそのまま週デの自席へと向かい、唐津杏子と辻内ゆきえだけがこちら――別デ編集部――へ向かってきた。おやおや、これまた珍しい成り行きだ。

小柳さんがすいと立ち上がり、二人を迎える。

挨拶を交わす三人をみていると、まるで学校の先生と生徒のようだった。もしくは親鳥と雛鳥。ちちちちちち、と小鳥たちが囀《さえず》っている。

親鳥は鷹揚《おうよう》にうなずいている。雛鳥が親鳥に大判の封筒を二通渡す。親鳥が中を確かめている。もう一羽の雛鳥もなにやら訴えるように話している。ぴいぴい、ぴいぴい。微笑ましい。

呼ばれるかな、と思ったら、やはり呼ばれた。

「おーい、戸田くん。風月館、押さえてあったか」

「辻内さんのですか？　もちろんです」

「だそうだ。今月は早く仕上げてくれよ」

「はい」

神妙にこたえる辻内ゆきえの手に缶詰用の鞄が握られているのが見えた。ああ……。この子は今月もまた、あそこで締切までひたすら漫画を描きつづけることになるらしい。これで何ヶ月連続だろう……。育江は、辻内ゆきえを風月館まで送っていくことにした。ひと部屋、押さえてはあるものの、細々《こまごま》したことを確認しておきたいし、せめて快適に過ごせるよう、食事のことや、生活面での支援態勢を整えておきたい。

育江が立ち上がり、三人の方へ近づいていくと、小柳さんが封筒を一通、こちらに渡した。

「唐津さんのカット。西口くんに渡しておいてくれ」

「わかりました」

それから、小柳さんは、唐津杏子を促し、接客ブースへと移っていく。

椅子にすわると同時にもう一通の封筒から紙の束を取りだした。おそらくあれはネームだろう。

先生に叱られてる生徒みたいな顔をして、唐津杏子が上目遣いにちらちらと小柳さんを見ている。

彼女の緊張が伝わってくるかのようだった。へええ、唐津杏子ほどになっても、まだ、あんな顔になるんだ、と育江は思う。あのくらい実績を積めば、そろそろもう、なにをいわれても平気、くらいになりそうなものなのに、あんがいそうでもないらしい。小柳さんの要求が高いからか。いや、小柳さんだけでなく、あの子自身の要求もおそらく高いからだろう。もっといいものを作りたい。もっと面白い漫画を描きたい。彼女の根底にある、その思いを小柳さんが汲《く》み取って刺激するのだ。だから、うまくなりたい子は厳しくされても必死で小柳さんについていく。

小柳さんのネームチェックは厳しい。

とくに新人の子らには厳しい。

むろん、よい作品にするための、いわば愛の鞭《むち》というやつなのだろうが、あそこであんなふうに小柳さんと話していくるうち、意気消沈していく漫画家の姿を、育江は何人もみてきた。小柳さんの声はいつも以上に、もそもそとくぐもっていて——あれでも気を遣っているのかもしれない——、そう辛辣なことをいっているようには見えないのだが、おそらく声の大きさに反比例して、内容はかなり手厳しいのだろう。まれに涙ぐむ子がいた。そばにいって慰めてやりたくなることもあったが、育江はそれはしない。それは育江の領分ではない。小柳さんもそれを望んではいないだろうし、安易に声をかけて彼女たちに縋《すが》られても、そのあと、育江が彼女たちにしてやれることはなにもない。無責任な慰めが仇《あだ》になることだってある。

辻内ゆきえが、育江の隣で、がんばれ、と小声で唐津杏子に声援を送っていた。

さすがにあそこまで声は届かない、とわかっていても、思わずそうしたくなる気持ちがなんとなくわかって育江はくすりと笑った。

がんばれ、といいながら、いっしょにがんばろう、という気持ちが透けて見える。

この子たちは、そうやってここまでやってきたのだ。

右も左もわからぬまま、いきなりデビューして漫画家となり、小柳さんのもとで鎬《しのぎ》を削ってきた。とはいえ、彼女たちはライバルであってライバルではない。ある意味、お互いがお互いをうつす鏡として存在している。

育江もこぶしを握って、がんばれ、と辻内ゆきえにいってやった。

あー、という顔をして、辻内ゆきえがうなずいた。

「ですね。がんばります」

殊勝な返事ではあるが、そうはいっても、この子は今月もまた締切間際まで仕上げてくれないだろう、と育江は知っている。あのどたばたは避けて通れない、と覚悟している。この子がいくら、がんばります、といったところで、がんばるがゆえに、いやむしろ、がんばればがんばるほど、この子の原稿が遅れていくという皮肉な結果を招くのはもう何度も経験済みだった。

ほうっ、と深いため息を吐《つ》いた。

「ん?」

とゆきえが育江を見る。

「いえいえ、ちょっと思い出しちゃって。それにしても、辻内さん、すっかり缶詰生活に慣れてきましたね」

鞄を指さす。

ゆきえが、鞄を心持ち上へ掲げ、

「え、いやいや、わたしは、べつに慣れたくはないんですけども」

といって、鞄をゆらゆら揺らす。

「でも、なぜか、こうなっちゃうんですよねぇ」

かくん、と頭を下げる。

「うう。すみません、戸田さん。いつもほんとにすみません」

「あら、そんな、謝らなくても」

「いや、ほんとに、わたし、ご迷惑かけているのはよくわかってるんです。すみません」

「いえいえ。ほらほら、頭を上げてください。大丈夫ですよ、わたしたちも……もうだいぶ慣れてきましたから。それに、辻内さんって、最初っから、こんな感じでしたもんね。在学中から」

「んん？」

「ご実家で描いてらっしゃるときはまだしも、ほら、去年の、高校三年の夏休み。受験しないからって、仕事の合間に、初めてここへ遊びに来て」

高校の制服こそ着ていなかったが、いかにも若い、というか、まだ幼いといってもいいような女の子が編集部で他の漫画家のカラー原画を熱心に見ていた姿をよくおぼえている。

「あー。その節はお世話になりました」

もちろんそれは小柳さんが招待したから上京してきたのだったが、育江は小柳さんに命じられ、彼女の東京見物の案内を担当することになった。

東京タワーや浅草や銀座、国会議事堂、皇居、お馴染みの観光地を一通り巡って、食事をしたりお茶をしたり、楽しい二日間を過ごしたのだったが、最終日、どうしてそうなったのか、もうおおかた観光はしたし、最後に映画か演劇か、なにか観ようということになって、育江があてずっぽうに帝劇のチケットを取ったのだった。席もよくて、舞台もとてもよくて、すっかり夢中になった育江たちは、観終わったあとでお茶をしながら、あそこがよかった、ここがすばらしかったと、さんざん盛り上がった。生まれて初めて観た大劇場の大舞台に興奮したゆきえが、早口で長々としゃべりまくっていた。

これはさぞ、いい思い出になったろう、と育江も満足した……ところまではよかったのだが、翌日、東京を発《た》つゆきえが、挨拶をしに編集部へ寄ったところで、俄然《がぜん》、風向きが変わってしまったのだった。いきなり小柳さんに、すでに描きだしていた掲載予定の漫画の内容を全部取っ替えるといいだしたのだ。わたし、演劇の話が描きたいんです！　描かせてください！

その場にいた全員がひっくり返った。

夏休みを使って描き上げるはずの漫画はすでに予告も打っている、これから構想からネームからタイトルから、なにからなにまで変更してしまったら、到底、間に合わなくなる。めちゃくちゃになる。育江は臍《ほぞ》を噬《か》んだ。あんなものを観せたばっかりに、この子の頭の中でなにかが起きてしまったのだ。

そうか。

育江はつくづく思う。

この子たちはこうなんだ。

こうなってしまうんだ。

大劇場の、本物の舞台に感激したら、それだけでは済まないんだ。

わたしたちのようにたんなる思い出として胸に刻んでおしまい、とはならない。

その感激をなんらかの形で外へ出そうとする。

ごく自然にそうなる。

そうして、描きたい気持ちが昂《たか》まってしまったら、もう止まらない。止められない。そこへ向かって一直線だ。さすがの小柳さんも、たじたじとなっている。

これはわたしの責任だ、と育江は痛感した。

わたしがなんとかせねばならない。

育江はそのとき、必死で考えていた。ゆきえを思いとどまらせ、今描いているものを変更せずに仕上げてもらうにはどうしたらいいか。どのように説得するのが効果的か。ともかく新幹線に乗せるまでになんとか翻意させねばならない。

小柳さんの、じゃ、やってごらん、という声が聞こえた。

は？

と声が出てしまった。いま、なんて？

辻内ゆきえが、ありがとうございます、がんばります、と勢いよく返している。

は？

またしても声が出てしまったけれども、小柳さんも辻内ゆきえも育江の戸惑いなど意に介さない。

うん、あのね、きみもよくわかっていると思うけど、締切が迫ってきてるんだ、うちへ帰ったら全力でやってくれないと困りますよ、いいものをね、描いてくださいよ、なんていっている。

小柳さんは止めなかったのだった。

怒ってもいない。

育江は狐に抓《つま》れたような心地で二人を見つめていた。

予告が嘘になる。

それでもいいのだろうか。

そもそも原稿は間に合うのだろうか。

その場にいた者、全員が、おそらくそう思っていたことだろう。

しかし、誰も口にしなかった。

だって小柳さんが問題にしていない。

対処するのは小柳さん――当時はまだ副編集長ではあったが、実質的には彼がその責務を負っていた――であって、われわれではない。

小柳さんはいくぶん、面白がっているようにも見えた。気難しい顔をしてはいても、目にやさしさが宿っている。育江はそれを見逃さなかった。

ひょっとしたら、この人は、こういう新人を待っていたのかもしれない、とも育江は思った。

小柳さんの手に余るくらいの、今まで出会ったことのない新人――それはつまり新しい才能を意味する――を待ち望んでいたのかもしれない。

辻内ゆきえが、はい、がんばります、と元気いっぱいにこたえている。

がんばります、という声には張りがあった。

喜びにあふれていた。

ぴょんぴょんと身体も跳ねている。

そんなにうれしいのか。

というか、そんなにも描きたいのか。

育江はただただ圧倒されていた。

この子の情熱のもとになった同じ舞台を観ていたからいっそう、圧倒されてしまったのかもしれない。

この子はがんばるのだろう。

描きたいものを描くために。

ただそれだけのために。

「あの時が、辻内さんの、記念すべき初缶詰でしたよね」

「えと。あああ、そうでしたね。わたし、あのあと、小柳さんにいわれてまたこっちへ出てきたんでした。夏休みが終わっても描き終わらないから。で、そのまま、ほいっと風月館に送り込まれて。えっ、えっ、風月館ってどこ？　風月館ってなに？　っていいながら、わたしはいきなり缶詰に」

ふたりで思い出して笑う。

「わたし、なにか、てきとうな着替えを買って持っていったような」

「あっ、そうでした。わたし、それ着て、描いてました」

「たいした高校生だなあ、と思いましたよ。こんな度胸のある高校生、みたことない。わたしたち、もう、それはそれは、ひやひやして、みんなで、どうなるんだろうって気を揉んでました。ほんとに、あんな新人、初めてだったから。小柳さんも、珍しく狼狽《うろた》えてらした」

「夜中にベタ塗り、手伝ってもらいました」

「ですってね。小柳さんにそんなことさせた新人、いませんよ。内心、必死だったんですよ、きっと」

「ですよねえ。もう、ほんとに、頭があがらないです」

「でも、辻内さん、嘘はつかなかった」

「え？」

「予告は嘘になっちゃったけど、がんばります、って言葉は嘘じゃなかった。ほんとにがんばっていらした」

「それは、まあ」

辻内ゆきえが、照れくさそうに、ぽりぽりと額を掻く。

ほんとうに、この子はがんばっていた。

風月館に籠って徹夜で描きつづけ、きちんと原稿を完成させた。そして、それは今もまだつづいている。毎月、毎月、風月館に籠って描きつづけ、締切をクリアした後はへろへろになって、精根尽き果てたという顔で畳の上に倒れ込んでいる。

この若さですごいことだと思うし、この若さだからこそ、これだけ過酷な状況を潜《くぐ》り抜けられるのだろうとも思う。

……だが、しかし。

だが、しかし。

もし、これが自分の娘だったらどうだろう、とも思ってしまうのだった。

こんなことを、はたして、自分の娘につづけさせたいだろうか。

自分の娘がこんなふうに何日も旅館に閉じ込められて、若さを謳歌《おうか》するどころか、飲まず食わずで、ろくに眠りもせず、狂ったように漫画を描きつづけていたら、一体どんな気持ちになるだろう。

いくらそれが、本人の希望だからといって、応援しつづけられるだろうか。いいかげんにしろ、まともに暮らせ、と叱りとばしたくならないだろうか。こんな実態を知ってしまったら、引きずってでも家に連れ帰りたくなるような気がする。

健康の心配だけではない。

将来の心配だってある。

適齢期になったとき、嫁の貰い手はあるだろうか。

男の子ならまだしも、女の子がこんな仕事をつづけて、後で泣きを見ないだろうか。

漫画家なんてわけのわからない職業をどう捉えていいのか、親としては戸惑うばかりだろう。

そして、それは、あながち、見当はずれな心配ではない。

いくら才能に恵まれていたって、漫画家は危うい職業だ。

たとえ本人が描きつづけたくとも、人気がなくなれば、仕事はなくなる。それまでどれほど貢献していようとも、あっさり切り捨てられる。

出版社でずっと働いてきたから、育江は、そういうときの編集部の冷淡さをよく知っている。仕事の依頼がなくなり、理由をききに編集部へ訪ねてきた漫画家を知っているし、描かせてくれ、と談判しにきた人も知っている。けれども、どれだけ頼もうとも、それは無駄なのだ。温情だけで仕事をさせてもらえるような柔《やわ》な世界ではない。そこは、もう、いやになるくらい、はっきりしている。

あるいはまた、人気があり、仕事があったとしても、才能が枯渇してしまったら、それも過酷だ。なにもうみだせなくなったら、漫画家はそこで終わり。

小さなスランプならいいが、あがいてもあがいても浮上できなければ、廃業するしかない。

その時、いったいどういうふうに気持ちに折り合いをつけたらいいのか。誰が力になってやれるというのか。

この子たちがやっているのはそういう仕事なのだ。

「辻内さん、どうしてそんなにがんばれるんですか」

ふときいてみた。

きょとんとした顔でゆきえが育江を見る。

「だって、こんな過密スケジュールで、また今から缶詰でしょう？　ここ何ヶ月、ろくに休みなしで働いてらっしゃる。ちょっと痩せたんじゃないですか？　大丈夫ですか」

辻内ゆきえが、くくくく、と笑った。

「戸田さん、どうしたんですか。うちのお母ちゃんみたいなこと、いってる」

やはり、辻内ゆきえの親御さんも、心配しているのだ。

そりゃそうだ。心配していないはずがない。

辻内ゆきえの親御さんにかぎらず、漫画家になった少女たちの親はみな、多かれ少なかれ、心配しているだろう。

「うちのお母ちゃんも、電話するとよくそういうこと、いってます。ゆきえ、ちゃんとごはん食べてるか？　ちゃんと寝てるか？　身体、壊してないか？　寝なきゃだめだぞ、食べなきゃだめだぞ。夢中になると、飲まず食わずで描いちゃうって、知ってるから。わたし、昔、ふとんの中で描いてたこともあるんです」

「ふとんの中」

「親に隠れて。風月館は堂々と描いていられるから、うんと楽です。がんばるっていっても漫画のことだし、漫画のことなら、わたし、大丈夫なんです。みんなそうですよ、きっと」

ネームを見てもらっている唐津杏子の方をちらりと見る。

「まあ、そうなんでしょうけど」

この子たちにとって漫画とは、いったいなんなんだろう、と育江は思う。

たんなる仕事とは思えない。

それではなんなんだろう。

ふとしたときに、いつも思う。わたしがこうして働いているのを仕事というなら、彼女たちがしているのはなんなんだろう。仕事は仕事だけど、どうもそれだけではなさそうだ。わたしのしていることとのちがいとはなんなんだろう？

自分の中に近いものがなにもないから、ただ想像するしかないのだけれども、漫画は、彼女たちそのもの、という気がしてならない。

そういう生き方、というものを、育江は彼女たちから教えてもらっているように思うのだ。生活の糧を得ることに汲々《きゅうきゅう》となり、着実に仕事をこなすことに邁進《まいしん》してきた育江にとって、身体ごとぶつかっていくような、損得勘定や細々した常識にとらわれず、漫画第一で生きていくような、不確かでありながら確かな生き方は、怖いけれども、ひどく魅力的にも思えるのだった。といって、真似しようにもできないものではあるのだけれども、風月館で倒れ伏していても、起き上がったときに見せる、彼女たちの、なんともいえない清々《すがすが》しい、明るい顔を育江はいいなあ、と思う。

終わった、終わったー、と伸びをして笑っている姿を見ていると、いっしょに笑いだしたくなるときがあった。

同じジェットコースターに乗って、きゃあきゃあ叫んだあと、ぐったりしながらジェットコースターを降りるときの、あー、もうこりごりだ、と思いつつ、すぐにまた乗りたいと思ってしまうような、あの、へんな気持ち。

実際、締切間際に、この子たちのような歳若い漫画家たちに、どれだけ迷惑をかけられても、どれほど翻弄されても、校了したあと、ふしぎといやな気持ちにはならないのだった。やりとげたという達成感で、そういうものはきれいさっぱり洗い流され、浄化されてしまう。編集部のみんなも、少なからず、そうなのだろう。校了後の高揚感は、このところ、増しているような気がする。

小柳さんも、そんな高揚感を共有しているからなのか、多少無理なスケジュールでも、描ける者にはどんどん描かせている。ハードに描かせることで、この間まで素人同然だった子たちが着実に育っていく。それはもう、明らかな成長だった。載せる作品が足りなくて始めた新人発掘だったのに、気づけば、載せる作品が多すぎて困るほどになっている。

やれるかい、といわれたら、やれます、とこたえてしまう彼女たち。

やれないよな？　ときかれたとて、やれます、とこたえてしまう彼女たち。

薪をくべられた漫画家はいっそう赤く燃えあがり、別デもごうごうと燃え盛る。

別デの厚みは、その賜物だった。

自分の娘だったとしても、やはり、止めることはできないだろう、と育江は思う。

こんな子たちを止めることはわたしにはできない。

誰にもできない。

7

師走の声をきくと、そわそわするのはなぜだろう。

西口克子はそわそわしている。

神保町の商店街もそわそわしている。

歳末セールや、クリスマスの飾り付け。

少しずつ寒さを感じるようにもなり、厚着になった道ゆく人たちも、どことなくそわそわしている。

クリスマスソングならぬ、万博のテーマソングがどこからか聞こえてくる。

こんにちは。こんにちは。

一九七〇年のこんにちは。

西暦が織り込まれた歌詞が、じきにやってくる新しい年をいやでも意識させる。

来年は一九七〇年か。

〝来年は昭和四十五年〟といつもなら自然に思うはずなのに、この歌のせいで、つい西暦で思い浮かべるようになってしまった。そのせいか、未来という色合いがよりいっそう濃く感じられる。

なにかいいことあるかなあ。

あるといいなあ。

ねえねえ、カッコちゃん、あなた、小柳さんに沢《さわ》さんの話、したでしょう。

戸田育江の声が蘇る。

沢つかささん、新人の。ちょっと癖のある。SFタッチの。あの子の作品おもしろい、っていわなかった？　いいました、克子がこたえると、育江が、うんうん、とうなずいた。小柳さんね、ああいう新人は西口くんあたりに任せた方がのびのび描いてくれるかもなあ、ってぽつりとおっしゃってたわよ。わたしもね、ああ、それはいいかもしれませんね、って、やんわり賛同しといた。

思いがけない言葉だった。

まかせる。

というのは、もしや、担当させてもらえるということなのだろうか。

あんまりびっくりして、ちょっとぽかんとしてしまった。

あーあ、それにしても、カッコちゃん、今回の校了は、ほんとに、きつかったわねえ、と育江が自分の肩をとんとんとんとん叩きながらいう。やり終えたと思ったら、またすぐにこれをもう一回、前倒しでやらなくちゃならないんだから年末進行って辛いわよねえ。まあねえ、この時期の忙しさはわかりきってることだけど、今年は格別ね。というより、年々忙しさが増していってる気がする。

新年号を校了したばかりだというのに、早くも二月号の校了作業に突入していた。校了に次ぐ校了で休む間もない。年末年始の長期休暇の前になにがなんでも校了せねばならないのだから致し方ないが、通常一ヶ月かかる仕事を圧縮して進める過酷なスケジュールに疲労困憊してしまう。

そんな目の回る忙しさの中で、まさかこんな言葉をきくなんて。

克子は歩きながら、沢つかさの作品を思い浮かべる。

少し毛色のちがう作風の新人で、漫画スクールに応募してきたときから注目していた。

高校卒業と同時に今年の春、金賞を取ってデビュー。その後、短いものを二つ発表したが、まだ人気に結びついてはいない。方向性もはっきりしていない。けれども、ちょっとおもしろい漫画家になりそうだな、と思っていた。小柳さんは、彼女をどんなふうに導くのだろう。どんなふうに育てていくのだろう。克子は興味津々だったのだ。

それをわたしがやれるのだろうか。

小柳さんではなく、このわたしが。

だからね、カッコちゃん、と育江の声が一段、低くなる。

ぬか喜びになってしまったら申し訳ないんだけど、それでも、いちおうそんな心づもりで準備しておくのも悪くないと思うのよ。ね、やっておきなさいよ。

克子は黙ってうなずいた。

思うことはいろいろあれど、すぐには言葉にならなかった。むしろ、思うことがいろいろありすぎて、へんな緊張が走り、顔が強張《こわば》ってしまう。

戸田育江の声は冗談でいっているようには聞こえなかったし、不機嫌でもなかった。むしろ応援してくれているように感じられた。漫画の担当はわたしたちには無理、と決めつけていた、あの戸田育江が。

だから、ひょっとしたら、と克子は思う。

ほんとうに、そんな可能性が出てきたのではないだろうか。

無事、校了して休みに入ったら、沢つかさの作品をもう一度きちんと読み返してみようと克子は思っている。無駄になったとしてもかまわない。自分が担当だったら、という視点で見直してみよう。

わたしなら、彼女にどんな作品を描いてほしいだろう。彼女の可能性はどこにあるのだろう。

こんにちは。

こんにちは。

そんなことをつらつら考えていると、来年が俄《にわ》かに待ち遠しくなってくる。

こんにちは。

こんにちは。

早く、早く。

早く、やって来い、一九七〇年。

克子はマフラーに顔を埋めて編集部へと足早に歩を進めていく。


その頃、辰巳牧子は、編集部で怒鳴られていた。

〝鉛版《えんばん》〟が上に載っていたゴミ箱をうっかり倒してしまったのだ。

印刷所に持っていく鉛版は作品ごとにひとつの塊として新聞紙に包まれ、製版所から編集部へ持って来られる……らしい。持って来ないで、そのまま印刷所へ渡される場合もある……らしい。

経理補助に過ぎない牧子はくわしく知らないが、ようするに雑誌のページごとに作られた版画の版みたいなもので、印刷するために必要な、なくてはならぬ、大切な大切なものなのだそうだ。

だったら、あんな不安定なところに載せておかなければいいのに、と思うわけだが、どこも物であふれているから置き場所に困るのか、誰彼となく、四角い大きなゴミ箱の上に、ひょいと載せてしまう。牧子もそれにはなんとなく気づいていて、いつもは注意を払っていたのだけれども、あわただしく編集部を行ったり来たりしているうちに、服の裾が引っかかってしまったらしい。

がっしゃーん、と大きな音がした。

べつに倒して落としたからといって、欠けたり壊れたりするような柔な代物ではない。

時折、同じように倒す人がいて、そんな音がたまに編集部に鳴り響いている。

みんな慣れっこのはずなのに。

なんでわたしのときだけ。

おい、こらっ、なにやってんだ、ったく、どこに目をつけて歩いてるんだっ、気をつけろ！　と怒鳴られた。

牧子はびっくりして震えあがってしまった。す、すみません！　あわてて謝り、鉛版を拾おうとしたが、押し退けられ、触らせてももらえなかった。

師走に入って、みんな大忙しで、苛ついているのかもしれない。

慰めてくれたり、取り成してくれる人もいなかった。皆、知らん顔で、自分の仕事に没頭している。きっと、あれは八つ当たりみたいなものだったのだろう。とはいえ、怒鳴り声がまだはっきりと耳に残っていて牧子はしゅんとなる。しばらく仕事をさぼってどこかでしょんぼりしていたかったが、そんなことはしていられない。そんな暇はない。

師走は忙しいわよ、と経理課の先輩に脅されていたが、本当に忙しかった。雑誌の部数増がつづいていて、経費が増えている。年末の処理業務はかなり多いけどなるべく休みに入るまでにやっちゃってほしいのよ、ずれこむと来月が大変だから、といわれていた。

わかっちゃいるけど、整理されていない領収書の束をどさっと渡されたりすると、それだけで時間を取られてしまう。忙しいからといって勝手に省略し、精算書にろくに数字を書かずに出されると、こっちで全部やらなくちゃならなくなる。それに、このところ、編集部はざわざわしていて、いつも以上に落ち着かなかった。出入りする人が増えているせいか、あちこちから話し声が聞こえていて——そして、牧子はそんな会話をつい聞いてしまう——どうにも気が散る。

週デはもうじき百万部を突破するのだそうだ。

じりじりとその号が迫ってきているらしい。

百万部という数字がどの程度すごいものなのか、もうひとつよくわからないが、編集部全体がなんとなく沸き立っているのはよくわかった。誰も彼も意気揚々として、活気が違う。こんなに忙しい日々が続いているのに、誰もよれよれしていない。皆、明るい顔をして、ぱりぱりっとしている。

あれかな、いよいよ月着陸って感じなのかな？　と牧子は思う。

アポロちゃんなんて呼ばれているせいか、牧子はつい、そんなふうに想像してしまう。ロケットがいよいよ月周回に入った、って感じなんだろうか。編集部全体が彼方の月を周回する様を思い浮かべ、ほうっとため息をつく。なんだか、今まさにこの場所が、宇宙空間を漂っているみたいではないか。

今週末には、週デの連載漫画のテレビ放送も始まる。

その宣伝ポスターが編集部に貼られていた。エレベーターの中にも。廊下にも。階段にも。

牧子ももちろん、見るつもりだ。

チャンネル争いに負けてはならじと一昨日、夕飯の時に宣言したら、弟の慎也に馬鹿にされた。

はあ？　テレビ漫画？　そんなの子供が見るもんだろ、大人が今から楽しみにしててどうすんだ。

いいじゃない、大人が楽しみにしてたって、と牧子が言い返す。この漫画はね、今、大人気なんだからね、見ないわけにはいかないのっ。慎也が、やれやれ、と蔑《さげす》むような顔をして肩をすくめる。弟のくせして気に食わない。なので言ってやった。あのね、これはうちの会社が作った漫画なの、これはね、仕事の一環なの。この時間のテレビの権利、わたしがもらったからね！

わかったわかった、と慎也は降参するみたいに両手を挙げて、口を尖らせた。見たらいいよ、見ればいいだろ。好きにしろよ。漫画なんて、おれは関係ねーや。日曜日だし、どうせ千秋も見にくるんだろ。おチビと一緒に見たらいいよ。ったく、姉貴は呑気でいいよな、飢餓や貧困、戦争で苦しんでいる人が世界じゅうに大勢いるっていうのによう、姉貴も、漫画漫画いってないで、もうちょっとそういうことに目を向けろよ、と捨て台詞を吐いていなくなった。

慎也は近頃、世界情勢とやらに目覚めたらしく、ベトナム戦争がどうの、反戦運動がどうのとよく騒いでいる。そうして、母のナオに、へんな運動に関わらないでおくれよ、と釘を刺されている。そんなことより、あんたは勉強、ぼやぼやしてたらいい大学に受からないよ、世界の心配より自分の心配、と尻を叩かれている。

そうだそうだ、その通りだ、と牧子は思う。

なんの障害もなく、大学という進路を提示されているだけ、慎也のやつ、ありがたいと思え。というか、長男だから、辰巳家の跡取りだから、大学へ行くのは当然という周囲の態度に些《いささ》かやっかみをおぼえる。

慎也は馬鹿にするが、牧子だって、世界情勢くらい、ある程度理解している。

新聞だって読むし、テレビのニュース番組や討論番組だって見る。慎也の知ってることくらい、牧子だって知っている。

それに、慎也は知らないだろうけど、飢餓や戦争のことは、週デにだってちゃんと載っているのだ。たとえば、インドの飢餓の悲惨な状況を、牧子は週デで知った。慎也はそれを知っているのか。インドで今、何が起きているか。

へえええ、インドは今こんなにたいへんなんだ、と牧子はけっこう真剣に記事を読んだものだ。目を覆いたくなるような、飢餓に苦しむ子供たちの写真が何枚も載っていた。

インドの一地方の、一人の女の子の悲しい現実が、わかりやすい読み物として綴られていた。なぜ、こんなことになっているのか、インドの地図とともに解説もついていた。

牧子は、自分の暮らす日本の平和な日常と、どれほど隔たっているか、つくづく思い知らされ、なんともいえない気持ちになったものだ。

ベトナム戦争のことだって週デに載っている。

今週出る号にも載るはずだ。

牧子はその試し刷りを先週、藤原修子の机で見た。

あら、あなた、こういう記事に、興味がおあり？　ときかれたので、はあ、まあ、と、どっちつかずな感じでうなずくと、修子は、そう、でも、こういう記事はあんまり人気がなくてね、と指で弾いた。アンケートでも、残念ながら、決して上には来ないのよ、でもね、辰巳さん、こういう現実が世界のどこかにあるのは事実なんだし、日本だって、ついこの間まで、戦争してたんだから、遠い国の無関係な出来事だとはいいきれないでしょう。

藤原修子がきりっとした顔で牧子を見る。

牧子はうなずいた。

こういう記事もね、だからとても大事なの。子供向けの雑誌だからって、なくしちゃ、いけないの。

牧子もそう思う。

だから、はいっ、わかりますっ、と力強くこたえた。

牧子は週デを隅から隅まで熟読している。

芸能記事も、読者ページも、活字という活字、みんな読んでいる。決して漫画だけ読んでいるわけではない。だから、おそらく、知らぬ間にそういう現実のいろいろな問題に気づかされているのだろうと思う。すぐには解決できない、複雑で大きな問題も、ともかくまず、それを知ることで考えることができる。新聞なんかとちがって、少女向けの雑誌だから、読みやすくするために、興味を引くために、ちょっとばかり大袈裟だったり、ドラマ仕立てが行き過ぎているきらいはあるけれども、でも、だからこそ、胸をえぐられるときは確かにあった。

世界のことだけではない。市井の人々のうちに、いろんな苦しみや悲しみがあることも記事には書かれていたし、読者の少女たちの小さな――でもそれぞれに、深刻な――悩みにもこたえていたし、世の中の暗さや、辛さにも目がいくようになっていた。ほんとうに盛りだくさんの内容なのだ。

その雑誌が百万部に届こうとしてるんだな、と牧子は編集部を見渡してみる。カメラマンのおじさんとレイアウトマンのおじさんが牧子の席の近くで、紙を手にして激しく言い争っている。だからそういったよな、きいてませんよっ、きいてないわけないだろ。なんだか、ちょっと殺気立っている。

あとどのくらいで月着陸なんだろう。

牧子は鉛筆を指でくるくる回す。

次の号だろうか。それとも、その次の号だろうか。

アポロはけっこう、ぐるぐる月の周りをまわっていたから、もう少しぐるぐる回ることになるのだろうか。

はー、仕事しなくちゃ、と牧子は机に山積みになっている領収書の束を手にした。

わたしも月着陸のお手伝いをしなくちゃ。

みんな忙しいんだから、多少、雑に提出されても我慢しなくちゃ。

うー、しかし。

未整理の領収書が、牧子の手元に、絶望的にたくさんある。


沖主任が肩で風を切って歩いている。

綿貫誠治は、その姿をまぶしく思う。

武部俊彦も肩で風を切って歩いている。

あいつもか、と綿貫誠治は、一抹の悔しさを噛み締めながら、やはりまぶしく思う。

百万部に届こうという週刊デイジーは、今や、社内で、いちばん注目されている。らしい。

まあ、そうだろう。

ここまで破竹の勢いで部数を伸ばしつづけている雑誌、うちでは他にない。

中でも、その原動力となった漫画班、とくに人気漫画やヒット作を担当した者はいっそう注目されている。彼らは向かうところ敵なし、といった顔で社内を闊歩《かっぽ》している。

会議でもそれはありありと感じられた。自信たっぷりに話す彼らのひとこと、ひとことが皆、正しく感じられる。態度の端々に余裕が感じられる。

うらやましいかぎりだ。

綿貫誠治に余裕はない。

肩で風を切って歩いてもいない。

むしろ、縮こまって歩いている。

大柄な体格なので、目立ちすぎるのがいやなのである。

おそらく、誠治は週デ漫画班でもっとも百万部に貢献していない。

足を引っ張っているというほどではないにせよ、いかにも平凡な働きしかしていない。

とはいえ、外からは、今や漫画班に在籍しているというだけで、できるやつ、とみなされがちで、誠治もおそらくそんな目で見られている、ような気がする。

ちがうんだが。

なんでこんな時期に漫画班で働くことになったものやら、と恨めしい気持ちにもなる。

そんな誠治の心中を見越してか、
この時期に漫画班にいることを幸運だと思え。

と武部俊彦にいわれた。

こんな幸運滅多にないぞ。お前、ほんとにいい時期に漫画班にきたよな。知ってるか？　今度のボーナス、かなり期待できるらしいぞ。

武部俊彦が嬉々としていう。

おれはな、ボーナスで借金のすべてを清算するつもりだ。麻雀の負けも、飲み屋のツケも、年末までに一掃する。きれいな身体で新年を迎えるんだ。

ふーん、としかいいようがなかった。

おれは卑屈になっているのだろうか、と誠治は考える。

そうかもしれない。

週デ編集部が今あまりにも華々しくて――それもとくに漫画班が――、まぶしすぎるのだ。周囲からの期待も大きくて、時折、どう振る舞えばいいのかわからなくなる。高速道路を猛スピードで走っている車を運転させられているような心地だった。皆、びゅんびゅん飛ばしている。しかも楽しそうに運転している。誠治はただ、必死でハンドルに食らいついている。運転しているつもりが、逆に車に振り回されてしまっているようにも感じられる。大袈裟だろうか。ともかく、おれは、高速道路ではなく下の道をゆっくり走りたいんだ。もっとこう、淡々と働きたいんだ。アンケートの順位だの、大当たりだの、そういうことから距離を置いて、地道にやりたいんだ。活版班のときのように。

結果的に、担当作がヒットすれば、それに越したことはないが、そちらにばかり気を取られるのはちがうのではないか。

と、そんな姿勢でいるから結果が出せないのだ、といわれたら、ぐうの音も出ないのだが……。

唐津杏子の連載も、始まったと思ったらするすると終わってしまった。

人気が出れば連載続行のつもりでいたのに、もうひとつ、強力連載陣に割って入るだけの力がなかった。いや、力はあった。アンケートの結果が悪かったわけではない。上位にこそ食い込めなかったが、中の上あたりで安定し、よく健闘していた。派手な作品が多いなかで、軽やかなコメディがその位置を着実にキープするのだから、それはふしぎな強さといってよかった。そして、それこそが唐津杏子の強さだ、と誠治はあらためて感じ入ったものだった。

だからこそ、もっとやらせたかったし、誠治もやりたかった。おもしろい展開がいくらでも望めそうな楽しい作品だったのに。

あのこうるさい、グラフ班の香月美紀にも、面白い、といわれた。

綿貫さん、ちゃんと唐津先生の担当やれてるじゃない、びっくりした、と褒められているのか、ひょっとしたら嫌味だったのかわからないが、いわれて誠治は単純に喜んだ。そのうえ香月美紀は、もう少し続けたら、この連載、化けそうな気がしてたけど、残念だったね、とまでいってくれたのだ。

そうだろう？　おれもそう思ってたんだ。

我が意を得たりと、誠治も裏の事情を語る。

会議でもそういってみたんだが、支持を得られなかったんだ。この漫画の良さをうまく説明できなくて、連載継続を押しきれなかった。

香月美紀が、ふうん、と誠治を見る。綿貫さん、ちゃんとわかってんだ。

え、おれ、わかってんのかな、と思いつつ、まあな、とこたえる。

そうよ、そうなのよ、この濃いめのラインナップだからこそ、唐津先生の作品は一服の清涼剤なのよ、必要不可欠なの、と香月美紀が熱くいう。そこに気づかなくちゃだめなのよ、漫画班の人たちは。

なるほど、と思いながら、うなずく。

綿貫さんはさ、そこをもっと強く、伝えなきゃ。わかる？　唐津先生の漫画があると、読者は、ほっとするの。ふわっと楽しい気持ちになれるの。明るくておしゃれで、元気いっぱいのお話もさることながら、あの流れるような線に心が洗われるの。だって気持ちいいでしょ、あの線。あれは唐津先生にしか描けない線よ。あの線で描かれるキュートな女の子たちを、みんな大好きになっちゃうの。だから、もっともっと読みたいのよ。話が転がる先にいっしょにどこまでもついていきたいの。

香月美紀のいわんとしていることがわかった途端、誠治は腑《ふ》に落ちた。

そうか、そういうことか。

だからか。

誠治は気づく。

あのふしぎな強さの正体はそれか。

ようやく朧《おぼろ》げに見えてくる。

自分が担当している漫画家の真の強みが。

少女漫画がろくにわからなかった誠治でさえ、最初っから、その良さがわかっていたのは、つまり、そういう根源的な長所を汲み取っていたからなのではあるまいか。

今頃わかったか、といわれそうだが、唐津杏子は、唐津杏子であるかぎり、なにをやってもいいということではないか。ある意味、最強だ。そうか、担当編集者として、おれは、そこのところを言語化しておかねばならなかったのだ。香月美紀のように。

くやしいなあ、と思わず口に出てしまった。

香月美紀が誠治を見る。

なによ、どうしたのよ、というから、参考にさせてもらいます、と返した。来年の連載の折には、そこをきっちり会議で伝えさせてもらいます。

香月美紀が、驚いた顔をしている。

少女漫画が多少なりとも、おれにもわかるようになってきているのかな、と思いつつ、まあ、みてくれ、と、うっかり大きな口を叩いてしまった。

「なにをよ」

「次の連載」

「次の連載？　唐津先生の？」

「そう。唐津先生の。来年の」

「来年？　来年って、もう、すぐよ」

「ああ、もうすぐだ」

唐津杏子には、すでに、来年、また連載をお願いします、というのは伝えてあった。

はーい、と唐津杏子は受けてくれた。

秋の連載が予定通りの回数で終わると伝えたときも、はーい、とあっさり受け入れてくれた。来る者は拒まず去る者は追わず。ちがうか。もともと、そう野心がない人だから、べつに腐ってもいなかった。すぐに目の前の新しい作品に気持ちが切り替わり、さっそく次の読み切り作品のネームを仕上げてくれた。それもまた、すごいことだと思う。あれだけ量産しているのに、涸《か》れる気配がまったくない。それどころか、いくらでも描けそうな勢いを感じる。

ありがたいことに唐津杏子とは、だんだん打ち解けて話せるようになってきていた。

編集部近くの喫茶店なんかで打ち合わせをすると、話が弾んでつい長くなってしまう。映画の話やテレビドラマの話、学生時代の話、実家の話、どうでもいいような雑談ばかりしているのだが、近頃は、そういう話の合間に、今度はああいうの描いてみたい、こういう話はどうかな、とちらちらいってくれるようになった。誠治も悪ノリして、じゃあ、こうしたらどうか、こんなやつが出てきてもいいじゃないか、こいつとこいつがこうなって、するとこうなるんだ、などとへんな思いつきを、そのままべらべら口にする。えーなにそれー、と唐津杏子は笑い転げながら、そんな人、出さないよー、へんなこと思いつくなあ、と否定しつつも、ねえねえ、だったらこっちの方がよくない？　こういう人物はありだよねえ？　なんていいだしたりもする。ちょっとしたきっかけから構想は膨らむものらしい。なにかのヒントになっているのなら、打ち合わせとしては成功だ、と思うことにしている。

それが正しいやり方なのかどうかは、わからない。

わからないが、そのやり方で何が飛び出してくるのか、見てみたいと思うようになった。

ともかく、自由に描いてもらいたい。

当たる、当たらないは二の次で。

地味な作品でもいい。冒険してくれてもいい。やりたいようにやってくれたら。

他の担当漫画家にも同じ気持ちでいる。

それぞれの漫画家にそれぞれの持ち味があるはずだ。

それを伸ばしてくれたらいい。

たとえ、すぐに結果がでなくても、作家にはそういうものを描くべき時期がきっと必要だし、そういう作品を大事に扱える人間が編集部に一人くらいいてもいいはずだ。

それを可能にする余力が、今の週デにはあるのではないか。

百万部に届こうとしている今の週デなら。

そこをうまく使いたい、使ってやろう、と誠治は思いはじめている。

せっかくこの時期に漫画班にいるのだから、おれはそういう形で百万部の恩恵に与《あずか》ろうではないか。

ともかく、すべては来年だ。


わたしはこのままでいいのだろうか。

神保町の街並みを八階の窓辺から見下ろしながら、香月美紀は考え込んでしまう。

このまま、ここで働きつづけて、わたしに明るい未来はやってくるのだろうか。

週デはいよいよ百万部を突破する。

〝百万部突破間近!!〟

〝五十号、九十七万部超!!〟

朱色と黒の墨汁で書かれた紙がべたべたと、編集部の壁や棚の面に貼られている。

あれは誰が書いて、誰が貼っているのだろう。いつのまにか貼られ、いつのまにか増えている。達筆ではないが、悪筆でもない。トメ、ハネ、ハライがやけに強調されたしっかりした筆使いだ。そんな威勢のいい文言に囲まれた編集部には、明るい空気が流れている。でも。

じゃあ、わたしは？

と美紀は思ってしまう。

わたしはどうなんだろう。

美紀の心はどんより曇っている。

昼食を食べそこなって、しかも、残業になりそうなので何か食べておこうと、階段を駆け上がり、八階の社員食堂まで来たものの、何を食べたいのかわからなかった。適当なものを選べばいいのに、それができない。呆《ほう》けたように、入り口のところで突っ立っていた。この食堂は昼食時間だけでなく、夕刻からの数時間も営業している。美紀は、日中たいてい外へ出ているから、この時間に利用することが多い。うどんを啜《すす》ったり、あわただしくカレーライスをかきこんだりして急場の空腹を凌《しの》ぐ。

いつもどうやって選んでいたのだろう。

わからない。

空腹のはずなのに、空腹かどうかすら、わからなくなっていた。

迷っているうちにふらふらと窓辺にきてしまい——他の人の邪魔にもなるし——、見るともなしに、ぼんやりと外を眺めつづけた。

冬の夕暮れは早い。

通り沿いの商店の照明はすでに点《つ》いている。店の看板にも、街灯にも、灯《あか》りが点く。

また一日が終わるのか、と美紀は思う。

ちょっとした行き違いから起きた表記ミスについて、芸能事務所から問い合わせが来ていたので、それに対処、というかお詫びというか、ともかく手土産を持って説明にいき、そこで来年力を入れて売り出される新人歌手の説明を長々きかされた。週デの読者に合うとは到底思えない演歌歌手だし、向こうも、うちの社の別の媒体に売り込みたかったのだろうが、成り行きで美紀にプッシュしている、といった感じだった。デビュー曲のテープをきかされ、資料を渡された。まあ、その話の流れから、こちらがほしいスター歌手の来月のスケジュールを聞きだせたのだから無駄とはいいきれないが、実りある時間ともいいがたかった。といって、この業界はいざとなると人脈がものをいうから、どうでもよさそうな時間も、侮《あなど》ってはならない。雑談も大事なのだ。好感を持ってもらい、名前をおぼえてもらい、信頼される関係性を築いておかねばならない。

編集部へ戻ってきてからは大忙しだった。今日中に終わらせなければならないゲラを高速でやって、アンカーマンをひっつかまえ、次々号の記事の打ち合わせをした。年末進行のため、並行して進める作業がいつもより多くて頭が混乱するが、ともかく要領よくこなさなければ間に合わない。彼らへの発注を含め、パズルを組み合わせるように締切への道程を決めていく。無理は承知のスケジュールを呑んでもらい、主任に流れを報告する。すると、あれをやっておいてくれ、これをやっておいてくれ、とまた新たな仕事を託される。ぽろぽろと漏れていた仕事が――とくにこういう繁忙期には――いくつか出てくるものなのだった。

あなたね、そういうときは断らなければダメですよ、と藤原修子にたびたびいわれている。なんでもかんでも引き受けていたら身が持ちませんよ。

大丈夫ですよ、と美紀は笑顔でいう。このくらい、へっちゃらです。

けれども、先週、いつものように笑顔を作ろうとしたら、ふいに泣きそうになってしまった。え、あ、いけない、と思って歯を食いしばった。

修子はため息をついて、美紀を見る。

あなた、がんばりすぎですよ、と小さな声でいった。そうやって、自分はやれるんだ、ってところを見せたいのかもしれないけれど、そうして、あなたはたしかにやれてしまう人なのだろうけれども、それは認めますよ、認めますけどね、あなたが背負い込む仕事には、あの人たちの尻拭いみたいなものも含まれているでしょう。便利に使われているだけなんですよ。下っ端だからって、なんでもいうこときいてちゃ、いけません。

下っ端。

ずしん、と響いた。

悪気があっていったわけではないだろう。むしろ、親切心からいってくれているのだろう。だけど、下っ端って。そんな言い方をしなくたって。

美紀は唇を噛み締めた。

藤原修子は正規の社員だ。そこが美紀とは違う。大きく違う。わかっているのだろうか。わかっているのだろう。だからこそ、アドバイスをくれる。下っ端なりの身の処し方を学べといっている。

でも、そうだろうか。

下っ端が仕事を断れるだろうか。

断ったら、使えないやつとみなされ、ますます下に見られるだけではないか。

それでは困る。

困るのだ。

それでは道が拓《ひら》けない。

美紀は、使えるやつだと思われたいし、こいつなら、と一目置かれる存在になりたいのだった。いや、ならねばならぬ。だって、そこにしか突破口はないのだから。美紀はそう思っていた。思い込んでいた。

でも、もしかしたら……。

今となっては、疑わざるをえない。

わたしはまちがっていたのかもしれない……。

師走になって、百万部の声が大きくなり、編集部には活気が溢《あふ》れ、皆、やる気に満ち満ちている。そう感じれば感じるほど、そうして、忙しくなればなるほど、美紀の心は荒《すさ》んでいった。使えるやつだと思われたおかげで、美紀の仕事は増える一方だった。しかもこのところの忙しさのせいで、際限がない。

だからといって、美紀の評価はグラフ班の中だけで完結してしまい、上にも伝わらなければ、横にも伝わらなかった。時間が経過すれば、徐々に伝わっていくものだと思っていたけれど、決してそうはならなかった。主任は伝えようとしてくれない、というより、美紀の評価なんぞ、誰も気にしてはいない。きかれないから主任もいわない。それだけのことだ。

認めたくなくとも、それが現実だった。

悲しい、悲しい現実だった。

突破口なんてどこにもなかったのだ。

気づいて美紀は愕然《がくぜん》としてしまう。

どうしてそれがあると思っていたのだろう。

誰かに約束してもらったわけでもないのになぜ信じていたのだろう。

そんなもの、幻だった。

なんておめでたい。

だから藤原修子のアドバイスは正しい。

あの人たちと違って、美紀がどれだけ働いたって、返ってくるものは何もない。美紀は社員ですらない。社員になれる見込みもない。思うような仕事をさせてはもらえないし、出世の階段などありえない。百万部を超えたからといって、美紀にとって、それがなんだというのだろう。どこに喜びを見出したらいいのだろう。ボーナスすら、形ばかりだ。あの人たちのようにそれを楽しみにはできない。いや、そんなものが欲しいわけじゃない。美紀が欲しいのは手応えだ。働く手応え。でも、いちばん欲しい、それが手に入らない。

夜の帳《とばり》が下りた町の街灯の数を美紀は無意識に数えていた。

一つ、二つ、三つ、四つ。

窓ガラスに額をくっつけ、通りの向こうにまで目をやる。

ひんやりとした冷気がガラスから伝わってくる。

街灯に照らされた通りを人々が行き交っている。

あれは仕事帰りの人たちだろうか。

右へ左へ、ずんずん動いていく。同じような速さで、躊躇いなく進んでいく。こうして上から見ていると、けっこうたくさんの人が歩いているのがわかった。あんなにたくさんの人が神保町で働いているのか。いったい、あの人たちは、何のために働いているのだろう。

美紀は一人一人つかまえて、訊《き》いてみたかった。

あなたはいったい何のために働いているんですか？　あなたはなんのために？　あなたは？　あな

たは？　あなたは？

わたしにはもうわからない。

わからないんです。

美紀はそう訴えたかった。

涙がこぼれてきそうだった。

読者の女の子たちに、ねえ、この漫画、いいでしょう、と手渡したかった。これ、すっごくいいよね、おもしろいよね、とみんなに話しかけるみたいに雑誌を作りたかった。ねえ、素敵でしょう。これ、きれいでしょう。かわいいでしょう。楽しいでしょう。わくわくするよね。ぐっとくるよね。そういう少女雑誌を作るのだと思って、ここへやってきたのだ。

わたしなら、彼女たちの気持ちがわかると思っていた。

わたしが漫画班に配属されたら、もっといい雑誌にできると思っていた。きっといい仕事ができる、誰よりも成果を上げられる。本気でそう信じていた。

でも、もうわからない。

わたしにそんな力があるのだろうか。

わたしが漫画班にいなくとも、週デは絶好調だ。連載漫画はどれも大人気。

わたしにできることなんて、誰にだってできることだったのだ。いや、ちがう。わたしに、それができるとはかぎらない。だって、やったことがないんだもの。わたしにはできないかもしれない。わたしはあの人たちに敵《かな》わないのかもしれない。わたしはうぬぼれていたのかもしれない。

少女漫画に関しては、わたしの方が断然上だと思っていたけれど、ほんとうにそうなのだろうか。あの綿貫誠治だって、あれよあれよという間に、少女漫画がわかってきている。あんなにとんちんかんなことをいっていたくせに、今や、いっぱしの編集者として頭角を現しつつある。

美紀は恥ずかしかった。

わたしはなんて、愚かだろう。

わたしはなんて傲慢《ごうまん》だったのだろう。

少なくとも、彼は真摯《しんし》だった。謙虚だった。漫画ときちんと向き合い、成長した。担当漫画家を尊重し、大事に思い、いい作品をともに作ろうとしている。

あれこそが、わたしがやりたかったことだったのだ。

あれこそが。

彼はきっと成果を上げるだろう。

その姿を見たいと思い、ぜったいに見たくないとも思った。

美紀はたぶん、打ちのめされていた。


ボーナス支給日の経理室の前の廊下は混んでいた。

編集長か副編集長から毎月渡される給料と違って、年に二度のボーナスは経理室まで受け取りに行かねばならない。

武部俊彦はうっかり印鑑を忘れ、走って二度、往復した。

経理室の奥にパーティションが置かれ、そこに現金を運んできた銀行員が詰めている。経理室に入れる人数も制限されている。

この程度の大きさの会社でも、まとまった札束があると、けっこうものものしいものだなあ、と俊彦は、去年の今頃に発生した、あのセンセーショナルな三億円事件を思いだしながら列に並ぶ。

あれほどの大金が運ばれてきているわけではないにせよ、ああいった強奪事件があると、いっそう慎重にならざるをえないのかもしれない、と白バイ警官に扮《ふん》した犯人のモンタージュ写真を思い浮かべる。今頃、こんなふうに、あいつのことを考えているやつは多かろうよ、と想像する。未だ捕まっていないし、小説みたいに派手な事件だから、一年経ってもまだ報道されていて、忘れようにも忘れられない。ボーナスといえば三億円事件、と皆が連想するようになってしまった。しかしそれにしてもあの男が掻っ攫った札束は今頃どこにあるのだろう。ひょっとしたら、おれもどこかであの白バイ野郎と遭遇しているかもしれないぞ、などと思いつつ、俊彦は、列の長さを確かめる。

ようやく俊彦の順番が回ってきて、印鑑を捺し、受け取った封筒の厚みと重みを確かめ、内ポケットにしまう。三億円には程遠いが、俊彦にとっては大金である。一年でいちばん喜ばしい日だ。うきうきと編集部へ戻る。

お前、落とすなよ、とさっそく沖主任に言われた。

落としませんよ、と言い返す。

お前ね、この時期はサラリーマンの懐をねらう掏摸《すり》が跋扈《ばっこ》してんだよ、くれぐれも気をつけろよ、沖主任がいうと、尻馬に乗った明石庸平《ようへい》が、お前みたいなやつが一番ねらわれるんだよ、ふらふらしてないで、おとなしく帰れよ、と揶揄《からか》う。

二人とも既婚者だから、ボーナスを持って家に帰らねばならない。まるまる遣える俊彦がうらやましいのだろう。ふふん、もちろん、俊彦は、夜の街でふらふらするつもりだ。こんな日にとっとと家に帰るわけがない。そのために、本日は仕事を早めに終えられるよう、前日から、きっちり段取りをしておいたのだ。

さっさと仕事を片付けていたら、香月美紀がじっとりとした目で俊彦を見ているのに気づいた。

「なに」

「いいえ、べつに」

「なんだよ、暗い顔して。もっとうれしそうな顔しろよ」

「きみももらったんだろ、ボーナス」

美紀はうなずく。

「いただきました、先ほど。川名編集長から」

へえ、と俊彦は思う。女の子たちは、経理室に取りにいかないのかな？　と思いかけ、いや、藤原修子は取りにいっていた、とすぐに気づく。藤原修子は〝女の子〟というには薹《とう》が立っているが、って、あっ、そうか、この子は、藤原修子のような正社員じゃないからか、と合点する。編集部にはいろいろな立場や雇用形態の人間が入り乱れているが、ボーナスの受け取り方まで違っていたとは気づかなかった。

「どうだい、終わったら、いっしょに飲みにいくかい」

香月美紀と差しで飲みにいったことなど一度もなかったのに、懐が暖かくて、つい、うかれた気分で誘ってしまった。しかし、

「けっこうです」

と、けんもほろろに断られた。

「なんだよ。つめたいねえ」

俊彦は腕時計を見る。まあ、そうか、そんなに急に誘われてもな、と思いつつ、手元の紙に目を落とし仕事の切り上げどころを推し測る。

「武部さん、下の入り口のところで、美しいお着物を召されたマダムが、どなたかをお待ちになってらっしゃいましたよ。武部さんじゃないんですか」

と返された。やれやれ。

「それは、おおかた、どこかの高級クラブのチーママあたりだろ。ボーナス目掛けてツケの回収にきてんのさ。おれはそんな高い店で飲まないから関係ないね。おれが飲みにいくような安酒場に、そんな美しい女人はいない。一人もいない。断言する」

「武部さんには、女性の美しさがわからないんですよ」

「なにをいう」

「武部さんだって、ツケはたまってるんでしょう」

「おお、よくご存じで。たまってますよ。安かろうと、塵《ちり》も積もれば山となるってね。まったく、おれときたら、どこへいっても信用されちまってるから、ささささ、どうぞどうぞ、って、ツケで飲まされちまうんだな。そうなると、飲むつもりがなくても、つい飲んじまう。困るよ」

「なにいってんですか」

「飲みたくもない酒を飲まされてだな、高ーく聳《そび》えたツケの山を崩しに、今から、巡礼にいくわけですよ、巡礼に。飲み屋にしてやられてるのは、このおれ。わかる？　ツケで飲ませる方が悪いや」

呆れたような顔で香月美紀が見る。

あ、この目、知ってる、と俊彦は思う。

女ってやつは、ときどきこういう目をする。何かいいたいことがあるのだろう。あるならいえばいいのに、口は開かない。目は口ほどにものをいう、というが、目が何をいっているのか俊彦にはわからない。

担当する漫画家にもこういう目をされることがあった。

おそらく意に染まない提案であったり、依頼であったりを俊彦がしているのだろう。断ってくれてもかまわないのに、断りはしない。だから、俊彦も相手のどこまでが本意で、どこからが不本意なのか、理解できないまま仕事を進めてしまう。お互いにとって不幸ではないかと思うのだが、引き受けてくれているのでそれで良しとしている。

タイトル、これじゃだめですよ、変えましょう。締切、少し早めさせてほしいのですが。次は原作ものでいきたいのですが。

俊彦だって、そんなことをいいたくはない。だが、こちらにはこちらの事情がある。あまりにもぼんやりとしたタイトルでは読者に響かないし、会議ではったりもきかない。不測の事態で進行に変更があれば、どこかに皺寄《しわよ》せがいくものだ。原作ものをやれ、といいだすのはたいてい川名さんだが、彼の鶴の一声には誰も逆らえない。すまじきものは宮仕え、なのだ。

香月美紀は、暗い目をしたまま、ふいっと、いなくなってしまった。

いつもなら、ここぞとばかりに漫画の話をくどくどつづけたがるのに、どうしたことだろう。おれはそんなに気に障ることをいったのだろうか、と首を傾げる。

どうにも白けた気分で仕事を終わらせ、飲みに出かけた。香月美紀に断られたから、というわけでもないが、もう誰かを誘う気にはなれなくて、といって真っ直ぐ家に帰る気にも当然なれないから、気心知れた安酒場——バーともいいきれず、スナックともいいきれない、どっちつかずな店——のカウンターに腰を落ち着け、水割りを飲んだ。

「けべちゃん、暗い暗い」

前川福美に声をかけられた。

「おお、お前、まだいたのか」

以前、うちのフロアで経理補助をしていた前川福美がカウンターの向こうから俊彦の顔をのぞきこむ。

「うふふ。いますとも。いて悪い？」

「いや、いいよ。いてくれ、いてくれ。どうだ、そろそろ雑貨屋、開けそうか」

「んー、まだまだかなあ。でも、まあ、来年のうちにはなんとか、って姉さんはいってる」

「ほー」

　前川福美は姉と二人で雑貨屋を開く計画があって、その修業を兼ねて今は東京駅近くの大きな雑貨店でアルバイトをしている。そのために、春に退社したのだったが——表向きは寿退社——俊彦はそんな裏事情をなぜか知ってしまい、その流れで夜も不定期で働きたいけど、どこか安心して働けるところはないかと相談されて、ここを紹介してやったのだった。

　その時は、雑貨屋なんて夢物語みたいなものかと思っていたが、よくよくきいてみると、姉というのが商社勤めのしっかり者で、しかも生家は文房具屋。戦災で焼けてしまったが、どうにか建て直し、母親が女手一つで切り盛りするのを間近で見つづけ、それなりに手伝いもしてきたから、商売のコツはわかっているらしい。女の子たちが喜びそうなかわいいものをいっぱーい集めた雑貨屋を開くつもりー、なのだそうだ。きっとうまくいく、といっている。

「ねえ、あの子、どうしてる？」

　カウンターの水滴を布巾で拭きながら、前川福美がきく。

「だれ」

「ほら、あたしの後を継いだ子」

「ああ。経理の。辰巳牧子」

「元気にやってる？」

「やってるよ。〝アポロちゃん〟なんてみんなにいわれて機嫌よく働いてる」

「アポロちゃん」

「なんかへんな子なんだよ。見本誌が出ると、もらっていったりするんだ。きみ、もらってなかっただろ」

「もらってない」

「そうだろ。編集部員でもないのに、どうなってんだか。コミックスなんかも借りていくみたいだし、まあ、それを許しているのは上の人らなんだが」

「上にかわいがられるって大事なことよ。上の人たちにいわれる仕事を優先してしっかりおやんなさい、って、あたし、ちゃんと教えといてあげたからね」

「ふうん。だが、お前さんとはずいぶん印象がちがうけどなあ。あの子は、うんとウブだな。というより、子供だな。色気はまったくない。微塵もない。ボーナスは貯めておいて、来年、小学生の姪といっしょに新幹線に乗って大阪万博を見に行くための資金にするんだってさ」

「やだ、けべちゃん、くわしすぎ」

「ほんとだよな、なんでおれ、そんなことまで知ってんのかな」

前川福美が、せんきゅうひゃくななじゅうねんのこんにちは〜、と口ずさんだ。こんにちは〜こんにちは〜、といいながら、ピーナッツを口に放り込む。あたしだってウブなんだからさ、万博連れってよ〜けべちゃ〜ん、と歌の間に妙な語りを入れ込んでくる。うちの会社で働いていた頃の前川福美は、愛想よくフレンドリーに接しつつも、その実、へんにガードが固くて、会社の誰ともほとんど打ち解けていなかったのだったが——俊彦でさえ、雑談できるようになったのは、辞める半年ほど前——、ここで働くようになってから、こんなふうな気楽な振る舞いを楽しげにするようになった。会社の人間をここに連れてきたことはないが、連れてきたら皆、さぞ驚くことだろう。いや、もしかしたら、この子が前にうちのフロアにいた経理補助の前川福美だと、すぐにはわからないかもしれない。

こんにちは～こんにちは～、握手をしよう～、と前川福美が手を突き出してくる。無視していたが、ずん、とまた突き出してくるので、しようがなく手を出すと握られ、ぶんぶん振り回された。前川福美がけらけらとうれしそうに身体を揺らして笑っている。もう一九七〇年がそこまでやってきているんだな、と俊彦はグラスの氷をからからいわせた。

一九七〇年か。

百万部を突破して、うちの雑誌はいよいよ我が世の春を謳歌する年になるのだろう。

おれはまた、ここで一つ、歳を取ることになるわけだ、と水割りを口にする。さて、なにが変わるんだろう、と己に問いかけてみた。

はて。

問いかけてはみたものの。

どうだろう？　なにか……変わるんだろうか？

また一年、同じように過ぎていくだけなんじゃないだろうか？

沖主任の下には明石庸平がいるので、まだ当分、俊彦に主任は回ってきそうにない。じゃあ、おれが主任になれるのはいつなんだ？　と考える。沖さんはまだ一年や二年、主任を続けるだろう。すると、順当にいっても三年か、四年、いや、へたしたら、下に追い抜かれて、このままあっさりどこかへ異動ということだってありうる。仮に綿貫あたりに追い抜かれでもしたら、ダメージは大きい。だが、それもじゅうぶんありうる話だった。漫画班の中でこそ先輩面していられるが、あいつは同期入社、条件は同じだ。そういえば、夏に明石さんが交通事故で入院した際、俊彦は、もしこのまま彼の入院が長引いたらどうなるのだろう、と考えたものだった。明石さんは、ここへ戻ってこられるのだろうか？　戻ってこられなければどうなるのだろうと、ついそんな想像をしてしまって、なんて卑しいことをおれは想像してるんだ、と自分で自分にがっかりしたものだ。出世したいなどと平生思っていたわけでもないのに、そういうことがあると、あわよくば、と思ってしまう己の情けなさ。みみっちさ。どうしておれはもっとこう、どーんと構えていられないのか。

そんな俊彦を嘲笑うかのように明石庸平はじきに退院し、職場に復帰した。しかも事故前よりも活躍しだした。交通事故に遭ったとき、追突されたタクシーの中でしっかりと抱えていた鞄の中にあった連載漫画は大好評。来年テレビドラマになる話が本決まりになりつつある。

やれんなあ、と俊彦は天を仰ぐ。

「おい、万博、連れてってやろうか」

前川福美がぽかんとしている。

「なんだよ、今、連れてって、って、いってたじゃないか」

「いってたけど」

「いきたくないのかよ」

「いきたいけど」

「だったら、うれしそうな顔しろよ。どいつもこいつも、なんでこう、もっとうれしそうな顔をしないんだ。つまんない顔ばっかして。今日はボーナス日なんだぞ。おれは金持ちなんだぞ」

困惑した顔をしていた前川福美が突然、あーっ、と叫んでにやにやしだした。

「なんだよ」

「わかったぞ。ふふふー。なーんだ、けべちゃん失恋したんだー。だからあたしを誘ってるんだー」

「え、失恋？　誰に？」

「え、誰に、って、それはこっちが訊くことでしょう」

「ん。あ、そうか。え、おれが失恋だって？　なんでそうなる。ふん、そんな暇もない、クソ忙しい一年だったがな」

「麻雀ばっかりしてるからよ」

「仕事だ、仕事。おれは仕事にすべてを捧げたんだ。ちっ。いつまで、こんなことしてたって埒が明かんし、おれの青春は返ってこないし、いっそ、来年は見合いでもすっかな。嫁さんもらって、子供でも作るか。おう、そうしよう」

「いいじゃない、お見合い。けべちゃんは職場結婚って感じでもないし、漫画家との結婚ってのもなさそうだし、恋愛結婚よりお見合い結婚の方が向いてる気がするな」

「うるさいよ」

「あのね、あたしはね、彼氏いるのよ。ごめんあそばせ」

「ほんとにうるさいよ」


千秋は、クリスマスプレゼント——サンタクロースからではなく、両親からだとすでに気づいてしまっている——にもらった万博カードを畳に並べて遊んでいる。表を見て、裏を見て、また表を見て、裏を見る。一枚のカードの表には一つのパビリオンの外観がカラーイラストで描かれていて、裏にはそのパビリオンについての、ちょっとした説明がついている。

こうやって遊んでいるうちに、だいぶ暗記してしまった。

来年、牧子ちゃんと万博に行ったら、これでおぼえたことをいろいろ教えてあげよう、と千秋は思っている。こんなにいろいろなことを知っていたら牧子ちゃん、びっくりするだろうな、といっそう暗記に力が入る。

近頃、千秋は、ぐんぐん本を読んでいる。

週デと別デを読んでいるうちに、他の本——活字だけの本——をたくさん読むようになった。学校の図書室に行くのが大好きになったし、近所の本屋にもよく行く。あちらの本屋で立ち読みし、こちらの本屋で立ち読みし、ちょっと遠くの本屋には自転車を漕《こ》いで行く。

子供ってこんなに本が好きなものなのかしら、と母の和子が不思議がり、時々、千秋の邪魔をする。そんなに目を近づけて読んでいたら近眼になる、およしなさい、といったり、表に行ってみんなと元気よく縄跳びでもして遊びなさい、といったり。漫画を読んでいるのが見つかると、すぐさま叱る。漫画ばっかり読んでないで勉強しなさい。宿題が先!

千秋は本を読むだけでなく、畳に腹ばいになって、漫画の中の女の子の似顔絵を描いたりもする。唐津先生の女の子や桐谷先生の女の子。でも一番似ている気がするのは辻内ゆきえ先生の女の子。牧子がそれを見て、うーん、と唸る。

似てるかなあ?

まあ、でも、このくらいでも別デのデイジールームになら採用されるかもしれないよ、ハガキに描いて送ってみなよ、と千秋にいう。もう少し上達したら、週デの漫画家セットが当たる懸賞に応募してみるといいよ、とすすめる。

「週デのけんしょう?　けべちゃんが見てくれるの?」

「え、けべちゃん?」

「けべちゃん、けべちゃん」

千秋はなんとなくうれしくなって叫ぶ。

「けべちゃん、けべちゃん。けべちゃん！」

「んー、武部さんが選んでくれるわけじゃないけど、そうだなあ、でも、まあ、武部さんも、もしかしたら、見てくれるかも……しれないよね」

「持ってって」

と千秋が差し出すと、牧子が、うーん、とまた唸る。

「わたしが持っていくのはいんちきだからだめだよ。普通に郵便で送りなよ。当たると、漫画家になるためのいろんな道具が入ったセットがもらえるんだよ。ペンとか、羽ぼうきとか、カラス口とか、墨汁とか。漫画家の先生はそういうのを使って描くらしいよ。だから千秋も、そういう道具を使って、ちゃんと描いたらいいよ」

千秋は紙に鉛筆かラッションペンで描いていた。これじゃだめなのか、と初めて知る。

そいでさ、と牧子がいう。もっともっと上達したら、千秋も漫画を描いてみなよ、と唆す。今から練習したら、漫画家になれるかもしれないよ。やってごらんよ、千秋。

牧子は千秋にすすめるだけで自分では描かない。今頃になって描きだしたってもう追いつかないのだそうだ。

辻内先生だって、唐津先生だって、高校生の時に漫画スクールで金賞もらってデビューしてるんだから、大人になってからじゃ、もうぜんぜん、間に合わないんだよ。でも、千秋なら、まだ間に合う。

ほんとうだろうか、と千秋は思う。

わたしも漫画家になれるのだろうか。

なんだか知らないけど、ちょっとわくわくした。

大人になったら何になりたいとか、あんまり考えたことはなかったけれど、漫画を描く大人になったら、とても楽しそうだ。

「千秋ー、これ、なにー？」

　牧子が広げてあった紙の真ん中を指差す。

「犬だよ」

「え、犬なの、これ」

「そうだよ。年賀状に描く犬」

「牛かと思った」

「牛なわけないじゃん。ぜんぜん違うじゃん、犬だよ、犬」

「でもここに鈴つけてるし」

「それは首輪。首輪のこう、ひっかけるとこ」

「ふーん。じゃ、このぶちぶちは」

「だから、模様だよ。そういう模様の犬、いるじゃんか」

　うーん、これが犬かー、やっぱり今からでも間に合わないかもしれないなあ、とぶつぶついっている。ここからスタートしてたら、百年くらいかかりそう。っていうか、これ、年賀状に描いても干支《えと》の戌《いぬ》だってわかってもらえないんじゃない？

　千秋は気にしない。

　犬はたしかに描きにくかった。生き物を想像して描くのはすこぶる難しい。

　別デを開いて、辻内ゆきえ先生の漫画の真似をする。真似をする方がずっとうまく描ける。うん、いい、と千秋は悦に入る。そうして描きながら、空想する。

絵を描いていると、頭の中で、自然と物語が始まるのだった。

漫画で描かれている物語とはまた違う、まったく別の物語が、ふわふわふわんと、頭の中に浮かんでくる。千秋はそれを飴を舐めてるみたいに、とろとろと味わい、楽しむ。そして、それに飽きるとまた漫画を読みだす。

読んでも読んでも新しい漫画が次から次へと千秋のもとへやってくるから、千秋はぜんぜん退屈しなかった。退屈どころか忙しくてしかたがない。週デや別デだけでなく、本屋や図書室には、千秋がまだ読んでいない漫画や本がたくさんあって、読んでも読んでも追いつかない。それらの本や漫画は千秋のことを待っていた。千秋が表紙を開くのを今か今かと待っていた。

学校で悲しいことや悔しいことがあると——子供にだって、日々さまざまな出来事がある——、とりあえず、千秋は漫画を読んだ。漫画を読んでいると、なにもかも忘れて、少し元気が出てくる。

嫌なことがあったり、辛いことがあったりすると、千秋は一目散に週刊デイジーや別冊デイジーのところへいって、漫画を読み耽《ふけ》る。いつまでもいつまでも読み耽る。週デや別デが千秋を慰めてくれた。ぽんぽんと背中を叩いて、涙を乾かしてくれる。やさしく手を握ってくれる。そうして、楽しいところへ連れていってくれるのだ。

週デや別デは千秋の友だちだった。

だいじな、だいじな、千秋の友だちだった。

千秋は来年、小学二年生になる。

第2章
1970年

1

一九七〇年——。

春。

週刊デイジーの百万部突破を祝うパーティがホテルの宴会場で開かれている。

辰巳牧子《たつみまきこ》は受付から、ちらちらそれを眺めている。

赤い絨毯《じゅうたん》、きらきらと輝くシャンデリア、飲み物を手に談笑する人々、壇上には金屏風《きんびょうぶ》と祝百万部と掲げられた大きなボード、恭《うやうや》しく飾られている週刊デイジー。関係各所から贈られた、たくさんの豪華な花のスタンド。漫画家の先生方だけでなく、みおぼえのある芸能人もたまにまじっていて、あ、あの人知ってる、あ、あの人も、と牧子は徐々に興奮し、夢見心地になってきている。

なにしろ牧子は、こんなゴージャスな老舗ホテルに来たのも初めてなら、こんな大きな宴会場を見たのも初めてなのだった。

去年の今頃、この会社に入社した時は、まさか一年後にこんなところでこんなことをしているだなんて思いもしなかった。経理課に配属されて、これからはきっと毎日、経理室でひたすら算盤《そろばん》を弾くのだろうと想像していたのに。

牧子が立っている受付の場所から宴会場はすぐそこで、首をもっと突き出せばよく見えるのだけれど——もっと見たくてうずうずするけど——、あまりお行儀の悪いことはできないので我慢している。

遅れてきた人が受付にやってくるたび、招待状を受け取り、名簿のチェックをする。

さきほどまで、牧子の隣には、別デ編集部の西口克子《にしぐちかつこ》や戸田育江《とだいくえ》などが、ずらりと並んでいた。そうでもしないと一斉にやってくる大勢の招待客を捌《さば》ききれなかったからだが、それでも受付はおおわらわだった。

百万部ってこういうことだったのね、と忙しく手を動かしながら西口克子が興奮気味につぶやいていた。あら、私たち別デだって、いつかこんな日が来るかもよ、もうひと頑張りすれば、と戸田育江が隣の西口克子に身体をぶつけ、小声でいう。

百万部を突破したのは週刊デイジーだが、別冊デイジーは姉妹雑誌で密接な関係ゆえ、このパーティには別冊デイジーの編集部員は皆、来ていたし、裏方仕事もずいぶん引き受けていた。それでも女手が足りないから、手伝ってくれ、と先週、牧子にも声がかかったのだった。

「受付が一段落したら、わたしたちは中へ入ってしまうから、そのあとをアポロちゃんにまかせたいのよ。遅れてくる人もいるからね。会費とかそういう面倒なことはないから、気楽にやってくれたらいい。特別手当も出るし、食事も出る。やってくれる？」

「はい！」

よしよし、と西口克子は目を細め、牧子にきちんとしたワンピースを持っているかをたずねた。どのくらいきちんとしているかわからないけれど、思いつくままこたえると、それじゃ、ちょっと心《こころ》許《もと》ないなあ、といわれ、西口克子がすぐに用意してくれた。白い襟のついた紺色のワンピース。同色の布ベルトがアクセントになっている。これを貸してあげるから当日着てきてね、と渡された。サイズもぴったりだったし、まるで魔法みたい、といったら、魔法だもん、といわれた。アポロちゃんはさ、それが当日の制服だと思ってしっかり働いてちょうだいね。

化粧は朝、ホテルの化粧室で戸田育江に直された。髪を整えられ、ヘアスプレーを吹きかけられた。西口克子も戸田育江も、きちんとしたスーツ姿——克子はペールグリーン、育江は薄桃色——で、編集部の男の人たちも全員、背広を着て、ネクタイを締めている。

漫画家の先生方も、おしゃれをしていた。ベテランのやまなべ先生のドレス姿の美しいことといったら。受付で微笑《ほほえ》みながら牧子の前に立ったとき、ふわんとよい香りがした。辻内《つじうち》先生もいつものようによれよれしていなかった。といっても先月もまた風月館に缶詰になって、締切ぎりぎりまで描きつづけ、よれよれのぐにゃぐにゃになって編集部にやってきていたのを牧子は知っている。

誰かがスピーチしているのが聞こえていた。

内容まではわからないが、なにか冗談をいったのか、会場がどよめいたのがわかった。楽しそうだな、と牧子は思う。それにみんな、うれしそうだ。

「すごいパーティよね」

ふいに声をかけられて振り返ると、牧子の後ろに週デの香月《こうづき》美紀《みき》がいた。

「あ、香月さん。あー」

「ん、なに?」

「す、すてきです」

香月美紀は、黒をベースにした、ところどころ刷毛《はけ》で刷いたような赤やグリーンを散らしたタイトなワンピース姿だった。たっぷりとした栗色の髪がカールして垂らされ——もしかして付け毛だろうか——、胸元には透明なガラスの大きなブローチが輝いている。他の人たちのおしゃれとは一線を画す、独特のセンスだった。

「あなたもすてきよ」

「あ、ありがとうございます」

私の服は借り物なんだけど、と思いつつ、牧子は礼を述べる。

香月美紀の目元はくっきりとアイラインが引かれ、金色のイヤリングがとてもよく似合っている。

「ひとりで受付してるの？」

「はい。別デの人たちに頼まれてここに残ってるんです。でももう、ほとんど、やることはなくて」

「そうよね。それにまあ、こんなの、形だけだしね」

香月美紀が受付横のパーティションの陰に隠れて煙草《たばこ》を吸いだした。

「むしょうに煙草が吸いたくなっちゃってね、クロークに預けてあったバッグ、取ってきちゃった。私、普段、そんなに煙草吸わないんだけど、どうしたのかなあ。疲れたからかなあ。今日は朝から、あっちへ行かされたりこっちへ行かされたりして、始まったら始まったで、日頃、お世話になってる芸能事務所の人たちに挨拶したり、お飲み物を渡して差し上げたり、もうへとへと」

ふーっと煙を吐きだす。

「ちょっと休憩。あなた、疲れない？　ずっと受付にいて」

「いえ、ぜんぜん」

「そう。ふーん」

牧子も朝からいろいろな仕事を仰せつかって動き回っていたけれど、まったく疲れていなかった。興奮しているせいか、むしろ、いつもより元気なくらいだ。

「百万部百万部、って、こう何遍もいわれると疲れちゃうけどな。そんなことない？」

牧子が首を傾《かし》げたら、香月美紀も首を傾げた。

「そっか。そんなことないのか。うん、まあ、私だって、わかっちゃいるのよ、これがどれほどすごいことかってことは。それを可視化するためにこんなパーティをやってるんだもん。でも、なんだか、場違いな気がしてきちゃってね」

「はあ」

遅れてきた招待客がきて、牧子はそちらに専念する。美紀はさっと奥に引っ込み、客から見えない位置に移動した。煙草の匂いだけが牧子の鼻をかすめる。

客が宴会場に入っていくと、また横に並んで、ねえ、受付、代わってあげようか、という。

「え？」

「中へいってらっしゃいよ。よく見たいんでしょう？」

「え。ええ、それは、まあ、はあ、そうですけど。え、いやいやいや、だめです、だめです。これがわたしの仕事ですから」

「いいわよ、そんなの。いってらっしゃいよ。わたしがここにいてあげる。編集部の人たちに見つかって何かいわれたら、そうね、用事があるふりをして、香月さんを探してます、とでもおっしゃい」

ふふふふふ、と楽しそうに笑う。

牧子は困ってしまう。そりゃいきたいのはやまやまだけど、そんなことをしていいのだろうか。

「ほらほら、すいすいっと一周、泳いできなさいよ。あなただって百万部に貢献したんだから、会場を一周するくらい許されてよ。始めから仕舞いまで蚊帳の外に置いておかれることはないわ」

いや、まさかそんな、わたしの貢献なんて、微々たる、微々たるもので、と牧子はいってみるが、背中をぐいと押されて、その気になった。ほんとはいけないとわかっている。わかっているが、やけくそな勢いがついてしまった。

「じゃあ、あの、ほんの、ちょっとだけ。ちょっとだけ見てきます。すぐ戻ってきますから、よろしくお願いします」

とととと、と牧子が走り出した。

あら、ほんとにいっちゃったわ、と香月美紀は牧子の後ろ姿を見送る。なんで私、あんなこと、いっちゃったのかな、と煙草の火を隅のスタンド式灰皿に押し付けて消し、牧子の代わりに受付に立つ。まあ、いいや、あの子が少しでも楽しんでくれたらそれでいい。もし誰かに見咎《みとが》められてあの子が叱られたら、私が出ていって謝ろう。それでも叱られたら、もういいや。私が責任取って辞めます、っていっちゃお。うん、そうしよ。辞めちゃお、辞めちゃお。

近頃、美紀は何かというと辞めればいいや、という方向に気持ちが傾いてしまう。そうやって少しずつ決心を固めていっているのかもしれなかった。あるいは自分がどの程度本気なのか、自分で確かめているのかもしれない。美紀が辞めるといったところで誰も引き留めやしないということもよくわかっていた。つい先日も活版班の手伝いをしていた女の子が一人辞めていったばかりだ。美紀だって辞表を出せばどうぞどうぞとあっさり受理されるに決まっている。だからこそ、決意を固める前にうっかり口にしないように気をつけていた。終身雇用で雇われたわけではなく、適当な時期に辞めていくのを期待されて雇われたのだ、ということもよく理解している。このまままいったいいつまで雇っててもらえるのかもわからない。さっさと寿退社でもするのが一番いいのだろう。実家の親にも、二十五歳までには嫁にいけ、といわれている。嫁にいったら仕事は辞めるのだろうか。結局そうなるのかもしれない。ボーイフレンドはいるけれど、婚約とか結婚とか、そんな話が出ているような間柄ではない。でもきっと、そういうこともこれからまじめに考えていかなくちゃならないのだろう。

まだ私は何もしていないのに。

ぼんやりと宴会場の方を眺めながら思う。

あの扉の向こうの輝きが眩しい。

ここで働くようになって丸二年。

私はいったい何をしたのだろう。

グラフ班の芸能担当として走り回り、スターの写真をかきあつめて口絵のピンナップやカードを作ったり、いくつかの記事をまとめたりした。といって、芸能記者というわけではない。スクープとはまったく無縁の、いってみればお子様向けの記事なので、芸能記者としての実績をカウントされるようなものではまったくない。そのうえ美紀が得意としていたグループサウンズの人気もみるみるうちに下火になってしまった。今や企画に上がることもほとんどない。落胆を禁じ得ない。せっかく築き上げた関係を使い、ここぞとばかりに存在をアピールするチャンスが消えてしまったのだった。

そのうえ、百万部だ。

いずれそうなると思っていたが、これでますます週デは漫画に比重が置かれるだろう。となればグラフ班の仕事は減り、人手も余りだす。そのとき美紀の居場所はあるのだろうか。

ならば。

漫画班。

ふーっと、美紀はため息をつく。

だめだ。そんな夢はもう潰《つい》えた。

美紀は夢を見るのを止めたのだ。

夢を見れば見るだけ虚《むな》しくなるだけだから。

受付のテーブルの上を整理しながら、リストに並んだ名前を見つめる。

百万部のお祝いにかけつけた人、人、人。

漫画家もたくさん来ている。

百万部突破にもっとも貢献したのは彼女たちだし、普段なかなか一堂に会することのない若い漫画家たちが会場のあちこちではしゃいでいるのを目にするのはじつに微笑ましかった。美紀は、少女漫画の時代がいよいよやってきたのだなあ、という感慨に耽《ふけ》りながら、〝時代〟を目撃している心地になったものだ。

なにしろ彼女たちは若かった。

こういう格式ばった老舗ホテルの宴会場が不釣り合いなほどに、とにかく若く、いや、幼くさえ見えた。華々しい場所ゆえ、それなりにお洒落《しやれ》をしてきているが、ベテランの女性漫画家たちと違って――彼女たちは高価《たか》そうな服を、優雅に着こなしている――、どうにも初々しい。

美紀の方をちらちら見ている漫画家の女の子はけっこういて、美紀もそれには気づいていた。美紀のワンピースは、デザイナーの卵の友人の手作りなので――編集部員として目立ちすぎない、ぎりぎりのラインを攻めたつもり――、彼女たちの目を引くのだろう。

彼女たちは敏感だから、きっと美紀にいろいろききたいはずだ。美紀だって話したかった。この服のことも、服を作ってくれた友人のことも。靴やアクセサリーのことも。彼女たちの描く漫画の参考にしてほしい。

だが美紀は彼女たちに近づけなかった。

近づけばすぐに何しにきたのか、という目で、担当編集者の男たちに見られてしまう。彼らは当然のように、彼女たちの近くにいた。彼女たちをさりげなくガードし、ここにいる権利があるのは誰か、まさに見せつけるかのようにして美紀を阻む。日頃そこそこ親しくしている武部俊彦《たけべとしひこ》ですら、美紀を話の輪に招き入れてはくれなかった。綿貫誠治《わたぬきせいじ》に至っては唐津杏子《からつきようこ》や辻内ゆきえらとの話に夢中で美紀に気づいてもくれない。

大柄な身体を揺らして朗らかに笑う綿貫誠治を見ていると美紀は複雑な気持ちになった。あれよあれよという間に、彼は漫画班の中でも目立つ存在になりつつあった。どの漫画家ともいい関係が築けているらしく、今年になって始まった唐津杏子の連載は大好評。さらに上をねらう次の連載の準備を始めているときく。うらやましいような、悔しいような、美紀の胸のうちに黒い塊が蠢く《うごめ》。

彼の周りに新たに若い漫画家の女の子たちがやってきていた。

そのうちの誰か一人でも美紀に声をかけてくれないものかと願うが、誰もそれをしてくれない。彼女たちは、担当編集者を飛び越えてそんなことをしていいとは思っていないようだった。

その若さ、幼さゆえ、彼女たちは担当編集者に従順だった。己を見出し、導いてくれている大人の男に逆らうようなことは決してしない。心のうちはともかくとして。

ほんとうは彼女たちにはそれをしたってかまわないだけの力があるし、もっと自由に振る舞えるはずなのだけれども――ベテラン漫画家たちのように――、彼女たちがそれに気づくのはもう少し先なのだろう。

百万部のパーティにかこつけて、何かいいことがあるかもしれないとひそかに期待していた自分がバカみたいだ、と美紀は思う。こんなに気合いを入れて、服も靴も新調したというのに、まったく私ときたら、なにを浮かれていたのだろう。

辰巳牧子はなかなか戻ってこなかった。

代わりに藤原《ふじわら》修子《しゅうこ》が通りかかった。

「あら」

とお互い声をあげる。

「あなた、受付だった?」

「あ、いえ。今、ちょっとだけ、ピンチヒッターを」

「あら、そう」

とだけいって藤原修子は足早に去っていき、数分後にまた駆け足で戻ってきた。

「どうにか間に合いそう」

息を弾ませている。

「どうかしたんですか?」

「原稿。蔵野《くらの》先生の」

「蔵野先生?」

「電話してきたの。蔵野先生のところへ」

「え、電話? 蔵野先生、いらしてないんですか。百万部の貢献者、ベストスリーまちがいなしなのに」

「そうなんだけど、先生は今、ご自宅でペン入れの真っ最中。あと二時間くらいかかりそう、って」

「えーそんなあ。それじゃ間に合わないじゃないですか。って、でもまあ、仕方ないんですかね。ますます大人気ですもんね。テレビも大好評だし」

「そっちじゃないのよ、よど号なのよ」

「よど号？」

「日航機乗っ取りの。昨日発売の号でも緊急特報の活版記事を入れたんだけど、次の号には蔵野先生の読み切り漫画が載るんですよ。バレーボールの連載とは別に」

「えっ、蔵野先生？　二つも描いてらっしゃるんですか」

「そうなのよ。連載の方は、何週分か先行してもらっているからいいんだけど、よど号はなんとしても今日中に入稿しないとならなくて、沖《おき》さん、ひやひや。ほんとは昨日もらうはずだったらしいんだけど、だめで。だけど今日はパーティでしょう、沖さん、ここを離れるわけにはいかないじゃない。なんたって漫画班の主任ですからね。それで私が蔵野先生のお宅にお電話して進捗具合を確かめているんです。一刻も早く受け取りにあがりたいから」

「でももう、ほんとにぎりぎりになってきてますよね。間に合うんですか」

「間に合わせるのよ」

藤原修子はハンケチでぱたぱたと顔を扇《あお》いで、ふーっと息を吐き出す。

「幸い、印刷所のお偉いさん方も、ここに来てるし、そっちは沖さんが話をつけているんでしょう。パーティが終わったら沖さんは入稿作業にかかりきりになる。入稿即校了だから、失敗は許されない。たいへんなのよ、誰かが手伝うといったって、手伝えることには限度があるし、へたしたら徹夜。ともかく私は今から原稿を受け取りにあがって編集部に持っていきます。って、それにしたってねえ。いくら時事ものの漫画だからって、なにもこんなに急いで載せなくたってねえ」

「とれたてほやほや、旬の漫画って感じですね」

「やめてちょうだい。野菜や果物じゃあるまいし」

藤原修子の眉間に皺《しわ》が寄る。

「そりゃね、よど号乗っ取り事件は前代未聞の大事件だとは思いますよ。そういうものを子供たちにもきちんと知らせていくという姿勢は大切だと思いますよ。でも、ここまで急ぐ必要があるのかって話ですよ」

「よく蔵野先生がお引き受けになりましたね。ただでさえお忙しいのに」

「原稿を取りにきていた沖さんとテレビで乗っ取り事件を見ているうちに、どうやらその気になったらしいのよ。固唾《かたず》を呑《の》んで成り行きを見守っているうちに、自分も何かしなくちゃ、って気になったのかしらね。それとも、うまいこと沖さんに乗せられたのか」

先週号の校了間際になって、いきなり活版班に記事を入れろといってきたのだと教えてくれた。通信社から使えそうな写真はすでに手に入れていて、大急ぎで見開き二ページの追加を頼むといい、柱に蔵野先生の漫画の予告を入れた。

美紀はまだ昨日出た号をちゃんと見ていない。だから、そんな記事が載っていたことも知らなかったし、漫画班と活版班でそんなことが起きていたとも知らなかった。

「私もよど号の事件はテレビにかじりついて見てました」

「私だって見てましたよ。日本中、みんな見てたでしょう。乗客を人質にして飛行機でよその国へいこうだなんてとんでもない輩《やから》ですよ」

「でも、それを週デに載せるなんて私、考えもしませんでした」

「それはそうですよ。だってもうみんなテレビで見てるじゃないの。緊急特報なんていらないでしょう。なぜいるかといったら蔵野先生の漫画の予告のためですよ。歴史的大事件なんだから、やらなきゃだめだ、なんて沖さん、鼻息荒くいってたけど、ようするに彼の手柄は蔵野先生に読み切りを描かせたことですよ」

美紀は扉の向こうに目をやる。

沖主任。

飲み物を手に、にこやかに談笑しつつ場内を歩きまわっていたけれど、その裏でこんなことが進行していたとは。

藤原修子が扇いでいたハンケチをクラッチバッグにしまう。弾んでいた息も落ち着いてきたようだ。

スカートの皺を伸ばし、身だしなみを整えながら、でもまあね、そうはいっても、沖さんって人は週刊デイジーを創刊したばかりの頃の、みんなで少女雑誌とはなんだろうって試行錯誤して作っていた時代のことを忘れていないのかもしれませんね、と付け加えた。あの頃はテレビが普及しだしたばかりで、雑誌の役割が今よりもっと大きかったから、みんなで一生懸命考えたものですよ。我々は少女たちに何を与えられるか、少女に向けた週刊誌を出す意味とは何か。藤原修子が、ふうっと息を吐く。大の男たちが侃々諤々《かんかんがくがく》。おれはこう思う。それは違う、なんて飽きもせず、やってましたよ。その頃の気持ちを彼はまだ忘れていなくて、そこに蔵野先生も共鳴なすったのかもしれないわね。

それもそうだろうけれど、そこですかさず売れっ子漫画家に読み切りを描かせてしまう沖主任の抜け目のなさに美紀は感心する。人気絶頂の、多忙を極めている人に、今、このスピードで。

「それじゃ、もういくわね。沖さんに報告しないと。原稿を取りに行かなきゃならないし」

「修子さん!」

「ん?」

「私が行ってはだめですか」

「え？」

「蔵野先生のところへ私が原稿取りに行ってはいけませんか」

「え、だってあなたはグラフ班だし」

「修子さんだって活版班じゃないですか」

「まあ、それはそうなんだけど、んー、でもねえ、私は……そうねえ、どうかしらねえ、沖さんが、うんとはいわないと思いますよ。原稿はね、さすがにね」

やはりそうか。

美紀はうなずく。

こういう大事な原稿は私のような立場のものに託せない。そういうことなのだろう。納得しつつ、美紀は傷つく。

「ごめんなさいね」

藤原修子がそういって去っていった。

何を謝るのだろう。

何を謝ったのだろう。

力が抜けていく。

やっぱりもう無理かもなあ、と美紀は思う。

ここにいても未来はない。

あなた、こんなところで何やってるのよ、受付はどうしたのよ、と西口克子が会場の片隅で辰巳牧子を問いつめる。といっても小声で。周囲の誰にも気づかれないように、作り笑いを浮かべながら。

ひいっ、と跳び上がるようにして、辰巳牧子が謝る。すみませんすみません。

すみませんじゃないわよ、と牧子の腕を引っ張って出口の方へと進む。

「だめじゃないの。受付にいなくちゃ。私たち、受付はアポロちゃんにまかせたでしょう」

はい、でも、代わってくれるって、香月さんが、と途切れ途切れに牧子が言い訳をする。

「誰よ、こうづきさんって」

「週刊デイジーの。ええと、グラフ班の」

ああ、と克子は思いだす。あの香月さんか。

「なんで香月さんが代わってくれたのよ」

「さ、さあ。きゅ、休憩にきてて」

「休憩?」

彼女とはほとんど接点がなく、編集部が違うのでちゃんと話したことはなかったが、克子はよく知っている。なにしろ、香月美紀は目立っていた。たまに編集部で見かけると彼女はいつも自信たっぷりにきびきびと動いていた。電話をかけている時も、カメラマンやレイアウトマンに指示している時も、仁王立ちになって色校を見ている時も、たぶん彼女は克子より年下だろうと思うのだけれども、いかにも出来る女の気配が漂っていて、男の編集者と漫画についてあれこれ意見を戦わせているところを見た時なんぞ憧れに近い気持ちを抱いたものだった。別デではあり得ない光景だった。というか、週デでも、そんなことをしているのは彼女くらいのものだろう。なぜそんなことが許されているのかわからないが、臆することなく滔々《とうとう》と意見を述べ、相手もたじたじとなっていたから、きっと漫画について一家言ある人なのだろう。

「ともかくアポロちゃんの代わりに香月さんが受付にいるのね?」

「はい。代わってあげるから中を見てきてもいいよ、って」

「ふうん」

きつい人かと思っていたけどそうでもないらしい。というか、私たちこそ、この子にそんな思いやりを示してもよかったのではないか、と克子は気づく。

「それでどう？　もう見た？　もういい？」

辰巳牧子がにそにそしながらうなずく。

「じゃ、戻ろう。受付は別デが引き受けたんだから、他の人に任せたままにするわけにはいかないの」

牧子の腕を取り、受付に向かう。

おとなしく歩いているように見えて、牧子の目は忙《せわ》しなく動き、そのせいで歩みも遅い。おまけに小さく手を振ったりもしている。いったい誰に、と思うがいちいち訊《き》くのも野暮《やぼ》なので放っておく。

香月美紀は受付にいた。

牧子が、たたたた、と近づき、ぺこりと頭を下げる。克子も頭を下げた。

「すみません、香月さん、受付はうちの担当なのに」

「いいわよ、そんなの。同じデイジーじゃない。それに辰巳さんだって別デじゃなくて経理でしょ」

「いや、それはそうなんですけど、香月さんは週デ編集部なんだし、中にいないと。ご挨拶しなくちゃならない方、大勢いらっしゃるんじゃないですか」

「いないわ」

「え」

「いるけど、いない。だから、いいの。気にしないで。それより辰巳さん、どうだった？　楽しめた？」

「はい、とても。ありがとうございます」

顔を見合わせ、二人がにんまり笑う。すぐさま香月美紀と辰巳牧子が入れ替わった。

「ほんとに楽しかったです」

「そう。それはよかった」

香月美紀が歩きだしたので克子もなんとなく一緒に歩きだす。すると、つと立ち止まった美紀がいきなり方向を変えた。

克子を見る美紀の瞳がいたずらっぽく動く。

「ねえ、西口さん、ちょっと歩きません？」

「え、でも」

「行きましょうよ。私、なんだか、パーティ会場にいるのが億劫《おっくう》で」

小さな声だが、はっきりとそういう。「下のフロントのあたりを一周して戻ってきません？」

なんなんだろうと思うが、付き合うことにした。克子も会場のざわめきや喧騒に少し倦《う》んでいたし、気働きをつづけるのにも疲れていた。宴もたけなわ、もうそんなにやることもない。それに克子は香月美紀に興味があった。すぐ隣の編集部で働いていても、ゆっくり話をするチャンスはなかなかない。

重厚な造りの大階段を連れ立って下りていく。

「ほら、こうやってふたりで堂々と並んで歩いていたら、なにか用事があるのかな、ってみんな思いますよ」

ふいにそんなことをいわれてもうまく反応できなくて、克子はただ、ええ、とだけいう。

「私たちがいなくたってパーティは滞りなく進んでいきます。そうでしょう？」

すたんすたんとリズミカルに歩く美紀の隣で克子は首を傾げる。週デの人にとって、今日は晴れの日ではないのだろうか。この人は、どうしてあそこにいたくないのだろう。

「別デはいいですね、いろんなことができて」

美紀が、ちらりと克子の方を見る。

「え、いろんなこと？　……うーん、どうなんですかね。うちは週デと違って班に分かれてませんから、その分なんでもやらなくちゃならないってだけですよ。小所帯だし、月刊だし」

「でも漫画もやってらっしゃるんでしょう？」

「やってる、っていうか、私たちはたんなる下働きなんです。編集長の手足？」

「編集長……小柳《こやなぎ》さん」

「ええ。副編集長もいますし」

「副島《そえじま》さん」

「ええ。彼らが別デの頭脳で、私たちはその補佐にすぎないんです。やれといわれればなんでもやりますけど、私たちが差配できることなんてほんの僅《わず》か。まあ、懸賞ページとか読者ページとか、そういうのは好きにやらせてもらってますけど、漫画は……、原稿を取りに行くとか入稿作業とか、そういうことだけ」

「そうなんですか。結局どこもそんなものか」

階段下のホールに立ち、香月美紀が天井を見上げた。

うわー、高いー、とつぶやいている。

仰ぎ見たまま、くるりと回転する。

格調高い贅沢《ぜいたく》な造りのホテルの空間は、そんな美紀を小さな子供のように見せていた。すっきりとしたワンピースのライン。赤いヒールの靴。四角いハンドバッグ。すべてとてもモダンなのに、この空間に立つとなぜか却《かえ》って幼さが強調されてしまう。

華やかなパーティ会場にいた若い漫画家の女の子たちのことが思い出された。

彼女たちもまた、頑張っておしゃれをしてきているけれど、それゆえ却って幼く見えた。それをいうなら克子だって似たようなものだ。精一杯大人びたスーツを着てきたけれど、こんな場所では背伸びをしているのが際立つだけ。けれども、だからこそ、それが私たちの強みなのではないかとも思う。

若い私たちの。

はっとした。

もしかしたら、この人も、と克子は思う。

この人も漫画をやりたいのではないだろうか。

漫画家を担当して思いっきり働きたいのではないだろうか。

私と同じように。

そうかもしれない。

いや、きっとそうだ。

克子はその日をじりじりとした思いで待っていた。

沢《さわ》つかさを担当させてもらえるかもしれないと戸田育江にきいてからというもの、期待して期待して、胸が痛くなるほど期待して、期待しすぎないようにと自らを戒めつつ、ひそかにその日に備えていた。だが、悲しいかな、まだ一度もそんな打診はされていない。先ほども、パーティ会場で沢つかさと小柳編集長が話しているのを見かけたので、近くをうろついてみたけれど、呼ばれはしなかった。

小柳さんにその気があるなら呼ばれるはずだと、祈るように近づいていったのに克子に気づいてくれたかどうかさえ定かでない。そのうちに沢つかさは、漫画家仲間に誘われ会場内を移動していった。

そのとき軽く挨拶はしたけれど、それ以上のことはできなかった。

こんな生煮え状態のまま、私はいつまで放っておかれるのだろう。

この苦しさを、と香月美紀を見ながら克子は思う。

もしかしたら、この人は理解してくれるのではないだろうか。

あなたもそうなんですか、ときいてみようか。あなたも漫画を担当したいのではないですか。

「別デも百万部いきますよ」

香月美紀がふいに、克子にいう。

「うかうかしてたら週デは別デに追い抜かれますよ。ま、うちにも相当したたかな編集者がうじゃうじゃいるんで、そう簡単には追い抜かれやしないでしょうけど、でも、別デの勢いは止まらないと思うな。だって、新しい漫画家の発掘は別デがいちばんうまいですもん」

フロントの前を通り過ぎ、大理石の床をかつかつとヒールを鳴らして香月美紀が先を歩く。

「新しい漫画家こそ新しい時代の鍵なんです。誰を見つけるか。面白くなりますよ、別デはますます」

「そうでしょうか」

「私、わかるんです。西口さんだってわかってるんでしょう。わかってますよね？　私たちはわかってる」

「なんだか、香月さん、予言者みたい」

「そうですよ。予言しますよ。これからも新しい漫画家が続々と出てきます。別デの百万部なんてすぐですよ。あーあ。うらやましいなあ。西口さんはこれからそれを現場で間近で見ることができる」

「香月さんだって、現場で百万部を超えていくところを見てきたじゃないですか」

「週デ？　見てきましたけど、こんなもんじゃないですよ。きっと、これから、もっともっと面白くなる。週デも別デも、少女漫画はもっともっとすごくなるんです。私、わかるんです。西口さんも見たでしょう、パーティ会場の女の子たち。あんな普通の女の子たちが自分たちのために、自分たちみたいな女の子たちのために漫画を描きだしたんです。あの子たち、これから何を描くと思います？ね、あの子たち、何を描いてくれるんでしょうね。私たち読者のために。わくわくしません？」

「しますよ、もちろん」

香月美紀が、笑い声を上げた。

「ですよねー。わくわくしますよねー。あー、楽しみだなー」

香月美紀が克子に、最近どの漫画がよかったですか、ときいた。克子がこたえると、美紀もいくつか挙げていった。あれいいですよねー、克子がいうと美紀が満面の笑みで、ですよねー、とこたえる。それをきっかけに、二人であの先生が好きだ、あの先生のあの作品は最高だ、あんなの読んだことない、あれはすばらしい、と怒濤《どとう》の勢いで主張しあった。あの連載はこういうところがいい、あの新人はこういうところに面白さがある。あの子はまだ高校生なんですよ、えっそうなんですか。

そんな話をするうちに、フロアをくるりと一周して大階段に戻ってきていた。

階段脇で立ち止まった香月美紀が、わたしやめるんです、といった。

「は？」

「わたし、週刊デイジー、辞めるんです。決めたんです。まだ誰にもいってないけど。うん、今、初めていいました。西口さんに初めて」

「えっ。いったい、それはどういう」

「どうしてでしょう。わからないけど、今、いいたくなってしまった。……ね、西口さん、別デが百万部を突破した時に私のこと、思い出してくださいね。そういえばそんなことをいって辞めていったやつがいたなあ、って、きっと私のことを思い出してくださいね」

香月美紀の目が潤んでいた。

克子がうなずくと、美紀の目からひとすじ涙がこぼれた。でも、彼女は笑っていた。

「ね、ぜったい思い出してくださいね。私、編集部は辞めるけど、週刊デイジーも別冊デイジーも読みつづけます。これからもずっと読みつづけます。読まずにいらりょうか」

笑いながら、彼女の目からぼろぼろこぼれる涙を見ているうちに克子の目にも涙があふれてきてしまった。あわててポケットからハンケチを取り出す。なぜ美紀が辞めるのかはわからないけれど、わからないのになぜだかわかる気がしてならなかった。だから、理由をきく気になれない。理由をきく気にもなれなかったし、引き留める気にもなれなかった。ここに至るまでの彼女の苦しさをよく知っている気がしてならなかったから。口に出したからにはもう翻《ひるがえ》らないだろうということもよく知っている気がしてならなかったから。だってこれは私だから、と克子は思う。辞めていく私を、だから私は憶《おぼ》えていようと思う。私が今、辞めずにすむのは、この人が辞めていくからだ。そんな気がしてならない。

私でもあるこの人が、今、辞めていく。

美紀もバッグからハンケチを取り出している。涙を拭う。克子もまったく同じ動作で涙を拭う。鏡を見ているようで、二人で噴き出しそうになる。

「西口さん、どうぞ行ってください。まだパーティはつづいてます。さあ」

「あなたは？」

「私はこのまま帰ります。うちへ帰って辞表を書きます。そうして、可能なかぎり大急ぎで引き継ぎをして、次の仕事を探します。いい仕事が見つかるといいな。さあ、西口さんは、もう行って」

克子が階段に足をかける。一段、また一段。後ろ髪を引かれる思いで、振り返る。香月美紀が克子を仰ぎ見ていた。きらきらとした大きな目で。なんと声をかけたらいいのか克子にはわからない。口を開きかけ、また閉じる。

「大丈夫です、西口さん、私、こんなことくらいで、へこたれませんから。大丈夫。私だって、これからなんです」

香月美紀が笑った。すがすがしい笑顔だった。

克子は大きくうなずいて、階段をのぼっていく。もう後ろは振り返らず、一段、一段、踵《かかと》を強く踏みしめながらのぼっていく。克子は香月美紀が去っていく姿を想像していた。背筋を伸ばして、大きな歩幅で、彼女はきっと堂々とホテルの玄関を出ていくだろう。

克子も背筋を伸ばし、深呼吸を一つした。

香月美紀が辞めたときいて、藤原修子は少なからずショックを受けた。どうして、いきなり、そんな決断を。どんな事情があるにせよ、まだいくらでも働けただろうに、いったい、なぜ。

仮にグラフ班での仕事が嫌になっていたのなら、活版班に移ってもらったってよかった。活版班ではちょうど一人、手伝いをしてくれていた女の子が辞めたばかりだ。煽《あお》りを食って修子も多忙を極めている。香月美紀を活版班に、と修子が頼めば、なんとかなったかもしれない。結果はわからないけれど、やってみる価値はあった。そのくらい修子は香月美紀の仕事ぶりを認めていたのだった。なんといってもあの子は頭の回転が速い。手際が良い。合理的に仕事を進められるし、文章も書ける。人付き合いもうまい。ついこの間、編集部へ配属されたばかりの、まだ右も左もわからぬような新人の男の子よりも、うんと役に立つだろう。それにつけても、と修子はため息をつく。どうして辞める前に一言、相談してくれなかったのだろう。あの子とはずいぶん打ち解けて話をする間柄になっていたのに、肝心の話をしてくれなかったのが残念でならない。

「これ、香月さんから」

と、修子の机にやってきた経理の辰巳牧子に薄っぺらな小箱を渡され、初めて香月美紀が辞めたと知ったのだった。驚いた。

ここ数日、やけにあわただしくて、姿を見ていないことにも気づいていなかった。

「あの方、お辞めになったの」

「はい、そうなんです。藤原さんに渡してくださいって。ほんとは直接渡したかったけど、もう編集部へ来ることもないだろうからって」

辰巳牧子は事務処理の関係で、香月美紀と最後に何度か顔をあわせて仕事をしたらしい。それ以外の、グラフ班での引き継ぎがどのように行われたのか、修子はまるで知らない。そういえば、そんなふうに、これまで幾人もの女の子が辞めていったと、修子は思い出す。アルバイトや嘱託《しょくたく》でやってくる女の子はそんなふうに、ある時ふっと消えてしまう。いちいち理由もきかなかったし、それを当然のように受け入れていた。一人減ったら、その分どう回していくか、そんなことばかりに気を取られていた。どこか感覚が麻痺《まひ》していたのかもしれない、と今更ながら気づく。

箱の中身は薔薇の刺繍《ししゅう》が施されたハンケチと小さなカードだった。丁寧な字で、〝お世話になりました。ありがとうございました。香月美紀〟とだけ記されていた。

素っ気ないといえば素っ気ないが、あの子らしいといえばあの子らしい。

香月美紀が見せた、パーティの日の悔しそうな、いや、寂しそうな顔が思い出された。

あれが最後の記憶だったせいもあるけれど、修子の心に小さな棘《とげ》が刺さったようになってしまう。

まさか、あんなことが辞めた原因とは思えないが、もしかして、あの時、修子が蔵野先生の原稿をあの子に任せていたら、あの子は辞めなかったのだろうか。

「これから、どうなさるのかしらね」

「転職するっておっしゃってました」

「え、転職」

辰巳牧子がうなずく。

「履歴書、書いてるって」

そうか。転職か。たしかにそうだ。今はもう、修子がここで働きだした頃とは違う。大学を出た女も珍しくなくなってきているし、働き口も増えている。景気も良い。あの子なら、きっと満足のいく職を得られるだろう。

そうであってほしい、と修子は思った。あの子ならどこでだってやっていける。きっとうまくいく。できれば会って、直接、その気持ちを伝えたかった。ここでの仕事を労《ねぎら》いたかったし、これからの人生にエールを送ってやりたかった。

だが、修子は忙しかった。

あらためて連絡をして外で会うのが困難なほどに、てんてこ舞いの毎日だったのだ。

ただでさえ忙しいうえに、軽い気持ちで担当を引き受けた似顔絵コンクールは、一人で何点でも送れるがゆえ、子供たちからの応募点数がとんでもなく多くて、そのうえ中途から引き継いだため――辞めていった女の子が担当していた――、入選者への記念品の発注などを急いでせねばならなかった。

誰かに手伝わせようとしても、手が空いているのは活版班に配属されたばかりの新人——高峯忠道《たかみねただみち》——くらいで、この青年がまだ何もわからないときているから、手伝わせるどころかこちらが手伝うことも多々、そこへ持ってきて、デイジーモードプリンセスだ。読者二人をプリンセスに選出し、夏休みに海外へ連れて行き、スポンサーの洋服を着せて写真を撮るという一大イベントの、修子は今年、担当責任者になってしまった。宣伝部と連絡を取り合い、準備を進めていかねばならない。

まったく猫の手も借りたいほどだった。

本当に、香月美紀が——あの有能な子が——活版班へきて働いてくれていたらと思わずにいられない。あの子をあっさり辞めさせてしまったなんて、なんと愚かな。

辰巳牧子が、修子の机の上に散らばった写真に手を伸ばした。

「藤原さん、これって、もしかして、デイジーモードプリンセスの女の子たちですか」

「そうですよ。それは昨年度のプリンセス」

「これに選ばれると夏休みに二週間、外国へ行けるんですよね」

ぽわーんとした声で辰巳牧子がいう。「いいなあ。いいなあ」

そりゃあ、たしかに外国へは行けるけれども、そう気楽な招待旅行ではない。彼女たちには、各地で洋服のモデルになってもらわねばならないのだ。だからこそ、素人とはいえ、それなりにカメラ写りのよい子を選ぶ必要があって、なるべくたくさんの読者に応募してもらおうと、締切前のもう一押し、修子はカラーページで新しい募集記事を作っているところだった。

「夏休みにヨーロッパ旅行だなんて夢のようですね。うわあ、このお城、やまなべ先生の漫画に登場するお城みたいー。すてきー」

「辰巳さん、それはお城じゃなくて教会よ。お城はこちら」

レイアウトを考えながら、去年撮影した写真を、机の上に広げて選んでいた。辰巳牧子は、まるで修子の仕事を理解しているかのような顔つきで、これがいい、これもいい、と指差していく。異国情緒溢《あふ》れる、いわゆる定番の観光名所への反応がすこぶるよかった。モデルの表情や写真の完成度より、女の子の憧れはやはりこういうところにあるのだろう。ひねる必要はまったくない。

「いいなあ。ヨーロッパ。私も行きたい」

「あなたがまだ十五歳だったら応募できましたけどね……残念でした」

「姪もだめですよね。まだ小学二年生だから」

「だめですねえ、十歳以上ですからね」

「ま、応募したって千秋《ちあき》が選ばれるわけないけども」

「あら、わかりませんよ。わりあい普通の女の子が選ばれるんです。服を作っているスポンサーの意向もあって、読者の隣にいるような親しみの持てる子をプリンセスにって。それがこの企画のミソ」

「えーそうですか？　うーん。ずいぶんかわいい子たちだと思うけどなー。モデルさんみたいじゃないですか。うわー、ピサの斜塔ってほんとにこんなに斜めに傾いているんですね。怖いなあ。今にも倒れてきそう。私、この前、姪と一緒に万博へ行ってきたんです」

「大阪へ？　もう行かれたの？」

「はい。姪の春休みにあわせて、新幹線に乗って。一泊して。すごかったですよー。人がいっぱいで。外国のパビリオンがたくさんあって、外国の人もたくさんいて、なんか、ああいうところへ行くと、本物の外国へも行ってみたくなりますよね」

　本物の外国という言葉に修子はおかしみをおぼえた。万博が偽物……というわけではないにしろ、たしかに、外国はまだまだ万博ほど手軽に行ける場所ではない。修子だって、初めて海外へ行ったのはつい去年のことだった。大学で仏文を専攻していたから、ぜひ一度、パリの景色をこの目で見てみたくて――まさに〝本物〟のそれを――、たった六日間だが団体旅行で行ってきたのだ。休みをもらうのもたいへんだったし、お金もかかったが、いたく感激した。キャフェテリアにすわって街を行き交う人々を眺めているだけで震えるような喜び――異国の地に私はいて、こんなにも自由に振る舞える――を感じたし、世界を知ること、世界の人々と交流することはこれからの世の中で大事になるのではないかと直感した。いつまでも日本の中で縮こまっていることはない。もっと外へ羽ばたかなくちゃ。デイジーモードプリンセスの今年の担当が回ってきたのも、そんな話を主任の伊津《いづ》さんとしたからかもしれなかった。いや、たんに修子にパスポートがあると知れて、海外で女の子たちの世話をするのに同性がいた方がなにかと便利と判断しただけだろうか。去年は伊津さんも行ったが、ドイツの地で女の子たちの生理用品を男たちが総出で探し回る羽目になって往生したといっていた。

「今年はどこへ行くんですか」

「スイス、イタリー、デンマーク、スウェーデン」

「うわあ、豪華。藤原さんも行かれるんですか」

「行きますよ」

「うわあ、いいなあ」

　といったって、その日までに応募者の中からスポンサーや宣伝部、編集部内の意見を聞きつつ、調整、吟味して、何度も会議をしたうえで候補者を選出し、親御さんに説明し、許可をもらいにいかねばならない。許可してもらえなければべつの候補者から選び直し、プリンセスが確定したらパスポートを取得させ、渡航手続きをし、向こうで撮影する洋服を選んで試着してもらう。小道具を決め、それらすべてを梱包し、必要ならば先に発送し、おそらく、それらをぎりぎりのスケジュールでこなしていかねばならないのだ。通常の業務と並行してやっていくと考えると頭が痛い。行けば行ったで、プリンセスの女の子たち――まだほんの子供に過ぎない――を無事、帰国させるまでは気が気でないだろう。それを思えば、うらやましがられるような豪華な旅行というわけでは決してない。カメラマンと、それから活版班からももう一人行くはずだが、まだ誰になるか決まっていない。ということは、準備はすべて修子一人の肩にのしかかってくるわけだ。

「辰巳さんにも、海外出張の経費のことで、これからいろいろお願いすることになると思いますから、経理課にやり方をちゃんときいておいてくださいね」

「あ、はい。わかりました」

去年は、新米だった辰巳牧子を飛び越して経理課と直接やり取りしたときいている。今年はもうこの子にある程度まかせても大丈夫だろう。

「私もいつか行けるかなあ。行きたいなあ。行けるといいなあ」

どこまでも呑気な辰巳牧子に苦笑する。

「行けますよ。これからはもっと外国へ行きやすくなる。やまなべ先生なんて、もう何度も行ってらっしゃるし、漫画家の先生方もぽつぽつ行きだしている。まあ、だから、あなたも、そうね、まずは無駄遣いをしないでお金をたくさん貯めることですね」

「あ、そっか。そうですね！　唐津先生の漫画の女の子を見習って私もしっかり節約します！」

そういえば、そんな節約漫画が人気を博していたな、と修子は思うが、忙しくてろくに読んでいない。うまく反応できなくて目の前の写真に目を落とした。ピサの斜塔は採用しよう、と脇に寄せた。

藤原修子と辰巳牧子の会話を聞くともなしに聞きながら、武部俊彦はトレーシングペーパーの巻紙を広げてカッターナイフで切っていた。漫画編集者にとってこの紙は三種の神器の一つで、これがなくては仕事にならない。巻紙を筒状のまま持ち歩く者もいるが、俊彦は使いやすい大きさにカットし、いつも鞄《かばん》に入れている。

この席――藤原修子の席の斜め前――は新入りの高峯忠道の席だが、今は不在。いきなり記事ものをまかされ、地方に取材に行く、という活版班ならではの洗礼を受けているらしい。机にはまだ物がほとんどなくて広々と使いやすいので、勝手にすわって作業している。

桐谷《きりたに》先生からの連絡がそろそろ入るはずだった。

おそらく、あと、二、三十分といったところだろう。

連絡が来たらすぐに動かねばならないから、俊彦は編集部でじりじりと待つしかなかった。飯を食いにいくわけにもいかないし、打ち合わせにもいけない。用意は万端に整えた。だがまだ連絡がない。ここまで来ると、こちらから催促の電話をかけて邪魔するわけにもいかないので、トレーシングペーパーを相手に時間を潰すしかなかった。パチンコにでもいって玉を打っていればすぐに過ぎていく時間も、トレーシングペーパーが相手ではちっとも過ぎていかない。

しょうがない、もう少し作っておくかと紙を広げて、定規を当てた。薄いから刃先の力の入れ具合にコツがいる。この紙は息を吹きかけると、ぶうぶういうところから、ぶうぶう紙と呼ばれているが、それがこの編集部の中だけの呼び名なのか、一般的なものなのか、俊彦は知らない。漫画家のところへいって、ネームができたら文字の写植を先に発注するため、このぶうぶう紙を原稿の上に重ねて透かし、吹き出しの文字などを鉛筆で写しとる。完成原稿から写しとることもある。吹き出しの中に収めるため、活字の大きさへの配慮も必要だし、漫画家によってはひどく読み取りにくい文字もあって、一字一句、まちがえないよう神経を使う。作品の魂を感じ取る作業だという人もいるが、俊彦にはよくわからない。そんなものをゆっくり感じ取っている暇などない、というのが俊彦の偽らざる実感だった。週刊誌は進行があわただしいので、時間勝負になりがちで、その作業をタクシーの中ですることもままあった。後部座席で真剣に書き写していると車酔いして吐きそうになるが吐くわけにはいかない。吐いてる時間はない。それに万一、吐いて原稿を汚しでもしたら目も当てられない。必死に吐き気をこらえて作業をつづける。作品の魂どころではない。ぐるぐるする胃をなだめつつ、必死で写し取った紙を封筒に入れ、よろよろと車を降りる。

そんな苦労を誰が知っているだろう。

切れ味がなまって紙に引っかかってきたカッターナイフの刃を折りながら、今し方、耳にした香月美紀のことを思う。

あいつは我々が、こうしてぶうぶう紙一枚を手に、タクシーの中で躍起になって作業していたなんて、知らないだろう。優雅にタクシーを使って帰ってきた、くらいにしか思っていなかったのではないか。

漫画の仕事がしたいとしきりにいっていたが、それがどんな仕事か、どこまで理解していたのだろうと俊彦は考える。

どうせ上辺しか見ていなかったにちがいない。

なにより、この仕事は、ただただひたすら原稿を待ちつづける仕事だと、原稿のために己の時間を捧げつづける仕事だと、あいつはわかっていただろうか。グラフ班の芸能のような華やかな現場でひらひら、ひらひら、きれいな格好をして飛び回っていたあいつにどこまでそれが理解できていたか。

漫画班で仕事をするうちに俊彦はすっかり手先が器用になった。子供の頃から不器用だ不器用だといわれつづけ、入社したばかりの頃は先輩たちにも、こんな不器用なやつ、初めて見ただの、お前の指はどうなっているんだ、などと始終からかわれていたものだが、数をこなせば、それでもどうにかなってくる。細かい手作業が少しずつうまくなっていく。

昔は、切羽詰まっている漫画家にベタ塗りを頼まれたりすると、青ざめていた。器用な人間なら苦もないだろうが、俊彦のような人間は、そうはいかない。すぐに枠からはみ出てしまう。はみ出たことすら無自覚で、漫画家に、あーっと叫ばれても、何を叫ばれているのかわからなかった。きょときょとと眺め、ああ、これか、とようやく気づく。こんなささいなことでこんな大声で叫ぶのか、と舌打ちしたくなることもあった。それでも、だんだんましになっていった。下手は下手なりに細心の注意を払うようになったのだ。というよりも、漫画家側もこいつに頼むべからずと心得たのか、そういう噂が広まったのか、そう頼まれなくなったというのが正しいかもしれない。アシスタントが複数いる大御所の担当が多くなったせいもあった。いや、ちがう。大御所になっていったのだ、俊彦の担当していた漫画家たちが。

ちょうどそういう時期だった。

男の漫画家だけでなく、貸本などで活躍していた女の漫画家を探してきて使うようになり、次第に人気を集めるようになった。雑誌の部数が伸びていくにつれ、男女比が逆転し、彼女たちはじりじりと大きい存在になっていった。そんな彼女たちとともにデイジーも大きくなっていったのだった。

しかし、まあ、香月美紀だって、これくらいのこと、やれたかもしれないな、とカッターを引きながら思い直す。そのうえで、あいつにはあいつなりに、なにかやりたいことがあったのだろう。だったら辞めなくたってよかったのに、と俊彦は思う。

なんで辞めたんだ。

香月美紀は、てっきり寿退社かと思っていた。

それ以外の可能性など考えもしなかった。

だが今、転職する、という言葉をきいて、心がざわついていた。あいつ、嫁にいくんじゃなかったのか。いったい、どういうことだ。

ここで働くのが嫌になったのか？

だから辞めたのか？

あいつは、あんなに少女漫画が好きだったじゃないか。

香月美紀はいつだって、隙あらば俊彦をひっつかまえて、少女漫画の話をしようとしていた。話したくて話したくてたまらないといった顔で、押し付けがましく今週号の感想をいい、あの漫画のこういうところがすばらしいだの、この漫画家はまだ伸び代があるだの、勝手に語りまくっていた。俊彦が反論でもした日にゃ、待ってましたとばかりに理路整然と叩きのめしてきた。あんな生意気なやつ、そういない。くっそう。思い出しても腹がたつ。だが、香月美紀の意見はなるほど、と考えさせられるものもあるにはあったのだった。漫画班の会議では出てこないような、独特の観点から少女漫画というものを捉えるヒントをもらっていた気がする。だから、俊彦もざっくばらんに己の考えを述べるようになった。会議では遠慮してしまうようなことでも気楽にいえたし、愚痴もいえた。めんどくせえやつだなあ、と思っていたし、当人にも面と向かってそういっていたが、そういいつつも、あんがい楽しんでいたのかもしれない。

ほんとになあ、あいつと話していると、まるで自分がエリートにでもなったかのような気がしたものだった、と俊彦は苦笑いする。漫画班で仕事をしているというだけで、香月美紀の前では偉そうな顔をしていられた。俊彦が威張っていたわけではない。なにもしていないのに仰ぎ見てくれるのだ。

そんなものは錯覚だ、ということもよくわかっていた。

香月美紀が仰ぎ見ているのは俊彦ではなく、この仕事そのもの。

まったく皮肉なものだよな、と俊彦は思う。

こんな仕事、そもそも俊彦はまったくやるつもりなんてなかったのだ。

俊彦はジャーナリストになりたかった。

だが、情けないことに、大手の新聞社の試験にことごとく落ちてしまった。

どうにか引っかかったのは二つの小さな出版社で、どちらにいこうか迷って、雑誌の強そうなこちらを選んだ。すると入社早々、部数が伸びて人手が足りなかった週刊デイジーに配属されたのだ。デイジーなんて名前も知らなかったし、少女漫画なんぞ読んだこともなかった。同期でもう一人配属されたのが綿貫誠治で、活版班と漫画班に分けられた。

あの時は心底、綿貫誠治がうらやましかった。

活版班なら新聞記者の真似事《まねごと》もできる。だが俊彦は漫画班。ジャーナリストの仕事とはかけ離れていた。失敗した、と思った。こんなことなら、こっちの出版社にするんじゃなかった。

それでもなんとかやってきた。

頭を切り替え、向いているんだかいないんだかわからぬまま、遮二無二《しゃにむに》やってきた。

不規則な生活を日々つづけているうちに、麻雀と酒と徹夜だけは滅法強くなった。

香月美紀にうらやましがられるようになって、俊彦はなんとはなしに、これまでの年月が報われたような気がしたのもたしかだった。おかしな話だが、人がうらやんでくれることで、自分の価値が上がったような気がする。

まあ、そうはいっても、べつに香月美紀がうらやむほどの仕事ではない。それほどよいものではない。香月美紀にもはっきりとそれは伝えたはずだ。

それでもまだあいつはやりたかったのだろうか。

それで辞めたのだろうか。漫画がやれないからって。

カットしたトレーシングペーパーを束ねて、封筒に入れる。それから徐《おもむろ》に、ズボンの尻ポケットからくしゃくしゃになった煙草を取り出し、ライターで火をつけた。

そんなことで辞めたんなら、莫迦《ばか》としかいいようがないと俊彦は思う。仕事というものがわかっちゃいない。こっちこそ辞めたいと何度思ったことか。

先日も、俊彦はある漫画家に罵《ののし》られたばかりだった。

ふーっと煙草の煙を吐き出す。

「武部さんは女の子の気持ちがわかっていない」

あんな子供に——と、つい俊彦は思ってしまう——睨《にら》みつけられたのだった。あんな子供に。

喫茶店の隅の席でネームを見ながら、ちょっとこのヒロインは癖が強いね、少女のくせに乱暴だし、こんな終わり方、いかがなものか、と軽くいっただけだった。おさまるところにおさまらず、物語が崩壊しているように感じられた。ともかく、こんなレベルでは掲載できない。

おとなしくきいていたから、このように修正してみてはどうか、あるいはこのようにしたら、というくつか提案してみた。まだ新人だし、学ぶべき点は多いはずだ。

ところが、くいっと顔をあげた彼女は、

「そういうのって古臭いです」

と返してきたのだった。

ぎょっとした。

古臭いなんてこれまで誰かにいわれたことはなかったし、そんな自覚もまるでなかった。それどころか、自分は戦後育ちの新しい人間だと思っていた。そこに価値すら見出していたのに。

高校を出て郵便局で働いている子だった。

礼儀正しい、扱いやすい子で、これまで口答えしたことなど一度もなかった。

編集部へ持ち込みをしてきた時、たまたま担当したのが俊彦で、その後どうにかデビューにまで漕《こ》ぎつけられたのは——彼女のがんばりがあったにせよ——幸運といってよかった。だからこそ、次の作品がとにかく大事なのだと伝えてあった。

女の子の心の中には荒くれたものがある、と彼女はつづけた。

恋が成就したからって良妻賢母になりたいわけじゃない。武部さんはそういう枠にはめこもうとしている。でも、そんなのつまらないし、そんなのハッピーエンドじゃない。武部さんはそれがわかっていない。

そんなようなことを次から次へとまくしたて、最後には捨て台詞のように、わたしは武部さんのいう通りになんて直したくない。ぜったいにいやです。そんな漫画、描きたくない、と言い放ったのだった。もはや、喧嘩《けんか》腰だった。なにがそれほど気に障ったのか、俊彦にはさっぱりわからなかった。じゃ、そうしろ、勝手にしろ、と怒鳴りつけたいところをぐっと堪《こら》えた。それをしたら火に油を注ぐ。これ以上の関係悪化は避けねばならなかった。

わかった、と鷹揚《おうよう》にうなずいた。

編集部へ戻ってきて、主任の沖さんに自分から、担当変更を申し出た。詳細は語らず、ちょっとヘマをしてしまって、とだけいうと、心得たもので、すぐに事情を察し了解してもらえた。沖さんの素早い対応は助かるが、屈辱でもあった。

天井を眺めながら、ぽかーりぽかーりとドーナツ形の煙を口から吐き出し、思い返す。

ほんとうは、あの時、あの場で反論したかったのだ。

おれは古臭くなんかない。

良妻賢母を是とした価値観なんか押し付けようとしていない。枠にはめようなんてしていない。その証拠におれが担当した漫画をよく見てみろ、といいたかった。さまざまな価値観で描かれているではないか。おれがあの子のネームにけちをつけたのは、そこを問題にしたからではない。お前が下手だからだ。そこまでいうつもりはなかったが、ようするにそういうことだ。

だが、そこまで考えて、はたと思った。

ということは、つまり、俊彦が担当した漫画の価値観がさまざまなのは、各漫画家の価値観がさまざまなだけで、尚且つ、うまかったからにすぎないのではないか。うまければ、文句はない。俊彦が吟味したのは漫画の面白さ、うまさだけで価値観うんぬんではない。

うーむ、と唸《うな》る。

では、おれの価値観は。

煙草から灰が落ちそうになり、あわてて隣の席の灰皿を失敬してくる。ずいぶん汚らしい灰皿だった。吸い殻がいくつもへばりついている。誰かきれいにしてやれよ、と思いつつ、斜め前の藤原修子の席を見た。辰巳牧子はもういなくなっていた。

俊彦は、じっと灰皿を見る。

ひょっとして、おれは。

汚い灰皿のへりを煙草の先でくるりとなぞった。

こういう灰皿をきれいにしておいてくれる女を好んでいる？

それも、押し付けがましくなく、知らぬ間にやってしまえるような慎《つつ》ましやかな女を。

あえて口にしたことはなかったが、俊彦はいずれ——いつになるかはわからないが、あと何年かして——結婚する暁には、家庭的で賢くてしっかりとした妻を娶《めと》りたいと思っていた。ついでにいえば、料理がうまくて、細かいところにまで気がついて、うるさいことはいわず、夫に尽くしてくれて、いつも笑顔で、子供もじょうずに育ててくれる、そんな女を求めていた。って、それはまさに良妻賢母を是としているということではないだろうか。

いや、しかし、そんなの、ごく普通の、一般的な感覚だろう。別段、古臭くはないだろう。

灰皿の隙間にぎりぎりと煙草を押しつけ、揉《も》み消した。

「おい、カットしたぶうぶう紙、いるか？」

通りかかった綿貫誠治に声をかける。

「余ってるんなら、もらおうか」

「調子に乗って作りすぎた。持ってけ、持ってけ」

立ち止まった誠治に、封筒から、どさっと出して手渡すと、こりゃありがたい、助かる助かる、と礼をいわれた。

「お前、最近、忙しそうだな」

手近な封筒を見つけて渡すと、ぶうぶう紙を入れながら、

「お前だって似たようなもんだろ」

といわれた。

「いんや。おれは、暇だよ、暇。暇だから、こんなもん、こんなに大量に作っちまったんだ」

「よくいうよ。きいたぞ。沖さんから蔵野先生、引き継ぐんだって？　また仕事が増えるじゃないか。大丈夫か。あの連載まだまだ続くんだろ？」

「続くねえ。とりあえず今年いっぱい、次の新年号あたりまでは続けてもらいたい、っていうのが沖さんの意向でなあ。とはいえ蔵野先生は逃げ腰で、さすがにもう、自分では頼みきれなくなったんだろ。それでおれが登板させられるんだ。目先を変えて、乗り切ろうって魂胆だ。あと一年くらいはごまかしごまかしいきたいようだが、そううまくいくかい、ってなもんだ」

「あの連載を続けたい気持ちはわかるけどなあ。漫画の影響で全国の中学校でバレー部の入部希望者が殺到してるってニュースにもなっていたじゃないか。印刷所でも大人気らしいぞ。昼休みに刷り上がったばかりの折を、おっさんらがみんなで盗み見ているそうだ。今週号はどうなった、次はどうなるって、わいわいがやがや、やってるって沖さん、いってたぞ。ヒットするってのはこういうことだ。よくおぼえとけって」

「へえ、印刷所でねえ。それは初耳だ」

といったって、いつまでも延々と続けられるものではない。そろそろ終わりになるのは避けられないだろうと、俊彦は観念していた。それに俊彦は、蔵野先生が夏頃から別冊デイジーで連載を始めるつもりだと知っていた。別デの小柳編集長が雑談してる時にうっかり口を滑らせたのだ。たぶん、まだ誰も知らないだろう。沖さんも。

蔵野先生がそろそろ違うものを描きたがっていると感じた小柳さんがいつのまにか触手を伸ばしていたらしかった。週デの担当として蔵野さんに張り付いていた沖さんが知ったら歯軋《はぎし》りするはずだ。

蔵野先生の希望をきき、一話完結の連載になるという。別冊デイジーにしては珍しい形だが、さすが小柳王国。小柳さんがやるといえば、別デはそれで決まりなのだった。もともと貸本業界で描いていた蔵野先生をデイジーに引っ張ったのが小柳さんらしいし、週デの連載も、別デで手を替え品を替え、総集編や絵物語で掲載し、人気をうまく増幅させて貢献してきたから、蔵野先生の信頼も厚かった。

うまいよなあ、と俊彦は感心する。

押さえるべきところをきっちり押さえている。

伸び盛りの新人を育てつつ、育ってきた者を活躍させつつ、ベテランの作品で下支えする。

目先のことだけではなく長い間隔でいつも考えている。そのうえで毎号充実させることに心血を注いでいる。あの人とちょっと話せばわかるが、そのためのアイディアが頭の中で絶えず沸騰しているようだった。俊彦になんぞ太刀打ちできない知識と閃《ひらめ》きがあった。

蔵野先生だってじきに別デで始める作品の方に意欲や熱意は持っていかれるだろう。小柳さんはうまく誘導していくはずだ。あの人は漫画家を乗せるのもうまい。

だから、こんな時に蔵野先生の担当を引き継いだからといって、俊彦にはもうやりようがないのだった。最終回を数回引き延ばしてもらうくらいが関の山。沖主任の期待にはこたえられそうにない。

これが漫画班の仕事なんだよ、香月、と俊彦は心の中でつぶやいた。

「お〜い、武部。電話！　桐谷先生から電話！」

「きたかきたかきたか」

と立ち上がる。

そう、これが漫画班の仕事なんだよ、香月、と俊彦はもう一度、心の中でつぶやいた。

2

噂はいつも飛び交っている。

さまざまな噂が、ふとした時に耳に入る。

どうでもいい噂が大半だし、そんなのはもう、真偽もあやふやなまま右の耳から左の耳へ抜けていっておしまいなのだが、この頃はそうもいっていられない。なにしろ、人生がかかっている。真偽のあやふやな噂でもいいから、いろいろ知りたい。

といって、あまり表立って情報収集をするのも憚《はばか》られた。

社内は騒然としているが、どういうわけか、デイジー編集部のフロアはぽっかりと凪《な》いでいた。戸田育江は静かに聞き耳を立てている。

たとえば、社員食堂で。

「あれ、戸田さん、珍しいですね」

「あら、アポロちゃん」

カレーライスの皿をトレイに載せて、辰巳牧子が首を傾げて立っていた。

育江は混雑するこの時間帯にここで食べることはまずない。うるさいし、落ち着かないし、これまで時間をずらして来ていたが、このところ、社内の空気を感じたくてわざわざこの時間に利用している。

ここいいですか、ときかれたのでうなずいた。ちょうど、目の前の席にすわっていた男性がいなくなったところだった。

「経理はどう？　忙しい？」

黙っているのもなんなので、話しかける。

「はい、忙しいです。先月のパーティの精算がちっとも終わらなくて。みんなああいうのは後回しにしちゃうんです。へんな請求書、出してきたりするし」

「ああ」

「そういうの、いちいち確認して、上の人にきいて、ってやってるとすぐ時間が経っちゃって。それなのに、いちいち確認せんでもいい、っていわれたりもして、でも確認しないと後で叱られたりするし、どうしたらいいんですか、ってきいたら、そんなの自分で考えなさいって、そんなこといわれても。他にもやらなくちゃならないことがいっぱいあるのに、困るんです」

「わかるわ。上の人ってそういうとこ、あるのよね。経理もたいへんねえ。あ、ねえアポロちゃん、経理課は今、どんな感じなの。なにか変わったことあった？」

お茶を飲みつつ、きいてみると、スプーンを手にした辰巳牧子の目がくるりと動いて天井を見る。

「変わったこと……うーん、そうですねえ、変わったことっていうか、私たちみたいな編集部に配属されている人間のやってる仕事が増えてしまって、線引きがややこしくなってきたから、整理し直すための聞き取り調査っていうんですか？　そういうのをやるから、ちゃんとこたえられるようにしとけ、っていわれました。いつやるのかはわからないけど」

「へええ。経理も揺れてるんだ」

「揺れてる？　揺れてるんですか？　あれですか？　組合みたいなあれ？　新しくできるやつ？　でもそれとは違うみたいですよ」

「それとこれとは別？　でもね、世の中って別々に見えても実は繋《つな》がっていたりするものなのよ」

デイジーのフロアはなぜか蚊帳の外だが、正規の社員でない者たちが集まって新しく労働組合が結成されようとしていた。

ふうん、繋がってるんだ、と難しい顔をして辰巳牧子がうなずいている。

ほんとうは育江もよくわかっていない。

何と何が繋がっているのか。

何と何が関係あるのか。

誰と誰が動いていて、どこがどう絡んでいるのか。

新しい組合だって、すでに結成されたという噂もあれば、結成を阻止されたという噂もあって、情報が錯綜《さくそう》していた。正体が不明すぎて、それに育江は立場が微妙といえば微妙だし、利害関係がないともいいきれず、噂の中心に迂闊《うかつ》に近づけないでいる。

社内でも運動の浸透具合には濃淡があって、編集部によってばらつきが大きかった。社内デモと称して階段でシュプレヒコールをあげながら徒党を組んで歩いているのを見たし、座り込みをやっていたという噂もきいたし、檄文《げきぶん》の書かれたビラがまさに、食堂の入り口で配られていたりもしていたが、該当者であるはずの育江たち――別冊デイジーで働く、正規の社員でない女たち――に接触してきた者は誰もいない。檄文では〝連帯を〟と呼びかけているのに、どうにもちぐはぐな感じだった。

「あ。あれもそうですか、戸田さん。玄関」

辰巳牧子がきく。

「玄関?」

「表玄関はお客さん用にして、私たちは裏口から出入りするようにって、あれも、世の中と繫がってるから、なんですよね? 七〇年安保、でしたっけ?」

「え、誰がそんなことを?」

「七〇年安保の過激派が会社の中に紛れ込まないように、人の出入りを見えやすくするためだ、ってききましたけど。新しい組合にもそういう過激派の人が紛れ込んでるんでしょう?」

たいしておいしくもないカレーだと思っていたけれど、辰巳牧子の旺盛な食べっぷりを見ているとこちらまで食べたくなってくる。明日はカレーにしようと思いながら、育江は冷めてしまったうどんをする。

「そういう噂もあるけど、ほんとのところ、どうなのかしらね」

噂が噂を呼んで複雑になっている、と育江は感じている。むしろ誰かが意図的に噂を流して複雑にしようとしているのかもしれない、とも思う。考えすぎだろうか。複雑になれば亀裂が走る。軋みだす。そちらをねらっているのではないか、と勘ぐりたくもなるのだった。思惑が入り乱れ、いっそう全体像が摑《つか》みにくくなっている。

「私、この間、武部さんが表玄関から入ろうとしていたから、だめですよ、って袖を引っ張ったんです。そしたら、なんでおれたちがこそこそ裏に回らなくちゃならないんだ、おかしいだろ、って腕、振り解いて怒りだしちゃって、とんだトバッチリ。それなのに武部さんたら、怒りながらもちゃんと裏へ回るんです」

くすくす笑っている。笑いながら、ぱくぱくカレーを食べている。楽しそうだ。

それに、なんてかわいいのだろう。

私にもこんな時代があったのかしら、と育江は振り返る。

私には、こんなにも屈託なく暮らしていたことはなかった気がする。

この子はこう見えて、正規でここに雇われている身分だ。武部俊彦たち——編集部員の男たち——とまったく同じ条件ではないにせよ、安定した立場である点に変わりはない。そこが育江とは大いに違うのだった。

育江は会社に雇われているわけではなく、編集部に雇われている。編集部の予算で賄《まかな》われているから福利厚生もつかない。だから、いつも不安だった。雑誌が潰れたらすぐさま職を失う。それでも仕事があるだけましだ、と目をつぶって働いてきたものの、将来への不安は大きくなるばかりだった。

独身だし――この歳まで結婚していないというだけで世間からは白い目で見られた――、頼れる親や親戚もいない。少ないお給料からお稽古事に励み、いずれ食べていく道を見つけなければと思っていた。ずいぶん長くここで働いてきたし、デイジーには貢献してきたつもりだけれど、なにひとつ待遇は変わらなかった。変えられるとも思っていなかった。

それが、ここへきて、会社が育江たちを雇ってくれるかもしれないという噂が流れてきたのだ。いやいや、それは新しい組合を潰すために意図的に流された噂にすぎない、という否定の噂もすぐに流れてきた。

どちらなのかわからないまま、まことしやかに採用される者の条件までもが噂になりだした。

新しい組合に参加していない者。

現場の経験が長く、能力があり、上司からの推薦がもらえる者。

あまり年齢の高くない者。

具体的な数字についてもいろいろ噂が飛び交っている。

育江は三十代。

仮に採用の噂が本当だったとして、自分は該当するのかしないのか。

たとえば、うちの編集部なら、最も年若い西口克子はおそらく該当するだろう。しかしながら、最年長の井森征江《いもりまさえ》はどうだろう。彼女は四十をとうに過ぎている。該当しないのではないだろうか。採用試験があるという噂もあったし、合格率は高くないともきいた。いや、形だけの試験だろう、という噂もあった。

そんな噂を耳にするたび、育江は一喜一憂している。

とうに諦めていた道がふいに拓《ひら》けた興奮と、その道が永久に閉ざされてしまうかもしれない恐怖に育江の心は千々《ちぢ》に乱れる。大いなる期待と、期待してはならぬと戒める気持ちが拮抗《きっこう》している。

「どうしたんですか？」

「え？」

「うどん。食べないんですか」

「あ、うん。あら、あなたはもう、食べちゃったの。早いのね」

辰巳牧子が照れたように笑う。ふっくらした頬が、つやつやしている。若さがまぶしい。

「お昼休みに将棋、やってるでしょう。編集部で」

「将棋？」

「見てると面白くて」

ああ、最近、やっているな、というのには気づいていた。花札やトランプ、ちんちろりんなど賭け事全般を部長に禁止されたからだろう。昼休みにかぎり、編集部員だけでなく、カメラマンやデザイナーあたりの愛好家を巻き込んで将棋盤を持ち込み、ぱちぱち駒を動かしている。雀荘やパチンコにいくだけでもじゅうぶんだろうに、編集部にいる時まで、男たちはなにかしら勝負事をやりたくなるのかと育江は半ば呆れていた。

「あなた、それを見にいくの？　わざわざ？」

こくりと、うなずく。

「物好きね」

といったら、辰巳牧子がにやっとして、

「わたし、けっこう将棋、強いんです。弟には負けたことがありません。だから、そのうち、わたしも指そうかな、って思ってるんです。女の人は誰もやってないんですけど」

と告白した。

「あらまあ。そんなことを」

「勝てそうかどうか、じっくり見きわめてるんです。どうせなら勝ちたいんで」

えへへ、と笑って辰巳牧子が立ち上がった。ごちそうさまでした、じゃあお先に、と去っていく。

育江は、ぽかんとして、その後ろ姿を眺めていた。毒気を抜かれたというかなんというか。今時の子ってああなのね、と今更ながら思わされる。若い漫画家の子たちもそうだけれど、自分にはおぼえのない、のびのびとした大らかさがあった。やっぱり育ってきた時代がちがうからなのかしらね、と育江は静かに箸を置く。


昼休みといったって、編集部の人たちは皆、一斉に休んだりはしない。ばらばらだ。外に出ている人も多いし、そのまま仕事を続行している人もいる。それなのに正午のチャイムが鳴ると——この会社では日に三度、始業時、お昼、終業時にきーんこーんかーんこーんと社内放送がある——、どこからともなく将棋盤があらわれて、おーい、やろうぜー、と声があがり対局が始まる。

あの人たちはいったい、いつお昼ご飯を食べているのだろう？　早弁？

学校みたいだなあ、と牧子は面白がっていた。

ふらふらと盤面を見ながら歩き回り、興味がある対戦はじっくり眺める。といったって、牧子にしてみれば食後の短い時間だ。午後の仕事が始まるまでの。

「きみは、将棋が好きなのかね」

いつぞや別デの小柳編集長が牧子に話しかけてきて、うなずいたら、きみもやったらいいのに、といわれた。え、私がやってもいいんですか、と口にすると、そりゃいいだろう、といわれ、思ってもみなかったので、そうなのか、私もやっていいんだ、と思うようになった。それ以来、そういう目で対局を眺めている。いつか参戦して、相手をぎゃふんといわせてやるんだ、と夢想しているが、いつも男の人たちしかやっていないし、なかなか私もやらせてくださいとはいいだせないでいる。

小柳編集長は校長先生みたいだな、と牧子は思う。

担任の先生ではないけれど、なんとなくこう、学校全体に目を光らせていて、なにか気づいたことがあると無造作に生徒に声をかけてみたりする。そんな感じ。小柳編集長と話していると自分が高校生に戻ったような気持ちになる。それでいくらか緊張はするのだけれど、慣れたせいか恐くはない。

このフロアには他にも週デの編集長やら部長やら、偉い人はいるけれど、他の人はそんなふうに見えないし、話していてもそんなふうには感じない。どうしてだろう、と牧子はふしぎに思っている。

小柳編集長は牧子とよく漫画の話もする。たまに向こうから感想をきいてきて、質問もする。ふむふむ、とまじめにきいているから、なにかの参考にしているのかもしれない。

千秋のこともたまにきいてくれる。

「あの子はどうしてるかね？　毎月、楽しみに読んでくれているかね？」

「もちろんです！」

少し前から別デの予告ページについている言葉は、〝小学生も、中学生も、高校生もみんな読んでる！〟になった。

「ぴったりだろう。とくにきみたちにはぴったりだ」

と小柳編集長がいっていた。

「きみは高校を出ているが、まあ、まだ高校生みたいなもんだ」

そうかなあ、と思ったが、はい、とこたえておいた。

前に使っていた〝厚くて安くておもしろい〟よりも小柳編集長は気に入っているらしい。というか、この言葉を思いついたのが得意らしい。別デはどの年齢層の子でも万遍なく面白いといってくれているからね、そこが特徴でありうちの強みなんだ、と自信たっぷりにいう。小学生の、それも低学年あたりの読者は、週デよりも別デの方が多いのだそうだ。

しかしながら、小学二年生の千秋はこの頃、別デより週デにご執心で——なにしろ、面白い連載が目白押しだ——、小柳編集長が、がっかりしそうだからそれはいわないでおく。別デは別デで毎月楽しみに読んでいるのだから嘘ではない。千秋の漫画熱は昂《たか》まる一方で、漫画ばっかり読んでないで勉強しなさい、と母親にしょっちゅう叱られている。牧子もついでに文句をいわれている。あんたがこの子に漫画なんてものを教えるからよ！　ほんとにその通り。牧子はしかし、一緒になって千秋を叱れない。漫画の魅力の虜《とりこ》になっているのは牧子も同じだからだ。それゆえ表向きは、だめだよ、千秋、先に宿題しなさい、などと、しかつめらしい顔つきで注意しながら、裏で千秋に漫画を供給している。千秋も心得たもので、じつに殊勝な顔つきで表向きはうなだれつつ、牧子の部屋に入り浸るという共犯関係ができあがっていた。

小柳編集長のところへは、お昼休みの時間でもよく来客がある。

牧子は将棋を眺めつつ、そちらも気にしている。

この時間にやってくるのは、この時間でないと小柳編集長との面会の約束が取れなかった、若い新人の漫画家たちが多い。デビューしたてか、デビュー目前の、牧子とそう歳のちがわない子たち。学校へいきながら、あるいはアルバイトをしながら、こつこつ漫画を描いている子たち。

牧子はそういう子がくると、応援したい気持ちがひしひしと湧きあがる。

なので、お昼休みでも進んでお茶を出してあげたり、誰かが出張先で買ってきたお菓子なんかがあれば、それも一緒に出してあげたりする。

彼女たちはネームを読んでいる小柳編集長の向かい側にすわって、青ざめた顔で言葉を待っている。小柳編集長が紙を繰るたび、むむー、と小さな声をあげるたび、彼女たちの顔はますます青ざめていく。彼女たちのドキドキやひやひやがこちらにまで伝わってくるかのようだった。

このネームが小柳編集長に認められるか否か。

運命の一瞬だ。

牧子は泣きだした子を見たことがあった。かたかたと震えてる子を見たこともあった。放心したようにふらふらと歩きだし、ゆらりと倒れた子を見たこともある。

そこまでして漫画を描いているという事実に牧子は圧倒されてしまう。そして、みんな強い、と思う。泣きだした子だって、震えてる子だって、倒れた子だって、みんな強い。彼女たちは体当たりでぶつかっている気がするからだ。

満面の笑みをたたえて、抱きしめるようにネームを入れた封筒を抱え、帰っていく子もたまにいる。あの子は、あの漫画を仕上げ、また持ってくる。そして、それがおそらく、別デに掲載される。あそこで繰り広げられている真剣勝負は、昼休みの将棋の対局どころではない。

「アポロちゃんも気になるのね」

西口克子が牧子の耳元でささやく。

今、小柳編集長と向かい合って話しているのはもっさりとした若い男の人だった。

「あの人、誰ですか。あの人も漫画を描くんですか」

「そうよー。彼は、漫画スクールの若田《わかた》先生がやってる同人誌に参加している人。大学生なんですって。小柳さんが少女漫画を描いてみないか、って声をかけたみたいよ。それで挨拶がてらここへ寄ったのよ。小柳さん、たぶん、あれ、くどいてんの。そんなふうには見えないけど」

小柳編集長が、なにやら見せながら、男の人に話しかけている。愛想は良くない。どちらかといえば仏頂面だ。男の人は髭面《ひげづら》だし、髪がぼさぼさで顔はよく見えないものの、笑ってはいないし、そう話が弾んでいるようにも思われなかった。それでお茶を出すのはなんとなくやめにした。

「男の人って、珍しいですね」

「まあね、近頃の新人は、ほとんど女の子だものね」

「それも次から次へたくさん」

「そう、たくさん」

「それなのにどうしてわざわざ男の人に描いてもらうんですか」

「さあ、どうしてかしらね。ま、そこが小柳さんなんだな。別デの戦力になりそうだと思えば男も女もない。面白い漫画を描けるかどうか。あの人の基準はそれだけだから」


西口克子がじーっと小柳編集長を見る。

遠くから見ていると、彼は誰が相手でもいつも淡々と、粛々《しゅくしゅく》と接しているように思われた。声を荒らげることもなかったし、新人であろうと態度が大きくなることもなく、かといって、むやみにやさしくしたりもしなかった。中堅やベテランに対しても同じだ。密談、というほどではないにせよ、辺りを巻き込んでわいわいがやがや話す感じではないので、加わりたくとも気軽に加われない。

それに小柳さんにはちょっとわかりにくいところがあって、笑っていても怒っているように見えることがあったし、怒っているのに笑っているように見えることがあった。ついでにいうなら、ごくまれに、不意打ちのように癇癪《かんしゃく》が起きることがあるので、克子は油断しないようにしていた。細い目の奥にどのような感情が隠されているか正しく読み取ろうとするようになった。それでもたまに、シビアな話をしているのか、たんなる雑談なのか、まじめな提案なのか、冗談なのか、見分けがつかない時があった。ポーカーフェイスというのとも少しちがう小柳さん独特のもの。あの人は陸軍の幼年学校で終戦を迎えた軍隊仕込みですからね、我々とは精神構造が違うのかもね、と戸田育江がいっていたが、頭の中を容易に覗《のぞ》かせてくれないように感じる。

それに、やはり、肝心なところを下に任せてくれなくて――彼には責任があるのだから当然なのかもしれないが――、克子たちは、つまり、信用されているのかどうかもはっきりしなかった。

克子はこの間、はじめて沢つかさと話をした。

小柳さんが不在の折に、編集部に現れたのだ。

本を返しにきたらしく、単行本と文庫本、判型のちがう三冊を小柳さんの机の上に置いて、その旨伝えておいてくださいい、と頼まれた。

「参考になりました？」

克子がきくと、沢つかさは少し困ったような顔をして黙ってしまった。

「なりませんでした？」

「参考にはしました。でも、ネームはOKがもらえませんでした。こういうものを求められているのかな、と思って描いたんですけど、だめなんです。こういうものを描けという意味ではないんですか？　どういうことなのか、わからなくなってしまって、だから、借りてた本を、一度ぜんぶ返そうと思って」

小柳さんはよく若い漫画家たちに本を貸す。彼が見込んだ漫画家たちに、新たな刺激を与えるためだ。彼自身、読書家だし、絵心もあるので、若い漫画家たちがこれから先どういうものを描いていったらいいのか、先導する気持ちがあるのだろう。

返された本の背表紙に目をやると、日本と海外、どちらも文芸ものだった。克子が読んだことのないものだが、短編集だろうか。

「私、ＳＦが好きなんです」

本に目をやり、沢つかさがぽつりとつぶやく。

「最近はそういうのばっかり読んでます。面白い本がいっぱいあるし、そっちの方が合うんです。でも、貸してくれるのはこういうもので。ありがたいけど、私、日常的な小説は今はあんまり」

そうだろうと思う。彼女の描く漫画にはＳＦ的な味わいがあるし、絵柄もからりと乾いている。

「小柳さんは嫌いなんでしょうか。非日常的なものは」

「そんなことはないと思うけど。そういう漫画も載せているし」

「じゃあ、わたしのネームがだめ、ってことなんですね」

「え？　沢さんのも、載ってるじゃないですか。だめじゃないからでしょう？」

「……でもすぐにはＯＫがもらえなくて。小柳さん厳しくて。だんだん厳しくなってる気もして」

それは見込みがあるからこその厳しさだし、ＯＫがもらえないまま没にされておしまいということだって多々あるのだから、決して悲観することではない。とはいえ、小柳さんもいくぶん戸惑っているのかもしれないという気はした。彼女のような作風の人をどう伸ばしていったらいいのか、決めかねているのかもしれない。

そして彼以上に沢つかさの方も戸惑っているのだろう。

ああ、それならば。

ねえ、沢さん、私といっしょにやりませんか、やらせてくれませんか、と直談判したくてたまらなくなる。

漫画家によっては、小柳さんから貸してもらった本によって新たな扉が開かれ、作品の幅を広げるのに大いに役立っているのは知っている。けれども、沢つかさの話をきくかぎり、彼女には良い作用を及ぼしているとはいえないようだ。小柳さんだって神様ではない。そういつもいつもうまくいくとはかぎらない。ならば、やりようによっては、克子の方がうまくいくことだってあるかもしれない。

戸田育江にも先日、勇気を出してきいてみた。

小柳さんはいつ私に、沢さんの担当を任せてくれるんでしょうか、それとも、もうその話はなくなったんでしょうか、と。

わからない、と戸田育江は言葉を濁した。任せてみようという気持ちはあるみたいだけど、まだその時期ではないのかもしれないわね。

戸田育江はいつになく険しい目をしていた。

ね、カッコちゃん、しばし堪えなさいな。ね、今は……今は余計なことをしない方がいいと思う。

穏やかで小さな声だったけれど、有無を言わせぬ強さがあった。克子は少し驚いて、戸田育江の顔をまじまじと見てしまう。意味がよくわからなかったので問いかけようとしたが、拒絶するようにふいっと顔を背けられてしまった。

その時の言葉を思い出したから、直談判はしなかった。

沢つかさは帰っていった。その後、ネームはＯＫがもらえたらしく、次の号に短編が載る予定だ。

小柳さんと話していた若者がのそりと立ち上がった。

「うわ、大きい人ですね」

辰巳牧子がつぶやく。

「ほんとね」

「少女漫画を描くような人には見えませんね」

「たしかに」

立ち上がったまま、二人はまだぼそぼそと話している。小柳さんがそそくさと動き、カラー原画をいくつか差し出している。手にした瞬間、大きく仰《の》け反《ぞ》った若者の、ほがらかな声がする。彼の興味を少女漫画へと誘導するのに成功したらしい。

「あれ、誰ですか」

ふいに後ろから声がして、

「うわあ、辻内先生！」

と辰巳牧子が飛び上がっている。

「見かけない人ですね。あれは新人さん？」

辻内ゆきえは、いつものボストンバッグを提げているからこれから風月館で缶詰になるのだろう。

「新人さんというか、若田先生主宰の同人誌で漫画を描かれている方だそうですよ」

「ああ、あそこで。なるほどなるほど。で、どんな漫画を？」

「さあ、そこまでは。でも、力はあるんでしょうね。若田先生が太鼓判を押してらっしゃいますから。大学生ってきいてますけど」

「へえ、大学生。名前はなんていうんですか？」

「ゲンさん、っていってたかな」

「ゲンさん。ペンネーム？」

「どうなのかしら？　ペンネームというより、ニックネーム？　みたいでしたけど。ところで辻内先生は？　これからペン入れですか？」

　ふっふっふ、と笑いが漏れる。

「そうです。今月はいつもより、ちょい早いでしょう。どかんと描いた前後編のあとだから、次は軽めのタッチでいくんです」

「うわあああ。前後編！　あれですね、あれですね、前後編！　つ、つ、辻内先生、辻内先生」

　なんなのよ、と克子が横目で睨むと、辰巳牧子が、あわあわと小刻みに身体を震わせている。

「あ、あ、あ、あの、あれ、わ、私、あの、あれ、すっごくすっごくすっごくすっごく面白かったです。後編が出るのが待ちきれなくて、こないだ、別デの見本が出てすぐに、こっそりあそこの隅で隠れて読んだんです。仕事の途中だったんですけど、我慢できなくて、一番乗りで読んだんです。す、すごかったー。家に帰って、前編をまた読み直して、こ、小柳編集長にもらってきた見本で、つづけて後編をまた読んで、すごかったー」

　唐突に辰巳牧子がいかに面白かったかを語りだす。いや、語ろうとするのだが、なにをいっているのかよくわからない。牧子の顔がどんどん赤くなり、いよいよ、しどろもどろになっていく。辻内ゆきえは、たじたじとなり、ただうなずいている。

　仕方ないので克子が引き継いだ。

「今月のアンケートがぼちぼち来だしてますけど、辻内先生、ダントツですよ。たぶん今月もまた一位です」

「おお、そうですか」

「不動の一位になってきましたね。ノリに乗ってますね」

「ですかねえ。いやー、でも、まだまだですよ。この間、小柳さんに借りた本が面白くて、なにくそー、って気になっちゃって、次の次くらいにまた前後編でやらせてもらうことになりました」

「えっ、そうなんですか」

台割では、前後編になっていなかったような気がするが、変更したのだろうか。

「もっと面白いの描きますよ、って啖呵《たんか》切っちゃったんですよねー。そしたら小柳さん、やれやれーって。長くなりそうです、っていったら、それなら前後編でいけ、って。どんどんやれーって」

牧子がうれしいーっ、と声をあげる。

もはや、経理の人間というより、たんなるファンだ。ぴょんぴょん跳ねている。

辻内ゆきえは驚いた顔をしているが、満更でもなさそうなので、克子としては――いくらなんでも馴《な》れ馴《な》れしすぎると、注意せねばならぬところではあったのだが――、大目に見ることにした。

「ええと、あなた、お名前は？」

「へ、名前？　えっ、わたしの？　わたしの名前ですか！　は！　た、辰巳牧子です。私、ここで、経理補助をしています」

「辰巳さんかー。顔は知ってるんですよー。よく見かけるから。制服着てる人がいるなー、とは思ってたんです。そうか、辰巳さんは経理の人なんだ」

「はい、そうです。私、辻内先生と同学年なんですよ！」

「えー、そうなんだー。それはそれは」

牧子は幸せだった。ものすごく幸せだった。辻内先生に名前をきかれたというだけでなく、直接、感動を伝えられるなんて、こんな幸せなことがあるだろうか。ぶわーっと身体が膨張して、どこかへ飛んでいってしまいそうだった。ああ、どうしよう、ああ、どうしよう、と悶《もだ》えるように思い、あっ、そうだ、千秋の分も伝えなくちゃ、と閃き、口を開きかけたがすんでのところで思い止まった。いやもうそれはきっと伝わっている。牧子と千秋だけでなく、みんなの思いをまとめて伝えた気がする。それで、二人にぺこりとお辞儀をして、自分の席に戻ることにした。もう昼休みは過ぎている、とじつは気づいていたのだった。

「辰巳さんて、おもしろい人ですね」

よたよた歩いていく姿を見ながら、辻内ゆきえがいう。

「まあ、そうですね。あの子も小柳さんに育てられてるんですよ」

「えっ、じゃ、もしかして、あの人も漫画を描く人？」

「えっ、いやいやいやいや、ちがいますちがいます。あの子は、漫画家としてではなく、読者として育てられているんです。ここへ配属されるまで、あの子、漫画はほとんど読んでなかったらしくて、でも今は、あの有様。小柳さんの薫陶を受けて、まんまと夢中に」

「ああ、そういうことですか。私はまた、遠山《とおやま》さんみたいな人なのかと思ってしまった」

「遠山さん？　って、遠山……みやこ先生？」

「彼女、ここで昔、働いていたことがあるんですよね」

「そういえば、そんな話をきいたことがあるような」

「西口さんがここにくる前ですかね。どうしても漫画家になりたくて、でもすぐには食べていけなくて、困っていたら、小柳さんがここでアルバイトしながら漫画を描きなさいって、道筋をつけてくれたんだそうです。遠山さんの机もちゃんとあって、ふつうに仕事してたってききました。あの人は私より四つか五つ、年上なんですよね」

「遠山先生、私がここへ来た頃にはもう、絵物語をお描きになってらっしゃいましたよ」

「うん、そう。絵、うまいですもんね。それでまず、絵物語。そこから、だんだん漫画を載せてもらえるようになっていって。小柳さん、ああ見えて、面倒見がいいんですよ。ちゃんと育てる。今でもそういう人、ここにいるんですか？」

「そういう人？　ここで働いている人？　いや、それはさすがに。お金に困ってる人にはアシスタントの仕事を回してあげたりとかはしてますけど」

「お、そろそろ、あの人、帰りそうですね。ゲンさん、でしたっけ」

来客の若者と小柳さんが挨拶を交わしている。ようし、それじゃ、次は私の番だね、と辻内ゆきえが動きかけたところで、

「辻内先生」

ふとききたくなった。

「辻内先生は、小柳さんにどういう本を貸してもらっているんですか」

「本？　本ですか……。それは……そうですねえ、いろいろですよ。日本のものもあれば、翻訳ものもあるし。流行ってるやつもあれば、古典も。話してて話題に出たやつとか、小柳さんが読んで面白かったやつとか。私の場合はドラマチックなものが多いですかね」

「ドラマチック」

「漫画の作風に合ってるんでしょう」

「渡されて困ることって、ないんですか？」

「困る？　どうだろ。困る？　んー、そういえば、小柳さんから、高校の卒業祝いに百科事典をいただきまして……。その時は、えー、百科事典ー？　もっと洒落たものくれればいいのにー、こんな嵩《かさ》張《ば》るもの、困るよー、と思ったものでしたが、豈図《あにはか》らんや、あんがい役に立ってます。小柳さんには、漫画家に必要なものがわかってるんだろうなあ。いや、漫画家にっていうか、私に、か」

けらけら笑って、軽く会釈《えしゃく》し、小柳さんのもとへいってしまう。

入れ違いに、ゲンさんがこちらに向かって歩いてきた。

克子と目が合うと柔らかい笑顔で会釈をして、編集部から出ていった。

3

噂はずっと飛び交っていた。

だが噂は噂だろう、と綿貫誠治は真に受けていなかった。

請われてしぶしぶ初参加した社内の草野球で、近々、中途採用の登用試験があるらしいときいて驚いた。噂はほんとうだったのか。ほんとにやるのか。

まッ、そうでもしないと、収まりがつかなくなったんだろうよ、と少年誌で働く編集者がいった。

なんつったって、うちの社の三分の一強が臨時雇いだっていうんだから、もはや目を瞑《つぶ》れまいよ、と別の男がいい、会社としては、これから先を見据えたうえでのやむを得ない方策だったんだろう、とまた別の男がいった。名前と顔が一致しないまま参加していたので誰が誰やらよくわからない。

きみのところの週刊デイジーでも何人かは該当するんじゃないか、と少年誌の編集者にいわれた。

すぐに頭をよぎったのが別デの戸田育江だった。

週デ編集部にもアルバイトは数名いるが、それよりも別デ編集部の方がその比率は高い。というか、別デは編集長、副編集長以外、すべて正社員ではない女性たちで占められている。

それにしたってやけに暑いなあ、まだ梅雨明け前なのに、とバットを手にした少年誌の編集者が太陽を仰ぎ見る。かんかん照りの空には雲ひとつない。風もほとんどない。少し動いただけで、じっとりと汗ばんでくる。

今年の夏は暑くなりそうだねえ、と芸能雑誌の編集者がタオルで汗を拭いながら顔を顰《しか》める。

しかしあれだよなあ、うちの会社、就職試験に受かるの、けっこう厳しくなってきてるのに、ひょいひょいっと中途採用されるってんじゃ、なんだか割に合わないよなあ。

そういう声は当然、出てくるだろうなあ。

どうすんだろ。会社はそれを無視するのかな?

まあそこは抑え込むんだろう。

だけど、実際問題、急に同じ立場になりました、今日から社員になりました、って現場でいわれても、やりにくいよなあ。

やりにくいよ。

という声がどこからともなく上がる。

まあ、そういいなさんなー、同じように仕事してきた仲間じゃないか。みみっちいぞ。どーんといこう、どーんと!

空気を変える明るい声がした。

おお、いいことというやつがいるなあ、と思ったら、途中でへばって中抜けしていた、週デ編集部の祖父江久志《そぶえひさし》なのだった。彼はもともと週デの漫画班にいたのだが、創刊する別の少女週刊誌——サニーティーン——の編集部へ準備段階からいき、この春、週デに舞い戻ったばかりだった。あちらでも漫画をやっていたそうで、誠治より一期上の先輩にあたる。ただし、歳は三つばかり上らしいが。

あれっお前、今までどこいってたんだ、一人足りないと思ったら、なにがどーんといこうだ! お前こそどーんとホームランのひとつでもかっ飛ばしてみろ、などと突っ込まれている。

まあまあまあ、そこの喫茶店でアイスコーヒーを飲んでたんだが、ビールも飲めるみたいだぞ、と耳寄り情報をみんなに伝えると、そろそろ解散にしようといっていた数名が、じゃ、まずはそこでいっぱいやるか、とぶらぶら歩き出す。

誠治はそちらに追行せず、グラブとバットは借り物だったから、その片付けを手伝い、大通りのバス停に向かって歩き出した。

「おーい、ワタちゃん、どこいくんだ」

と祖父江久志がきいてくる。

「どこって、仕事だよ、仕事」

「なんの」

「原稿をいただきにあがるんだよ。約束してるんだ」

「なんだよ、日曜日なのにそんな約束してんのかよ。だったら草野球なんてやってちゃだめだろう」

「頼まれたんだよ。試合したいから頭数がいるって。こんなでたらめな試合だとは思わなかったから、引き受けちゃったんだよ。午前中には終わるっていうし」

「とはいえ、朝から汗流すってのも、なかなかいいもんだろ。健康的で」

「まあなあ」

不健康な編集者稼業をつづけていると、たしかにこういう身体を使った遊びは新鮮ではある。上の人たちがゴルフだの、テニスだのへ行きたがる気持ちが多少なりともわかる気がした。

「ソブさんはよく参加してんの」

「たまにな。おれは釣りの方が好きだけどな」

「釣り」

「川釣り、海釣り。どっちもござれ。今度、誘うよ。って、おい、ワタちゃん、あんた、まさか、その格好で原稿取りにいく気じゃないだろうな。だめだよ。そんな汗臭い、いかにも遊んでましたって格好でいったら。徹夜で漫画を仕上げてくださった先生に失礼じゃないか」

「や、そうですかね」

Tシャツにトレパンは多少ラフかな、とは思ったが夏だし日曜日だし大目に見てもらえるだろうと勝手な解釈をしていた。しかし、いわれてみれば、たしかにその通りかもしれない。とくに女の人はそういうことに敏感だ。

「遊び慣れてないやつはこれだから困る。おい、車で送ってやるよ。お前、家どこだ?」

それでいったん自宅に戻って着替えることにした。どこかの駅まででいいといったのだが、まあまあ、とあしらわれ家まで送ってもらうことになった。道中の蕎麦屋に寄って冷やし中華を奢《おご》る。うまいなあ、うまいよ、といいながら祖父江久志はタレの絡んだ麺を口にいれる。なあ、これって神保町の中華屋が発祥だってきいたけどほんとかな、ときくので、そんなのわかるもんかい、いったもん勝ちだ、といってトマトを頬張る。

夢がないわねえ、綿貫さんたら、んもうっ、いけずぅ、と祖父江久志が女言葉で返してきた。うぐっと喉にトマトが詰まりそうになる。漫画班で一緒に働きだしてまだ三ヶ月ほどだが、こういう冗談が誠治にはどうもよくわからない。以前彼がデイジーにいた頃、誠治は活版班だったのでそう接点がなく、だから最近になってようやく、こんな人だったのかと思い知ったところだった。

あいつは都会育ちのぼんぼんだからな、すかしてんだ、と武部俊彦がいっていたが、音楽や映画などにも造詣が深いらしく、漫画班の会議でも異質な発言を度々していた。ただし、彼の意見が受け入れられることはあまりない。まだ引き継ぎ仕事が多いし、なにより読者と乖離《かいり》していると思われがちなためだった。週刊デイジーは、読者が子供たちなのだ。

「ソブさん、デイジーとサニーティーンはやっぱり違いますか」

「ん？　いや、べつに。デイジーにいた人間が作ったんだから、基本、同じだよ。読者層がやや上で、おしゃれだのファッションだの、芸能ものの比率が漫画より高いってだけで」

プラスチックのコップの水をごぶごぶ飲む。

「だからまあ、どっちの編集部にいたって同じなんだよ。それなのに異動させられちまうんだなあ。あっちへ行けといわれればあっちへ行き、こっちへ戻れといわれりゃまた戻ってきて、あれを担当しろといわれれば担当し、お前はちっともヒットを飛ばさんと罵られ、今日も今日とて、ぼてぼてのゴロしか打てなかった」

「惜しいゴロでした」

「うそつけ」

隣客のところに、かき氷が運ばれてきて、なにここ、蕎麦屋のくせにかき氷があんの、じゃ、おれも食おう、今年初のかき氷、と注文している。お前、どうする、ときかれたがやめておいた。

「夏といえば、かき氷ですよ、かき氷」

器に盛られた氷をしゃくしゃくとスプーンですくって、すぐに食べ始める。

「しかしねえ、夏といえばかき氷くらいにしとけばいいのに、夏といえば戦争ってのがどうもねえ。けべちゃんだろ、あれ」

「あれ？」

「次の次に載るやつ。もう戦争は……なんだっけ、そんなようなタイトルの。高品《たかしな》、布美子《ふみこ》？　さんだっけ？　まだ新人だよな？　二年目？　三年目？　刷り上がってきたやつ、ちらっと見たんだけど。

Ｂ29とか飛んでるやつ」

「ああ。あれは武部っていうか、上の人らの意向ですよ。戦争ものをこの時期に入れたいってのは。去年は鐘村耕介《かねむらこうすけ》先生に描いていただいたんです。その流れを汲《く》んでやってるんだと思いますよ」

「上の意向か。それはね、わかるんだよ。平和になった世の中だからこそ、子供らに戦争のことを伝えておかねばならないっていう使命感は。それはおれにもあるし」

「ソブさんにもあるんですか」

ぼんぼんのソブさんにも、という言葉は心の中だけにしておく。

「そら、あるよ。おれはこっちの生まれだけど、東京だってそら、たいへんだったんだから。あの時、空襲でどんだけ苦労したか、苦労させられたか、どんだけ怖かったか。ま、おれ自身は小さかったからあんまおぼえてないんだけども、耳にタコができるほど聞かされて育ったわけだし。身内に戦死者だっているし。戦争はだめだよ。絶対にだめだよ。それはわかるよ、わかるけども、けべちゃん、なんでそれをあの子に描かせたか、ってことよ。あの子の絵の持つ寂しさが強調されて逆効果だよ」

「あーそういうことですか」

「でもいい絵なんだ。あの絵はいいよ、なんかいいよ、絵もそうだけど、ふとしたセリフなんかが、ちょっといいんだ。ちょっとちがうんだよ、他の漫画家とは、なにかが」

「そうですかね？」

「だってちがうだろう？　陰があるよ。しかしながら光もある。その光り具合がちょっとちがう」

なにをいっているんだか、誠治にはとんとわからない。ああ、まただ、とげんなりする。こういう流れで話が進んでいって誠治に理解できたためしがない。ストーリーの展開であるとかキャラクターの魅力についてとか、そういう具体的な話ならまだついていけるが、感覚的な話になると、やはりどうも苦手だった。光だの陰だの、なんのことをいっているのか、さっぱりわからない。あれ、待てよ、そういえば、武部も似たようなことをいってなかったか？　と誠治は思う。あの絵には独特の暗さがあるとかなんとか。それで、持ち込みでやってきた彼女を担当することにした、とかなんとか。

だが、よくよく思い返してみれば、似て非なる意見だったような気もしてくる。

「だから難病ものの連載にしたんですかね」

観測気球をあげてみた。

「おお、あれか。こないだ終わった、あの連載な。なあ、あれはどっちの提案だったんだ。けべちゃんか？　漫画家か？」

「さあ？」

編集者は個人商店みたいなもので、それぞれが漫画家とどんな話をしているのか、していたのか、なかなか明かされない。誠治だってそれは明かさない。祖父江久志だって明かさないだろう。

「んー、あれもなー」

「だめですか」

「いや、だめじゃないよ。だめじゃないけど、なーんかなー、惜しい気がするのよ。なんでああいう連載にしたのかなー。今度の戦争ものといい、まあな、難病ものっていうのはある程度、支持は固いけども。けべちゃん、安牌《あんパイ》切ってんじゃねえのかなあ。愛と死をみつめて、じゃないけどさ」

「そういえば、あの連載のタイトルは武部がつけたっていってたような」

「あー」

器の氷がすべてなくなっていた。

「だろー。わかるよー。やっぱりなー。愛と死をみつめてなんだよー。ああいう感じになっちゃうんだよー、あいつのつけるタイトルは」

ごちそうさん、と伝票を誠治に渡しながらいう。いえいえ、といいつつ支払いながら、先に行く祖父江久志の後頭部を見る。会議のときならともかく、休日の蕎麦屋で漫画の話をするなんて、ある意味、草野球以上に新鮮だった。まあべつに、ほんのついでみたいに出た話題ではあるのだけれども、ここまで率直な意見をきいてしまうと、祖父江久志が武部俊彦をどう評価しているのか、気になって仕方がなくなる。ついでにいえば自分がどう評価されているのかも気になってくる。べつに祖父江久志は誠治の上司ではないのだし、たんなる同僚に過ぎないのだし、どう評価されていようがかまわないと思いつつも、誠治の心底に、自分は少女漫画がわかっていないのではないか、という恐れがあるので、気になるのかもしれない。わかっているということにしてやってはいるものの、もしくは、わからんなりにわかっているのだからそれはもうわかっているといっていいだろうというような詭弁《きべん》で乗り切ってはいるものの、じつのところ、誠治には漫画編集者としての確固たる自信がいまだにないのだった。と自分でも気づいているのだった。いや、むしろ、確固たるものがないというのを強みに変えて——鵺《ぬえ》のような漫画家たちに、こちらも鵺になって——やっているつもりだった。

「香月美紀っていうのがいましてね」

助手席にすわってから、運転席の祖父江久志にいう。

煙草に火をつけながら、誰だっけ、と誠治にきく。

ぐるぐるとハンドルを回して助手席の窓を全開にしつつ、誠治は香月美紀の説明をする。

ふんふん、とききながら、祖父江久志がエンジンをかけ、サイドブレーキをおろし、手際よくギアとペダルを動かし、ゆるゆる発進する。

「で、その辞めた子がどうしたの」

「そいつ、武部によく、漫画のことで突っかかってたな、と思い出したんです」

「へー」

突っ込まれていた自分のことは棚に上げてしまった。

「いるよなあ、そういう子。私の方がわかってます、って顔してるんだ。サニーティーンにもいたよ。活版手伝ってる子で」

「ああ、いますか、やはり」

「そら、いるよ。どこにだっている。ま、その子はくだくだしいことはいわなかったけど、感想をちょっと伝えてきたりはしてた。そこにかすかな棘があった。と、おれは感じた」

「棘」

「うーん。いや、おれだけがそう感じていたのかもしれないし、勘違いかもしれないけどな」

ウインカーを出して、信号で停止する。すかさず指に挟んでいた煙草を吸う。

「なんていうのかなー、鬱屈《うっくつ》っていうのかなあ、苛立《いらだ》ち、なのかなあ、なんかそういうものが、そこはかとなく漂ってくるんだ。おれ、そういうのすぐ気づいちゃうんだ」

煙を吐く。

「今もいるんですか？」

「そいつ？　辞めたよ、去年。結婚するって」

「あー」

「わりとすぐ辞めるよな」

左折のためにハンドルを回した祖父江久志の肘が誠治にあたった。大柄な誠治としてはこの車の助手席は狭い。なので身を縮こめている。

「なんでも大手商社に勤める高給取りの男を摑まえたって話だ。うちの会社を辞めてく子って、案外いいとこへ嫁にいくよな。その子もそうだろ」

「え、香月美紀？　いや、彼女は結婚ではなく、転職したらしいですよ」

「え、転職？　それはまた珍しいな。なんで。……って、でも、まあ、そうか。そう、いつまでもアルバイトってわけにも、いかないか。だけど、だったら、尚更、辞めなきゃよかったのになあ。まさに今、中途採用の可能性が出てきたじゃないか」

あっと思う。

そうか、そういえばそうじゃないか。別デの戸田育江らだけではない。うちの編集部にもいたじゃないか。香月美紀が。あいつだって、辞めていなけりゃ、今頃、当然、対象になっていたはずだ。

なんてこったい。

思わず誠治は呻《うめ》いた。

香月美紀。なんという不運。まったく、なんという、不運。

あと三ヶ月、働いていれば、正規で雇ってもらえるかもしれないチャンスが訪れたのに。

おい、なんだよ、どうしたのよ、といいながら煙草が短くなったので消してくれと指を突き出してくる。灰皿を引き出し、煙草を摘んで揉み消す。

「こうなると知っていたらあいつ、辞めなかったんじゃないかなあ」

思わずつぶやくと、

「まあ、でも辞めたからって、うまくやってくから大丈夫だよ」

と祖父江久志が無責任にいった。

ちょっとむっとしていたら、ちらりと横目でこちらを見て、

「だってそうだろ、女の時代が始まってんだよ。大丈夫だよ」

と笑う。

「うちの会社だってあれだよ、来年、新しくファッション雑誌を出すらしいよ。知ってるか？　漫画雑誌じゃなくて、ファッション誌。女のための雑誌だよ」

「いや、知らないです」

「今年の三月に桂盆社《けいぼんしゃ》から、おフランスの雑誌と提携した、ちょっと毛色の違うファッション誌が出ただろう。大判、中綴《なかと》じ、総グラビアの。あれに刺激されて、うちの親分がやろうっていいだしたんだ。ま、うちの場合は海外雑誌との提携なんてそんな洒落たことはしないだろうけども、その分、うちには少女雑誌で培ったノウハウがあるからなー。勝てると踏んだんだろうなー」

「ノウハウっていったって、たいしたものはありませんよ」

「うん、でもまあ、目の付け所はいいんだよ。デイジーの上にサニーティーンがあって、その上がガラ空きだろ、そこへぶち込むわけだから。創刊準備にデイジーからもサニーティーンからも何人かいくらしいし、そろそろ異動の発令があるんじゃないか。あ、それでだ、本題。来春はそのために女性編集部員の採用枠があるともきいたんだよ。まだ噂レベルだが」

「え、でもそれは新卒でしょう。香月は当然だめですよね」

「ああ、そりゃ、だめだよ。そりゃそうだよ。だけど考えてもみろよ。うちが出すなら他でも出すさ。他でも出るなら、そこでも募集はあるだろう。うちのような女子供へのノウハウがある版元はそう多くはない。となれば、その子みたいに経験があって即戦力として使えるやつなら、引く手数多《あまた》だよ。先行きは暗くないはずだ」

なるほど、そういう考え方もあるのか、と誠治は歩道をいく女たちに目をやった。日曜日だからなのか、皆、やけに着飾って、ふわふわと楽しげに歩いているように見える。普段着でさえ、色とりどりだ。ひと昔前、誠治が子供の頃の田舎町で見かけたのは大半が地味な色合いの着物姿の女たちだった。親や近所の大人たちもそうだった。その頃とはもう、比べものにならないほど女たちは変化していた。思い起こせば香月美紀なんてとくにそうだ。いつも、とても目立つ格好をしていた。

あいつなら大丈夫か。

強い日差しと、街路樹の木陰のコントラストを小気味よく思いながら、ばたばたと車内へ吹きこんでくる、ぬるい夏の風を浴びて思う。

きっといい転職先を見つけるだろう。いや、もう、とっくに見つけて働いているかもしれない。

そうか、女の時代なのか、と誠治は思う。

そうして、漫画家たちがスタイル画みたいな絵を好んで描きたがるのは、こういう時代を反映しているからなんだな、と唐突に得心したのだった。

小柳編集長と戸田育江が話しているのを西口克子はぽかんと見ていた。あまりにも、あまりにも思いがけない話の流れに克子の頭がついていけない。

会社に正式に採用される。

そのための試験を受ける。

要はそういうことだ。

小柳さんに、どうするかね？　受けるかね？　と意思の確認をされた。はい、と、うなずく。

湯山登和《ゆやまとわ》は遠方に赴任している婚約者がいるそうで——一度別れた相手とよりが戻ったと去年の今頃きいた記憶がある——年内を目処《めど》に辞めるつもりでいたから試験は受けないという。その代わりに井森征江を受けさせてあげてくれ、と交渉している。小柳さんが渋い顔で、そんなことはできないよ、といい、井森征江が、湯山さん、ありがとう、お気持ちだけいただきます、と礼を述べている。

井森征江が、いいんですよ、わたしは、もう子育ても終わったし、四十も半ばを過ぎたんだから、定年までの十年、このまま仕事をさせてください、と小柳さんに頼んでいる。井森征江は、夫の母親やら夫の妹夫婦やらと大家族で千住の夫の実家に同居し、金物屋を営んでいる。家内の人手は足りていて、家にいるのが気づまりだから当面、働きつづけたいと、そういえば、よく口にしていた。試験を受けなくてもどうかこのまま働かせてください、お願いします、という井森征江に、もちろんだよ、もちろんこのまま仕事をしてくれ、と小柳さんが、こたえている。

戸田育江は採用試験を受けるといい、小柳編集長にいろいろ質問している。採用されたらどうなるのか、採用されなかったらどうなるのか。どういう試験なのか。いつ実施されるのか。たしかにそれは大事な質問なのだろうけれども、いきなりそこまで頭が回らなくて、克子はぼんやりと二人の顔を眺めている。

ぼーっとしたまま、採用されたらわたしにも万博休暇がもらえるのかしら、などとどうでもいいことに気を取られている。昨日、辰巳牧子とそんな話をしたからだ。

「今年は万国博休暇、っていうのが特別に一日もらえるんですって。西口さん、知ってました？」

「ううん、知らない」

わたしたちにはそういうの、関係ないのよ、といいかけてやめておいた。むやみにそういうことはいわない方がよいとなんとなく克子は思っている。

「わたし、三月に万博へ行って、だからもう使えないのかな、って思っていたら、べつにいいんですって。ただ申請すればすむんですって。なんかおかしくないですか、いいんですかってきいたら、そんなもん、いちいち万博にいった証拠なんて出せないだろう、お土産でも買ってこいっていうのか、っていわれて。ほら、今年から毎月一回、かわりばんこで土曜日にお休みがいただけることになったでしょう。だから、それと繋げて万博休暇を金曜日か月曜日に申請したら、つまり三日連続のお休みになるんです。夏季休暇が二つあるようなものなんです。それに気づいたら、なんだかうれしくなっちゃって。それで、七月のうちにもう一回、万博に行こうかなあ、って思ってるんです」

「なあに、それ。ようするに万博休暇で万博へいくってこと?」

「そうなんです」

辰巳牧子は高校時代の友だち三人でいくつもりだといった。そのうちの一人の親戚の家に泊まらせてもらうらしい。

「そんなに面白かったの? 万博」

「うーん、どうかな? 面白かったような、そうでもなかったような? この間は、小学生の姪と一緒だったんで、パビリオンの列にそんなに並べなかったんです。夜の会場も見なかったし。そしたら、夜が穴場なんですって。この間、万博の取材に行った週デの高峯さんに教えてもらったんです」

アメリカ館にはアポロ宇宙船が去年、月から地球へ持ち帰った月の石や宇宙服が展示してあるそうで、アポロちゃんなんて呼ばれているんなら君こそみてきたらいいよ、と高峯忠道にけしかけられたらしい。昼間なら三時間以上並ばなくてはならないけど、夜なら一時間程度で中に入れるという。

採用試験に合格したら、と克子は思う。わたしにもそういう休暇がもらえるようになるのだろうか。有給休暇ももらえるのだろうか。夏季休暇も。給与体系も変わるにちがいない。どのような変化なのだろう。経済的には、多少楽になるのではないだろうか。それに社員として身分も保障される。

「カッコちゃん、ぜったいに受かりましょうね」

戸田育江が克子にいった。

「え、あ、はい」

「受かりましょうね、受かりましょうね」

戸田育江の声はうわずっていた。

小柳編集長が、

「きみたちは優秀だからきっと受かりますよ」

と、まじめな顔で励ましてくれる。

それから十日ほどして試験が行われた。

まずは筆記試験。

あらかじめ通知されていた時間に広い会議室に集められ、問題を解いた。整然と並べられた机がほぼ埋まるほど、さまざまな部署から人が集まっていた。

この中のいったい何人が合格するのか、情報がないのでまったくわからないが、皆、わりあい平然としていて、それほど緊張しているようには見えなかった。

克子も緊張していなかった。

直前まであわただしく編集部で仕事をしていたせいもあるけれど、試験のための準備を何もしていなかったからでもある。というより、試験の内容がまったくわからなかったので準備のしようもなかったのだ。戸田育江によると、小柳編集長も試験に関しては、詳細をいっさい知らされていないようで、まあ、そう難しく考えなくともよいだろう、としかいってくれなかったらしい。

こうなったらもう、なるようにしかならないわね、と会議室で隣の椅子にすわった戸田育江が開き直った顔でいい、ぱたぱたと扇子で顔を扇いでいた。

プリントが配られ、一時間で解く。

雑多な感じの、一般教養や、時事問題などが中心だった。たまに数式を解く問題や、漢文、難読漢字、英文読解といった問題がまじっている。とはいえ、どれもそう難しい問題ではない。完璧とはいえないまでも、かなり正確にこたえられた気はした。

翌日は、別の会議室で面接を受けた。

ずらりと並んだ試験官の中には川名《かわな》さん――親分――もいたし、顔見知りの役員もいて、なんだかそういうお芝居でもしているかのような、おかしな感覚だった。

克子はどんな質問にも丁寧に、きっちりこたえた。なにをきかれているか、相手の意図を察し、的確な言葉を選ぶ。そのくらいのことは編集部で仕事をしていれば自然に身につく。

親分が満足そうにうなずいているのがちらりと目に入った。

その瞬間、克子は、ああ、受かったんだな、と直感したのだった。

それはふしぎなほど揺るぎない自信で、結果をきかずとも、合格まちがいなしだとなぜだかわかってしまった。ほっと小さく息を吐きだす。

すると、ますますふしぎなことに、ふいに香月美紀の顔が浮かんできたのだった。

ああ……、あの人。

香月美紀さん。

試験官からの質問はもう終わりに近づいている。

最後まで気を抜かず、しっかりこたえる。ここまできてしくじるわけにはいかない。

その一方で、
ねえ、香月さん、わたし、社員になるのよ。ねえ、香月さん、わたし、ここで、別冊デイジー編集部で、これからは社員として働くようになるのよ。

と、克子はおそらく心の中で語りかけていた。

面接が終わり、立ち上がって深々とお辞儀をする。

合格通知は翌週、小柳さんから手渡された。

素っ気ない紙切れが一枚のみ。

小柳さんは、おめでとう、といってくれたが、とくに感慨は湧かなかった。

戸田育江も合格だった。

なーんだ、みんな合格なのね、あんなの、形だけの試験だったのね、と自席にすわってから紙をぴらぴらさせて戸田育江が克子にいい、ほんとですねー、それにしては、ずいぶん大掛かりでしたけどねー、などと笑ってこたえていたものだったが、後日、少年誌の編集部では落ちた人が数名いたらしいときいて、身体が震えた。その時になって初めて、合格しなかったら自分がどれほど傷ついただろうと想像できたのだった。

戸田育江も同じだったらしく、今更ながら二人で、給湯室でしみじみと手を取り合って喜んだ。

コンロにかけられたアルミの薬缶《やかん》が蓋をかたかた揺らしながら沸騰していて、火を消そうと手を伸ばした戸田育江の額にも汗がにじんでいた。

4

編集管理課。

……と、辰巳牧子はすでに何度もつぶやいている。

わたしは今日から編集管理課。

各編集部などで経理補助の仕事をする牧子のような者たちをひとまとめにした部署が九月一日付で突如発足したのだった。

その辞令が、経理課の上の人から渡された。

「まッ、名前は変わったけども、仕事の中身は変わらんのでね、そう気にせんでいい」

とはいえ、経理業務に関する流れが少しだけ変化したそうで、注意事項を列挙した紙を数枚、辞令と共に渡された。

細々《こまごま》と書いてあるが、たいした変更ではない。一読すればすぐにわかるよ」

「あの、わたし、これから編集管理課、なんですね。編集管理課」

「うん、そう。きみもわたしも編集管理課。といったって、当面、経理課の一角を編集管理課として使うだけだしね、名称が変わっただけでハンコも名刺もこれから頼むんだ。誰一人、昇進したわけでもない」

はっはっは、と冗談めかして笑う。

「でも、わたし、編集管理課なんですよね」

「そうだよ、だから、そういってるじゃないか」

「編集管理課」

「うん」

「編集管理課」

「なんだよ、辰巳くん。うるさいな。それがどうしたんだ」

「いいえ、なんでもありません」

ぺこりとお辞儀をして、牧子は編集部へ戻る。

編集管理課。

経理課より断然いい、と牧子は思う。

なにしろ編集という文字が入っている。

わたしも編集部の人、って感じがする。明らかにする。ついに仲間入りをさせてもらえたんだ、と弾んだ気持ちになってくる。なんかいいこと、ありそう！

うれしくっていつもより張り切って働き、あんまり張り切りすぎたものだから、夕方にはやることがなくなって、それでもまだなんとなく浮かれた気持ちのままフロアをうろちょろしていたら、ちょうど別デの編集部に現れた米村七生子《よねむらなおこ》先生にぶつかってしまった。

「あらー」

おっとり驚く米村先生に、すみません、と謝ったのは牧子ではなく、先生の隣にいた西口克子だった。それでもまだぽかんと突っ立っている牧子に呆れ、克子が、ほんとにもうすみません、と牧子の代わりにもう一度謝ってくれている。

「ううん、いいわよう。カウボーイはタフなんだからー」

「カウボーイ？」

牧子が首を傾げていると、米村先生がくすっと笑った。

米村先生は週デで連載した漫画がもうじきテレビの連続ドラマになる。只今人気大沸騰中のベテラン先生なのだが――二十代半ば過ぎながら、すでに漫画家として十余年――、なんだかほんわかしていて、とってもかわいらしい。

「んふ。そうよー。わたし、今、カウボーイになっていたのよー。地下の撮影スタジオで」

ほう、とわからないまま牧子が感心していると、

「こんなことにお時間、取っていただいて、ほんとにありがとうございました。おかげでいい写真が撮れました」

克子がすかさずいう。

「ええと、あとは、カウボーイの小さいカットを一つ描くんでしたよね。ここでやっちゃっていいかしら。空いてる机と道具、貸してくださる？」

では、こちらへ、と克子が案内していく。

カウボーイってなんなんですか、と近くにいた戸田育江にこっそりきくと、アポロちゃん、西部劇見たことないの、といわれた。ありますよ、西部劇くらい、でも、なんで米村先生がカウボーイなのかがわからないんです、とききなおした。それはね、と育江が写真を一枚見せてくれる。

沢つかさ先生がバレリーナの扮装《ふんそう》をしている写真だった。

「こうやってね、先生方にいろいろな扮装をしていただいて、〈わたしはこれになりたかった！〉っていう目玉記事を作るためなのよ。尼僧だったり、パイロットだったり、武士だったり、いわばドッキリ写真ね。いつもの近況コーナーの豪華版。漫画家の先生方をより身近に感じて応援していただくためにやろうじゃないか、って、小柳さんが思いついたの。へんなこと、思いつくのよ、うちの編集長は。思いつくだけで、実現に向けて動くのはわたしたちなんだけどね。だから、どうやって先生方にこんな面倒を持ちかけたらいいのか、わたしとカッコちゃんとで頭を悩ませてたんだけど、蓋を開けてみたら、わりと、みなさん、楽しんでやってくださっているみたいで、わかんないものね」

「だって楽しいですよ、こういう格好したりするのって」

「そう？」

「わたしもやってみたい」

「え、そうかしら」

しげしげと写真を手に取り眺めている。

「んー、まあ、そうね、記念写真としてはいいかもね。こんな機会なかなかないし、カメラマンだっていちおうプロなんだし、衣装だって凝ってるし」

「辻内先生はどんな格好をしたんですか」

「辻内先生？　辻内先生はそれどころじゃないわよ。こんなことやってる暇はない。ずーっとない。今頃、風月館でばったり倒れ伏してるわよ。締切ぎりぎり、ぎりっぎりの明け方に終わって、そのあとも吹き出しの文字の確認しなくちゃならなかったり、ばたばた、ばたばた、今回もそりゃあ大騒動だったんだから。頼めばやってくれたでしょうけど、やってくれたらくれたでむしろこっちが困るわよ。それより漫画を優先してもらわないと」

それはその通りだ、と牧子はこくこくうなずく。辻内先生の漫画は次の号に、今月号のつづきが載るはずだった。牧子はそれを楽しみにしている。

「まあでも、米村先生だって、辻内先生に負けず劣らずお忙しいんだけどね」

それもよく知っているので牧子がこくこくうなずいていたら、

「だけれども、米村先生には飲みにいく時間がちゃあんとおありなんだよなあ」

どこからともなく現れた週デの祖父江久志が口を挟んだ。

「あら、あなた、なによ。あ、わかった。一緒に飲みに行くつもりで、ここで手ぐすね引いて待ってんのね」

「ご名答。もうじき、そういう空気が漂ってきますよ。飲みに行くー？　って声がきこえてくるんだなー。いや、きこえてこなかったら、飲みに行きますかー？　ってこちらから声をかけないとね。どうです、一緒に行きませんか、戸田さんも」

「行かないわよ。私は校了でへとへとよ。早く帰ってひと眠りしたい」

「いやいや、そういう時にこそあえて飲むんですよ。米村先生、今日は別デの仕事で来てたんでしょう。それなら打ち上げがてら、一緒にどうです。ぱーっと飲むと、楽しいですよ。楽しい酒なんですよ。よっ、きみも一緒に行くかい？　経理のきみ」

いきなり牧子にきいてきた。

「だめよ、この子は、まだ未成年なんだから」

「えっ、そうなの。なーんだ、きみは、まだ子供か」

「えっ、わたし、子供じゃありません」

「いくつだよ」

「十九」

「なら、子供だよ」

「でももうじき二十歳です。大人です」

「ふむ。大人か。大人ね……」

じろじろ牧子を見る。

「大人、かねえ……まあ、そうだねえ、大人は大人か。よし、認めよう。しかし、若いというか青いというか、近頃は漫画家の先生方にも子供が増えちゃって、いろいろ気ぃ使うんだよなあ」

そう言い残して、米村先生の方へと近づいていく。

カットを描き終えたらしい米村先生にさっそく話しかけている。

じきに週デの編集部の方から吸い寄せられるように明石庸平《あかしようへい》もやってきた。

米村先生を中心に、わいわいと雑談に花が咲いている。

「あのまま、みなさんで飲みに行かれるんですね」

「たぶんね。あらまっ、なによ、アポロちゃん、そんなうらやましそうな顔しちゃって。あなたも行きたかった？　止めなきゃよかった？」

「いえ、わたしはお酒、飲めませんから。行きたくてもいけません。それに、わたしなんかが、あんなところに混じって行けるわけないです」

「まあそうね」

辰巳牧子と話しながら、育江はあちらの成り行きを見守っている。西口克子は共にいくのだろうか。今日の仕事の流れからしたら不自然ではないと思うけれども、はたして……。

育江はここで何年も働いているけれど、別デの女性スタッフがあんなふうに男性編集者に混じって漫画家の先生と気楽に飲みにいったりすることなどかつて一度もなかった、と断言できる。止められていたわけではないものの、分をわきまえればそれはありえないことで、せいぜい食事の場に同席する程度――それも編集長に誘ってもらったか、編集長から接待役を仰せつかった場合のみ――。あるいはなにかの仕事のついでに一緒に喫茶店などに立ち寄っておしゃべりをする程度。当然アルコールはなしだ。

でももう、わたしたちは以前とはちがう。

正式に社員になったのだから、男性編集者のように漫画家と飲みにいったってかまわないはずだ。

それなのに育江は祖父江久志の誘いを咄嗟《とっさ》に断ってしまった。

あんなのはたんなる社交辞令。断るのが当たり前、と半ば無意識のうちに思ってしまう自分がいた。

そうか、わたしはまだ、心底、対等な立場になれたとは思っていないのだな、と育江は自分の卑屈さにいくぶんげんなりもし、だが、西口克子なら、あるいは……と。

「でもね、戸田さん。わたし、ほんというと、ちょっとだけ、行きたい気持ちはあったんです」

「え、そうなの？」

育江は驚く。わたしたちでさえ、こんなにじくじくしているというのに、この子はまた、いったい何をいいだすんだろう。軽いめまいをおぼえ、先程とりあえず止めておいてよかったと安堵《あんど》する。

「だって、わたし、今日から編集管理課所属になったんです。編集管理課。特別な日なんです」

「ん？　ああ、そういえば、なんかそんな通達があったわね。組織変更があったのよね。そうか、それでアポロちゃんは、課が変わったんだ」

「はい！」

「でも仕事は変わらないんでしょ？　そうきいたけど？」

「はい！」

よくわからないが、辰巳牧子はやけにうれしそうな顔で元気よくこたえている。この子と話していると時折、混乱する、というか調子が狂う。

「なんなの？　他になにかいいことでもあった？」

「え。だから、わたし、今日から編集管理課になったんです」

「うん、それはわかった。え、それがうれしいの？」

「はい！」

ますますよくわからないが、嫌な気持ちにはならなかった。にこにこしている辰巳牧子を見ていると、こちらまでうっかり笑ってしまいそうになる。似たような年頃でも漫画家の女の子たちとはやはりどこか違うと育江は思わざるをえなかった。あの子たちには創作者特有の屈託がある。ないように見えて、どこかにそれを隠し持っている。育江はいつも、そこを刺激したり傷つけたりしないように気をつけていた。つまり、ある種の緊張感を持って接していた。辰巳牧子にはそういうものがまったく感じられなかった。どちらがどうというわけではないが、こういうふうに生きられたなら、凡庸だろうと、いっそ楽なのではないかと思ってしまう。

米村先生を中心にした輪がゆるりと動き出した。

談笑しながら、西口克子も共に動いている。あのまま皆と一緒に飲みにいくのなら、ここへバッグを取りにくるはずだ。だがしかし、西口克子は、そのまま手ぶらで廊下へ出ていってしまう。ということは、会社の玄関か、エレベーターの前あたりまでいって米村先生をお見送りしたら編集部へ戻ってくるのだろう。育江は落胆した。やはり克子もそうなのだ。自分が彼らと一緒に漫画家の先生と飲みにいけるとは思っていない。彼らも——祖父江久志も明石庸平も——誘ったところで克子がついてくるとは思っていないし、米村先生だってそうなのだろう。

「ねえ、アポロちゃん、じゃあさ、これから一緒に飲みに行こうか。カッコちゃんも誘って。軽く乾杯しましょうか。なんだっけ？　編集管理課だっけ？　編集管理課、ばんざいって。アポロちゃんはジュースになっちゃうけど、雰囲気は味わえるでしょ」

ぱあああっと牧子の顔が明るくなる。それから、ぶんぶんぶんぶん首を縦に振った。

一階で待っていたエレベーターの扉が開くと見知った顔がそこにあった。

週デの同僚である祖父江久志に明石庸平、それと米村七生子先生。

あらー、と米村先生が最初に声をあげる。けべちゃんじゃない、お久しぶりねえ、最近、顔見なかったわよねえ。

武部俊彦は米村先生の担当をしたことはないのだが、幾度か飲みにいったことがあるので気にかけてくれるのだろう。でしたかねえ、いつも通り働いてましたけどねえ、などと適当に返していたら、なんだよ、お前、今、忙しいのかよ、と祖父江久志に問われ、忙しいといえば忙しいし、忙しくないといえば忙しくないし、とこたえた途端、もったいぶってんじゃないよ、さあ、いくぞー、と肩を叩かれ、引きずられて一緒にタクシーに乗ってしまった。

あ、そうか、今日はこういう日なのか、と半ば諦めて、米村先生と明石庸平に挟まれてすわる。

明石庸平が俊彦を無視して米村先生に話しかける。

「行きましょうよ、那須高原。テレビドラマのロケ地探訪！　ってグラビアの、口絵のカラーページ、派手に作りましょうよ。向こうはいつでも来てくれっていってんですよ」

「そんな遠いところにまで行ってる時間、ないわよー。続編の連載も始まったし、今月は別デに読み切り一本描かなくちゃならないし、サニーティーンの連載だってあるし」

「あれは短いでしょう」

助手席から祖父江久志が話に加わる。

「短いけどー」

「なんとかなりますよ」

「ならないわよー。ソブちゃん、なによー、自分が週デにいったものだから、サニーティーンのことなんてもうどうでもよくなっちゃったのね」

「いやいや、そんなことないですよ。あれはぼくにとっても思い入れのある作品ですから」

「あれは、お前が始めた連載だったよな。いっとくけどな、あの連載の一番の被害者はおれだからな。

あん時、沖さんお冠で、なんで、サニーティーンが出てきた、どっから出てきた、担当は何してたんだっ、明石ぃー！　ばかもーん！　って、おれに雷が落ちたんだよ。やれんよ」

「すまんすまん」

へらへらした声で祖父江久志が明石庸平に謝る。

「おれだってまさか沖さんがあんなに怒るとは思わなかったんだよ。米村先生はうちで描くっていってくれてます、っていってんのに、沖さん、十六ページなんてだめだだめだ、そんなの許さん！　って頭から湯気だして怒ってるし。じゃ、十二ページならどうです、って譲ったのに、だめだだめだ、って頭ごなし。まあねえ、週デの連載を死守するためなんだろうけど、沖さん、手強いんだ。じゃ、十ページ。だめだだめだ。じゃあ八。だめだだめだ。じゃあ六。その辺りでようやく、お前も粘るねえ、まあ、しょうがない、許してやる、っていってくれて。しかしだねえ、たったの六ページですよ。せっかくの連載が、たったの六ページ」

「でもあれ、描いてて楽しいわよー」

「そういっていただけると報われます。最初の頃は、知恵出しあって考えましたよねえ、どういう話にするか」

「悩んだわよねー。六ページの連載なんてやったことないもん。どうしましょう、って」

「あーあ。それなのに、うまく走り出してもう大丈夫と思ったところで、サニーを追い出されてました週デですよ。酷なことしやがる。この異動はもしや、沖さんの嫌がらせか」

皆がどっと笑う。

俊彦も笑いながら、へえ、あの時、そんなやりとりがあったのか、と思い返している。結局、そのあと週デで始まった連載が人気となり、このたびのテレビドラマに繋がったのだから、沖さんの判断は正しかったといえる。しかも、この連載の骨格のアイディアは沖さんが出したともきいている。担当しているのは明石だが、手柄は沖さんといっていい。

「嫌がらせじゃなくて、沖さんはソブちゃんが欲しかったんじゃない？　ソブちゃん、それだけ見込まれてるのよ」

「よっ、沖さまに、見染められたかっ、祖父江さん、ときたもんだ」

「くーっ、うれしいことといってくれるぜ」

と、祖父江久志が泣き真似をしてみせる。そしてすぐに、

「そのわりに冷たいけどな」

ぼそりと付け加える。

「愛の鞭《むち》、愛の鞭」

明石庸平が合いの手をいれる。

「沖さんはね、期待してるのよ、ソブちゃんに。きっとそうよ。わたしの直感がそういってます」

その直感はあながち間違ってはいない、と俊彦も思う。

祖父江久志という人間に俊彦はあまり親しみを持てないが、彼が漫画班にいるのといないのとでは、どことなく空気に違いがある、という点についてはさすがに気づいている。予定調和を乱すというか、かき混ぜるというか、なんにせよ、彼が加わると多少なりとも変化が起きる。サニーティーンに行く前の祖父江にもそういう面があると感じていたが、週デに戻ってきてからというもの、いよいよ強くそれを感じられるようになった。沖さんもおそらく、そこを買っているのだろう。口では厳しいことをいいつつも、その実、面白がっているのではないだろうか。ひょっとして、次の主任候補として週デに戻したのではないかという気すらする。順当にいけば次は明石庸平だが、祖父江久志の目も出て

きているのではないだろうか。

「どうしたの、けべちゃん、今日は、やけにおとなしいじゃない」

「え、いやいや。で、那須高原はどうなったんです。行くんですか」

「だから行かないってばー。週デも別デもサニーもあるのよー。あー、今夜は早く帰らないとー」

「えー、ほんとですかー？」

明石庸平がすかさず突っ込む。

「ほんとよ、ほんと。宣言します」

宣言通りというにはいくぶん遅めの時間にはなったものの、米村先生は二軒目にはしごすることなく、明石庸平に送られ帰っていった。ころころとよく笑い、店の名物のドイツビールとソーセージを楽しみ、けれども時折眠そうにしていた。ほんの少しアルコールが入っただけで眠気がさすほど、ハードなスケジュールをこなしているということなのだろう。

祖父江久志と二人、そのまま居残ってしまったのは、祖父江の頼んだカツレツの皿がずいぶん遅れて今更運ばれて来たからだった。それでまあ、俊彦もビールの追加を頼み、もう少し飲むことにした。といって、これといって話すこともなかったので、カツレツの匂いを嗅ぎながら黙って飲んでいたら、祖父江久志が、お前、忙しすぎないか、といったのだった。

「巻紙、あらためてよく見たら、お前の担当、多すぎだろ」

巻紙か。沖さんのデスクにいつも置いてあるボロボロの巻紙。一目で週デの流れがわかる代物で、現在連載中のものがいつから始まっていつまで続けられる予定か、この先誰のどんな連載がいつ頃始まる予定か、読み切りがどこに入るかなど、すべてがわかるようになっている。延々と紙を繋いで続けているから——だから巻紙——、知りたいと思えば過去へ遡《さかのぼ》って調べることもできる。ただし、担当が誰であるかまではわからない。だから、祖父江にいわれて、若干驚く。

「そうか？　多いか？　たまたまだよ」

連載に加えて、俊彦は来月末から始まる歌謡曲シリーズを担当していた。週替わりで一本ずつ五名の漫画家にヒット曲の題名のみを使った漫画を読み切りとして描いてもらうもので、いわば連載を新しく一つ抱えるのと同じような感覚だ。いや、へたしたらそれよりも手数は多い。今年初めの第一弾が好評だったので、第二弾をまかせてもらえたのだが、そのため、これからしばらくの間、たしかに俊彦の仕事量が飛躍的に増えそうだった。

「あの曲のチョイスは、けべちゃんがやったの？」

「漫画家と相談しつつな。でもまだ変わるかもしれない。あれは仮だ、仮」

「漫画家のチョイスは？」

「それはおれ」

「鐘村耕介、桐谷晃子《あきこ》、嶋内《しまうち》志津子《しづこ》のベテラン勢に加えて、あとは新人二人だったか」

「新人というほどでもないんだが、あのあたりの子はどうしても押し出されがちだからな、入れといたんだ。沖さんすんなりＯＫしてくれた」

「うまい作戦だ」

祖父江久志が大きなカツレツを切り分け、俊彦にすすめる。フォークで突き刺し、頬張るとぎゅっと肉の旨みが口中に広がった。うまいなあ、と口をもごもごさせながらいう。だろ、ここのこれは絶品なんだ、米村先生、食べ損なっちゃったな、と祖父江も頬張る。陶器のジョッキを高く掲げて、ウエイターにお代わりを頼む。奪い合うように二人でカツレツを食べていく。

「高品布美子は、入れなかったんだな」

「高品？　ああ。あの子は企画ものの連載をやったばかりだしな」

「次は何やんの」

「高品布美子？　いや、まだ何も話してないよ。連載終わったところだし」

ほんとうは八月中に一度会ってゆっくり話さねばと思っていたのだったが、なんだかんだとあわただしくしているうちに時が流れてしまった。

「おれ、やろうか」

「え、高品布美子？　なんで？」

「いや、お前、忙しそうだし。おれ、暇だし。こっちに戻ってきてそろそろ半年になるし、本腰入れていかないと沖さんの雷が落ちそうで、まずいんだ。誰をやろうかなあと思ってたところなんだ」

「それで高品布美子か。ふーん、そうだなあ。そろそろ次の連載のこと、詰めていかなくちゃならないしなあ。でも、おれ、今、手一杯だしなあ。それもいいかもしれんな。ソブさん、高品さんと面識あったか？」

「いや、ない」

「引き継ぎどうする。おれが一緒にいった方がいいよな」

「いや、いいよ。沖さんに相談しつつ、おれが連絡して、会いにいってくるよ」

「そんなに話しやすい子じゃないぞ」

「わかってるって」

祖父江久志は意に介さない。じゃ、そういうことでいいな、と小さくいってうなずいている。

高品布美子は二年前、まだ学生の頃に編集部に原稿を持ってやってきて以来、俊彦が担当していた。幸い、すぐにデビューを果たし、失速することなく、まずまず順調に育ってきていた。といっても、べつに俊彦が育てたわけでもないのだが——そこまでうぬぼれてはいない——、このところ、長いものをいくつかやってみて、さて次に、となった時に何を提案したらいいのか俊彦はわからなくなっていたのだった。この先、どういうものを描かせたらいいのか、とんとイメージできない。八月中にやるべきだった打ち合わせを延び延びにしてしまったのも、もしかしたら、それが影響していたのかもしれない。もともとおとなしくて扱いやすい子で、相性も悪くないと思っていたが、近頃、そうでもないのかも、と疑いだしてもいた。悲しい話が多かったので、こちらとしてはそういうものを描かせがちで、悲劇を描かせたら日本一、などと柱で煽ってみたりしたものの、俊彦が期待するような、よよよ、と泣かせる方向にはどうもいかない。人気がないわけではないけれどもアンケート結果にも波があるし、人気爆発までには程遠い。何かここでもう一つ乗り越えなければならないものがありそうなのだが、本人と話してみてもそのあたりの認識がどうも噛《か》み合わず、本音を語ってくれているかどうかも判然としなかった。徐々に溝が深まっているようでもあった。もしかして、この子もおれに不信感を抱いているのではないか、と嫌な予感がしだしてもいた。

だからといって、このような形で——酒の席で——担当を渡すというのにもいささか抵抗はあるのだが、忙しさにかまけてこのままほったらかしにしてしまうのも気が引けた。それではますます彼女の信頼を損ねるだろうし、沖さんにそれを咎められるのも極力避けたい。ならばこのタイミングで任せた方がいい。ようするに保身だな、と俊彦はちらりと思う。

高品布美子の心配より己の心配が先に立つ。

ともかく、おれは、そつなく仕事をこなしていきたい。

べつに沖さんに評価され、出世したいからではなく、プライドの問題だった。編集者としてのプライド。

それにしても祖父江久志は高品布美子にいったいどんなものを描かせるつもりでいるのだろう。テーブルの真ん中にある空いた皿を見ながら思う。

なにかアイディアがあるのだろうか。だから高品布美子をやりたいというのだろうか。

祖父江久志には俊彦にはない軽やかさ、都会育ちならではの感性といったものがある。ひょっとして俊彦には思いつかない策があるのかもしれない。

ビールしか飲んでいないから、そう酔ってはいないはずなのに、少し頭がくらっとした。

まさかそれが大ヒットになったりしないだろうな。

漫画は水物。なにが当たるかわかったものじゃない。

そして、もしそうなったらおれは平静でいられるだろうか。と思ったその瞬間、むらむらとどす黒い怒りが湧き上がり、しかし、たちまち、どうでもいい、と投げやりな気持ちになった。

当たるんなら当たれ。

高品布美子にとってもその方がいい。当たれば人気漫画家の仲間入りだ。週デの部数はますます伸び、祖父江久志は鼻高々、明石庸平を抜いて主任へ大抜擢《だいばってき》だ。とてもいいじゃないか。みんな幸せ。

だが当たらないんだな、そう簡単には。

俊彦はふっと息を吐く。

「ま、お手並み拝見といこうじゃないか」

「え」

「よろしく頼むよ。おれがデビューさせた子だ」

「ああ」

「ここで担当が替わるのも、あの子にはいい刺激になるだろう」

「そうだな」

「おれからも連絡しておくよ。きちんと説明しておく」

いつまで経っても客足の途絶えない店内はまるで街中にいるようにざわざわと騒がしかった。ウェイターが空いた皿やグラスやジョッキを手早く回収していく。

ふいに煙草が吸いたくなって、くしゃくしゃになった煙草を取りだし、マッチを擦《す》った。湿っているのか火がつかない。祖父江久志がライターを貸してくれた。ゆっくりと煙草を吹かしてぼんやりしているうちに祖父江が立ち上がり会計をすませていた。

なんとなく飲み足りなくて、祖父江と別れたあと、ふらふらとなじみの店へ顔を出した。

あー、けべちゃんだー、いらっしゃーい、とカウンターからすぐに声がかかる。

なんだよ、お前まだいるのかよ、と恒例の軽口を叩くと、いて悪い？　ほんとはうれしいくせに、と軽口を叩き返された。

前川福美《まえかわふくみ》はまだこの店で働いていた。

そしてそのことに俊彦は心底ほっとする。

いてくれてうれしい、と思うが、口が裂けてもそれはいわない。いつまでもいてほしい、どうかいてくれ、と思いながら、カウンターの隅の椅子に腰掛け、いつもの水割りを頼んだ。

5

秋空に聳《そび》える八ヶ岳を仰ぎ見ながら、西口克子は、さあ、行きましょうか、辻内さん、と旅館の玄関先で声をかけた。門へと続く紅葉した木々が前回来た時よりも濃く色づいて、ほんの数日のうちに、景色が変化したように感じられる。

特急電車が停まる最寄駅までタクシーで行く。

運転手に開けてもらった後ろのトランクに辻内ゆきえの荷物を積み込む。資料や道具が入った鞄と、着替えなどが入ったボストンバッグ。蕎麦やら野沢菜やら温泉まんじゅう、アシスタントや友達へのお土産——編集部への差し入れもあるらしい——が詰まった紙袋。

最も大切なネームを入れた封筒は道中、万が一失くしたりせぬよう自分のショルダーバッグに仕舞った。このネームは辻内ゆきえが滞在中に描いたもので、前後編に分けて一月号、二月号に掲載される予定の百枚のうち、ざっと七割。

まずは前編のペン入れのため、このまま神保町の風月館へ行き、今度はそこで缶詰になってもらう。缶詰から缶詰へ、申し訳ないような気持ちになるが、決まったことなので致し方ない。

小柳さんはどうやらこの漫画に賭けているようだった。

新年号は百万部、刷ろうじゃないか、といいだしている。えっ、と耳を疑ったが冗談には聞こえなかった。このところ、部数が堅調に推移しているのは知っていたが、いくらなんでも唐突すぎやしないだろうか。辻内ゆきえから編集部へ届いた、この漫画の冒頭カラーページ——カラーページは先に入稿せねばならないのでなにはともあれ描いてもらう——を見た途端、その気になったらしかった。余程、手応えを感じたのだろう。

すぐに克子に迎えに行くよう指示が飛んだ。

「辻内先生、まだネームが全部終わってないって電話でおっしゃってましたよ。いいんですか」

「いいんだ、いいんだ。ここまで描けてるんだから、頭の中では、もう話はできているんだろう。絵を見ればわかるよ。少なくとも前編部分のネームはできているはずだ。そっちのペン入れをすぐにしてもらおう。来月は年末進行になるからね、今月は少しでも早く終わらせたい。前倒しでいこう。ともかくすぐにこっちへ連れてきてくれ」

予定ではあと三日滞在するはずだった。

迎えに行く克子もそのようにスケジュールを組んでいた。

とはいえ、編集長にそういわれたら従うしかない。

辻内ゆきえに電話すると、当然のようにその提案を受け入れた。なにひとつ抵抗しないどころか、嬉々としている。あーよかったー、わたし、一人でここにいるの、もう飽きちゃってー、と辻内ゆきえはいった。いくら良い温泉だからってそうそう入っていられないし、お料理も似たようなものばかりだし、窓から見える八ヶ岳だって、ここら辺りの景色だって、目を瞑《つむ》っても描けるくらいにばっちり記憶しちゃったし、ここはもういいです、早く東京へ帰りたい。

帰りはハイヤーではなく電車がいいといわれた。往路は神保町から克子と小柳さん、副島さんと同乗したハイヤーを飛ばしてきたが、さんざんすわりつづけて仕事をしていたから、すわりづめの車で帰るのは苦痛、なのだそうだ。じつをいえば克子もその方がよかったから早速電車の切符を手配した。旅館に日程変更を申し入れ、風月館のいつもの部屋を押さえ、そのあと明日のうちにやらねばならない急ぎの仕事をピックアップして戸田育江に代わってもらうよう頼んだ。別冊デイジーは緩やかな分担制で動いているので代替可能なことが多く、こういう時やりやすい。

「いきなりの日帰り、それも遠い長野まで往復出張とはカッコちゃんもたいへんだ。お疲れさまです」

戸田育江に労われた。

「いえいえ、体力には自信があるし、もともとの予定が三日早まっただけですから」

「だけど三日後なら翌日は土曜日、半ドンじゃない。明日は火曜、翌日は普通に仕事でしょう。きついわよ。一泊できたらよかったのにね」

「そうもいってられませんよ。今回は辻内さんをお迎えにあがるだけですから」

「送っていった時は、土日に二泊してたわよね」

「ええ、まあ。あの時は小柳さんと副島さんが一緒でしたから」

「温泉で二泊か。いいなあ。うらやましい」

「といわれるほどでもなかったですよ。私は所詮、付き人ですから。小柳さんと副島さんは二人で編集会議というか、長時間お部屋に籠《こも》ってなにやらいろいろ話してらして。でも私は蚊帳の外。別デのことなのに、何が話題になっていたのかもわかりませんでした。この疎外感、わかります？」

「わかる」

「漫画家との専属契約のこととか、原稿料のこととか、私たちにきかれたくない話をしていたんでしょうけど。あ、あと、もしかしたら私たちのことを話していたのかもしれませんね。人事査定とか、なんかそういう。私たちも対象になったんですもんね。きっとそうですよね」

「んー、まあ、そうかな」

「その間、雑用は全部、私がしなくちゃならなくて、けっこうたいへんでした。辻内さんの滞在用に足りないものがないか確認して、必要なものがあれば町まで下りて調達して、山歩きのために必要なものを教えてもらって、貸してもらえるものは貸してもらって、注意事項をきいて、段取りして。辻内さんは普通の湯治客とはちがうので、細々したことを女中さんにお願いもしなくちゃならなくて。でもあちらは漫画家の缶詰なんて初めての経験だから、何をいってもきょとんとしてるし、二日目の、取材のための山歩きだって、天気はよかったんですけど、小柳さんなんか、途中で木陰に陣取ってスケッチ始めちゃうし、そうなったらもうてこでも動かないし、漫画家より先に編集長がスケッチするってなんなんですかね。ちゃんとスケッチブックも持参してきてるんですよ。楽しそうに描いちゃって。いくら絵心があるからって変ですよね。副島さんは副島さんでお腹の具合がどうも、とかいって適当に切り上げちゃうし、辻内先生は辻内先生で好奇心の赴《おもむ》くまま、ひらひら〜ひらひら〜と何かが乗り移ったみたいに気ままに動くから目が離せないし」

戸田育江がわかるわー、といいながら笑った。

「初心者向けのコースとはいえ、山は山ですからね、何かあったら私の責任ですし、もうひやひやでした。水分補給にも気を配り、時間配分にも気を配り、危険な場所にも気を配り、無事宿に戻ってきたらもうぐったり。普段の仕事より疲れましたよ」

でも、そのおかげでネームは順調らしいし、カラーページもすでに入稿できたし、働いた甲斐はあったというものだ。それに、帰りの電車の中で、ほんのわずかな時間ではあるけれども、沢つかさのことについて小柳編集長と話ができたのも思わぬ収穫だった。沢つかさの持つ、からっとした気質、コメディセンス、元気いっぱいの明るさ、SFタッチだったり、擬人化した動物を出してきたりと設定に独特の工夫があるのも面白いし、ボーイッシュなキャラクターも魅力的、と克子が力説すると、ほお、と小柳さんは興味を示してくれた。そうだねえ、そうなんだよ、しかし少々伸び悩んでもいるからねえ、きみがネームの相談に乗ってやったらいい、といわれた。副島さんも、賛同してくれた。はっきりと担当を任されたわけではないものの、かぎりなくそれに近い感触はあった。と、克子は思うことにした。

それで編集部へ戻って、早速沢つかさに電話してネームの進捗状況をきいてみたのだった。

掲載予定はまだ先の号だし、締切まで間があったため、ネームは出来ていなかった。あと数日かかるらしい。

では出来上がったら連絡ください、と意気込んで伝えた。

はあ、とぼんやりした感じで沢つかさはこたえた。

克子から突然催促めいた電話がきて、戸惑っていたのかもしれない。あとは沈黙。これといった言葉が返ってこない。

本当はこの時、わたしがネーム、見ますから、と克子はいいたかったのだ。

だが、いえなかった。

そこまでいっていいものか、わからなかったから。

あまり先走ると小柳さんの不興を買う恐れがあったし、やりすぎて臍《へそ》を曲げられても困る。それで意図をはっきりさせないまま電話を切ってしまった。

それきり沢つかさからの連絡はない。

失敗した、と克子は思った。

あれではなんの意味もない。

じりじりして電話を待つうち、もしかしたら沢先生はもう小柳さんに直接連絡して、ネームを見てもらってしまったのかもしれないと思い始めた。克子が気づかぬうちに終わっている可能性は十分にあった。

だとすれば、もう克子の出る幕はない。

ようやく前進したと思ったのに、あっさり後退してしまった。

いやいや、まだわからない。

ネームが難航していて、連絡がないだけかもしれない。

それならば、わたしに連絡してきてほしい、と克子は熱烈に、熱烈に、思うのだけれども、おそらく、小柳さんに連絡するだろうとも思っている。時間が経つにつれ、気持ちはそちらに傾く。

あの時、もう一押しすべきだったのだ、と今更ながら克子は悔やむ。あんなにいい流れになっていたのにどうして私はそれをしなかったのだろう。編集長だけでなく副編集長もいて、二人とも機嫌よく私の話に耳を傾けてくれていて、まさに天が与えたもうたチャンスだったのに。

あの時と同じ電車に乗って、座席から同じ景色を眺めていると、どうしてもそのことばかり考えてしまう。そうして、落ち込んでしまう。

辻内ゆきえは向かい側の席で、うとうとと眠ったり、ふっと目をさまして克子と話したり、おやつを食べたりしている。

平日なので車内はそれほど混んでいない。

日が傾きだして、夕暮れが近づいていた。

「辻内さん、風月館に着いたら、そのまま缶詰になってしまいますが、大丈夫ですか。どこか、寄って行きますか」

「いや、風月館で大丈夫です。ずっとネームやってたから、今は早くペン入れがしたい。カラーページも楽しく描けたし、あの感じで進めたい」

声に力が籠っていた。

このところ、仕事のしすぎなのか、夏のハードワークの疲れが出たのか、少し元気がないように見受けられたが、すっかり快復したらしい。温泉がよかったのか、山の空気がよかったのか。いくらかでも気分転換できたのだろう。いったいなんのために急に取材がてら八ヶ岳へ行きたいなんていいだしたのか、なぜ小柳さんはそれを許可したのか——しかも、小柳さんは、克子や副島さんまで引きつれて一緒に行くことにした――、あの時は訝《いぶか》しんだものだけれど、ひょっとしたらこういう効果を考えていたのだろうか。

「行ってよかったですか？」

と、克子はきいてみた。

「よかったですよ。いつもとぜんぜん違う感じでなにもかも新鮮だったし。気持ちが切り替わりました」

「それで八ヶ岳に行こうと思ったんですか？」

「それで？　それでって？」

「旅がしたかったんですか？」

「え？　あーいやいや、決めたのはわたしではなく小柳さんですから。わたしは、はい、行きます、ってこたえただけで」

「え。そうなんですか？」

「そうですよ。その前に、小柳さんから本借りてて、環境破壊のことや公害問題や、ここんとこ打ち合わせのたびに、そういう話をしてたんで、ああ、わたし、次はそういうのを描くんだろうなー、と、なんとなーく思ってて、八ヶ岳っていわれて、あ、それ、いいかもしれない、って思ったんです」

「小柳さんがいいだしたんですか？　辻内さんではなく？」

克子は驚く。

いわれてみれば、どちらがいいだしたことか、はっきりきいていなかったような気もしてきた。

「西口さん、もしかして、わたしがいいだしたと思ってたんですか。自分からここで缶詰になろうと？」

「いや、缶詰はさすがに小柳さんでしょうけど」

「そうですよ、みーんな小柳さんですよ。わたし、何泊するかもきいてなかったんですから。締切が明けたところで、さあ、行こうっていわれて、漫画の道具と一緒にハイヤーに乗せられて。きっと、小柳さんが八ヶ岳に来たかったんですよ。で、二泊して満足したから、わたしを置いて帰っちゃったんですよ。じゃ、がんばってね、って。えー、って思いましたよ。でも、ま、頭の中でもやもやしていたものが、ぐぐぐっと形になってきそうな予感がしてたんで、よーし、一気にやったるでー、みてろー、と思ったんでした」

へえええ、と克子はあらためて驚く。

なんだろう、この二人の、この阿吽《あうん》の呼吸は。

表に見えているところだけではなく、もっと奥深いところ、見えない部分でしっかりと繋がっている。信頼しあい、刺激しあっている。担当編集者と漫画家の関係ってこういうものなのか、と克子は今更ながら瞠目《どうもく》する。

そうして、ふと、私にこんな関係が築けるだろうか、と思うのだった。

たとえば、そう、沢つかさと。

あの時の戸惑っていた沢つかさの声が耳に蘇る。

「それで、どうでしたか、辻内さん。いいネームは、描けましたか」

「んー、どうですかねえ。自分では、これでいけると思っているんですけど。どうかなー?」

「あ、そうか。まだこのネーム、小柳さんに見てもらってないんですよね」

ショルダーバッグに目をやりながらいう。

「そうなんですよー。でも、まあ、たぶん、大丈夫だと思いますけどね」

「ペン入れ、先に始めてしまっていいんですか？」

「小柳さんがそうしろっていってるんなら、それでいいんじゃないですか？　明日にはネーム、見てくれるでしょうし」

辻内ゆきえのネームに小柳さんが大幅な直しを求めることはまずない。だからこそ、こんな形で進められるのだろう。

「見せていただいてもかまわないですか」

ショルダーバッグから封筒を少し、のぞかせる。

「え？　ネームを？　西口さんが？　いいですけど。そうですね、どうせ暇ですもんね。どうぞ見てください。なにか気になることがあったらいってください」

封筒をひっぱり出し、中から紙の束を取り出す。

辻内ゆきえの目を気にしながら、克子はネームに目を通していった。

小柳さんもまだ見ていない、辻内ゆきえのネームだ。

そう思うだけで、ひそかに奮い立つ。

今から自分は、編集者と漫画家として、ネームを間に挟んで、辻内ゆきえと言葉を交わすことになる。克子は前々からぜひ一度それをやってみたかったのだ。まさか特急電車の中で、その願いが叶うとは思わなかった。

一枚、二枚、三枚。

いうべきことがあったらいおう。

四枚、五枚、六枚。

率直に意見を述べよう。

真剣勝負だ。

そう思いながら、一枚ずつ、丁寧に見ていく。

しかし。

「どうですか」

たずねられても、何もいえなかった。

七十枚、いうべきことがこれといって、なにもない。

ぼんやり見ていたわけではないのに、指摘すべき点がなにひとつ、見当たらなかったのだ。

「面白いです。つづきが気になります」

それしかいえなかった。

辻内ゆきえがにんまりとする。

「つづきはもうなんとなーく、頭の中にあるんです。前半のペン入れが終わったらすぐにやります」

ああ、そうだ。それも小柳さんはいっていた。

すでにわかっていたのだ、あの人は。

だから山を下りるよう促したのだ。

敗北感に襲われる。

車窓の外はもう真っ暗になっていた。


カッコちゃんは考えすぎなのよ、と思いながら、戸田育江は雑巾をかける。長野出張から戻って以来、どことなく塞ぎ込んだまま元気がないように見える西口克子が気になって、昨晩、仕事のあと、さりげなく食事に誘い、何かあったのか、きいてみたのだった。必要ならば相談に乗ろうと思って。

けれどもきいてもきいても、いったい何に悩んでいるのかよくわからなかった。何をいっているかはわかる。編集者としての技量への不安、自信のなさ、覚束《おぼつか》ない未来への恐怖。困惑。育江としては、励ますしかなかった。大丈夫よ、やってみたら案外やれるものだわよ、やる前から心配ばかりしていてどうするの。だいたい、まだ担当を任せてもらったわけでもないんだから、今からそんなに怯《おび》えてるなんてナンセンスよ。

わかってくれたのか、どうなのか、うなずいてはいたものの、今日の育江の仕事は朝から唐津杏子の引っ越しの手伝いなので、編集部で通常業務をしている西口克子の様子はわからない。

ごしごしと台所の床を力任せに拭きながら、はじめっから小柳さんを目指したってだめなのよ、自分なりにやれることをやっていったらいいのよ、好きにやればいいんだから、ほんとにもう、とぶつぶつ呟《つぶや》く。

「戸田さん、そこ、そんなに綺麗にしなくたっていいですよ。大家に文句をいわれない程度で」

綿貫誠治に声をかけられ、はっとした。すっかり夢中になってしまった。

「荷物はもう積んだの」

「あとは段ボールをいくつか積めば終いです」

育江は台所を見廻し点検する。

「うん、こっちも済みました。この掃除道具をトラックに載せていってもらえれば」

手を洗い、バケツをざっと洗って、絞った雑巾や洗剤を中に入れて手渡す。引っ越し先の掃除は先週、唐津杏子が自ら済ませたといっていたから、あとは荷解きの手伝いや、雑用だろう。ともかくそちらは我々が引き受けて、なるべく早く彼女に漫画を描いてもらわねばならない。

「じゃあ、ぼくは運送屋のトラックが出る時、一緒に乗っていきますから、戸田さんは唐津先生とタクシーでリリーコーポへ行ってください」

「わかりました。唐津先生は今、どこに？」

「ご近所さんに挨拶にいってます。鍵ももう返したんで、そのまま出て行けばいいですから」

「大家さんの確認には立ち会わなくていいの？」

「さっき、ざっと見てたんで、あれでいいんじゃないですかね。大層なマンションならともかく、こんな安アパートですから」

たしかに、安普請の賃貸アパートだ。

近頃、育江は日曜日のたびに不動産物件をあちこち見て回っているので余計にそう感じるのかもしれないが、こんな狭いところで二年半、田舎から出てきたばかりの二十歳そこそこの若い娘が籠りきりで毎日漫画を描きつづけていたのかと思うと、なにやら切なくなってくる。壁も薄いし、建て付けも悪いし、設備も貧弱だ。といったって、育江の住まいだって似たようなものではあるのだけれども、いや、ここよりもっとみすぼらしいような気もするのだけれども、長年、育江はあえてそのみすぼらしい賃貸アパートに住み続けてきたのだった。少しでも家賃を節約したくて。

けれどももう、育江はそこを出ようと思っていた。

唐津杏子の引っ越し先は、鉄筋コンクリート四階建ての賃貸マンションだときいているが、育江は、分譲マンションを買おうと思っている。

何かあった時のためにと、こつこつ貯めたお金を頭金にして、あとは銀行の融資で賄うつもりだった。この夏、正式に社員にしてもらえたから、それが可能になったのだ。

夢のようだった。

頼れる身寄りもなく、将来への不安を抱えたまま、あくせく働いてきた育江にとって、家を持つことがどれほど心の安寧を齎《もたら》すか、現実味を帯びてきた今になって、しみじみ身に染みる。

と同時に、三十歳をとうに過ぎた独身女が自分ひとりのために家を買うという行為が、いかに世間から冷たく見られるかにも、いやでも気づかされていた。相談にいった銀行でも、不動産屋でも、最初は冷やかしと思われ、次には、結婚もしないで家を買うのか、この女は、という胡乱《うろん》な目で見られた。それを乗り越えなければ家も持てない。

悔しいけれどそれが現実なのだとよくわかったから、育江はまだ編集部の誰にもいっていなかった。どんな反応が返ってくるのか、読みきれなかったのだ。

ところが。

「唐津さんは、家を買おうとは思わなかったんですか？」

タクシーの中でなにげなくきいてみると。

「買いたいなー、とは思ってるんですけど、まだちょっと早いかなー、と思って」

ずいぶんさっぱりしたこたえが返ってきた。

「買いたいんだ。買いたいんですね」

「んーそりゃあ、買えるものなら買いたいですよ。興味はすごくあるんです。散歩してってもよその家の外観とかつい見ちゃうし、中はどうなってるのかなー、って想像するのも好きだし。間取りとかも、不動産屋さんの窓にこう、ばーっと貼ってあったりするでしょう。あれ、いっつも、じーっと見ちゃうんです」

「じゃあ、今回のおうちも、そうやってじーっと見て決めたんですね」

「うーん、それがですね、いざとなると、そんなに迷ってもいられなくて。条件に合うなかから適当に選んじゃいました。まあ、まずかったらまた引っ越せばいいし。でも買うとなったら、そうはいきませんもんね」

「そうですね。失敗するわけにはいきませんから、慎重にならざるをえませんね」

つい実感が籠ってしまう。

「でもね、わたしにはその時間がないんです。慎重に検討する時間が。今回の引っ越しだって、締切の合間を縫った綱渡りですもん。買うどころじゃありませんよ。それに家を買うのはやっぱり結婚してからの方がよくないですか?」

「え、結婚。え、ひょっとして、唐津さん、お相手がいらっしゃるんですか」

「えー、いませんよー。やだなー。いませんけど、いずれは結婚したいじゃないですか。漫画を描くのは好きだけど、結婚もしたい」

「そうなんですね」

もしかしたら、この子たち——新しい世代の漫画家たち——は、そういう価値観に縛られていないのか、と思っていたがそうでもないらしい。恋愛と結婚は別、自由恋愛万歳、とかいいだしそうなのに、あんがい結婚への憧れは根強いようだ。

「遠山さんもこの間、ご結婚されたじゃないですか。遠山みやこさん」

「ああ、そうですね」

「やさしい旦那様なんですってねー。ぜんぜんちがう業種だけど、理解がある方で、みやこさん、漫画も続けていくって。そういうのをきくと、うらやましいなあ、って、やっぱりちょっと思いますよ。どうやったらそんな人に出会えるんだろう?」

育江は遠い昔に付き合っていた恋人のことを久しぶりに思い出してみる。友人の紹介という月並みな出会い方ではあったが、すぐに親密になり、いずれはこの人と結婚するのだろう、と漠然と思っていた。結婚に憧れるとかではなく、当時は交際したからには結婚するという道筋以外考えられなかったのだ。ところが、そのわりに育江はその後あっけなく別れてしまった。どうしてそうなったのか、いろいろ理由はあったけれど、なにより育江が信じきれていなかったからではないかと今は思う。彼について、彼との未来について。

「ほんと、どうやったらそんな素敵な方に出会えるんでしょうね。私だって知りたいですよ」

冗談めかしていう。

今更知ったところで自分が結婚することはもうないだろうとわかっているので、いかにも空々しい言葉だと、いったそばから育江は思う。唐津杏子だって、運転席で耳をそばだてているタクシーの運転手だって、ここまで薹《とう》が立った女がいったい何をいっているんだと内心笑っているのではないか。

「あっ、そういえば、米村先生もご結婚、決まったんですよね！」

意図的に、なのか、偶々《たまたま》なのか、唐津杏子がひょい、とべつの話題に転換してくれた。

「あら、もうご存じなんですか？」

「お相手はサニーティーンの担当さんなんでしょう？」

「まあ、それもご存じなんですか。ええ、そうです。でももう、来年創刊する女性誌の編集部に異動になったので、担当ではなくなったみたいですよ」

「そうなんですね」

このところ、デイジー編集部は、その話で持ちきりだった。サニーティーンで米村七生子先生の前任の担当編集者だった祖父江久志は、おれが週デに異動にならなければ、二人はこうはならなかったはずで、つまりは、おれがキューピッドなのではないか、などといっている。他にも、おれは二人が付き合っているのを知っていただの、なんとなく気づいていただのと囂《かまびす》しい。漫画家と編集者の組み合わせはまれにあるが、今回は、編集部の皆がよく知っている人気漫画家と、皆がよく知っている同僚――だけれども、よその編集部――だから話題にしやすいのかもしれない。

「はー、担当さんと結婚かー」

唐津杏子がため息まじりに小声でぽつりとつぶやく。

彼女の別デの担当は小柳さんなので――小柳さんは既婚者で年齢もかなり上だから恋愛対象として明らかに埒外《らちがい》なので――、このつぶやきに該当するのは週デの担当、綿貫誠治だろう。

綿貫誠治と唐津杏子。

二人の姿を頭の中で並べてみて、有り得なくもない、と育江は思う。

綿貫誠治はやや鈍いところはあるけれど、至って気のいい素直な好青年だし、唐津杏子との年齢差も六つか七つ、ちょうどいい組み合わせではないか。

小柳さんが、地方から出てきた若い新人の漫画家たちについて「我々には親御さんから預かっている責任があるのだから、あの子たちに悪い虫がつかないようにしないといけない」なんていっているのをきくが、なんのことはない、隣の編集部にこそ悪い虫がうようよしているともいえる。

「どうですか、綿貫さんは。お相手として」

軽い気持ちできいてみた。

「ないですねー」

軽い感じで返ってきた。

「ないですか」

「ないですねー。担当さんとして一緒に仕事をするのはすごく楽しいけど、綿貫さんと恋愛、ましてや結婚なんてまったく想像できないです。仕事はやりやすいし、面白い人ですけど。いくらでも雑談できるし、冗談もいいあえるし。でもそういうのって、恋愛とは、ぜんぜん違うことじゃないですか。私はもっと素敵な人と恋愛したい」

　夢見るように唐津杏子がうっとりという。

　ちらりと目をやると、胸の前で手を組んで、本気で恋に憧れる女の子そのもののポーズをしていた。

　この感性が、この子の漫画の根っこにあるから、どんな話を描いても支持されるのだろうな、と育江は思う。読者の女の子の見る夢を、気負いなく同じように見ることができるからこそ、彼女たちの心にダイレクトに届くのだ。

「そうですか、だめですか、綿貫さんは。それは残念」

「残念？　……残念ですか？　……うーむ、残念かな？　……そういう戸田さんこそ、どうなんです？　綿貫さん」

「どう？　どうって、えっ？　綿貫さん？　ええ？」

「戸田さんのお相手としていかがです？」

「ええええ。いやいやいや。ちょっと、そんな、まさか」

　いくらなんでも綿貫さんに怒られますよ、私の歳、いくつだと思っているんですか、と真面目なことをいいかけて黙る。唐津杏子が悪戯《いたずら》っ子みたいな顔をして、くーくくく、と無邪気に笑っている。育江と目が合うとますます楽しそうに目をくるくる動かす。まるきり少女のよう、というより、悪ノリしがちな女学生のようだ。

　ああ、そうか、と気づく。

　この子から見たら、私たちなんか、たんなる年上のおばさん、おじさん、に過ぎないのだろう。それも仕事先の、おじさん、おばさん。だから、このおじさんにはこのおばさんがちょうどいいんじゃない？　くらいの気持ちでいるにちがいない。

やれやれ、と苦笑いする。

「大人を揶揄《からか》うものじゃありませんよ」

きりっというと、

「あ！　戸田さん、あれです、あれがリリーコーポ！　わたしの新しい家！」

唐津杏子が声をあげた。

ベージュ色の洒落たマンションの前にトラックが停まっていて、その脇に立つ綿貫誠治がこちらに向かって手を振っていた。

手拭いを首に巻いて、ワイシャツの袖を捲《まく》って、のそりと立つ姿は、まあたしかに、おじさんにしか見えなかった。


運送屋の男二人は手慣れたもので、唐津杏子の指図通り、どんどん荷物を運び入れていく。手伝おうにも勝手がわからず、彼らの周囲をうろうろしていると、ちょっと綿貫さん、あなた、そんなところにいたら邪魔でしょ、とすぐさま戸田育江に叱られてしまう。戸田育江は唐津杏子と共に段ボール箱の中身を簞笥《たんす》やら食器棚やらに移す作業をしていて、そちらは手が足りているというよりも、手を出さないでほしいという気配が濃厚で——男性には見られたくないものがあるのだろう——、ならば、と籠を持たされ買い物にやらされた。昼飯用のパンやサンドウィッチ、ついでにトイレットペーパー、電球、牛乳や卵、果物や野菜。メモを片手に商店街を行ったり来たりして買い揃《そろ》え、これ以上仕事もなさそうだし、届けたら編集部へ戻るつもりでいたのだったが、その後、立て続けに電器屋がカラーテレビを設置しにきたり、家具屋が組み立て式の棚とソファを持ってきたり、ガス会社が開栓にきたりと、知らん顔して帰ることもできず、夕方になってようやく一段落して、みんなで引っ越し蕎麦でも食おうか、などといいながら外へ出たものの、唐津杏子がおいしそうな洋食屋ふうの定食屋を見つけて立ち止まったため、蕎麦は止めてそこに入ることになった。

「綿貫さんが一番役に立ったのは空いた段ボール箱を潰してまとめる作業だったわね」

と椅子にすわるや否や戸田育江にいわれた。

「やけに早いですよね、あっという間にまとめて縛っちゃう。ごみを出すのも、さっさとやってくれて、助かりました」

褒められているのか、いや、いくぶん皮肉がまじっている気もするな、と思いながらメニューを眺める。二人はろくろく吟味しないまま、素早くハンバーグ定食を頼んだので、誠治もそれに従う。大皿にハンバーグとポテトサラダ、ほうれん草とえのき茸のソテー。小皿にごはん。小さなカップにコンソメスープ。昼に食べたのは菓子パン二つだったので、とてつもなく食欲をそそられる。

ひょいと顔をあげると、対面に並んですわる女性陣二人もそんな顔で皿を見ていた。

フォークやナイフと共に箸もあったので誠治はさっそく箸を手にする。

こんなふうに唐津杏子とは打ち合わせがてら、食事を共にすることはよくあるし、となれば食べながら連載について、ああだこうだ話すのが常なのだけれども、同じテーブルに戸田育江がいるとなると調子が狂う。べつに別デの人間にきかれて困ることなどないはずなのに、なんとなく躊躇《ためら》ってしまう。それでまあ、とりあえず食べることに専念した。

戸田育江の関心事はもっぱら唐津杏子の新居にあるらしく、南向きの部屋がどうの、ベランダの平《へい》米《べい》がどうの、給湯器がどうしたと、しきりにそんな話ばかりしている。唐津杏子もそれにつられて、ダイニングテーブルや椅子を新調すべきか、カーテンもサイズが微妙に合ってないと気づいたけれどどうしようか、などと相談しつつ、広くなった分、一部屋丸ごと仕事専用にできる喜びや、湯船の大きさへの感動を語る。どちらも好きにしゃべっているようで、ちゃんと相手の言葉に反応しているのが面白い。そのうえ、合間合間にハンバーグやポテトサラダをしっかり食べていくのだからたいしたものだ。

それにしても、これほどぺらぺらしゃべりつづけているのに漫画の話はいっさいしないんだな、と誠治は思う。おれなんかはむしろ、雑談をするにしても、とっかかりは漫画の話からなんだがな、と戸田育江を見る。あ、ひょっとして、おれがいるから話せないのかもしれないな、と思い至る。

「なあに?」

戸田育江がじっと誠治を見る。

「なにかいいたいことでもあるの?」

「あーっと、締切の話はいいんですかね? 別デのペン入れが先ですよね」

「あら、やあねえ、綿貫さんたら、食事中に」

「や、しかし」

「そうですよ。うちが先ですよ。おたくはうちの後。ですから、唐津先生には、これから新しいおうちで、集中して、一気にやっていただくんです。ね」

唐津杏子が、うんうん、とうなずきながら、ハンバーグを食べている。

「そちらの連載は一回分、先にいただいてるんでしょう? そうきいてますけど?」

また唐津杏子が、うんうん、とうなずき、

「この引っ越しのために、なんとか前倒しに成功しました」

と左手で小さくガッツポーズを作る。

「や、それはそうなんですけどね、週刊誌っていうのはサイクルが早いですから、うかうかしてたら一回分くらい、じきに追いついてしまいます。気が抜けないんですよ。絶好調の連載を今、落とすわけにはいきませんから」

誠治がいうと、はあー、と大きくため息をついたのは唐津杏子ではなく戸田育江で、ほんとに唐津先生、休む間もなくお仕事で大変よねえ、と同情の声をあげる。唐津杏子はわりあい、けろっとした顔で、がんばりますよー、ファイトですー、と笑いながら他人事のようにいっている。呑気なのか、はたまた、年中忙しいから感覚が麻痺しているのか、悲愴感はまるでない。

たくましいもんだ、と誠治は思う。

へたしたら、戸田育江より唐津杏子の方がよほどたくましいんじゃないか、と思えてしまうがどうなんだろう。ほとんど寝ていない時でさえ、ペンを握れば手はちゃんと動くし、この小さい頭で次から次へとストーリーを紡ぎ出す。さらさらさらさら、軽く握った手はペンに添えているだけのように見えるが、的確な線はなにがあっても崩れない。誠治の知るかぎり、唐津杏子は風邪もひかない。過労で倒れもしない。なにか特殊な健康法でもあるのかときいてみたことがあるが、そんなものはない、楽しく仕事してるからなんじゃないかな～、と冗談のようにいっていたが、楽しい！　これほど過酷でも楽しい！　さらりとそういってしまえるこの子らは、もしかしたら、我々凡人のように休息を取らなくても大丈夫なんじゃないかとつい錯覚してしまう。

こいつら鵺だからなあ。

だから誠治はもう、余計な心配などしなくなっていた。過酷なスケジュールも、人間である誠治にはそう見えるだけで、鵺たちにはべつにそう過酷ではないのかもしれない。いや、過酷は過酷でも、じつはそれが少しばかり喜びになっているのではないか、という気がしてならない。忙しさは人気のバロメータ。この子らのレベルになると、人気をガソリンにして天まで飛んでいこうとしているかのように思われる。凡庸な人間にすぎない誠治が下手に気を回して足をひっぱっては彼女たちにとって迷惑かもしれない。

唐津杏子の漫画家としてのランクはここ一年で明らかに上がった。

一つ前の連載で人気が跳ねて、現在、週デの読者アンケートでもトップ集団に加わっている。人気が爆発、というより、じりじりじりじり浮上して、いつのまにやら強力連載陣に割って入っていたという塩梅《あんばい》だ。こうなることが読めたから、誠治は、連載と連載の間をほとんど空けなかった。いい感じの流れを止めたくなかったのだ。新しい連載の立ち上げに時間をかけた方がいい場合ももちろんあるが、人気のあった連載の後はなるべく早く次の連載を始めた方がいいといわれている。唐津杏子はすでにそのレベルに達していると誠治は考えたし、編集会議でもすんなり了承された。いける、という感触はあった。作戦は功を奏し、今回の連載は、圧倒的な人気を得ている。彼女自身はそれほど驚いてはいないし、ありがたがってもいないようだが——やけに淡々としている——、無理を強いた誠治としてはうれしい結果だった。それにどうせ間を空けたところで別デの読み切りに埋められるのがオチだとわかってもいた。別デの小柳編集長とは、狐と狸の化かし合いのようなもので、いつでも虎《こ》視《し》眈々《たんたん》と付け入る隙を狙っているから、こちらもうまく立ち回らなければならない。

ほんとうにあの人は油断ならない。

小柳編集長とスケジュール調整の話し合いをするたびにそう思う。にこにこと穏やかな態度で接してくれているわりに押しの強さはえげつない。やっかいなのは、唐津杏子が、誠治よりも小柳さんを信頼していることで——悔しいがそれは認めざるをえない——、小柳さんが決めたことにはほぼ逆らわない。誠治が無理だろう、と思う場合でもすんなり引き受けてしまう。おかげで別デの読み切りと重なる時はひやひやだった。いくらやれます、といわれていても、実際どうやりくりしてくれるのか本当のところはわからないから、信じているふりをして、念の為、ひそかに代替原稿の確認をしていたりもする。おまけに今回は引っ越しも重なった。なにかちょっとしたトラブルでもあれば一気に予定が崩れかねない。

「やあねえ、綿貫さんたら、どうしてそんな難しい顔してごはん食べるのよ。消化不良になるわよ。大丈夫よ、うちのペン入れはあと二日だそうだから。ね、唐津さん」

「明日は朝からアシさんが来てくれることになっているんで、もしかしたら、夜にはできてるかもしれないです」

「あら、そうなの？　一日早まる？」

「うまくいけば」

「じゃあ、その場合の段取りもつけておかないといけないわね。わかったわ、今から編集部へ戻ってやっておく。小柳さんがいれば、小柳さんにも伝えておくわね。ほらね、綿貫さん、大丈夫、大丈夫。大丈夫だって！」

「明日が無理でも明後日の夜までには必ず」

「ね、ここまでおっしゃってくださってるんだから、あなたは大船に乗ったつもりで、ごはんを食べなさい！」

大船ってどんな船だ、と思いつつも、はいはい、と返し、皿にわずかに残っているご飯をかきこむ。

二人はまたぺちゃくちゃと、新しく買うべき暖房器具は電気ストーブがいいか石油ストーブがいいか、性能だの価格だの、ああでもないこうでもないと話しだしている。はーん、と首を振る。

いちばんたくましくないのはおれかもしれんなあ、と二人の顔をちらりちらり、のぞき見る。

まあ、いいや。ほんとうはそろそろ年末に向けて少しずつ締切を早めていきたいところではあるけれども、それは来月に入ってからにしよう。唐津杏子は今、連載を楽しく描いてくれている。その気持ちを大事にしよう。連載も四ヶ月目に突入し、話が勝手に転がっていくようになってきた、ともいってくれているのだし、実際、ネームが行き詰まったりもしていない。そういうのがおそらく、作品にとって、もっとも大切なことなのだろう。ということは、つまり、おれはあれだ、次のネームを楽しみに待ってりゃいいんだな、と腹を括《くく》ってコンソメスープを飲み干した。


夜になり、人の少なくなった編集部で、武部俊彦は天井に向かって、煙草をふかす。

漫画班の人間はもう誰もいない。

ぐっと静かだ。

外で打ち合わせをしているのか、飲みに行っているのか、帰宅したのか。

活版班やグラフ班の人間はちらほらいるが、カメラマンやデザイナー、レイアウトマンらはいない。アンカーマンは別室で仕事をしているようだが——活版班の人間がそう話しているのがきこえた——、ここにはいない。別デの編集部はつい先ほどまでわさわさしていたが、さきほど小柳さんを残して他はいなくなった。

俊彦はたった今、高品布美子の新連載、第一回原稿を読み終えたところだった。

校了前の清刷《きよず》り原稿。

祖父江久志の机の上に置いてあるのを目にして思わず手が伸びたのだった。

すでに彼女の担当は離れたので、べつに今この段階で読む必要はまったくなかったのだが、興味をそそられた。

この原稿に関して、沖さんと祖父江が揉めている、いや、揉めている、というほどではないのかもしれないが、漫画班主任の沖さんが、かなり不機嫌そうにしていたのを俊彦は知っていた。

そのくせ、編集会議では話題にならなかった。

修正が必要であるというなら、耳に入りそうなものだが、そういう類のことでもないらしい。

じゃあ、なんなんだ、と気になっていた。

二色カラーの扉ページには、〝野心的大力作!〟と銘打ってあった。

けッ、なんだこの煽りは、と俊彦は鼻白む。

まったくもって祖父江らしい煽り方だともいえるが、この子の漫画はそういうタイプのものではないだろう、と逆に反発をおぼえる。高品布美子が持ち込みをしてきた時から担当してきた俊彦にしてみたら、この子のことはそれなりにわかっているつもりだった。この子の描くものは繊細で寂しげ、どこかひっそりしている。野心だなんて言葉は、もっともそぐわない。

フンっ、祖父江のやつ、適当なこと書きやがって、と鼻息荒く読み始め、しかし読み進むにつれ、たしかにこれは野心的ではある、と認めざるをえなくなった。連載の冒頭部分だけなので、今後の展開はわからないが、女子高校生の妊娠などというとんでもないテーマを扱っていた。といって、扇情的な描き方ではまったくなく、真摯《しんし》に向き合おうとする姿勢は感じられる。好感が持てるのは、いつもの高品布美子作品のタッチだからでもあったし、それゆえ、これまで彼女が描いてきた作品とそう大きくかけ離れた印象でもなかった。

だが。

だがしかし。

いいんだろうか、こんなものを載せて、と、やはり思わずにはいられない。

どう描かれようが妊娠は妊娠だ。

週刊デイジーの基本的な読者層は中高生。いくらなんでも刺激が強過ぎやしないだろうか。もっと年齢が下の、小学生の読者だっていないわけではない。週刊少女総合雑誌として逸脱してはいないか。祖父江のやつ、なんでこんなものを描かせたんだ、と俊彦は苦々しく思う。ったく、あいつが担当した途端、これだ。あいつに担当を渡すべきではなかったかもしれん、と悔やんだところで後の祭り。おれならこんなものはぜったいに描かせなかった、と俊彦は腹立たしさをあらわに、煙草をぎゅうっと灰皿に押し付けた。だってそうだろう。へたな騒ぎに巻き込まれたら、この先、高品布美子は漫画家としてやっていけなくなるかもしれないじゃないか。デイジーだってそうだ。ＰＴＡの槍玉にでもあげられたら、子供たちは雑誌を取り上げられてしまう。

いいのか、それで。

ぶつぶつと心の中でつぶやく。

祖父江のやつ、いったい何、考えてんだ。前にいたサニーティーンならこういうものを描かせたっていいだろうが、ここはデイジーだぞ。わかってんのか。

どんどん腹が立ってくる。

沖さんが不機嫌になっていたのも無理はない。

いや、むしろ漫画班の主任――責任者――として、掲載を許可したのが不思議なくらいだ。

俊彦は別デの島にいる小柳編集長の方を見る。

あの人なら、なんというだろう。

あの人なら、掲載を許可しただろうか？

ぜひ意見をきいてみたいところだが、しかし、いくら同じデイジーとはいえ、週刊と別冊とでは編集部がまったく別。校了前の原稿を持って、のこのこと別デの編集長のところへ週デの編集部員が赴くわけにはいかない。

そこへ現れたのが綿貫誠治だった。

「おお、綿貫じゃないか。今頃どうしたんだ」

くたびれた様子でぬうっと現れた綿貫誠治が俊彦の脇に立つ。

「今日は唐津先生の引っ越しの手伝い」

そういいながら、隣の席の椅子を引いて腰掛けた。

「ああそれで今日は姿を見なかったのか。まったく編集者ってのはあれだねえ、何でも屋さんだねえ」

綿貫誠治が目を走らす先に、小柳編集長のもとに小走りに近寄っていく戸田育江がいた。

「彼女も？」

きくと、うなずく。

「だわな。唐津さんは別デの出身だもんな」

「がっちり食い込んでくれてますよ。こっちからしてみたら、ヤメテクレ、って時でも容赦なく別デの仕事が割り込んでくる」

「んなもん、唐津さんが引き受けるんだからしょうがないだろ」

「まあ、そうだけど、唐津さん、これほど忙しくしているのに、別デの読み切り原稿を描くのが週デの連載の合間の、いい気分転換になる、っていうんだから、わけがわからない」

はっはっはっと俊彦は笑い飛ばす。

「売れてく漫画家ってのは、みんなそうだよ。量産できる。質を落とさず、どんどん描ける。米村さんだって桐谷さんだってそうだったよ。あの二人は今もそうだよな。ペースが落ちない」

俊彦はそういった後、高品布美子の原稿を、とんとん、と指で叩いた。

「お前、これ、読んだ？」

ん？　と綿貫誠治が身を乗り出してのぞきこむ。

「ああ、高品さんの、例の」

俊彦と目が合うと、読んだ、といって、うなずいた。

「え、読んだのか。いつ」

「ソブさんに読むか、ってきかれたんで、入稿前に」

「へえ。おれには、あいつ、そんなこと、いわなかったけどな。ま、いいや。で、どうだった、これ。どう思った」

「どうって、まあそりゃ、なかなか、際どいな、とは。しかし、まあ、いいんじゃないか」

「いい？　いいとは？　いいって、なにがいいんだ」

「いや、じつはソブさんに三回目あたりまでのストーリーをきいたんだよ。ざっとだけど。そこまできくと納得できる」

「納得？　納得ってなんだ。どういうことだ」

「興味本位で描いてるものではない、ってことだよ。至って真面目な漫画だよ。生きる価値、生まれてくる価値。センセーショナルに見えるけど、そうではなく、真っ向勝負で愛と性の本質を探ろうとしてる、って、ま、これはソブさんの受け売りだけど、実際、そういう問題提起になるんじゃないかって、ソブさんはいってる。真剣にこの漫画のことを考えてるよ」

「はあ？　あいつはなにをいってるんだ。そんなことをいって高品さんを丸め込んで、こんな題材で描かせたのか。まったく胸糞悪《むなくそ》い」

「いやいやいや、違う違う。勘違いするな。これはソブさんが描かせたんじゃなくて、高品さんの方から、こういうものが描きたいって、かなり長いネームを描いて持ってきたんだそうだ」

「え、嘘だろう」

「ソブさんも最初、びっくりしたって」

俄《にわ》かには信じられないが、俊彦から祖父江に担当が替わるまで、いくらか間が空いてしまったので、彼女が先にネームをやっていたとしても不思議はなかった。

じゃあ、この題材はごく自然に彼女の中から出てきたということなのか。

ふうむ、と俊彦は腕を組む。

これを彼女が……とあらためて扉の絵を見直す。

彼女の描く、悲しみを湛《たた》えた独特な味わいの、強さと儚《はかな》さを同時に感じられる少女がそこにいた。

俊彦が担当していた頃は——持ち込みをしてきた当初はともかく——、だんだん俊彦の方から次はこういうものはどうかと提案したり、企画ものを頼みがちになっていたので、彼女側からネームを先に持ってくることはほとんどなくなっていた。それゆえ、彼女の裡《うち》に、こんな物語が眠っていたとは不覚にも気づかなかった。いや、気づけなかった。

企画ものであっても、彼女のオリジナリティは損なわれていなかったし、プロとして着実に成長してきていたから、そのやり方で合っていると思い込んでもいた。

しかし、そうではなかったのか。

ひょっとして、祖父江に担当が替わったから、これを見せる気になったのだろうか。

「それであいつは、ネームにそのままゴーサインを出したのか」

「出したんだろう。一見スキャンダラスに見えるけど、そうではないものを描こうとしているとわかったんで描かせることにした、っていってたし」

俊彦は苛立つ。

いったいあいつはなんのためにネームを見ているのだ。

その時点でやれることはいくらでもあっただろうに。

あの子の描きたいものがなんであれ、道は一つではないはずだ。少し軌道修正してやれば、印象はかなり変えられただろう。あるいは、切り口を変えて、別の形でその愛と性の本質とやらに迫る描き方だってあったはずだ。

担当編集者としてやるべきことはそれだったんじゃないのか。

双方納得できる形で、その道を探るべきだったんじゃないのか。

あいつはその手間を惜しんだんだ。

俊彦がそう口にすると、綿貫誠治が手を伸ばして、清刷りに触った。

「駄目か、これは。お前は駄目だと思うのか」

「いや、駄目とか、そういうことじゃないんだ。そりゃ面白いよ、これは。ドラマがある。引きもある。絵もいい。キャラクターもいい。ヒットしそうな気はする。ただ、題材が扇情的すぎやしないか、ってことだよ。そこを刺激してヒットして、それでいいのか？」

「いや、だから、そういう刺激的なものにはならないって、ソブさん、そこんとこは、ちゃんと考えてるよ。だからゴーサインを出したんだ。ソブさんな、高品さんにこのまま描いてほしいと思った、っていってたぞ。思う存分、好きなように描いてほしいって。おれが読みたいと思ったんだ、この漫画を、って熱心におれに語ってた。漫画家が描きたいものを、一緒になって描いてほしいと思わなくちゃ、おれたちがいる意味がないだろうって」

なんだそれは、と思った途端、俊彦はなんともいえない嫌な気持ちになった。

なに、いってやがるんだ、あいつは。なにかっこつけてやがるんだ。

それに、なんだ？　それはひょっとして、おれへの当てつけか？　おれが高品布美子に好きなものを描かせてこなかったとでも暗にいっているのか？

ああそうかもしれん。

俊彦は、ぐっと顎を引く。

おれはそこまで自由に描かせてやらなかったのかもしれん。だってそりゃしかたないだろう。まずは漫画家として一人前にしてやるのがおれの役目だったんだから。独りよがりにならず、読者の広い支持を得られる漫画を、まずは描いてもらわなくちゃならなかった。それが描けるようにならなければ、雑誌に載せられない。そうやっておれはおれなりに高品布美子を育ててきたんだ。おれはおれなりに、大事にな。

「おい、綿貫。それで、お前はどう思うんだ。うちの読者は子供だぞ。高校生どころか中学生や小学生の子供だって読んでんだぞ。なあ、ワタちゃんや、お前さんはそれについて、どう考えるんだ」

怒気を孕《はら》んだ声で八つ当たり気味に綿貫誠治を問い詰める。

しかし、彼はひるまなかった。

「まあだからさ……、ソブさんはさ、つまり、信じたんだよ、高品さんを。我々も信じましょうよ」

落ち着いた声でいう。

信じる。だと？

高品布美子を信じる。だと？

なにをばかな。

おれだって、おれだって、と喘《あえ》ぐように思う。

おれだって、信じているよ。信じてきたよ。そうさ、信じている、よな？　と俊彦は猛然と己に問いかける。しかし、すぐさま、いや、おれはもしかして、信じていなかったのか？　とわけがわからなくなる。

そうして、しばし呆然《ぼうぜん》となる。

ふと目に入った蛍光灯がやけにまぶしく感じられた。

うっと目を閉じる。

漫画家を信じるとか、信じないとか、そんなこと、おれはそもそも、考えたこともなかった、と俊彦は思う。

瞬《まばた》きする。

そりゃそうだよな。だって、そんなことはいちいち考えるまでもないことだ。

そうだよ。

そんなのはあらためて考えるまでもないんだよ。

ぐっと腹に力を込める。

そんな言葉に惑わされちゃいかんのだ。

腹に力を入れ直す。

だいたい信じてなくて、どうして一緒に仕事ができよう。それに信じるというなら、漫画家だけではないだろう。

「おい、綿貫、それは、子供たちを信じるという意味でもあるんだよな」

「え？」

「高品さんを信じると同時に我々は読者をも信じると、そういうことをいってるんだよな」

綿貫誠治が目を見開く。

「えっ、えーっと」

「ちがうのか」

「いや、ええっと、そうか。ああ、そうだよな。うん、そういうことだ。読者を信じる。そうだよ。高品さんの漫画を、うちの読者はちゃんと読んでくれると信じているからこそ、だもんな」

俊彦はうなずく。

ならば、いい。

もうおれがぐだぐだいわずともよい。

うちの読者は、高品布美子が意図するものをきっちり読み取ってくれると祖父江久志は信じたのだろうし、沖さんだってそうなのだろう。高品布美子だって、それを――読者を――信じて描いているにちがいないのだ。

というか、あの子らはどこかで読者と一体化しているようにも――近頃とみに――俊彦には感じられるのだった。読者は読者でありながら彼女自身でもあり、ついこの間まで読者だったあの子らと、現在の読者とが地続きで繋がっている、ような気がするのだった。その傾向はますます顕著になってきていて、じつをいえば、俊彦はそこにむしろ、若干のやりにくさを感じていた。これはおそらく時代の流れなのだろう。

時代の流れといえば、と俊彦はちらりと活版班の方に目をやる。

藤原修子が真剣な面持ちでゲラらしきものをチェックしている。

高峯忠道はかりかりと鉛筆で何か懸命に書いている。

あそこの班が作っている活版の記事物だって、ずいぶん様変わりしてきている。男女交際のノウハウやら、相性診断、どうしたらモテるか、モテないか、全国の男の子たちとの文通のすすめ。どれもお遊び程度のものではあっても、ひと昔前のデイジーの硬質さ、素朴さ、生真面目さからは程遠い記事が増えている。少女たちが明らかに早熟になってきている証左だろう。漫画の中に妊娠が出てきたところで、俊彦のようにおろおろするほど読者は初心《うぶ》ではなくなってきているのかもしれない。

でもだからこそ、

「いい漫画にしてくれよ、高品さん」

と俊彦は思うのだった。

初代担当編集者として。

週刊デイジーの編集部員として。

いい漫画を描いてくれよ。

と心の底から思うのだった。

あなたのみつけた大事なものを、週刊デイジーの読者の子らが受け取るんだからな、と俊彦は清刷りの扉をじっと眺める。

第3章
1971年

1

「攻めてるわよね、近頃の週デ」

辰巳牧子《たつみまきこ》の向かいの席で、珈琲を飲みながら香月美紀《こうづきみき》がいった。

「そうですか？」

「そうよ。辰巳さんは、そう思わない？」

うーん、わからないけど、そういわれてみればなんとなくそんな気もする、と牧子は思い、あ、そうか、もしかして、それでいっとき週デに夢中だった千秋《ちあき》が近頃また別デを楽しみにするようになったのかな、と口にすると、千秋の年齢をきかれ、小学校低学年ならそうなるのは当然ね、と香月美紀は断言した。そうして、なぜならば、と連載を終了した漫画について滔々《とうとう》と語り、現在掲載されている、いくつかの漫画について、見解を述べていく。

ハムサンドウィッチを摘みながら、へええ、香月さんはもう週デの人ではないのに漫画のことに詳しいんだな、と感心する。よほどきちんと読んでいないとこんなことはいえないだろうし、きちんと読んでいたって、牧子にはこんなふうに上手に漫画を分析したり、解説したりすることはできない。

香月さんは今、なにをしているのだろう、と牧子はちらちら盗み見しつつ思う。週デを辞めてから十ヶ月近く経ったわけだけれども、結婚して主婦になったという感じはまったくしない。転職するといっていたから、きっとなにかべつの仕事をしているのだろう。牧子のような下っ端の仕事ではなく、おそらくなにか特別な仕事を。

牧子ときたら、年末までに終わらせるべき経理の仕事を未だ終えられず——もう一月も終わろうというのに——、それでちょっとむしゃくしゃして、甘いものでも食べて帰ろうと神保町をぶらついていたら、ばったり香月美紀に会ったのだった。

白いコートに黒革の編み上げブーツを履いた香月美紀がロングヘアをなびかせて颯爽《さつそう》と歩いていた。

「あら辰巳さん、辰巳さんでしょう。経理補助の」

路地の向こうから声をかけてきた。

「やっぱりそうだ。この辺りを歩いていたら誰かに会うんじゃないかなー、と思ってはいたの。そうか。辰巳さんだったか」

近くにくると、長い髪からふわりと甘い香りがした。

あんまり思いがけなかったので、ぽかんとしていたら、やあねえ、わたしのこと、忘れちゃった？といわれた。

「え、いや、そんな、まさかまさか。おぼえてますとも！　香月さん、香月美紀さん。百万部パーティの時は、どうもありがとうございました」

「百万部パーティ？　ありがとうって、なんだっけ？」

「受付を代わっていただきました」

「受付？　ああ、はいはい、そんなこともあったわねえ。そっか、百万部パーティか、なんだか、ものすごーく昔のことのような気がするなあ」

「え、そうですか？」

「そうよ！　あれからいろんなことがあったもの。辰巳さんだってそうでしょう？」

そうだっけ？　と首を傾《かし》げる。

「なによ、あなた、あれからなんにもなかったの。なにか一つくらい、あったでしょう」

「んー、あったかなあ？　んー。あっ、そうだ！　わたし、編集管理課になったんです」

「編集管理課？　なにそれ。じゃあもう、デイジーで働いてないの？」

「いえ、働いてます。仕事は同じなんですけど、経理課ではなくて編集管理課になったんです」

「ふーん。なんだろ、組織変更ってことかな？　みんなは？　元気にしてる？」

「してます。みなさんとってもお忙しそうです。だから精算の書類なんか、ちっともやってくれなくて。上砂《うえすな》さんなんて、去年の海外出張の精算書、でたらめなやつ寄越すんです。スウェーデンとイタリアを一緒くたにして、だめなんです、レートが違うから困るんです。そういって、なんべんもなんべんも書類を突き返してやり直してもらってるうちに、年、越しちゃったんです」

ここぞとばかりに愚痴ると、まあまあまあ、落ち着け落ち着け、と笑いながら宥《なだ》められ、ね、お茶でもしましょうよ、と誘われた。

近くの山小屋風の喫茶店に入って、ケーキセットを頼むと、サンドウィッチを追加してくれた。お食べなさいよ、私の奢《おご》りよ、お腹空いてるんでしょう、と勧められたら、うなずくしかない。上砂さんって活版だったわよね、海外出張でなにやってたの、ときかれ、デイジーモードプリンセスです、とこたえる。去年の夏、上砂さん、藤原《ふじわら》さんと一緒に、プリンセスたちを連れて海外へいったんです、で、お金のことはぜんぶ上砂さんがやってたんです、でも上砂さん、海外出張が初めてだったから、両替の時の計算書とかぐちゃぐちゃにしてて、まずそれを探してもらうところから始めたんです。もうほんとにたいへんで、それに夏のことだし、だいぶ忘れちゃってて、今やらなくてもべつに上砂さん困らないし、仮払いされてるから懐も痛まないし、なんかこう、真剣味が足りないんです、と愚痴を吐き出す。牧子にしたって海外出張の精算業務は初めてで、出発前から経理課で細々したことを教えてもらい、さあ完璧にやりとげるぞと意気込んでいたのに、うまくいかないどころか、課長にやけに遅いなあ、もしもし亀よ、亀さんよ、だなあ、亀さん、がんばってくれたまえよ、などと嫌味をいわれ、悔しくてならなかったのだ。ぜんぶ上砂さんのせいなのに。

「へえ、そうなんだ。修子《しゅうこ》さん、あんなにしっかりしてるのに、海外では、お金のこと、任せてもらえないんだ」

と香月美紀がいう。

「経費の責任者は上砂さんでしたから」

「だから、なんでそうなる？　修子さんの方が先輩じゃないの」

「え。あ、そういえば、そうですね」

「デイジーモードの記事だって、私も読んだけど、あれって、ほとんど修子さんがやってるんでしょう。洋服のことなんて上砂さん、わからないもの」

「あー、それはそうです。藤原さん、そういってました。写真もいっぱい見せてもらいました。撮影準備がたいへんでろくに寝る暇もなかったたって。プリンセスたちのお世話もしなくちゃならないし、アシスタントが欲しかったわ、って。私が行けたらよかったのに」

「いえてる。アシとしてなら、あなたの方が使えそう。プリンセスの相手もできるし、その方が合理的。今年の夏はあなたが行きなさいよ。頼んでみたら、編集長か活版の主任に」

「うへー、そんなこと、できませんよ、そんなことしたら叱られますよ、って、でも、あれもう終わっちゃったみたいですよ、デイジーモードプリンセス。今年はやらないって」

「あら、そうなの。何年かやってたのにね。スポンサーがいなくなっちゃったのかな」

そんな話からデイジーの漫画の話へと移り、美紀はひとしきりしゃべった後で——牧子はもっぱら聞き役だった——ひょいと身を乗り出してきて、

「ねえねえ、辰巳さん、週刊デイジーの、高品布美子《たかしなふみこ》さんの担当って武部《たけべ》さんだったわよね。今もそうなの？」

ときいたのだった。

「担当？　さあ？」

「さあって。デイジーにいるんだからさ、わかるでしょう？　わからない？　思い出してよ」

「んー」

牧子が考え込んでいると、

「じゃあさ、泉田依子《いずみだよりこ》さんは？」

ときかれた。

「泉田さん」

「泉田さんはさ、以前はたしか、沖《おき》さんが担当してたと思うのよ。泉田さんって、編集部にもわりとよく来てた、ほら、ちょっとこう、大人っぽい感じの大学生。他誌で描いてて沖さんがひっぱってきて、まだそのまま沖さんが担当してるのかしら？　それとも誰かに渡したのかしら？」

「泉田さんって、大学生なんですか」

「そうよ。それも国立大学。頭いいんでしょうね。学費を稼ぐために漫画を描いてるらしいけど、両立が難しくて、なかなか卒業できないみたい。泉田依子さんと高品布美子さん、この二人、近頃成長、著しいと思うんだよなー。攻めてるっていうのは、こういう子たちにどんどん描かせているからだと思うのよ。彼女たちって、問題意識がはっきりしてるっていうのかなあ、文学性があるっていうのかなあ、どちらも面白いのにずしっとくる。女性特有の繊細さもあるし、独特の世界を作ってる。次はなにを描くんだろうって、目が離せなくて、なんていうのかなあ、嵐の予感」

「嵐の、予感」

「高品さんて、まだ武部さんが担当してんのかしら。あの人けっこう、ネームに口出すじゃない。だから、なんかちがうんじゃないかって気もするのよね。それともなにか心境の変化でもあったのかな。あるいは、沖さんの方針に変化があったのかしら。泉田さんの担当も気になるし、さっき、あなたにばったり会った時、しめしめ、これでデイジーの情報がきけるぞって、じつは胸が躍ったのよ。ねえ、辰巳さん、思い出してよ。電話の取次とか、印刷所からの伝言とか、ヒントはいろいろあるでしょう？　ほらほらほら、思い出してちょうだいよ」

　えー、そんなこといわれても困りますー、わたし編集部員じゃないしー、と紅茶を飲みつつ、はっ、それでこのサンドウィッチ、奢ってくれたのかな、と目を見開き、ううう、でももうほとんど食べちゃったしなー、何かちょっとくらい思い出さないと悪いなー、と記憶を振り絞ってうんうん考えているうちに、ぱっと閃《ひらめ》いた。

「あっ、そうだ。高品布美子さんの担当は、祖父江《そぶえ》さん、ではなかったでしょうか」

「祖父江さん？」

「西口《にしぐち》さんがそういってた気が」

「西口さん。西口さんって別デの？　別デの西口克子《かつこ》さん？　うわー、そうそう。わたし、西口さんのこともききたかったのよ。彼女、元気にしてる？」

「してます。西口さん、次のバスハイクの漫画家のまとめ役になったんです。バスハイク、今年は富士急ハイランドへいくんです。で、貸切バスの手配のために参加人数の把握から始めなくちゃならなくて、それでこの間、参加者リストの整理をしてたんです。私もちょこっと、お手伝いしました。その時、名前の横に星印がついてる人がいたんで、このマークなんですか、ってきいたら」

「祖父江さんって誰だっけ」

「サニーティーンにいた人です」

「サニーティーン。あー、あの人か。四月にデイジーに戻ってきて、私とほぼ入れ違いになった人ね。ひょろっとした感じの。ちょっと癖毛の」

「そうですそうです、その人です。で、その星印は、西口さん別デだから、週デのみで描いてる漫画家はわかりにくいからつけた印だそうで、たとえば高品さんとか、いつのまにか、担当が武部さんから祖父江さんに替わってたりしてるし、そういう変更があった人や担当が不明の人やなんか、連絡漏れがないよう注意するためだ、ってたしか西口さん、そういってました」

「ほー。じゃ、高品さんの担当、やっぱり、けべちゃんじゃなかったんだ」

「たぶん。あっ、そういえば、泉田さんの担当も祖父江さんのような気がしてきました」

「なんで」

「今、思い出しました。編集部で、祖父江さんと話し込んでるところにお茶を出したことがあったような」

「ネームを見てるみたいな感じだった？」

「だと思います」

「じゃ、そうかもしれないわね。へえ。ってことは、二人とも祖父江さんなんだ。ふーん、なるほどねー。祖父江さんって、どんな人なんだろ。気になるわね。ねえ、唐津《からつ》さんは？　ひょっとして唐津さんの担当も綿貫《わたぬき》さんから祖父江さんに替わってたりして？」

「いいえ、唐津先生の担当は綿貫さんです。それは知ってます。今度、別デと週デで、全員プレゼントの筆入れを作るんです。唐津先生の絵が入ったやつ。なんだかとっても力が入ってて、その話をこの間、綿貫さんと別デの小柳《こやなぎ》編集長がしてました。両方とも唐津先生の担当ですから」

「全プレで筆入れ？　筆入れとは、また、やけに張り切ったわね。いくら安くたって、筆入れともなれば、けっこうお金、かかるでしょう？　賞品として出せる金額には上限があったはずだし、予算内に収まるのかしら。それに、そんな大きなもの、郵便で送れるの？」

「その工夫が難しいらしいです」

「そうよねえ。数も相当なものでしょう。読者からいただくのは送料の切手代のみだし、いくら利益が出てるからってずいぶん大盤振る舞いね、って、ま、そのくらいの出費はかまわないのか。それだけ雑誌が売れてるんだもんね。なにより今は攻めどきだもの。やっぱりみんな、気づいてるんだなー。そうなのよ、彼ら、そういうところはちゃーんとわかってんのよ。抜け目ないのよ。ここで読者をがっちり獲得して放さない気でいるんだろうな。なんなら、子供たちの物欲を刺激して、新たな読者を呼び込もうって魂胆ね。唐津先生をチョイスしたところもうまいわよね。週デと別デのどちらにも描いてる人気漫画家だし、ファンは多いし、なんたってあの人の絵は抜群にかわいいもの。お洒落《しゃれ》だし、女の子たちに全方位的に受け入れられる。欲しいって思わせる」

　牧子は目をぱちくりさせながら、なるほどなるほど、と思いながらきいている。なにからなにまで香月美紀のいってることがよくわかる。そうか、そういうことなのか、といろいろ腑《ふ》に落ちて、どうして編集部を辞めてしまった人が、こんなにいろいろ、詳しく解説できるんだろう、と不思議な気持ちになってくる。まるで編集部の様子をずっと見聞きしていたみたいではないか。

「あのう」

おずおずときいてみた。

「なあに？」

「香月さんは今、何をなさっているんですか」

「わたし？」

こくこくとうなずく。

「今は、どんなお仕事をされているんですか？」

「わたしの仕事？　わたしの仕事は、うーん、まあ、そうね、広告関係、とでもいっておこうかな」

「広告関係」

「うん。でも、まだ働きだして二ヶ月だし、この先、どうなるかはわかんないんだけどね。それがさ、わたしが今のところで働き出したその日に、三島由紀夫《みしまゆきお》がつい目と鼻の先の、市ヶ谷の駐屯地で自決したのよ。忘れもしないわ、十一月二十五日」

ああ、あの日か、と牧子は思い出す。日本中がたぶん、ざわついていた日だ。デイジー編集部でもけっこう話題になっていた。食堂でも。あとできいたら、文芸書のフロアではもっとうんと騒いでいたらしい。家では弟の慎也《しんや》が一番騒いでいた。慎也は今、受験生なのだけれども、勉強以外のことばかりに熱心で、毎度、母の不興を買っている。

「あんなふうに死ぬ人もいるんだなあ、って、あれこれ考え込んでしまったわよ。じゃあ私はどう生きようかって、そんなことを初日から突きつけられた気がしたしね。今の仕事はね、デイジーで働いていた時にテレビ局で知り合った人たちに、片っ端から連絡を取って紹介してもらったうちの一つなの。ハズレも多かったけど、ここへ来て、ようやく少し光が見えてきたって感じかなあ」

「へええ」

「はじめはね、デイジーみたいな漫画を出してる出版社に潜り込もうと、可能性を探ってたの。どうにかなりそうではあったんだけどさ、でも、どうも、わたしが求めてるのとは、ちょっと違う感じになっちゃうんだなー。それに、そっちへ行くと、またおんなじことの繰り返しになりそうな嫌な予感もしてきて。で、少し距離を置いてみることにしたってわけ」

「じゃあ、また戻ってくることもあるんですか」

「この業界に？　この会社に、っていうなら、それはないだろうけど、この業界にならば、あるかなあ。どうだろ。今はわからないな。広告も面白い気がしてきてるし。宣伝の文章を書くことをね、コピーライティング、っていうんだけど、似ているような気がするのよ、デイジーでやってたことと」

そういって香月美紀は煙草《たばこ》に火をつけ、一服する。牧子は、ケーキを食べ、紅茶を飲む。牧子は自分の会社しか知らないから、広告の仕事がどういうものなのか、コピーライティングとはいかなるものなのか、あまりよくわかってはいないのだけれども、なんとなく、この人には合っているんじゃないだろうかという気がしてくる。この人はそういうかっこいい感じの職場が似合うように思う。

「ねえ、辰巳さん、西口さんとはよく話すの？」

煙を吐き出しながら、香月美紀がきく。

「西口さんですか。そうですね、はい、わりとよく。別デの人の方が話す機会が多いし、女の人はやっぱり話しやすいですから。戸田《とだ》さんや、あと、もうじき辞めちゃうんですけど湯山《ゆやま》さんとか」

「湯山さん？　あの人、辞めちゃうんだ。ちょっと年上の人よね。戸田さんと同じくらいの。そう。辞めちゃうの。結婚するの？」

「そうらしいです。この歳で寿退社なんて恥ずかしいからあんまり人にはいわないでね、っていわれてますけど」

「いいじゃない。おめでたいことだもの。そうか。あの人も、辞めちゃうんだ。辞めちゃう人、多いよね。私もそうだけど。まあ、そうよね、そうなるよね」

「だから湯山さん、夏の採用試験は受けなかったんです。どうせ辞めるんだから、って」

「採用試験？　なんの？」

「社員になる試験があったんです。それで西口さんや戸田さんは正式に社員になったんですよ」

「えっ！」

香月美紀の顔色が変わり、煙草をくわえ直そうと口の近くまで持っていきかけていた手が止まった。なにもいわず、ただ目をぱちぱち瞬《しばた》いている。どういうことなの？　と小さな声で牧子にたずねた。煙草を揉《も》み消し、教えてちょうだい、と訴える。

といわれても、牧子はそれほど詳しい事情を知らないので、夏に見聞きしたことをつらつらと思い出せるまま断片的に伝えていく。香月美紀は黙ってきいていた。唇が少し動き、なにかいいかけては口を閉ざす。

やがて、目を閉じた。

それから、ふーっと大きく息を吐き出し、

「衝撃的」

といって、目を開ける。それからまた、大きな大きなため息をついた。

「はー、そうだったんだ。そんなことがあったんだ。そう。そうなんだ。そういうのをきくと、どうにも胸がちくちくするわね。心が千々《ちぢ》に乱れる。ってことはあれかな、わたしはまだ、デイジーに未練があったってことなのかな。あーあ、やんなっちゃうなあ」

弱々しい声に、牧子は、はっとする。

そうか、香月さんも、もしかしたら、西口さんや戸田さんのように社員になりたかったのかもしれない、と気づく。だって、なれたんだもの、デイジーに残っていたら、香月さんだって、たぶん。牧子が余計なことをいったばっかりに、この人は今、週デを辞めたことをすごく後悔しているんじゃないだろうか、と想像したら、いたたまれなくなってきた。

「すみません」

牧子が謝ると、

「やだ、やめてよ」

といわれた。

「でも……」

「あなたはべつに悪くない。わたしにきかれたことをこたえただけでしょう。それに」

髪をかきあげ、コップの水を飲む。

ゆっくりと、飲む。

牧子と目が合う。じーっと牧子は見られている。牧子は視線をはずすこともできず、ぼんやりと、香月美紀の顔を見つめながら週刊デイジー編集部にいた頃の姿を思い出していた。この人、すごくかっこよかった。漫画家の人たちが描くスタイル画みたいな格好をして働いていた。ふっと笑ったら、彼女も笑った。

そのうちに険しかった顔が、徐々に柔らかくなっていった。

「きいてよかったのよ。わたしもいっそうがんばろうって気持ちになれるし。西口さんがデイジーでバリバリやってるんだな、って思うと嬉しいし。励みになるし。そりゃね、ちょっとは悔しいわよ。悔しいけどね。悔しいだけじゃないの。それはほんとう。よかったなあ、って素直に思えるもの。西口さんに対して、ほんとうによかったって、心からそう思えるってことが、今のわたしには救い」

帰り際、牧子が、あのう香月さんの連絡先を、西口さんにお伝えしましょうか、とたずねてみたら、あっそうね、名刺名刺といって鞄《かばん》から取り出しかけ、しかしすぐに、やっぱりやめとく、といって鞄から手を離した。この名刺を渡すのは、まだ、だめ。でも、よろしく伝えて。元気でやってる、って。あ、修子さんにも伝えてね。藤原修子さん。挨拶もそこそこに辞めてしまったけど、わたしにとっては、だいじな先輩。

サンドウィッチだけでなくケーキセットも奢ってくれて、牧子が恐縮していると、いいのいいの、またなにかどうしてもききたいことがあったら、あなたにきくから、とウィンクし、編集管理課の辰巳さんいますかって会社に電話しちゃう、と肩をちょんと突《つつ》いた。あなたさ、けっこう編集部のこと、よく見てるよね、観察力も記憶力もなかなか上等、と褒められた。編集部にいた頃には、この子、唐津先生の漫画に出てくるおっちょこちょいの脇役みたいだな、って思ってたけど、どうしてどうして。

むむ、それはどうやら褒められているんじゃなさそうだな、と気づいた時にはもう、香月美紀は手を振って颯爽と歩きだしていた。

2

年が明けてすぐ、週刊デイジーは、二月半ば売りの号から新編集長に楢橋功雄《ならはしいさお》が就くと発表になっていた。別冊デイジーを創刊した時の編集長で小柳さんの前任者だった人だ。週刊デイジーの編集長は創刊時からずっと川名《かわな》編集長――親分――で、彼が昇進していくにつれ、部署全体を統括するようになり、そのため実質的には副編集長らが編集長の役割を兼ねるという体制でやってきていたのだったが、今回、新たな体制が組まれることとなった。川名部長がこの部署を統括する部長であることに変わりはないものの、六月創刊予定の女性誌――ファッショナブル・マガジン――に傾注するため、彼の指揮で何人かがそちらに移ることも決まっていた。

そうか、それで楢橋さん、小柳さんに別デを渡してこっちにきてたのか、と藤原修子は考える。親分は、いずれ、こういう流れにしていくつもりであらかじめ彼を動かしておいたのだろう。実績だけならもっと上にいってもよさそうな人なのに、そうはさせず、週デをまかせたところに親分の意図がありありと感じられる。楢橋さんには力があるし、人としての魅力もある。だから修子としては、この人事に異論はない。だが、楢橋さんはどうなのだろうと思ってしまう。今や、週デを凌《しの》ぐ勢いにまでなってきた別デの礎《いしずえ》を築いた功労者という意味でなら川名さんと同等に近い、遜色《そんしょく》ない働きをしてきた人でもあるのだし、別デ編集長を創刊から長らくやってきた人が、ここに至って週デ編集長というポジションでは物足りないのではないか。男社会というのは、実力のみで回っていくものではないと重々承知していてもやや足踏みさせる人事に見えてしまう。

とはいえ、就任を快諾したという本人はいたって平然としていて、発表になってすぐから編集長として先々の号の台割を作りだしていたし、仕込みもいろいろやりだしていた。出世するより現場で雑誌を作る方に喜びを感じる人ではあるのだろう。

楢橋さんなら部下に責任を押し付けたりしないし、雑誌というものへの見識も高いし、知的で温厚な人だから風通しも良くなりそうだし、修子としては期待の持てる上司だった。

修子はかねがね、近頃の別デの快進撃にしても、小柳さん一人の手柄ではない、と思っていた。小柳さんを称《たた》える声は大きいが、彼は楢橋さんが作った基盤の上に大きな花を咲かせたのであって、あの雑誌の色を作ったのは楢橋さんだと思っている。雑誌の色というのは編集長で変化していくものだが、地色を決めたのは楢橋さんなのだ。その色に熱が込められていたからこそ、別デは大きく成長したのだし、その熱を小柳さんが大切に守ることで雑誌がますます大きく育っていったのだと修子は感じている。楢橋さんと創刊から二人三脚でやってきていた小柳さんはそこに長《た》けていた。ちなみに、もともと小柳さんを別デ創刊時に他誌から引っ張ってきたのも楢橋さんなのだった。

つまり、修子は、そんな楢橋さんが、週刊デイジーの指揮官になったら、どういう色を出してくるのか興味津々なのだった。

週刊デイジーの基礎を固め、地色を作ったのは川名親分だけれど、それ以降、週デには他の色が入ることがなかった。なにしろ親分がずっと君臨していたので、実質的に編集長業務をこなしていた副編集長たちにしても、どうしたって彼の顔色を窺《うかが》うことになる。己の色を強く押し出せない。べつに川名さんは独裁者ではないし、編集方針に対して文句をいったりけちをつけたりするような高圧的な人ではないのだけれども、彼に気に入られなければ出世がままならないとわかりだしてからは、上にいる人たちが冒険しなくなっていた。へたなことをして味噌をつけたくないという心理が働くのだろう。また、そんな必要がないほどに部数増が続いていた。そうなれば尚更だ。蚊帳の外にいる修子には、そこらあたりの彼らの心の動きが手に取るようにわかってしまう。昨秋から長らく副編集長だった浮田《うきた》さんに——体制になにひとつ変化がないにもかかわらず——一時的に編集長の名が与えられたのも、次の楢橋さんへ繋《つな》ぐうえでのなんらかの必要な人事上の理由があってのことだったのだろう。修子にはどうでもいいことなので、あえて詮索しなかったが、ともかく、色を出せる新編集長の登場は、修子がデイジーで働くようになってから初めてのことなのだった。

と、そんなことを考えながら、修子は郵便室で小包や現金書留の受領をしている。

受領したものを作業室として借りた小会議室に運んでいく。

出版社に届く郵便物は仕分けられて各編集部へ運ばれてくるのが常だったが、今回、思いがけない郵便が届き出して、郵便室から相談を受けたのだった。

活版班で扱った記事の、両親を三年前の十勝沖地震で喪《うしな》い、苦境の中で兄弟姉妹、貧しくとも四人で助け合って暮らしている子らへ、読者から続々と、励ましのお便りだけでなく、食料品の小包やお金が届き出したのだった。

読者の反響はいろいろな形で返ってくるものではあるけれども、今回は予想外の大きさだった。

子供たちの善意をあてにした記事でもなかったし、そんなことを煽《あお》る文章など一つもなかったのに、どこかに読者の心を打つ力があったらしい。ぬくぬくとした部屋で漫画を読みながら、ふと読んだ活版記事におそらく強く心を揺すぶられ、自分にも何かできることはないかと、子供なりに行動に移した、そういったところだろう。

景品の発送などを専門的にやってくれる委託先があるとはいえ、さすがにこれは編集部でなんとかしなければならない。

手紙をつけて各々へ送り返すべきか、記事で紹介した兄弟姉妹に手渡すべきか。

記事を書いたのは契約しているライターだが、修子が校了したので、修子の責任でもある。というか、この状況については、修子の責任になるに違いないので、なんとかせねばならない。

修子は楢橋さんに相談した。活版班主任の伊津《いづ》さんに相談してもたもたしているより──食品や現金を保管しておかねばならないので気が急く──その方が早い。楢橋さんが編集長スタートの号の編集作業がすでに始まっているので指示を仰ぐなら楢橋さんでいいだろう。

楢橋さんは、記事の兄弟姉妹に送ることに即決し、読者への報告を誌面で私がしよう、と約束してくれた。

「うれしいじゃないか。遠くにいる人の力になりたい、その人たちの気持ちになって、助け合いたい。そう思えるのは子供らに想像力があればこそだ。豊かな心と実行力ゆえだ。すばらしいね。大事なことですよ、これは。藤原さん、我々は、そういう読者を育ててきたんだ。誇らしいよ。週刊デイジーとして、この気持ちを無下にはできません」

修子もできればそうしたいと思っていたので、では、この件はわたしが責任をもって、とこたえた。それから郵便室に日参して郵便物を受け取り、小会議室に集めて、中身を確認し、念の為、丁寧にリストにしていった。もう終わりかと思っても、毎日、ぽつぽつ届き続けるので終わりがない。いったんここで区切ろうと決めたのは一週間後で、梱包作業は編集管理の辰巳牧子の手を借りた。たまたま、香月美紀からの言伝《ことづて》を持ってきてくれた辰巳牧子にこの件を話したら──むろん下心があって──、快く引き受けてくれたのだ。助かった、と思いつつ、申し訳ないという気持ちにもなる。これはこの子の仕事ではない。そうわかっていても、つい使い勝手のよい、この子に頼んでしまう。

しかし、辰巳牧子はこういう時にかぎって、妙に張り切るのだった。

「まかせてください！」

どん、と胸を叩く。

好奇心が旺盛なのか、通常業務外の仕事であればあるほど、力が湧くようだ。

率先して段ボール箱に仕分けし、詰めていく。仕分けも単純ではない。現金書留は金額が少ないからといって雑に扱えないし、小包の隙間から封筒に入った五百円札が出てきたりもする。食料品もよくよく見ていけば缶詰や日持ちのいい米や菓子だけでなく、果物や野菜などの生鮮食品もまれにまじっている。傷みだしているものは除外せねばならない。新聞紙に包まれた干物まであったのには二人で驚いた。海の近くの子供にとって手軽に買える食品だったのだろう。だが、わずかに腐敗が始まっている。

「うーん、まだぎりぎり大丈夫な気はしますけど、向こうに着くまでに、あと数日かかりますもんね、やめた方がいいですよね」

くんくん匂いを嗅ぎながら辰巳牧子がたずねる。

「そうですね、食中毒にでもなったらいけませんからね」

「でも、そうすると、これを送ってくれた子に悪いですよね。きっと、この子、この干物が大好物なんですよ。だから、親を亡くしてもがんばっている子たちに食べてほしい、食べさせてあげたい、って、お小遣いで買ったんですよ。干物ならすぐに腐らないと思って。それなのに、食べてもらえないなんてかわいそう」

「まあね、それはそうですけどね。気持ちはね、気持ちはちゃんと届きますから。そういうことも、しっかり手紙にしたためて、一緒に送りましょう」

「この干物、捨てちゃうんなら、私がもらってもいいですか」

「え。いや、うーん、そうですねえ、でも、ちょっと日にちが経ってますし、暖かい室内に置いていたから、今日明日にしても食べないほうがいいと思いますよ。少し臭いがね」

「そうですか。わかりました」

そんな会話をしながら、すべてを詰めていった。

手紙を書いて同封し、発送を終えてから楢橋編集長に報告する。

すると、思いがけず、今まで広告に使っていた表3を次号予告ページにしようと思っているがどう思う、とたずねられたのだった。編集長が代わると表紙であったり、全体のデザイン面での変化があるのはよくあることだが、最初に手をつけるのが表3、雑誌にとっての最終面であるとは驚いた。正直にそういうと、ちょっと笑顔を見せ、週刊誌だからって予告を疎《おろそ》かにしちゃいけないよ、という。

「それはそうかもしれませんけど、表3ならカラー予告ですよね。楢橋編集長にバトンタッチする号までには間に合いませんよ？　それに今後、商品広告を取りやめるとなると、そちらの部署との調整も必要です」

「その次の号ならどうだい」

「十二号からですか。それなら急げば、なんとかいけますかね。漫画班の人たちにはもう？」

「いや、これからだ。今晩、漫画班の連中と飯を食いがてら、そんな話をしようと思ってます。他にも腹を割っていろいろ話そうかとね。きみも来るかい？」

「えっ。わたしですか。いえ、わたしは漫画班じゃないので」

苦笑いすると、

「じゃ、活版班はまたべつの機会にするかな」

という。

やはり、編集長となったからには、やりたいことがそれなりにあるものなのだな、と修子は感慨深い。この調子なら、まだまだ腹案があるのではないだろうか。

修子はふと、だったら、この際、美容の専門家に監修してもらっている記事を増やしていきたいと楢橋さんに直訴してみようかと思いつく。

まあべつにそのくらいのことは活版班主任の伊津さんにいえばすむことではあるのだけれども、先月、本格的なメークアップを特集したところ、化粧なんて、うちの読者には早すぎる、と彼に苦言を呈されてしまったのだった。反論したが、まったく取り合ってもらえなかった。挙句、美容ページなんてそもそもいるのか、とまでいわれて修子は舌打ちしたくなった。いるのか、どころではない。近頃の女の子たちは、美容への関心が高い。すこぶる高い。

だからこそ、修子は、彼女たちに正しい知識を与える美容記事を作っていきたいと考えていた。基礎化粧品の使い方にしても洗顔の仕方にしても、手軽だからこそ、まちがって覚えてほしくないし、身体にまつわることなのだから専門家の意見を参考に慎重に扱いたい。巷《ちまた》には情報が溢《あふ》れているのだし、読者が子供だからといって、子供だましの記事ではもうだめな時期にきていると修子は思っている。美容家とよく打ち合わせをしたうえで、この年齢層の少女たちに相応《ふさわ》しい記事を作っていきたい。

美容への興味は、恋だの愛だの、ボーイフレンドだのと、そっちからきていると思われがちだが——伊津さんは明らかにそう思っている——、修子は少し違う見方をしていた。

彼女たちは異性に好かれること以上に、自分を磨きたいと思っているのではないだろうか。

地方の田舎町で暮らす女の子たちが、漫画のヒロインたちのように垢抜けたい、冴えない女の子のままでいたくないと思うのは当然のような気がする。

かわいくおしゃれに。

溌剌《はつらつ》と、自由に。

青春をエンジョイしたい。

そう思いだしているのではないか。

洗脳というのとはちょっと違うが、可能性の扉のようなものを見つけて、こじあけようとしているように見受けられた。わたしもあんなふうにかわいくなりたい、あんなふうに賢くなりたい、あんなふうに強くありたい。すべてが等価なのである。

修子は自分が少女だった頃のことをもうよく思い出せないし、時代も違うから、一概に理解している、共感しているとはいいにくいのだけれども、週刊デイジーで長く仕事をしつづけているからこそ感じるものはたしかにあるように思う。

創刊した頃に比べると少女たちはずいぶん変わった。

経済的な豊かさゆえか、社会が変わってきたからか、たしかな理由は不明だが、欲望の質が違ってきている。

週デでは今、漫画家がデザインしたスタイル画と同じ洋服を百名にプレゼントするという案件が進行中なのだが——その絵を使ったチューインガムで大当たりをとった菓子メーカーが系列会社からその洋服を発売することになり、宣伝を兼ねて企画された——、修子はその担当者として、幾人かの少女に実物を見てもらって意見をきく機会があった。

彼女たちは素材やカッティング、出来栄えなどには目もくれなかった。ただひたすら、絵と同じか、あるいはどこが違っているか、そんなことばかり指摘しあって、みんなでわいわいしゃべっていた。いつまでもいつまでも。

修子は鼻白んだ。多少の違いくらいどうでもいいじゃないか、と若干腹も立てた。しかし、彼女たちと話していくうちに、だんだん、その重要性に気づいていったのだった。

絵が現実になる。

彼女たちにとっての夢はそこにあった。

この服を着て男の子たちにどう見られるかなんて彼女たちは微塵《みじん》も気にしていなかった。自分があの絵の中の女の子と同じ格好をするとどうなるか、興味はその一点のみ。絵が現実になり、自分の現実も変わる。一ミリでも二ミリでもいい、現実が変化することへの期待。

おそらくそれは服だけの話ではないのだろう。

時代が変わってきたとはいえ、少女たちへの抑圧は強い。それを撥《は》ね返す力を、あの子たちは、あらゆるところから得ようとしているようにも感じられた。週刊デイジーもその一つなのだろう。

修子がここで働きだした頃、編集会議ではよく、少女たちに何を与えられるか、どう導けるかといった話が出ていた。読者にとって少しでも意味のある雑誌にしたい、少女たちの成長への糧でありたい。娯楽でありつつ、娯楽にとどまらない価値ある雑誌にしていこう。

むさくるしい男たちがそんなことを熱心に語り合っていた姿を修子はよく憶《おぼ》えている。なんとまっとうな考えだろうと思ったし、その熱は今もちゃんと——見えにくくなってはいても——残っていると修子は知っている。

だがしかし、与えたり、導いたりするだけではもう間に合わないくらい、少女たちは変貌を遂げているのではないだろうか。彼女たちはただ受けとるだけの存在ではなく、意思的に、主体的になってきている。

記事で知った震災孤児たちへ食料品やお金を送ってくることにしたって、彼女たちは主体的に判断し、動いている。しかもそう思ったときにすぐに自由に使えるお金を——少額であろうとも——彼女たちは持っているのだ。

ともに走らねばならない。

修子はそんなふうに思う。

ともに走り、支え合う雑誌であらねばならない。

そうでなければ彼女たちは振り切って遠く遠く走り去っていくだろう。わたしたちは置いてけぼりになってしまう。

楢橋編集長の作る週デがどんなものになっていくのかはわからないけれども、少なくとも修子はそういう意識で記事を作っていかねばならないだろうと思いだしていた。

雑誌と読者の関係がようやく修子にも少し見えてきたのかもしれなかった。

3

わたしはほんとうに沢《さわ》つかさの担当なのだろうか？

〝担当編集者〟といえるのだろうか？

西口克子は次第にわからなくなってきている。

年明け早々、編集部のみんなで食事にいった際、今年から沢さんはきみにまかせよう、と小柳編集長からじきじきにいわれたのだし——みんなもきいていた——、克子もそのつもりでいたのだったが、沢つかさは、どうやらそのように思ってくれていないようだった。

原稿を受け取りにいってもとくに感想を求められないし、ネームについてのやり取りをしていても、まったく手応えがない。彼女は克子の意見よりも、小柳さんがどういっているのか、そればかりを気にしている。

まあわからなくもない。

これまでの別冊デイジーは、編集長か副編集長、どちらかが漫画家を担当するという揺るぎない体制でやってきていたし、急に克子が担当になったといわれても、戸惑うばかりだろう。あるいは、沢つかさにしてみたら、小柳さんへの取り次ぎをしてくれる〝取次担当者〟になった、くらいにしか思っていないのかもしれない。だから克子は仕方なく、彼女の要望通り、小柳さんの意見をききにいき、彼女にそれを伝えている。

これでは今までとなんら変わりがない。

だが、わかっていてもそうせざるをえないのだった。

克子が、ネームについて、これでOKです、といったところで、沢つかさは小柳さんのOKが出ないかぎり、ペン入れへと進んでくれないし、編集部に来ても小柳さんのところへ先にいってしまう。克子はそれを止められないし、悲しいかな、克子自身、小柳さんの判断を無視できないでいる。

どうしたらいいんでしょう、と戸田育江《いくえ》に相談してみた。相談するつもりもなかったのに、隣の席で作業している戸田育江の姿を見ているうちに、きいてみたくなったのだ。

そろそろ修正したネーム——小柳さんの意見で、ほんの少しどたばたしたシーンを減らしたもの——を携えて編集部へ沢つかさがやってくる。

またしても、自分の不甲斐なさに向き合わねばならないのかと思うと、克子はどうしても悶々《もんもん》としてしまう。

「焦ることないわよ。ゆっくりやっていったらいいの。まだ担当して三ヶ月か四ヶ月か……そんなものでしょう？　もう少し辛抱したら、信頼関係もできてくるわよ」

戸田育江は、そういって、腕時計を見る。色校正をしながら、先月末、寿退社した湯山登和《とわ》の代わりとして働きだした新人、進藤珠代《しんどうたまよ》が景品の買い出しから戻ってくるのを待っているのだ。彼女に仕事のやり方を教えているのはもっぱら育江で、景品の買い出しも、先週一度いっしょに行って教え、今日は、追加分を一人で買いに行かせているそうだ。彼女が戻ってきたら、今日じゅうに商品の物撮《ブツ》りを済ませるつもりらしい。

「ほんとにそうでしょうか。次のネームでも、たぶん、また同じことの繰り返しです。こんなことをやってて信頼関係なんてできますかね？　小柳さんも、私に担当を任せたんなら、もっと後ろに引っ込んでいてくれないと。ぼくはもう何もいわないよ、担当は西口さんだからね、って、それくらいのこと、いってほしいんです」

「まあ。あなた、小柳さんに黙ってろ、っていいたいの？」

「え。いや、そこまではいってませんけど」

「いってるような気がするけどー」

克子は少し考える。

「いってますかね……？　いってるかもしれません」

ぷっと戸田育江が噴き出す。

「カッコちゃんさ、それはいくらなんでも、無茶よ。そんなこと、誰が小柳さんにいえる？　小柳さんにしたって編集長としての責任があるんだし、意見をきかれたら黙ってるわけにはいかないじゃない。それに、そもそも沢さんがききたいっていうんでしょう？」

「そうなんです」

「じゃあ伝えてあげないと」

「でもそれじゃあ、わたしが担当といえなくないですか。取り次ぐだけなんて、虚《むな》しすぎます」

「わかるけど。……でもねえ、沢さんの気持ちだって考えてあげないと」

「どういうことですか」

声に苛立《いらだ》ちが含まれてしまう。

戸田育江が、すん、と鼻を鳴らした。

「そりゃだって、沢さんは、デビューしてからずっと、小柳さんを信じて、小柳さんについてやってきたんだもの。いきなり小柳さんから遠ざけるわけにもいかないじゃない。彼女にしてみたら、小柳さんの意見が急にきけなくなった、ってなったら、どう思うかしら？　カッコちゃんが邪魔してるって思うんじゃない？　この人がいない方がいいってならない？」

「……なる、かもしれません」

そう。

じつをいえば克子もそれが怖くて、彼女の要望に従ってしまっているのだった。嫌われたくない。根底にあるのはその気持ちだった。嫌われたら終わりだ。克子はその気持ちに縛られて動けなくなっている。同性ゆえに敏感になっているのかもしれないが、ささいな好悪の気配すら無視できなくて、ついぴりぴりしてしまう。それに自分がしくじったら、同性の編集者ではやはりだめだ、といわれそうでそれもまた怖い。

「まあ、だからさ、カッコちゃん。徐々によ、徐々に。この人の意見もなかなかのものだな、いいヒントをくれるな、そう思ってもらえるようになったら沢さんだって自然に変わるわよ。小柳さんの意見よりカッコちゃんの意見に耳を傾けるようになったらしめたものね」

「そんなふうになりますかね」

「そこがあなたの頑張りどころよ」

そんなこと、もうずっとやってるんだけどな、とっくにやってるつもりなんだけど、といいかけて、克子は口をつぐんだ。このまま訴えつづけていると自分がどんどん惨めになりそうで、代わりに、そうですね、頑張ります、と心にもないことをいってしまった。そうして、すぐに、でももうわたし、これ以上どう頑張ればいいのかわからないんです、と本音を口にしてしまいそうになる。くちびるを嚙《か》み締めた。

克子が何をいったって、小柳さんの言葉には勝てない。

克子の言葉は沢つかさの耳には残らないし、克子と小柳さんの意見が食い違えば、彼女は小柳さんの意見を取る。あらかじめ勝負のついた、まるきり横綱相撲だった。克子はあっさり土俵の外へ投げ飛ばされる。

突破口はどこにあるのだろう。

どうやってそれを探し当てればいいんだろう。

悩みだすと途方に暮れてしまう。

あの人なら、と、ふと克子は香月美紀のことを思う。

あの人なら、こういう時、どうするだろう。どんなことをして、どんなことをいうだろう。

彼女は広告業界に転じたと、いつぞや辰巳牧子が教えてくれた。香月さんは今、コピーライティングっていうのをやってるらしいです。でも、ちゃあんとデイジーは読んでらっしゃって、隅々までそりゃあ詳しいんです。いろいろ教えてもらいました。それにしても香月さんって、どうしてあんなにデイジーのことがよくわかるんですかね。デイジー辞めたのにデイジーの人みたいでした。

辰巳牧子は帰宅途中にばったり香月美紀に会って喫茶店でかなり長い時間話をしたのだそうだ。克子の話題も出たらしい。とても懐かしそうでしたよ、西口さんを励みに頑張るっておっしゃってました、とのことだったが、そのわりに連絡先は教えてもらえなかったという。

その時は、なんとなく彼女らしいような気もして、残念だな、と軽く思った程度だったが、今となっては、無理矢理にでもきいておいてほしかった、ききだしてほしかった、という気持ちでいっぱいになる。こんなことを、デイジーを辞めた香月美紀に相談するなんてもってのほかだし、彼女にとっても酷なことだとわかっていても、今、克子の悩みをきちんと理解してくれるのは彼女しかいないような気がしてならないのだ。

まったく情けないな、と克子は項垂《うなだ》れる。

ああ、でも、だからこそ、連絡先がわからなくて、むしろよかったのかもしれない、と思い直した。安易に頼らずに済んできっとよかったのだ。そんなことをしたら彼女を深く傷つけていたかもしれないし、克子自身、深く傷ついたかもしれない。

しっかりしなくちゃ、と克子は気持ちを切り替えた。

香月さんがやりたかった仕事を今、わたしはやっているのだもの、ようやく手にした仕事なんだもの、悔いのないように力を尽くさなければ、と握り拳を作る。

「小柳さんだってね、カッコちゃんに期待してると思うのよ」

戸田育江が色校正を終え、ルーペを手で弄びながらいう。

「そうでなければ、うちの大事な漫画家をカッコちゃんにまかせるものですか。沢さんは長編を手堅く仕上げてくれる、かけがえのない漫画家なのよ」

ルーペを引き出しに仕舞い、校正紙を封筒に入れ、書類トレイから取り出したノートをぺらぺらと捲《めく》って眺めている。次の仕事の段取りをしているのだろうか。ちらりと編集長の席を見る。克子もつられて見る。小柳さんはいない——沢つかさとの約束の時間までには戻るだろう——。育江はそれを確かめると、ちょいちょい、と指を動かして、克子に顔を近づけろ、とゼスチャーをした。

「小柳さんね、夏にヨーロッパへ行くらしいのよ。知ってた？」

「いいえ、知らないです。ヨーロッパ？」

「ブックフェアや、海外の漫画事情を視察してくるんですって。この間、机の上に旅行会社のパンフレットが置いてあったんで、これなんですか、ってきいたら、川名さんに行ってきたらどうだって勧められたんだ、って」

「川名さん……親分」

「そう、親分。ほら、川名さんが今、力を入れている、例の……もうじき創刊する鳴物入りのファッション誌があるでしょう。あれの準備で、川名さん、外国をずいぶん意識するようになったらしいのよ。取材先だの、提携先だの、着々と開拓していくうちに小柳さんのことを思い出したみたいね。まあ、だから、いくらか功労賞的意味合いもあるんでしょう」

　隣の週刊デイジー編集部では、デイジーモードプリンセスの担当として毎年代わる代わる編集者がヨーロッパへ行っているが、あれにもじつは、そうした意味合いがあると噂ではきいている。

「でね。二、三週間ほども行く予定らしいから、小柳さん、留守の間、滞りなく編集作業が進むように準備しておかなければならないの。かなり大変よ。そんな時に、わざわざカッコちゃんを沢さんの担当から外したりするかしら。多少の失敗は大目に見るんじゃない？　それに、おぼえてる？　ゲンさんって、いたでしょう。髭《ひげ》もじゃの。若田《わかた》先生主宰の同人誌に描いてて、前に編集部にも来たことのある大学生。彼が、いよいよ、漫画スクールに応募してきたのよ」

「ああ、おぼえてます。いつぞやの、あの人ですね」

「金賞まちがいなしの出来らしくって、って、でも、まだこれは内緒なんだけど、昨日、若田先生と電話してたら、先生、ぽろっとしゃべっちゃったの。小柳さん、彼のことを、ずいぶん買ってるそうよ。となれば、おそらく、そっちにも力を入れるでしょう。ますます大忙しになる。ね。当面、沢さんはカッコちゃんにまかせっきりになると思うんだな。だからさ、カッコちゃんは、この際、思い切り、やりたいようにやってごらんなさいよ。恐れず、どしどし意見をいって、沢さんの信頼を勝ち取りなさいな、ね」

戸田育江にいわれて、ようやく克子はうなずく。ぐずぐず悩んでいてもしょうがない。〝取次担当者〟から少しずつでも〝担当編集者〟として認知してもらえるよう、そして少しでもいい作品を作ってもらえるよう、ともかく力を尽くそうという気持ちになる。

戸田育江が立ち上がった。

「進藤さんが戻ってきたようだから、わたし、いくわね」

克子の肩をぱしっと叩いた。

進藤珠代が紙袋を提げて、よたよたとこちらに向かって歩いてきていた。

社員食堂から階段を下りてきた辰巳牧子は踊り場で、ばったり沢つかさに会った。

「あ！」

「あれ？」

二人同時に声を上げる。

「辰巳さん？」

うっわーっ、沢先生、わたしのこと、おぼえててくれたんだ、と牧子はうれしくて飛び上がりそうになる。

牧子は沢先生と、去年、百万部パーティの時に話をしたことがあった。

空いたグラスの置き場所がわからなくて、うろうろしている沢先生のグラスを受け取り、ホテルの制服を着た人に渡してあげたのだ。それくらいの気働きは牧子にだってできる。ありがとう、とお礼をいわれ、牧子はここぞとばかりに、漫画の感想を述べた。沢先生の漫画を読むとすかっとします、元気になります、いつもとっても面白いです、とかなんとか。舞い上がっていたから、ちゃんといえたかどうかわからないけれど、一生懸命、伝えてみた。すると、沢先生にまたお礼をいわれたのだった。ありがとう。とてもやさしい声だった。

おおおお、と牧子は感激した。編集部ではない場所で、しかも、周囲に誰もいないところで、直接漫画家の先生とふつうに——お茶をどうぞ、とか、ここでお待ちになりますか、とか、そういうのではなく——会話をしたのは初めてのことだった。調子に乗って、自己紹介をした。沢先生は、あ、そういえば、編集部で見かけたことある、いつもは制服着て働いている人ですね、といってくれた。そうです、わたしだけあそこで制服で働いてるんです、今日のこのワンピースだって借り物なんです、とこたえたら、え、借り物なんだ、じつはわたしも、と目線を落とす。このブラウス、友だちに借りたの、買いに行く時間がなくて、とわりと気さくな感じで話してくれた。そうして、その勢いのまま少しおしゃべりしていたら、なんと牧子と同じ歳だと判明した。ひや|、とお互い驚く。辻内《つじうち》先生も牧子と同学年だと知っているが、生まれ年がちがう。沢先生とは生まれ年も学年も同じだった。

それで一気に打ち解けて、気取らぬ会話を楽しんだ。百万部パーティの華やかさにびっくりしただの、やまなべ先生のドレスが素晴らしいだの、本物の芸能人を見ただのと、同級生ならではの率直な感想に花が咲いた。なんだかわたしうれしいです、と興奮気味に牧子はいった。漫画家の先生と二人で話ができていることもうれしいけれど、あまりの豪華さに気後れしていたホテルのパーティ会場で仲間を見つけたみたいな格別なうれしさがあったのだ。

ふふふ、わたしも、と沢先生がいってくれた。

牧子にとって思い出に残るワンシーンだ。

あの日以来、牧子は編集部で沢先生を見かけるたびにそのことを思い出し、ものすごく意識していたのだったが、なかなか話をするチャンスには恵まれなかった。沢先生はたいてい小柳編集長のところで話しているし、終わればすぐに帰ってしまう。牧子のことを気にしている様子はまったくなかった。かといって、用もないのに牧子の方から近づいていって気安く話しかけるわけにもいかない。そんな出しゃばったことはできない。だから、おとなしくしていた。

「沢先生、どうしてこんなところに？」

「約束の時間より少し早く着いてしまったんで、探検？　というか、ビルの中を少し見てみようと階段をのぼってきたんです」

あー、沢先生らしい、と牧子は思う。沢先生の漫画の主人公はそんな感じの人が多い。ジーンズにトレーナー、大きな布鞄を肩にかけてるところも、漫画のイメージにぴったりだ。パーティの時より、こちらの方が沢先生という感じがする。

「ご案内します！」

「えっ、いやいや、いいですいいです。そんな、これは、たんなる時間潰しなんで」

「わたしも今、お昼休みなんです。あと少し時間があるんです。時間潰しにご案内します」

そういって強引に案内役を買って出た。

下りてきた階段をまた上って社員食堂へ連れていった。注文の仕方や食券での支払い方、時間帯による混み具合、おすすめメニュー、味の良し悪しなど、思いつくまま説明していく。まるでガイドさんにでもなったかのようだ。沢先生が食べたいといったら、牧子はお付き合いしてもう一度食べようとさえ思っていたのだったが、食事はすませてきたそうで、ぐるりと一周しただけで、外へ出た。それから一つ下の階に下りて和室をのぞく。

「へえ、こんなところに畳の部屋があるんだ」

「あるんです」

「なにに使うんですか」

「いろいろ使ってるみたいです。お茶やお花の部活動や、お裁縫。会議にも使ってるみたいです。たまに、ここで寝てる人もいます。イビキが聞こえてきて、のぞいてみたら、おっきい男の人が大の字になって寝てました」

けらけらと二人で笑う。

次に隣の電話交換室をのぞいてみた。牧子だって中を見たことはなかったが、たまたまドアが開いていたのだ。

へええ、電話交換室の中って、こんなふうになってるんだ、電話ってこんなふうに繋いでるんだ、と沢先生がつぶやく。

頭に耳当てみたいな器械をつけた女の人たちが、ひっきりなしに、きびきびと線を抜いたり差したりしつつ、口元にあるマイクに向かって話をしている。沢先生と一緒になって興味津々で眺めていたら、後ろから声をかけられた。休みを終えて戻ってきた、この部屋で働く女の人に見つかってしまったのだ。おやおや、あなたたち、何してるの？　ときかれたけれど、べつに叱られはしなかった。ただ怪訝《けげん》な顔をされたので、いちおう、怪しいものではないと知らせるつもりで、編集管理課の辰巳牧子です、と名乗り、こちらは漫画家の沢つかさ先生です、と紹介した。あらま、この方、漫画家の先生なの？　と目を丸くする。こんなにお若いのに？　そうですよ、こちらは今、別冊デイジーで大人気の漫画家の先生なのです、となぜか牧子が自慢げにいう。わあ、すごいのね、尊敬しちゃう、と女の人が沢先生をじっくりと見る。沢先生がちょっと照れてまごまごしている。

なあに、あなた方、この部屋の中を見てたの？　おもしろい？　ときかれたので、おもしろいです、とこたえる。へえ、おもしろいんだ、と女の人がちらっと中を見る。まあ、ここから見てる分にはおもしろそうに見えるかもしれないけど、わたしたち毎日たいへんなのよ、と口をへの字にひん曲げる。電話はじゃんじゃんかかってくるし、人手は足りないし、電話の相手を待たせると怒られるし、たまにへんな電話もかかってくるし、声だけを相手に働くっていうのも案外疲れるものなのよ、といいながら伸びをする。肩は凝るし、口は渇くし。

沢先生が、電話の声ってここで全部聞こえるんですか、ときくと、そうよ、盗み聞きしようと思えばなんだって聞けちゃうんだな、ふっふっふ、あなたたちの電話もみーんな聞けちゃうんだよ、と悪戯《いたずら》っぽく笑う。そりゃあね、わたしたち、そんな失礼なことは、決していたしませんことよ、だいたい、そんな職業倫理に反することをしてごらんなさいな、大目玉を喰らって、すぐに馘首《くび》になっちゃう。とはいえ、人間だもの、うっかりまちがえることってあるでしょう、一度なんか、繋ぎまちがいが起きて、それで大騒動になっちゃったんだなー。どういう騒動だったかはいえないけど、そりゃあもう、てんやわんや、まるで漫画よ。

おっと時間だ、わたしたち休み時間は交替制なの、わたしが戻らないと次の人が休めないの、さ、もういいかしら、と二人の間を通り抜け、ドアの向こうに消えていく。次に出てきた女の人にぴしゃりとドアを閉められてしまった。

おっと時間だ、といわれれば、牧子だって、昼休みがとっくに終わっていたことに気づく。

腕時計を見て、ぎゃっ、と叫んで、沢先生にあわただしく別れを告げた。

急いで編集部に戻らなくては、それこそ大目玉だ。

楽しいお昼休みだった、と牧子は廊下をすばらしい速さで走る。走る。走る。そうして肩が触れてしまった男の人に、廊下を走るな！　ばかもん！　と怒鳴られ、しゅんとなる。

〝お買い物大懸賞〟の景品の物撮《ブツど》りは、編集部のフロアの隅、パーティションで仕切られたブースで行う。複写台や水準器などが設置してあって、黒いカーテンを引けば即席の暗室スタジオになる。それゆえ、モデルが必要になる撮影や特殊なもの以外は、通常、ここでささっとやってしまう。

通りがかりに、席で海外の雑誌を眺めているカメラマンに声をかけながら、戸田育江はそのブースへと向かう。

「守《まもる》さん、空いてる？」

「空いてますよ」

田辺《たなべ》守の返事が聞こえる。

両手に紙袋をぶら提げた進藤珠代が育江の後ろからついてくる。育江は景品の入った段ボール箱を抱えている。

「じゃ、お願い。四十点くらい撮ってください」

「わかりましたー」

田辺守が撮影機材を取りに機材用ロッカーへいく。ここで働くようになってまだ一年ほどの新人カメラマンだが、腕は確かだし、いつもわりと暇そうにしているので何かと頼みやすい。

育江はブースの中で早速撮影準備に取りかかる。

本日撮影予定の品物のリストはすでに作成済みなので、滞りなく順番に写せるように確認していく。流れ作業のように手際よく撮れるよう、且つ、汚したり破損したりしないよう、気をつけるコツを新人の進藤珠代に伝授する。

景品はさまざまだ。アクセサリー、時計、ぬいぐるみ、バッグ、文房具、オルゴール、写真立て。今回はピアニカなんてものまである。ピアニカ。これは進藤珠代が選んで買ったものだ。おまけに今日、追加を頼んだら、カウベルを買ってきた。カウベル。こんなものを欲しがる読者がいるのだろうか。だが、まあ、経験上、意外な物に人気が集まるのを見てきているので文句はいわない。むしろ、マンネリ化を防げるので、新人に選ばせるのはよいことだと思っている。

田辺守はブースにやってくると、機材を設置して、たちまち撮影が始まった。育江が撮影台に品物を置き、守が撮り、珠代が空いた段ボール箱に片付ける。次から次へと撮っていく。皆、無言だ。フィルムの交換やライトの調整で撮影が止まるとすかさず、二人で段ボール箱の中の品物を整理する。

一時間半ほどかけて撮影はすべて終了した。

機材を片付け、守は現像所へフィルムを持っていく。

育江たちは、景品をまとめて専用のロッカーへと運ぶ。地下スタジオで撮るものも含め、撮影がすべて完了したら、品物リストと数をチェックし、景品発送を担う委託先へと渡さねばならない。

これらの品は読者プレゼントになるものだから、ハンカチ一枚でも丁寧に扱う必要があった。

「まだ写真は揃《そろ》ってないけど、先に〝お買い物大懸賞〟のラフの切り方を教えておくわね。それと、今後の作業の順番も」

「はい」

「地下スタジオで来週撮る予定のお洋服の写真についての説明も一通りしておきます。洋服の景品はほぼ毎月ありますからね、モデルやカメラマン、スタジオの手配や事前準備の仕方、撮影に関する一切合切を覚えてほしいの。来月からはこのページ、あなたに任せるつもりでいるからね。よろしくね」

「わかりました」

寿退社した湯山登和がもう少し長くいてくれたら――いつ辞めるのかはっきりしなくて逆にあわただしい退社になってしまった――。あるいは進藤珠代の採用がもう少し早く決まっていたら――一度決まった人が数日で辞めてしまったため、大急ぎで探さねばならなかった――。せめて一週間でいいから引き継ぎ期間が欲しかったのだが、二人はほぼ入れ違いになってしまって、それゆえ育江がしゃかりきになって仕事を教えねばならなくなった。物覚えのよい人なので助かるが、人数が変わらぬまま、ベテランが一名、新人になったのだから、どうしたって人手不足は否めない。

育江は、小柳編集長に、人を増やしてください、と何度も頼み込んでいた。このままの体制で夏にヨーロッパになんか行かれたら、うちの編集部は崩壊しますよ、と脅しに近いことまでいってもみた。いちおう善処してもらえることにはなったものの、いつになるやら明言はしてくれない。

損な役回りだが、育江がいわなければきっと誰もいわない。皆、忙しいことに慣れきっているから、どうにでもなると思い込んでいる。実際、先ほどだって、西口克子は、小柳さんがヨーロッパに行くと知っても、そう不安を覚えてはいなかった。副島《そえじま》さんがいるから大丈夫と思っているのだろう。そりゃ、小柳さんに仰ぐべき判断は副島さんにきけば済むだろうけど、目に見えぬところで、下にのしかかってくる負担は大きいはずだ。

ふーっとため息を吐《つ》く。

ともかくこの子を早く一人前に育てなくては。

ふと別デの島の方を見たら、西口克子が沢つかさと話し込んでいた。小柳さんは席にいるから、そちらとの話はもう済んだのだろう。やけに熱心に話し合っているのが見て取れた。

「よしよし」

「どうかしました?」

「ん、なんでもない。ラフの説明、ここでやっちゃいましょうか」

紙と鉛筆を探して近場の空きスペースにすわる。編集部の島へ戻って克子の邪魔はしたくない。

その後、数珠繋ぎのように次から次へと仕事がやってきたため、一段落して西口克子に、沢さんとの打ち合わせ、どうだった?　ときけたのは、夕方になってからだった。ええ、なんとか、と明るい声が返ってきた。そう、よかったわね、と軽くいうと、西口克子が手を止めて、こちらを見る。話したそうにしているとわかったので、どんな感じだったの?　と水を向けた。

沢さんから面白いアイディアが出てきたので、次の号のペン入れが済んだらすぐに、そちらのネームを起こしてもらうことになりました、と克子が弾んだ声で報告しだす。沢つかさはまず小柳さんのところへいって修正した次号のネームにOKをもらい、その後、克子のところへきて、その次に描く漫画のことについて話し込んだのだそうだ。えっ、ということは、小柳さん抜きで、次々号のネームが決まりかけているのか、と育江は少し驚く。珍しい展開、というより、克子が担当になってから初めてのことではないだろうか。克子がペンをくるくる回しながら、とりあえずタイトルを決めてもらってカットをいただいたら、予告を考えます、という。表3はもちろんですけど、あと二箇所くらい予告を入れたいんですよね、なるべく大きいやつ、と付け加えた。そうして育江に、よろしくお願いします、と軽く頭を下げた。う、うん、と育江はうなずく。あのそれで、戸田さん、ちょっとご相談なんですけど、漫画の横の予告柱、絵入りのやつ、あれ、次号の沢さんの漫画のところに沢さんの予告をばちっと合わせたいんですよね、いいでしょうか、ときく。いいわよ、もちろん、その方が断然いい、いつもなんとなく作っちゃうけど、カッコちゃんがしっかり作って、しっかり入れてしまえばいいのよ、とこたえる。じゃあ、そうします、と克子が回していたペンでさっそくメモしている。

「カッコちゃん、いやに張り切ってるわね」

からかう感じでいったのに、はい、と大真面目な顔で返された。

「なんか、ちょっとわかったような気がするんです。アイディアのキャッチボールって大事ですね」

「キャッチボール？　うん、まあ、それは、そうかも、ね」

「沢さんからのボールを受けて、返して、ってやってるうちに、小さな雪玉がころころころっと雪だるまに育っていったんです」

「雪だるま。それはまた大きく育ったわね」

「あ、いや、雪だるまはまだですね。雪だるまに育てるのは沢さんですから。雪だるまに育ちそうなくらいの雪玉になった、っていうのが正しいですね」

「いいわよ、そんなのどっちだって。とにかく、手応えがあったのね」

「おかげさまで。って、まあ、なんとなく、ですけれども」

克子の口元がほころんでいるのを育江は眺める。

育江もなんとなくうれしい気持ちになってくる。

「その漫画は、次の次の号なのね。楽しみにしてるわ。でもさ、カッコちゃん、思わぬところに落とし穴があったりするからさ、お原稿をいただくまでは気を抜かないようにね」

「はい、がんばります」

克子はやる気に満ち満ちていた。

育江は頼もしく思う。

「よしよし、がんばって」

育江の励ましに、うなずく克子の横顔が力強い。

克子のやる気には、克子なりの根拠があった。

沢つかさと話している時、克子は、小柳さんはいつもこんなふうにやっているのかな、とちらりと感じていたのだったし、今までに経験したことのない、よい流れに興奮もしていたのだった。沢つかさの話をききながら彼女が描こうとしているイメージを共有できた気もしたし、ネームの前段階の漫画家の頭の中身がどうなっているのか、それを生々しく体験しているようでもあった。なにより克子に向かって、こんなにも熱っぽく話してくれる沢つかさは初めてで、信頼とまではいえないまでも、それなりに認めだしてくれているのではないか、とさえ思いはじめていた。

もしかして、わたし、きっかけを摑《つか》めたのかもしれない。

そんな期待をついしてしまうほどに、充実した時間だったのだった。

沢つかさが、目の前にすわっている克子の、切羽詰まったようなきりきりした目つきに怖気づき、小柳さんに見てもらう修正ネームのことだけで精一杯で、その次のネームのことなんてまだ一つも考えていない、とはいいだせず、苦しまぎれに、つい先ほど見たばかりの電話交換室のことを持ち出してみただけ、ということに克子は気づいていない。その時点ではまだアイディアともいえない、その場しのぎの、口から出まかせに過ぎなかったものが、話していくうちに、頭の中で次第にイメージが膨らんできて、彼女自身話しながら驚いていた、ということも克子は知らない。

それにつけても西口克子はいい聞き手だった。

あー、なるほど。

それはいいですね。

うん、とても面白そうですね。

絵が浮かびますね。

沢さんらしい長編コメディになりそうですね。

たいしたことはいわない代わりに否定もしない。難しい顔もしない。無言で考え込んだりもしない。小柳さんが相手の時のように、顔色をうかがったり、心配したりする必要はまったくなかった。思いつくまま、のびのびと楽しんで語れた。まだまだストーリーは練らなければならないし、登場人物のイメージも固まっていないし、アイディアも全然足りてはいないのだけれども、でも、これは、たぶん、描けるな、わりとすぐにネームにできそうだな、と沢つかさはわくわくしていた。なんてラッキーなんだろう。うんうん唸《うな》って、次のネームをひねりだす必要がなくなったのだ。産みの苦しみともいえる、一番の難関をあっさりクリアしてしまった。

こんなこともあるんだなー、と沢つかさは思っていた。

棚からぼたもち。瓢箪《ひょうたん》から駒。

やや半信半疑というか、狐につままれたような心地でもあった。

ともかく、今日ここへ来てよかったと沢つかさはつくづく思っていた。西口さんとじっくり話せてよかったし、階段であの子——辰巳牧子——に会えたのもとてもよかった。思い込みの激しそうな子に見えたから、初めは、ちょっと困ったことになった、と尻込みしていたのだけれども、あの子についていって正解だった。

沢つかさの上機嫌な顔を見て、西口克子は、ほっとしていた。

別れ際、西口克子も沢つかさも、晴れ晴れとした顔で微笑《ほほえ》んでいた。

4

毎週木曜日、週刊デイジーの見本が刷り上がってくる。

楢橋編集長はその一冊を手にして、じいっと表紙を眺める。それから徐《おもむろ》にページを開き順番に目を通していく。一ページ、一ページ。そうして黙って気になるところ――なのかどうなのか、本当のところはわからないのだが――に付箋《ふせんし》紙を貼っていく。

机の上に置かれた切手を濡らすための海綿に、付箋紙の尻――糊《のり》のついた部分――をつけ、ぺたり、またぺたり。

いったい、彼がどこに付箋紙を貼っているのか、編集部一同、気になって仕方がないため、楢橋さんが、じゃお先に、と編集部を出ていくや否や――この日はわりあい早くいなくなることが多い――、すわ、とばかりに彼の机に集まってくる。そうしてその一冊を手に、漫画班、グラフ班、活版班の人間が入り乱れ、楢橋さんが付箋紙を貼ったところを確認していく。

むむ、なんでこんなページに付箋紙を貼ったんだ。あッ、これは誤植だな、やっちまったなー、これはあれだ、背景の模様がうるさすぎるんだ、そうだろ、ああ、うん、そうだな、地紋がつぶれて印刷が汚いね、文字が読みにくい、おーい、この扉の付箋紙はどういう意味だ、良いってことか、悪いってことか、うむう、この口絵の付箋紙はさっぱりわからんなあ、ちょっと剝がしてみようや、やめとけやめとけ、また糊をつけて貼ればいいだろ、やめとけって、おい、ちょっと貸してみろ。週刊デイジーを奪い合いながら、ああでもない、こうでもないと、ひとしきり意見が飛び交う。

楢橋さんが編集長になって以来、ずいぶん雰囲気が変わったなあ、と綿貫誠治《せいじ》は思う。

見本誌を囲んでこんなふうにみんなで闊達《かったつ》に話をしたことなど、ついぞなかった。

週刊デイジーは分業制が徹底しているゆえ、活版班にいた頃は活版班の人間と活版の話しかしなかったし、毎週、活版の記事だけ読んだらそれで終わりだった。漫画班に移ってからもそれは同じだ。

だから誠治は思いがけず出来《しゅったい》した、井戸端会議ならぬ、この〝付箋紙端会議〟の時間が新鮮だった。

付箋紙を肴《さかな》にみんなであれこれ話していると、なんとはなしに、一体感がうまれる。活版の記事やグラフのページにも目が行くようになるし、楢橋さんを中心に、どういう雑誌を目指していくのか、ぼんやりとでも分かち合えるような気がしてくる。班は違えど、皆、この一冊を共に作っていく同志、といった感覚が自然に芽生えるのだ。

それに、この日の夕方、たまたま編集部にいた人間だけが参加しているので、毎度メンツが変わるのもよかった。風通しがよく、へんな派閥が生まれようもない。

「今週も串田《くしだ》さんの漫画、面白いねえ」

誠治が担当した漫画に、別の班の人間からひょいと感想がもらえるのもよかった。

とくに、楢橋さんが編集長になってからスタートした串田みつこ先生のギャグ漫画――楢橋さんが無理をいって他誌からひっぱってきた漫画家で、誠治が担当を任された――について、ほんのひとことと何かかきけるだけで、ずいぶん安心できた。

「面白いかい？」

「面白いね」

そんなひとことが心の支えになる。

誠治はギャグ漫画の担当が初めてだったし、ストーリー漫画と違って、毎週毎週、串田みつこ先生と喫茶店で数時間、うんうん唸りながらアイディアを捻《ひね》り出すという作業も初めての経験で、あまりにも密接に、濃厚に関わってしまっているため、もはやそのギャグが漫画としてうまくいっているのかいないのか、印刷されてきたものを見ても、まったく判断がつかなくなっている。

一部の読者には気に入られているようだが、アンケート結果はいつもぱっとしないし、はたしてこのまま、この感じで続けていっていいものかどうか、よくわからなかった。いってはなんだが、週刊デイジーらしからぬ、まったくかわいらしさのない泥臭いギャグ漫画なのだ。いったいなぜ、楢橋さんはこれをうちで連載させようと思ったのか。今後、アンケート結果が突然よくなる気配もなかった。

しかしながら、活版班の芝厚史《しばあつし》は、そこがいいといってくれた。

「アンケートなんて気にすることぁ、ないですよ。串田みつこ、いいですよ。しっちゃかめっちゃかで。あほらしくて。そこがいいんだなぁ」

「ほんとかいな」

「とことんナンセンスなところがいいんだ。笑いっていうのは、ぽん、と空気を抜いてくれるんです。いい抜け具合だ。ぎゅうぎゅうに暑苦しい漫画が並んでいるだけじゃ、窒息しちまう」

調子のいいことといってら、と最初はあまり信じていなかったのだが、この芝厚史という男、休日にわざわざ飛行機に乗って大阪まで高座をききにいくほどの上方落語、上方漫才好きと知って、笑いに関してのみ、一目置くことにした。入社して二年、そんな生活をしているものだから貯金はゼロなのだそうだ。ほーん、そんな酔狂な男がこの世の中に、いや、こんなに身近にいるもんなんだなあ、と半ば呆れ、半ば感心し、ならば、とギャグのアイディアをきいてみた。すると、落語の本を数冊貸してくれた。いやいや、こんなもん悠長に読んでる暇はないんだよ、もっと即効性のあるやつ頼むよ、と文句をいったら、勘所をまず学べといわれた。後輩のくせに生意気である。芝よ、おまえは、たった六ページながら、そこにかける漫画編集者の情熱と苦労がわかっちゃいない、と説教してやった。

「なぁにをおっしゃる。わたしだって、そのくらいのこたぁ、わかってますよ。笑いをうみだすのはたいへんだ。ギャグ漫画なら尚更だ。アイディア一発。瞬発力の勝負ですからな」

「おお、わかってるじゃないか。それを毎週毎週やってんだよ。もうネタ切れなんだ」

「んなあほな。連載が始まって、まだ半年にもならないでしょ」

「ならないけど、毎週だぜ。時事ネタ、風俗ネタ、季節ネタ、学校ネタ。さすがにもうなにもないよ。なにもないのに、入稿したと同時に、なにがなんでも次のネタを絞り出さなくちゃならないんだ。二人でタバコすぱすぱ吸って、コーヒーがぶがぶ飲んで、粘りに粘って、胃が痛くなる頃、どうにかこうにか、なにか見つけて、あっそれだ、よし、やった、面白い、ってその時は騒ぐんだけど、あとから考えるとそうでもない気がしてくるし……。でもまあ、そこをちゃんと漫画にしてしまうんだから、串田先生、たいしたものだよ」

　一週間なんて本当にあっという間で、無事入稿しても一息つく間などいっさいなく、次の回へと突入する。からからになっている脳みそを、これでもか、と、また絞る。ぎゅうぎゅうに絞る。それが七日おきにやってくるのだから苦しい。毎週毎週、誠治は、このたった六ページに翻弄されている。

　そのうえ、唐津先生の新連載もスタートしたばかりで、そちらはそちらで気が抜けなかった。他にも単発の読み切りがあるし、担当することになった新人のネームや原稿も見なくてはならない。漫画班の人間は皆こんな感じなのだろうが、ともかく、めまぐるしい忙しさなのだった。

　それに比べてこいつ、暇そうだな、と芝厚史を見る。

　先月、担当する占いページの占い師が締切間際に原稿を書かずにとんずらし、あわや穴が開くという事態に陥ったため、致し方なく首っ引きで資料にあたり自分でそれらしい原稿を書いて乗り切ったのだそうだ。いやあ、危機一髪でしたが、やればやれるもんですなあ、いきなり偽占い師としてデビューしちまいました、わっはっは、と額をぴしゃんと叩く。ところが、どういうわけだかその偽占いがやけに好評だったそうで、編集長にはバレたものの、お咎《とが》めなしで済んだのだそうだ。おまけに占い師からは、すまなかった、とオールドパーを渡され、なんなら、これからも内緒であんた、書いてくれないか、とまでいわれたのだという。ギャラは折半でどうだっていうんですよ。まったく占い師なんてのは、いい加減なもんですな、もちろん断りましたけどね、いやあ、しかし、あのオールドパーはうまかった、と呵々大笑《かかたいしょう》。

なんだ、その楽しそうな仕事ぶりは。と、若干鼻白むものの、誠治が活版班にいた頃より、記事の量も内容も変わってきているから、案外こういうやつの方が役に立つのかもしれない。おまえは呑気でいいなあ、おれが活版にいた頃なんて、年がら年中、全国津々浦々、事件記者みたく電車で取材に飛び回ってたよ、と先輩風を吹かせてやったら、そらね高峯《たかみね》氏あたりは今日も今日とて九州いってますよ、やってるやつはちゃんとやってるんだなぁ、と軽くいなされた。

芝厚史とは〝付箋紙端会議〟をきっかけに、そんなふうに気楽に話せるようになっていたのだったが、来週のバスハイクを境に、週刊デイジーから別冊デイジーに異動になると決まったのだそうだ。

「え、こんな時期に異動するのか。お前、また、なにかやらかしたのか」

といったら、ぶるぶる首を横に振って、

「人聞きの悪いこと、いわないでくださいよ。やらかしたんじゃなくて、優秀だから引っ張られたんですよ、小柳さんに。たぶん、優秀だから」

という。

「ほう」

「先月、藤原修子女史に、あんたは今年のバスハイクの担当ねっていわれましてね、そりゃ、女史にいわれちゃ、断れないから、へいへい、って引き受けて、あちらの、別デの方々とたびたび協議するようになりまして、そしたらどうも、その仕事ぶりが気に入られたようなんだなあ、小柳さんに」

「へえ」

ほんとかよ、と思うが黙っている。

「あちらさん、ページ数がどんどん増えて、人手が足りなくて困っているらしくて、きみ、こっちへ来ないか、って。なんでも、楢橋さんと小柳さんとの間で一人動かすことが決まっていたらしいんですな、で、わたしに白羽の矢が立った、と」

「白羽ねえ。いい白羽か、悪い白羽か、それが問題だ」

六月半ばの異動というのはたしかに珍しいが、週刊デイジーと別冊デイジーは根っこが同じだし、楢橋編集長はもともと別デの編集長だったので、そう不思議なことではないのかもしれない。長らく部数増を牽引《けんいん》した大型連載が次々終わって一頃の勢いがなくなってきている週刊デイジーに比べ、あちらは現在、百万部を窺う好調ぶり、小柳さんに頼まれれば嫌とはいえないのだろう。うちの活版班は近頃、人員がややダブつき気味な気もするし、合理的な配置転換にも思われた。

とりあえず、芝厚史は、週刊デイジーと別冊デイジー合同開催のバスハイクで、双方を束ねる責任者として働くのだそうだ。

「ふーん、そりゃ、ちょうどいいや。お前みたいなのが当日うろちょろ働いていてくれると助かる。なるべく、おれの周りをうろちょろしててくれ」

担当する漫画家が複数いるので、誠治としては、当日、かなり気を使う。どの担当漫画家に対しても〝あなたを最優先でアテンドしている〟かのように思わせねばならないからだ。

ところが、それがなかなか難しくもあって、誠心誠意そつなく動いているつもりでも、鋭敏な嗅覚の持ち主である漫画家たちは、ほんのちょっとしたことで、自分はあの漫画家より大事にされていない、下に扱われている、などと思いがちなのだった。むろん漫画家によって感じ方には差があるし、たんなる誤解で済む場合がほとんどなのだが、へんな蟠《わだかま》りが残ってしまうと今後の関係に差し支える。バスハイクというのは、漫画家にとっては楽しい懇親会の一日に過ぎないだろうが、編集者にとっては、担当する複数の漫画家を一度に相手にする、かなり力量を試される場なのだった。

ようし、今年はこいつに、目一杯ヘルプさせようと誠治は目論む。

「うろちょろって……うろちょろって、綿貫さん、なんか私に対して失礼だなあ……そりゃまあ、精一杯うろちょろさせていただきますけどね、じつは私、漫画家の先生って、誰が誰だか、よくわからないんですよ。ほとんど会ったこともないし、売れてる先生も新人のぺーぺーも区別がつかない。ま、区別ができないから差別もしませんが、そんなんで失敗しないですかね。心配だなあ。逆に知らぬが仏で、やりやすいんですかねえ。しかし、あれだ、バスハイクってのも面倒なものですな。貸切バスの一号車と二号車で、漫画家をどう分けるかなんて、そんなことを真剣に決めてるんですよ。ああでもないこうでもないって」

「そうだよ。いつもそうしてるじゃないか。万が一、一台が事故に遭っても、滞りなく次の雑誌が出せるように、うまく分けておくんだよ。編集者も、週デと別デで、ばらして乗るだろ」

「なんですってね、いや、知りませんでした。じつは、去年も一昨年も行ってないんです。活版の新人にはお呼びがかからなかったんで」

「んなわけないだろ。お前、適当にさぼってたな」

「え、そうかなあ？　いやあ、活版は行かない人間もけっこういますよ」

なんとなく気になったので、その後、藤原修子にきいてみた。

「藤原さんは来週のバスハイク、行かれますよね」

「行きますよ」

「今までも、行かれてましたよね」

「ええ、行ってますよ。どうして？」

藤原修子が、手元の作業の手を止めて――記事原稿を書いていたようだ――、誠治を見る。

漫画班に移って以降、あまり話す機会はなくなったものの、こうして藤原修子に見つめられると、誠治は未だに一瞬、ぴりっとする。おそらく、入社当初に刷り込まれた、ベテラン先輩女性――そんな存在は彼女だけ――への畏怖《いふ》からくるのだろうが、彼女は、むしろ親切で、とても信頼できる――そのうえ仕事もできる――先輩なのだと誠治はもうよく知っている。揺らぎのない、こういう人がいてくれるありがたさも、よくわかっている。

「いえね、活版班ではバスハイクに行かない人もいるんでしたかね。自分も活版だった頃は、行ってなかったような気がしてきて。まだあの頃はバスハイクがなかったんでしたっけ？」

「あなたが活版だった時は、どうだったかしら。バスハイク、まだ始まったばかりかしら。始まったばかりの頃は人数も少なかったし、みんな行っていたように思うけど。ああでも、活版の人は出張と重なって行かない、なんてこともあったわね。今も、そうね。行かない人もいますね。私はたいてい行きますけど。女手が足りないから、行かざるをえない」

「え、女手？　女手なんて要りますか」

誠治がいうと、藤原修子が呆れたような顔をした。

「要りますよ。要らないとでもお思い？」

誠治が首を傾げていると、藤原修子は、ますます呆れた顔になり、はあっと大きな息を吐いた。

「お昼のお食事の時なんて、あなたたち、男の方は、でーん、とすわってるだけじゃないの。そうでしょう？」

誠治は、咄嗟《とっさ》に反応できない。頭の中でバスハイクの昼食の時の記憶をさぐってみる。

「でした、かねえ？」

「そうですよ。ビールかなにか、ちゃっかり頼んじゃって、自分が飲みだしたら漫画家の先生にお注ぎする人なんて、いやしない。それどころか、注いでもらってる」

藤原修子が後ろの空いてる椅子を引いて、ちょっとここへおすわんなさい、と誠治にいう。これはなにか、まずいことをいったかな、と思いつつ、誠治は素直に椅子に腰掛ける。

「みなさんが楽しくやっておられるのはいいんですよ。それはね、大事なことです。ただ、やはり、あなた方は細かいことまで気が回らないでしょう。お飲みになる先生だっておられるのに、女は昼からそう飲まないだろうと思い込んでる。まあね、それはそうなんですけどね、そうだとしても、一応、おすすめしないと。最初の一杯がビールでも、そのあと、どうされますか、って、おききして、ジュースなりなんなり、注文しないと。たまにきいてる人もいますけど、そこから先は人任せ。きょろきょろして私たちに注文させようとする。飲まない先生だってね、ジュースのグラスが空になってたら、追加をお願いしなくちゃならないんですよ。お料理だってそう。みなさん、お若いから、食欲旺盛でしょう。お皿のお料理なんてすぐに減っていきますよ。だから私たちがテーブルの様子を見て、先回りして、注文してるんです。お弁当が用意されてる場合だって、ちょっと物足りないかな、っていう時は、何か他にお召し上がりになりたいものありますか、っておたずねしたり、土地の名物を頼んでみたり。嫌いなものばかりでお箸が進んでらっしゃらない先生がいたら、別のものをおすすめして、お召し上がりいただく。私たちはそうやって細々世話を焼いているんです」

はあ、と誠治はうなずき、腕組みをする。いわれてみればたしかに、そういう大人数の食事の場面では、なにも気にせず、すっかり寛《くつろ》いで、ビールを飲みながら、いつも陽気に楽しく騒いでいた。そうしていればいい、というか、自分はそうすべきだと半ば義務のように思っていたし、おそらく幹事役の人がその手の差配はすべてやってくれているのだろうと漠然と思っていたのだった。

「やあ、そうか、そうでしたか。ありがとうございます」

「あらそんな、お礼なんて。それが私たちの仕事ですから、それはかまわないんです。あなたたちはあなたたちで、しっかり自分の仕事をしてくだされればそれでいい。ところで綿貫さん、どうですか、楢橋編集長は」

「へ？」

「もう四、五ヶ月になるから、いろいろわかってきた頃でしょう」

いきなりきかれて誠治は戸惑う。

藤原修子がなぜそんな質問をしてくるのかまったく理解できないし、どうこたえていいのかもまったくわからない。

「どう、っていわれても我々にはなんとも。楢橋さんと話すのは、沖主任ですから」

「それはそうですけど、でも、なにかしら感じることはおありでしょう？　いつもほら、見本誌が出ると、みんなでもしゃもしゃ、やってるじゃない」

「もしゃもしゃ？　え？　もしゃもしゃ？　ああ、あれですか。あはは。あれって、そんなふうに見えるんですか。もしゃもしゃ」

「見えますよ。もしゃもしゃ、もしゃもしゃ、賑《にぎ》やかにやってらっしゃる。以前は、あんなこと、してなかったでしょう」

「ええ、まあ、それはそうなんですけどね、しかし、あれは、楢橋さんがどうというより、我々が勝手にもしゃもしゃやってるだけなんですよ。たいした意味はない。ようするに雑談です」

そういえば付箋紙端会議に藤原修子は一度も参加していなかったな、と誠治は気づく。編集部で仕事をしていても、藤原修子は付箋紙端会議に近づいてこない。今更ながら、なぜだろう、と思うが、やってくる方が却《かえ》って不自然な気もするし、藤原修子があそこで野郎どもに混じって、もしゃもしゃ話をしているイメージなんぞまるで湧かなかった。

いや、しかし、どうなんだろう？

興味はあるようだし、もしかして、誘ってほしいのだろうか？

だからこんな話をするのだろうか？

だが仮に誘ったとして、そして、彼女が参加したとして、我々はいつもの調子で話せるだろうか？

互いに気まずくならないだろうか？

などと考えてしまい、おたおたしていたら、藤原修子が、あら小鳥？　といった。

「え？」

「ねえ、ほら、あれ。鳥籠」

視線の先に、両手に鳥籠を一つずつぶら提げた辰巳牧子と武部俊彦《としひこ》が並んで歩いていた。その後ろに、やはり二つ、鳥籠を提げた芝厚史がいる。

「あーあれはもしかして、桐谷《きりたに》先生の小鳥かな？」

「桐谷先生？」

「桐谷先生のところで飼ってる小鳥にヒナがうまれて、誰かに差し上げます、って読者プレゼントにしたんですよ。先月だったかなあ、先々月だったかなあ」

「ああ、そういえば、そんな記事、ありましたね。あれがそうなのね」

「おそらく。……桐谷さんの担当の武部が小鳥のこともやってたんですけどね、応募がなかったら編集部の中で貰い手を探さねばならん、て心配してたのに、蓋を開けてみたら抽選になるほどの応募があったんだそうです」

「そりゃ、ファンの方にしてみたら、特別なプレゼントですもの、当然よ」

「そうなんですかね。どうやら今日、ここで当選者に渡すみたいですね。生き物だから郵送できないですしね」

芝厚史が率先して、空いている机の上に恭《うやうや》しく鳥籠を並べている。

辰巳牧子がなんの仕事をしているのか、彼の周りをうろちょろしつつ、しょっちゅう鳥籠の中をのぞきこんでいる。

あの中には鳥がすでにいるのだろうか。気にはなるが、ここからではよくわからない。芝厚史が指示して、辰巳牧子になにか持って来させている。

「そういえば、芝のやつ、別デに異動になるんだとか」

「あら、あなた、もうご存じ？　ええ、そうなんですよ。でもね、代わりの人は来ないんですって。つまり活版は一人減らされるわけ。今年はデイジーモードプリンセスがないからいいようなものの、芝さんがやってた占いだのクイズだの、いったい誰がやるのかしら。伊津さん、まだなにもいってこないのよ」

ちちちち、と鳥の鳴き声が聞こえた気がした。

あちらこちらで人々が仕事を中断し、鳥籠を気にしだしている。

フロア内の視線が徐々に鳥籠へと集まっていく。

辰巳牧子が興奮気味に芝厚史になにか話しかけている。

ちちちちち、と今度ははっきり鳴き声が聞こえた。

ちちちち。ちちちちちちち。ぴぴ。ぴぴぴ。ちゅっちゅちゅちゅ。

皆が耳をすましたからか、ふいにフロア全体がしんとなり、鳥の鳴き声が高らかに響く。

ちちち。ちゅちゅ。ぴぴっ、ぴい。

いつもの日常が生き物の気配によってなだらかに変化していく。

そんななか、桐谷晃子《あきこ》先生が颯爽と登場した。

楢橋編集長と沖主任がすぐさま駆けるように近づいていき、挨拶する。桐谷先生は、ローマの休日のアン王女さながらに、じつに風格ある態度で挨拶を返し、そのまま鳥籠へと向かっていく。武部俊彦が侍従のように先生に付き従っている。ちち。ちちち。ぴぴ、ぴぴぴぴ。ちゅん。桐谷先生が腰をかがめて鳥籠を一つ一つ、のぞきこんでいる。小鳥たちに別れを告げているのだろうか。

我々の目は釘付けだった。

あざやかなグリーンのスカートが、桐谷先生が動くたび、華麗に波打つ。

「あら、すてき」

藤原修子がつぶやいた。

「異議なし、ですな」

誠治も賛同した。

辰巳牧子が胸の前に両手を押し当て、うっとりと先生と鳥籠を見つめている。

あ、ああいうポーズ、桐谷先生の漫画でよく見かけるな、と誠治は思う。辰巳牧子が身悶《みもだ》えするように、きゅうっと身を反らす。あれもよく見る。

辰巳牧子の高揚感が、手に取るようによくわかる。

すてきすてきすてきすてき。

あの子はたぶん今、そんなようなことを思っているんだろうな、と綿貫誠治は想像する。


無事、小鳥を読者に手渡すことができて、武部俊彦は、ほっとしていた。

小学生や中学生、高校生。父兄同伴の子もいるから、たった六名とはいえ、なかなか大仕事だった。当選者は抽選ではなく、平日の夕方に編集部まで取りに来られる人、という条件で、近隣の応募者から順に電話をかけまくって決めていった。小さい子の場合、親の都合もきかねばならないし、小鳥を飼っていいという許可もいる。幸い、すぐに決まったからよかったものの、最悪の場合、辰巳牧子の姪や、その友達らに頼むつもりで話を進めていた――辰巳牧子は早々に決定したのをひどく残念がっていた――。

それでも彼女は進んで手伝ってくれて、他にも、桐谷先生のところから鳥たちを運ぶのに、活版の芝厚史が手を貸してくれた。

桐谷先生も喜んでくれたし、小鳥を受け取った子供たちもたいそう喜んでいたので、まずまず成功したといってよいだろう。桐谷先生とは、この件のおかげでだいぶ距離が縮まったようにも感じる。

俊彦は桐谷先生を長く担当しているが――一度担当したあと、いったん離れ、数年後に再び担当になった――、近頃ではますます、ろくに話をせず原稿のみをいただくようになっていた。しかしながら今回、俄然《がぜん》話ができるようになったのだった。といったって、おおむね小鳥の話ではあるのだけれども、それでも話さないよりはいい。ずっと話をしたかったのだ。その機会をうかがってもいた。

桐谷先生の飼っている小鳥の産んだ卵が孵《かえ》った時に、たまたま——いや、幸運にも——俊彦が原稿の受け取りに訪れていたのがきっかけだった。ねえ、みてちょうだい、ね、かわいいでしょう、まだうまれたてなのよ、ほら、ここにヒナがいるでしょう、みんな卵から孵ったのよ、これからうまく育つかしら、無事育ったとして、こんなにたくさん飼えるかしら、どうしましょう、とつぶやく先生に、それなら読者へのプレゼントにしてはどうですか、と提案した。えっそんなことできるの、ときかれたので、できますとも、と安請け合いした。沖さんや楢橋さんの顔がちらっと頭に浮かんだが、どちらもやらせてくれるだろうと予想できた。なにしろ桐谷先生だ。彼女の人気は絶大で、うちとしては、先生の原稿はなにがなんでもほしい。それなのに、近頃、サニーティーン編集部の先生への食い込み方が凄《すさ》まじかった。原稿の奪い合いになることもしばしばで、注意しろよ、と沖さんからは、いつもいわれていた。小鳥のプレゼントでうちとの繋がりが強固になるならそれに越したことはない。

　やはり沖さんも楢橋さんもすぐさま了承してくれた。楢橋さんは面白がって、そのうち猫の子がうまれたからお願いしますだの、仔犬の貰い手を探してくれだのと、いいだす先生が現れるかもしれないな、そしたら、きみが担当するんだぞ、きみは生き物譲渡係だ、とへんな冗談までいっていた。やめてくださいよ、と返したが、やれよ、やれやれ、と笑っている。

　楢橋さんには、そういうところがあった。

　普段は物静かな学究肌の紳士なのに、ふとした時に茶目っ気が出る。酒も好きだし、飲みに行っても偉ぶったりしない。さきほども、やあ、生き物譲渡係、ご苦労さんでした、と彼ならではの労《ねぎら》いの言葉を俊彦にひょいとかけて帰っていった。

　ふわーっと俊彦は大きく伸びをした。

　一仕事終えて、気が抜けたようだ。

本当は、打ち上げがてら、桐谷先生と夕飯に行きたかったのだが、まだペン入れの続きがある、といって帰ってしまった。体良く断られた格好だが、原稿のことをいわれたら、こちらとしては引き下がるしかない。先生の乗ったタクシーをお見送りし、編集部へ戻ってくると、もう動く気が起きなかった。

しばらくぼうっとしていたが、猛烈に腹が減っていると気づいて、近所の中華料理屋から出前を取ることにした。電話していたら綿貫誠治が、おれもついでに頼む、といってきたので、一緒に頼んだ。

二人で中華丼を食いながら、少し話をした。

綿貫誠治はこのあと、〈まんが研究生〉に応募してきた新人の原稿の下読みをするのだという。手伝え、といわれたから、手伝うことにした。応募原稿は毎月、山のようにやってくる。持ち回りで責任者は決めてあるが、一人でやれるはずもなく、手分けしてみんなで読むことになっている。

漫画班にいると、こうした下読み作業を、年がら年中、やらねばならなかった。しかも今年は、年一回の〈まんが賞〉の方も賞金を大幅にアップして、これまで以上にスポットを当てることになっている。となれば当然、応募作も増えるだろうし、今からその覚悟もしておかねばならない。

〈まんが賞〉は、隣の別冊デイジーがやりだした新人公募の〈漫画スクール〉から、唐津杏子《きょうこ》や辻内ゆきえといった大型新人が続々とデビューしていくのに刺激され、その翌年、対抗心も露《あらわ》にスタートしたものだった。

しかしながら……あちらの勢いには、遠く及ばなかった。

やがて、年にたった一度の〈まんが賞〉だけでは足りないのではないか、という声が大きくなり、二年後〈まんが研究生〉もスタートさせた。こちらは〈漫画スクール〉にかぎりなく似せたもので、その分インパクトに欠けたのだろう、やはり本家には敵《かな》わなかった。

そんな事情もあって、楢橋編集長は就任早々から、〈まんが賞〉のテコ入れを企てていた。彼は別デの編集長だった頃に〈漫画スクール〉を小柳さんと立ち上げた人でもあるし、〈漫画スクール〉の成功が別デの成功に繋がったとよく理解しているので、新人発掘には並々ならぬ熱意がある。週デで〈漫画スクール〉に対抗できるのは〈まんが研究生〉よりも差別化の図れる〈まんが賞〉だろう、と踏んだわけだ。

賞金を大幅アップし、秋には選考会の実施も決めた。桐谷先生はもちろん、やまなべ先生、蔵野《くらの》先生、唐津先生といったあたりには、すでに選考委員をお願いしている。募集広告を増やし、有望新人が選ばれる過程——選考経過——も記事にする予定だ。

だが、思うような成果が得られるだろうか、と俊彦は訝《いぶか》しんでいた。近頃は漫画雑誌も増えたし、公募も増えた。新人獲得は熾烈《しれつ》な争いになっている。賞金をいくらかアップしたくらいで有望新人がそう簡単に見つかるとは思えなかった。

そんなようなことを下読みを続けながらぼそぼそ語っていたら、綿貫誠治が、裾野はますます広がっているんだから期待できるんじゃないですか、といった。こいつはすぐにこういう楽観論を口にする。そのせいで俊彦は——バランスを取ろうとするのだろうか——つい悲観的なことをいってしまう。

「裾野が広がったって、頂上は一つじゃないか」

「頂上？」

「プロというてっぺんは一つだろう？　どれだけたくさん応募してきたって、プロになれるだけの実力のある入選作は一つあるかないかだよ。見てみろよ、これだけ応募作があったって、大半は漫画とも呼べない陳腐な代物じゃないか。てっぺんに到達する漫画はこの箱の中には一つもないね」

「いや、そういうことじゃなくて」

「あるのか？」

「いやだからそういうことじゃなくて。たとえば大した才能の持ち主だって、まずは漫画を描いてみようと思わなくちゃ、力を発揮できないだろ。裾野ってのはそういうことだよ。その人のその偉大な才能、死ぬまで表に出なかったかもしれない才能が、漫画をちょっと描いてみようという気持ちによって発現するわけさ。裾野が広がれば、その確率がぐんと上がる」

「そうかあ？」

「そうだよ。それが裾野が広がる強みだろう」

まあ、それはそうだろう、とは俊彦も思う。

そう信じていなければ、これだけ膨大な数の応募作品を毎月毎月読む気にはなれない。

とはいえ。

箱に無造作に突っ込まれた応募原稿の山に目がいく。

ぞっとする。

裾野が広がれば広がっただけ、探す手間が増えるというのもまた事実なのだった。

うんざりするような、箸にも棒にもかからない応募原稿に目をやりながら、広い広い裾野の荒野で一粒のダイアモンドを探す虚しさに襲われた。

桐谷先生や蔵野先生、やまなべ先生、といったベテラン勢を担当し、日常的にあのレベルの作品に接している俊彦にとって、これらの原稿を読み続けるのは正直いって苦行だった。何十本に一本くらい、多少ましな原稿にも出会えるが、それらにしたって、その描き手が、彼女たちのレベルにまで到達する日ははてしなく遠い、と感じてしまう。

ふう、と息を吐いて、今読み終えた原稿を下読み済みの箱に入れる。応募作の山から次の原稿を手にする。

「お。そういえば、綿貫、お前、今度、四コマ漫画の新人を担当するんだってな？　それって、持ち込みしてきた子だろ？」

「ああ、そうだよ。アニメーションの会社で働いていた子で、ころころっとしたかわいいキャラクターを描くんだ。ほのぼのしてて、いいんじゃないか、と思って、沖さんに見せたら、やってみな、って。一ページ、もらえた」

「な、だからさ、持ち込みの方が結局、効率よく、新人を見つけられるってことなんじゃないか？　高品さんだってそうだし、うちで活躍している漫画家は持ち込みの子がけっこう多いよ。それなりに腕におぼえのあるやつが来るわけだし、わざわざここまで持ってくるだけの熱意もある。すでに篩《ふるい》にかけられてるんだ」

そう口にしたらますます虚しさに襲われてきて、読みだしていた原稿を机に放り投げた。

「あーもうやめだ。やめだやめだやめだ」

「なんだよ、どうしたんだよ」

「おれは力尽きた。帰る」

机に放った応募原稿を手にし、元の箱に戻す。

「なんでだよ。もうちょっとやっていけよ。まだ九時だぞ」

「もう九時だ。それに、この箱はハズレだ。当選作はない」

「ある」

「ない」

「いや、ある。なあ、ちょっと、これ見てくれよ」

「なんだ」

「これ、いいかもしれない。見てみろ」

「いやだ。見ない」

「なんでだ。見てみろって。これ、当たりだぞ」

「当たってない」

「当たってるって。いい絵だぞ」

「お前は少女漫画がわかってないんだ。わからんわからんっていっつもいってるじゃないか」

「わかってなくてもわかることがあるんだよ。武部、ちょっと見てみろって。これ、いいだろ」

押し付けてくるが、押し返す。

「どういう話なんだ。ラブコメか。どうせラブコメだろ。唐津杏子風か。桐谷晃子風か。図星だろ？ちょいといい、ってのはな、たいがいそこらあたりの物真似《ものまね》なんだ」

「いや、この子のは物真似じゃないぞ。たしかにラブコメはラブコメだが、独特の伸びやかさがある。どことなく旧制高校の匂いもする。うん、これ、いいんじゃないか？　おい、ちょっと見てくれよ」

「いやだっていってるだろ。おれは見ない。そんなにいいなら、当たりの箱に入れて、なんならお前が担当に名乗りをあげたらいいじゃないか。そうだ、そうしろ」

「むろん、そのつもりだが、ちょっと読んでみてくれよ。感想がききたいんだ」

「やだね。おれの感想なんてどうだっていいだろ。自分がいいと思ってんなら、それでいいじゃないか。自分を信じろ」

お互いだんだん意地になってきて、喧嘩《けんか》腰になっていく。どっと疲れを感じて、俊彦は帰り支度を始めた。ざっと机の上を整理しながら、おれは酒が飲みたいんだ、と声に出してつぶやいてみる。するといっそう酒が飲みたくなってきて、うまい酒が飲みたいなあ、と誘いをかけるようにいってみた。聞こえているはずだが、綿貫誠治は知らん顔している。ちっ、なんだよ、とむかつき、おれは一刻も早くうまい酒が飲みたいんだ、今日の気分はウィスキーだな、ウィスキーをロックで、と欲望をそのまま口にしながら立ち上がる。ぎくっと腰に軽い痛みが走った。身体全体が強張《こわば》っていたようで、なにやら動きにくい。ゆっくりと腰を伸ばし、しずかに揺らしてみた。ゆるゆると身体を捻って、強張りを解く。よし、もう大丈夫だ。

情けないような苦々しいような思いに駆られ、

「おれは働きすぎなんだ」

と、つぶやく。

フロアにはまだ人がいるから、みんなに聞こえないように綿貫誠治にうんと近づいてから、耳元でいってやる。お前も働きすぎだ。蠅を追っ払うように手で払われる。

「なんだよ、そう邪険にすんなよ。というわけで、綿貫くん。なあ、ワタちゃんや、一緒に飲みに行こうではないか。いい店、知ってんだ。奢ってやる。そんなもん片付けて、とっとと、行こう」

「行かない」

「なんで」

「この箱には当たりが多そうだ」

「うそつけ。そんなわけないだろ」

綿貫誠治がくるりと椅子ごと身体を捻り、背を向ける。ちぇっ、こいつ、ますます意地になってら、と俊彦は呆れ、近づいて彼の手元をのぞきこむ。ちらりと見えたその原稿は、たしかにうまい絵だと思われた。ふうむ。一見しただけでも、綿貫が推したくなった気持ちが少しわかるような気がする。

じわりと興味が湧く。だが、こちらも意地になっているから、読ませてくれ、とは決していわない。いってたまるか。ふうん、そうか、行かないのか、じゃ、おれ、先、帰るわ、お疲れさん、と肩を叩いた。ああ、お疲れ、とすげない言葉が返ってくる。

まさか、その新人が、やがてとてつもない大ヒット連載をうみだすなんて夢にも思っていない。

俊彦も思っていないし、綿貫誠治も思っていない。

くわえた煙草に火をつけて、俊彦は悠々と編集部を後にした。

5

小学三年生にもなると、千秋はなかなか忙しい。

学校の授業も増えたし、宿題も増えた。友だちとも遊ばなくてはならない。去年からはピアノ教室、書道教室へも週に一度、行かされている。そろばん塾は一年生の終わりからだ。

お使いを頼まれたりもする。

それでも漫画は読みつづけていた。

「漫画なんか読んでるとバカになるってうちのお母さんがいってたよ」

と教えてくれる子がいたが千秋は気にしなかった。

バカになってもいいと思っていたのか、バカにはならないと思っていたのか、どっちなのかはわからない。

ふうん。

と思っただけ。

千秋はふつうの本も好きで、ふつうの本もずいぶんたくさん読んでいるが、ふつうの本についてはなにもいわれなくて、その違いもよくわからなかった。千秋にとって、ふつうの本と漫画はほとんど同じものなのに。

とはいえ、絵は難しいとすでに悟っていた。

千秋はもう、自分が漫画家になれるとは思っていない。

いつか漫画スクールに応募して、金賞もらって漫画家になろう、と思ったこともあったけど、それはもう諦めた。図画工作の時間に他の子たちの絵を見て、自分の絵の下手さがよくわかってしまったのだ。練習すればうまくなるよ、と牧子ちゃんはいうが、そんなのは嘘だ、慰めだ、と千秋は知っている。辻内ゆきえ先生は小学生の頃から漫画を描いてて、その漫画を学校中の人たちが読んでて、みんなの人気者だった、といっていたではないか――と牧子ちゃんが教えてくれた――。

でもいい。

漫画家にならなくともいい。

千秋はいつか、牧子ちゃんのようにデイジーの編集部で働こうと思っている。

「千秋が大人になる頃にはきっともっと編集部で働く女の人は増えているよ」

と牧子ちゃんはいう。

そうして新しく出たばかりのファッション誌を広げて見せてくれる。

「ね、このおしゃれな雑誌がきっかけで、今年から、女の人の、編集部員の新規採用が始まったんだよ。わたしも受けたーい、っていってみたんだけど、だめだった」

「なんで」

「いろいろ条件があるんだよ。大人の世界って難しいんだよな。倍率もすごかったみたいだし、わたしが受けたとしてもぜったい受かんなかったね。ま、いいの。わたしはもうここで働いているんだし、これまで通り、編集管理課の一員として、編集部員の皆さんを一生懸命、支えていきますよ」

牧子ちゃんは自分は編集管理課だということを、しょっちゅういう。編集管理課。なんかかっこい い、と千秋も思う。編集管理課と編集部員はどう違うのだろうか。千秋はそのあたりがちょっとよくわからない。

牧子ちゃんの本棚にささっている布の表紙のアルバムには、大勢で写した週刊デイジーの百万部パーティの時の写真が貼ってある。いつもよりおしゃれをした牧子ちゃんは隅っこの方で、けけけ――というような顔で――笑っている。けべちゃんと小柳編集長もいる。千秋はこの写真で二人のことを思い出した。牧子ちゃんが前に編集部で会った人だよと教えてくれたのだ。そうだった。けべちゃん！　けべちゃんはすごいんだ。そうして小柳編集長は偉いんだ。この人たちが千秋の大好きなデイジーを作っているのだ。千秋は編集部へ行ったことがあって、この人たちに会ったことがある！　誇らしいような、誰かに自慢したいような、今更ながらの喜ばしさをかみしめる。

千秋は時々、このアルバムの写真をこっそり眺めている。いつかまた、編集部へ連れて行ってほしい、と思っている。

この間、桐谷先生の小鳥がもらえるかもしれないときいたときは、すごくうれしかった。もしかしたら千秋のお友だちにもあげられるかもよ、と牧子ちゃんはいった。それもすごい。誰にあげよう。誰にあげたらいいんだろうと考えているうちにそわそわしてきた。そのうえ小鳥をもらうために編集部へ行くのだときいて――桐谷先生にも会えるかもよ？――ますますうれしくなった。だが、一週間もしないうちに、その話はだめになったといわれてしまったのだった。えー。えー、そんなのやだー。なんでー なんでー、ほしいーほしいー、桐谷先生の小鳥、ほしいー、と訴えたけど、だめなものはだめなんだよ、といわれ、千秋ごめん、と謝られた。しばらくふてくされていたら、牧子ちゃんが桐谷先生のコミックスをくれた。新しく出たばかりのやつだ。これでがまんしろ、ということらしい。

千秋はコミックスを押入れの奥の箱に入れた。ここには何冊か、コミックスがしまってある――ぜんぶ牧子ちゃんにもらったものだ――。あんまり目立つところに置いておくと、また漫画ばっかり読んで、宿題やったの、と文句をいわれるので、こうして隠しておく。そうして隠れてこそこそ読む。

しかし、牧子ちゃんの部屋では堂々と読む。

週刊デイジーと別冊デイジー。

それからコミックス。

週刊デイジーで連載していた漫画は連載している時に読んでいるが、別冊デイジーで総集編になったら、また読む。コミックスになったら、またまた読む。コミックスは牧子ちゃんが気に入ったものしか買ってこないので、全部読んでいるわけではないものの、好きな漫画はそんなふうに、なんべんもなんべんも読むことになる。ついでにいうなら読み切り漫画も千秋はなんべんも読む。

千秋はなんべんでも読める。

漫画も本も、同じものをなんべんでも読む。

なんべん読んでも、つまらなくなることはない。

温かい気持ち、悲しい気持ち、うれしい気持ち、悔しい気持ち、怖い気持ち、どきどきする気持ち、かわいそうな気持ち、いろんな気持ちをたっぷり味わう。きれいだなあ、すてきだなあ、楽しいなあ、かわいいなあ、うっとりとした時間をいつまでも過ごす。そうしているとほんとうに幸せだ。いっそ学校なんて行かなくていいと思うが、残念ながらそれは許されない。ピアノ教室も書道教室もそろばん塾も宿題もお使いもみんなやったうえで、読むしかないのだ。

時々、夢中になって読んでいるとごはんもべつに食べなくていいような気がしてくるが、それもまた許されない。

千秋の学習机の一番上の引き出しには、デイジーの全員プレゼントでもらったばかりの筆入れがしまってある。お買い物大懸賞に当たったことは一度もないが、全員プレゼントはちゃんともらえた。牧子ちゃんに見せたら、あー、やっぱりちゃちだねー、編集部で見本を見せてもらったときにも思ったけど、これが全プレの限界かなー、といっていたが、そうだろうか。ちゃちだろうか？　そうでもないよね、と千秋は思っている。たしかに売ってるやつに比べたら、ちょっと弱々しくて壊れやすそうだけど、色がきれいだし、なにより唐津先生の絵がたいそうすてきではないか。かわいい。すごくかわいい。かわいいから使えない。汚したらいやだし。汚したって買い換え、できないし。だってこれはどこのお店にも売ってないものなんだから。

引き出しを開けると、筆入れの女の子といつも目があう。いい。とてもいい。うんうん、と思う。ここに、ある。それだけでなんかいいんだよな、と満足する。だから、ずっとここに置いておこうと思っている。きれいなままで。

次の全プレは下敷きらしいよ、と牧子ちゃんがこっそり教えてくれた。秘密だけどね、桐谷先生の下敷きなんだってさ。

おおおお。

いい。

それはいい。

すごくいい。

それももらおう。

ぜったいもらおう。
そしてここに一緒にしまっておこう。

6

今頃、みんなは富士急ハイランドか、と辰巳牧子は算盤《そろばん》の珠《たま》を弾きながらつぶやき、いいなあ、と思う。デイジーのフロアで働いていても編集管理課の牧子は連れて行ってもらえない。編集部に取り残されている。なので、一人でたまっていた仕事をもくもくとやっている。静かだし、雑用を頼まれないので、仕事は捗《はかど》る。

グラフ班の人やカメラマンの人、レイアウトの人やなんかが、たまに出たり入ったりしているが、いつもよりぜんぜん人は少ない。牧子を気にする人もいない。大きな口を開けてあくびをしたって誰にも咎められない。つまり誰も牧子の仕事ぶりなんて見てやしないのだから、こんなにまじめに働かなくったっていいような気がしてくるが、といって、サボれるほどの度胸はない。

天気はよい。

朝は曇り空だった。

会社の玄関の前に二台、観光バスが停まっていて、みんな乗り込んでいった。牧子は荷物運びを手伝った。荷物の中身はバスの中で配るお菓子だ。

前日から近くで宿泊している地方からきた漫画家の先生を迎えにいく人がいたり、担当する先生を乗せたタクシーがちっともこなくて電話をかけにいく人がいたり、二人のバスガイドと打ち合わせをしている人がいたり、なにしろ大騒ぎだった。人数は揃いましたかー、みなさんいらっしゃいますかー。いまーす、いませーん。みんな大声で叫ぶから、道ゆく人が、ぎょっとしている。きゃあああ、お久しぶり〜。あら〜元気だった〜、あちこちで騒いでいる。一号車に乗る先生と二号車に乗る先生が、おなじバスに乗りたいと訴えていたり、忘れ物をしたとあわてている人がいたり。

牧子は修学旅行を思い出した。

いやむしろ、修学旅行よりうるさいような気もする。女の子が多いからだろうか。

窓越しに、出発を待つ人々のうきうきした姿が見えて、ちょっと羨ましい。その中に沢つかさ先生を見つけたので手を振ると、それに気づいた別の人が手を振り返してくれる。するとそれを目にした人が次々に手を振ってくれるものだから、牧子もぶんぶん手を振るしかなくなる。ぶんぶんぶんぶん振りっぱなしだ。うれしいような、悔しいような。

ビルの玄関前の階段の上に立って、牧子は走り去る二台のバスを見送った。

いちおう、牧子には、留守番としての使命がある。なにかあった場合、牧子がここでの電話連絡を受け持つ。急病人が出たり、不測の事態の時は、あちらこちらから編集部に連絡が入るので、その中継地点になるわけだ。といったって、そんな電話はまずない。去年もなかった。今年もたぶんない。

製版所の鯉沼《こいぬま》さんがいつものようにきちんとした背広姿でひょこひょこっと編集部へやってきて、ありゃりゃあ、と素っ頓狂な声を出して驚いている。

「今日はみなさん、バスハイクですよ」

と教えてあげた。

「あー、そうかー。そういや、そうだったね。きいてたのに、つい、いつもの癖で来ちゃったよー。足が勝手に動くもんだからさ」

ふふふ、と笑ったら、

「あなたは行かなかったの」

ときかれた。

「わたしは編集管理課なんで」

「ふうん」

わかっているのかいないのか、うなずいている。額にうっすら汗がにじんでいる。暑そうだ。お茶でもいかがですか、といったら、もらおうかな、と手近な椅子に腰掛けた。

給湯室で作り置きの麦茶をいれて、あいにくお菓子が何もなかったので、それだけ出した。

「バスハイクって、みんな、どこいったの」

がぶり、といった感じで湯呑みに口をつける。

「富士急ハイランドへ」

「富士急ハイランド。いいねえ。富士山麓の遊園地だろう。うちの女房に、一度くらい娘を連れてってやれ、っていわれてるところだよ」

「鯉沼さん、お嬢さんがいらっしゃるんですか」

「いるんだよ。こんな仕事をしているから、忙しくて、ちっとも会えないんだけどね。いつだったか、娘がもっと小さかった頃、久しぶりに会ったら、家を出ていく時に、パパ、また遊びにきてね、っていわれちゃってさ、ショックだったねえ。まあ、ここの人らも似たようなものだろうけど、うちはこと印刷所との板挟みだから、忙しさも倍」

「たいへんなんですね」

この人は編集部でほんとうによく見かける。いつも泳いでいるみたいにフロア内を移動していて、するするーっと回って、するするーっといなくなる。とはいえ、編集部の人たちと楽しそうに長々会話していることもあったし、それほど忙しい人だとは思っていなかった。

「そうなんだよー。わたしら製版は、たいへんなんだよー。漫画家の先生方の原稿があがってくるのがなんせ、バラバラだろう？　原稿もらって戻るとまた取りに来いって電話がかかってきたりするんだなあ。そらね、持ってきてくれることもあるけど、基本、こっちから取りにいかなきゃならない。時間ぎりぎりになることも多いし、夜中のこともある、といって、印刷所は印刷所でデイジーのために空けてある時間が決まってるわけだから、それにはなんとしても間に合わせないといけない。それにうちの仕事はデイジーだけじゃないし、ようするに働き詰めなのよ」

「原稿を取りにきてたんですか」

「そうだよ。え、なに、遊びにきてるとでも思ってた？」

「いや、そういうわけじゃないですけど」

牧子はもごもごとごまかすが、じつはこの人が何しに編集部に来ているのか詳しく知らなかったのだ。よく見かけるなー、と思っていても、具体的にどういう仕事をしている人なのか知らないまま――知ろうともしないまま――、たまにお茶を出したりしていた。製版所の人だということは知っていても、まさか夜中にまで編集部に原稿を取りに来ていたなんて、まったく知らなかった。

「さ、いくとするか。ごちそうさん」

すっと立ち上がって、腕時計で時間を確認している。やっぱり忙しい人のようだ。

「みんな夕方には帰ってくるんだろ？」

「そうきいてます。でも、バスの都合やなんかで、少し遅れるかもしれないって」

「まあ、そうだろうね。近頃は高速も混むからね。ってことは、今日はもう、なんにもないのかなー。わたしの出番はなしってことでいいかなー。あっ。あー」

と上を見る。どうしたんだろうと思っていたら、

「ところで辻内先生はいったの？　富士急ハイランド」

と、きかれた。

「辻内先生？　辻内先生をご存じなんですか」

「そら、知ってるよー。よーく知ってるよ。知ってるどころじゃないよー。いやんなるくらい知ってるよー。溶剤で鉛版《えんばん》を溶かす時間まで逆算して伝えて、毎度毎度ぎりっぎりに原稿もらってんだから。いっつもだよ、いっつも。綱渡りどころじゃないよ。あの人のおかげで毎月、胃に穴が開きそうだよ」

「ようざい。を、とかす。えんばん」

「まさか今日、富士急ハイランドへなんて、いってないよな、辻内先生。いってたら怒るよ」

「え」

「冗談だよ、冗談。怒りゃしないよ。でも、まさか、いってないよな？」

笑いながら問う。なんとなーく、目が笑っていない気がする。

「さあ、どうでしょう？」

牧子は考える。

そういえば、朝、辻内先生を見かけなかったような気がする。先生はバスハイクにいかなかったのだろうか？　もしかして、今日も風月館で缶詰になって漫画を描いているのだろうか？

思い返してみれば、桐谷先生もいなかったような気がしてくるし、あれ、ひょっとして米村《よねむら》先生もいなかったのではないか。はっきり記憶しているわけではないけれども、他にもいなかった先生が何人かいたような気がしてきた。

そうか。

そのうちの何人かはきっと、今日も——今も——、仕事をしているのだ。

はーっと牧子は息を吐いた。

「まっ、そうはいっても、辻内先生だって、たまには息抜きしないといけないよな。天気はいいし、たっぷり楽しんできてくれたらいいさ。その方がたぶん原稿も捗る。捗ってもらわなくちゃ困る。さてさて、こちらはこちらで、ぎりっぎりの算段をして待ち構えることにするかな。武蔵を迎え伐《う》つ巌流島の小次郎の心境だ。えいやっと」

笑いながらそういい、たったった、と早足で消えていった。やっぱり忙しい人である。

牧子は窓から風月館の方向を見やる。

鯉沼さんに、辻内先生は今日も風月館で描いてらっしゃるかもしれませんよ、といいそこなってしまった。

急にがらんとしたように感じられるフロアで、牧子は一瞬、ぽかんとなる。

迷子にでもなったかのような心細さを感じて、ぶるっと頭を振った。


バスの中は賑やかだ。

女の子たちは姦《かしま》しい。

ずっとしゃべっている。

もしくはお菓子を食べている。

もしくは歌をうたっている。

どこからともなく歌声が起きると、自然と合唱になる。

それから笑い声。

西口克子は前方の座席にすわって、バス全体に気を配りつつ、ガイドさんと話したり、予定表を確認したり、窓外を眺めたりしている。

気分はすっかり引率の先生だ。

つい先ほども、乗り物酔いをしそうだという新人漫画家に薬を飲ませ、エチケット袋を渡し、気分が悪くなったらすぐにおっしゃってくださいね、と伝えてきたばかりだった。なにかあればすぐに飛んでいかねばならない。克子の隣には週刊デイジーの祖父江久志《ひさし》がすわっているが、こういうことはすべて克子にまかせきり、お菓子を配るときも、すわったままだった。どうせ何もしないのなら、後方の男性編集者たちのいるあたりにすわったらいいのに、手伝いますとかなんとかいってここにすわったのは、おそらくここでなら寝ていけると思ったのだろう。

案の定、初っ端《しょぱな》からいびきをかいていた。

けれども、すぐに、びくん、と動いて、目を覚ます。そしてまた眠る。それを頻々と繰り返していた。神経質な人なのか、大型バス特有の揺れ方が気になるのか。

「うまいなあ」

ふいに、祖父江久志の声がした。

寝言かと思ってちらりと見ると目は閉じられたまま、くいくい、っと指を動かし、泉田さん、と知らせる。

「泉田さんがどうかしました?」

「歌、うまいなあ、と思って。寝てても、あの子の声だけきこえてくる」

「ああ、あれ、泉田さんでしたか。とてもうまい子がいるなあ、と思ってたんですけど、誰だかわからなかった」

「いい声だよなあ。いちおう担当ですが、彼女があんなに歌がうまいとは知らなかった」

「泉田さん、いいですよね」

「歌？」

「いいえ、漫画。歌もいいですけど」

祖父江久志がくすっと笑う。

「あの子もじつは遅いんですよ、原稿。やんなっちゃうんだなあ。今回の連載も、最終回、たいへんでした。催促しすぎて険悪に」

「険悪？」

「あの子も勝気なんで」

「ありがちな」

「ありがちですか」

「ありがちですよー。でもいい連載でした。悲しいラストでしたけど。泉田さんの漫画、ちょっと雰囲気が変わってきましたよね」

「わかりますか」

「肩の力が抜けた感じ」

「これからもっとよくなりますよ。総集編、そろそろ別デでどうですか」

「どうでしょう？　今回の連載は、少し大人っぽかったですもんねえ。うちでやるかな？　やらないんじゃないかな」

総集編として別デに載せるかどうかは小柳編集長が決める。週デ漫画班の沖主任や、楢橋編集長らと話したうえで判断しているようだが、克子たちは意見をきかれたことがない。

総集編といわず、克子としては泉田依子にはぜひ別デで読み切りを描いてもらいたいと思っているが——そしてその暁にはぜひ担当を、とも思っているのだがそれは夢のまた夢——、小柳さんはそれほど評価していないのか、泉田依子の名前が編集部で話題になることはなかった。

「やはりラストがあれだと、別デには向かないですか」

「ラストが、ってわけでもないですけど、んー、そうですねー、うちの総集編向きではないように思いますね。少なくとも小柳さんの好みではない」

「ああ、それはわかるな。あの人が好きなのは、もっとこう、明るくて展開がはっきりしているものだ。ま、うちとしてはその方がいいけども。小柳さんに執心されて別デに取られちゃかなわない」

「あら、でも泉田さん、この間、サニーティーンに読み切り、描いてませんでした？　初登場！　って派手な扱いで。あれはいいんですか」

「よかないですよ。よかないが、知らぬ間にあっちが首、突っ込んできてたんだ。古巣なんで文句もいえなかった」

「そういえば祖父江さんって、もともとサニーティーンの人ですもんね」

「そう。昨日の敵は今日の友ですよ。や、逆か。ともかく、油断大敵。くわばらくわばら」

そういってまた目を瞑《つぶ》り、うつらうつら眠っていく。

真後ろの席から唐津杏子たちのおしゃべりがきこえてきている。煙草に挑戦してみたんだけど、どうも苦手だった、あら、おいしいじゃない、そうかなあ。通路を挟んだ向こうの席からも話に加わってくる。その後ろからも。なので自然に声が大きくなる。煙草って便利よー、アイディアに詰まった時に一服するといいのよー、煙をぷかーり、すると、ぴかーん、って閃くんだなー。またまたー。この人、適当なことといってるよー。ほんとよー。打ち合わせの時も、つい吸いたくなっちゃう。うーん、わたしはそこまでにはならなかったなあ。煙草、おいしくないもーん。あらそう。どう一服。わ、ハイライト吸ってんだ。吸ってる吸ってる。すごいなー、わたし、かっこよく吸いたいんだけど、げほげほしちゃうのよー。もうやめちゃった。みんなでげらげら笑っている。わたしなんて、気づいたら一箱吸っちゃってるときがあるよ、えっ、そんなに。あっわたしもそう、最近はそんな感じ。もう手放せなーい。どうやら、意見は真っ二つに分かれているようだ。そうして煙草からお酒へと話が広がっていく。締切が終わったあとの一杯は最高！　あの一杯のために描く。飲める人はいいなあ。飲めなくても飲んでるふりして酔っ払うのよ。なにそれー。えー、コーヒーじゃ、だめ？　だめだめ！　新宿のあの店この店。あのバー、このバー。おいしいお酒から、おいしいおつまみ、おいしいお料理へ。話題はどんどん変わっていく。

「よくしゃべるなあ」

祖父江久志が目を閉じたまま、つぶやいた。また起きたらしい。

「このくらいふつうですよ」

「ふつうかなあ。うしろにラジオがあるみたいだ」

「ラジオ」

「しゃべりっぱなしの深夜放送。ずーっとしゃべってる」

「楽しいですけどね、きいてると」

きゃははははは、とバスの真ん中あたりから、大きな笑い声がきこえてくる。あちらこちらでそれぞれ、盛り上がっているようだ。新人や、地方から参加している漫画家たちにとっては初対面の人も多かろうに、あっという間に打ち解けてしまうのも若さゆえ、同業者ゆえだろうか。克子たちが気を回さなくても勝手に交流し、勝手に親睦を深めていく。

　克子が知る限り、彼女たちにはライバル心のようなものがあまり感じられなかった。アンケート結果を伝えても、わりと淡々としているし、自分の作品へのプライドはあっても誰かを蹴落とそうとか、追い抜こうという気持ちはなさそうなのだ。なぜだろうとふしぎに思っていたが、ようするに、戦う相手は自分自身、ということなのだろうと思うようになった。そうやって彼女たちは地道にこつこつと自分の漫画と向き合い、腕を磨いていく。それに比べれば、むしろ、担当編集者の方が人気に一喜一憂し、競争心を刺激され続けているように思われた。小柳王国といわれる別デはともかく、週デに蠢《うごめ》く漫画班の男たちは、誰が人気作の担当かを、互いに意識しあっているふしがあった。

　隣で寝たり起きたりしている祖父江久志も、きっとそうなのだろう。この人は週デに移ってきてから、まだ、これといったヒット作を担当していないはず。内心、焦りもあるのではないだろうか。

　でも、いいよなあ、と克子は思う。ヒット作が出なくったって、この人は、泉田依子や高品布美子といった、克子が注目している気鋭の漫画家たちを担当している。しかも彼女たちはこのところ、ぐんぐん面白くなってきている。さぞかし刺激的な毎日だろう。

　後ろの席での話題は、いつの間にか米村先生や遠山《とおやま》先生といった新婚の漫画家先生たちの近況に移っていた。ねえねえ米村先生、来年早々ご出産ですって。きゃー、さっそくベビー誕生ね、お幸せね。米村先生がお母さんになるなんてうそみたい。遠山さんのところはまだなの？　あそこはまだまだ新婚気分よ。のろけてばっかり。おのろけカット、別デに描いてるの見た？　見た見たー。アイラブダーリン。いいなあ。蔵野先生はお二人目をご出産予定ですって。うわーん、わたしも早く結婚したいー！　え、そう？　わたしはまだいいかなー。わたしもまだいい。けどさー、いずれは結婚したくない？　したいわよー。ふんっ、それには相手を見つけなきゃね。まずはボーイフレンドよ、ボーイフレンド！　えー、どこかにいないかなー？　いなーい。いませーん。どこにもいませーん。いてくれないと困りますー！　それからしばらく理想の男性像の話になり――喧々囂々《けんけんごうごう》――、好きな芸能人の話題へと続き、結婚したい派と、とくにまだ考えていない派でひとしきり盛り上がる。親がうるさいのよ、漫画なんて描いてないで早く結婚しろ、って。あー、わかるー。わかるわかる。うちはお見合いしろっていわれた。ありえない！　うちは田舎のおばあちゃんが花嫁姿が見たいって泣くのよー。あー、それはきついー。

このあたりの話題になると、克子も身につまされる。

克子にしても、そろそろ、というより、いよいよ結婚について真剣に考えねばならない年頃になってきている。といって、決まった交際相手がいるわけではないのだが、東京近郊の実家に帰ると今や、必ずその話になるのだった。あんた、いったいどうすんの。そんなことしてたら嫁の貰い手がなくなるよ。誰か会社にいい人いないの。いるならしなさい。さっさとしなさい。いないなら誰かに世話してもらおうか。頼もうか。世間は、年頃の娘は結婚して当たり前と思っている。寿退社して主婦になるのが普通の生き方だと思っている。疲れる。

自由に振る舞い、闊達に生きるヒロインを次々生みだしている少女漫画家たちでさえ同じなのか、と克子はやや暗澹《あんたん》たる気持ちになる。そうしてなんだか切ない気持ちにもなってくる。硬い鋳型が空から降ってきて、知らぬ間に我々は型抜きされていくようだ。

結婚しないで仕事を続けている戸田育江のような人がすぐそばにいる克子でさえ、そう感じてしまうのだから、年下の漫画家たちはもっとそうなのだろう。抗《あらが》おうにも抗えない。克子だってそうだ。戸田育江の存在に励まされてはいても、ほんとうにそれでいいのだろうかと、つい考え込んでしまう。彼女のようになりたいような、なりたくないような。おそらく自分は戸田育江ほど強くないのだろうと克子は思う。あんなふうに一人で生きていけるだけの力が自分にあるのかどうか、たぶん、そこにまだ自信が持てないでいる。いつか己の決断を、どこかで悔やんだり、嘆いたりしないだろうか。けれども仕事はしたい。この仕事を続けたい。それはほんとうだ。そこに偽りはない。ではなぜ、こんなふうに悩まなくてはならないのだろう？

ぼんやりと物思いに耽《ふけ》っているうちに、後ろの席の話題は、いつの間にか夏の旅行へと移っていた。海へ行きたい。山へ行きたい。思いっきり羽を伸ばして遊びまわりたい。まとまった休みがほしい。お金もほしい。海外へ行きたい。一人旅をしてみたい。バカンス、バカンス、バカンス。こんな計画がある。あんな計画をしてる。みんな好き勝手にしゃべっている。

先ほどの悩みなど、どこ吹く風と、屈託なく、それぞれがでたらめにいいたいことをいって騒いでいるのをきいていたら、思わず噴き出してしまった。

たくましいというかなんというか。

夏。

これからやってくる彼女たちの夏。

彼女たちが望む夢のような夏の景色がすぐ目の前に見えるかのよう。

いいなあ、と克子は思う。

この勢いがあるうちは、きっと未来は明るい。そんな気がしてくる。

わたしもそれにあやかりたいものだ。

「いやはや、騒がしいなあ」

薄目を開けて、祖父江久志がこちらを見る。

「元気が有り余っているんですよ」

笑いながら克子は返す。

「たしかにそのようだなあ。今日は一日、この子らに振り回されるなあ」

「そうですよ、負けてはいられません」

「お互い、がんばりましょう」

「ええ、がんばりましょう」

「そろそろ着きますか」

「あと少しです」

バスを降りたらまずは集合写真だ。

それさえ済めば、お昼の食事の時間までは自由。

窓から富士山が見えている。

遊園地も見えてきた。

ようし、わたしもあの長い長いジェットコースターに乗ってやろうと克子は思う。猛スピードで疾走するジェットコースターから雄大な富士山を眺めてやろう。

恐怖で絶叫するのもまたよし、だ。

7

戸田育江にとって、今年の夏は格別だった。

ついに買ったのだ、家を。

新築の分譲マンションを。

ずいぶん迷った。決断するまでに時間を要した。なにしろ、こんな大きな買い物、したことがない。手付金を払ってからもまだ逡巡《しゅんじゅん》していた。

いいんだろうか。こんな多額の借金を背負ってしまって。

のちのち困らないだろうか。

プランはきっちり立てたし、融資の審査が通ったのだから、育江の経済力は認められたといってよい。それでもなお、一抹の不安があったのは、やはり怖かったのだと思う。我ながら大胆すぎて。

三十代半ば、まだ嫁ぐ可能性がないわけではない。

……なんてこともつい思ってしまう。思わされてしまう。

物件を見て回っている折にも、ご主人さまはどちらに？ といわれることがたびたびあったし、独り身だと知れると、冷やかしだと思われ、軽く扱われた。家を買うより先に結婚した方がいいのでは、と暗に仄《ほの》めかされたこともあった。

そうかもしれない。

こんなことをしているより、お見合いでもした方がいいのかもしれない。

危うく、くじけそうになった。

だが、くじけなかった。

家を買ってなにが悪い。

わたしは自分の家がほしいのだ。

そうして、ついに見つけた。

ここだ、という家を。

たいした物件ではない。立地はまずまずだが、そう広くはない。内装や設備は長く住んでいる賃貸アパートより格段にましだが、金額に見合うほどの価値があるのかどうかよくわからない。

会社の経理部門にも相談に乗ってもらった。

不動産の購入や銀行の融資について、わからないことが多すぎて、頼るより他なかったのだ。その過程で小柳編集長の耳にも入ったらしい。

「きみ、家を買うんだって」

ときかれ、

「はい、マンションを。小さいマンションですけど」

とこたえた。

「どうせなら一軒家にしたらいいのに。今、あちこちで建ってるよ。土地付きの建売住宅。ああいうのにしたら」

とすすめられた。

「ええ、でも、わたしは独り身ですし、マンションで十分なんです」

と返した。

小柳さんは、なるほど、という顔でうなずき、マンションねえ、そういう時代なんだねえ、とつぶやいた。

他には何もいわれなかった。

独り身の中年女が家を買うことについて、ちょっとくらい皮肉めいたことをいわれるかな、と身構えていたので拍子抜けした。デイジーという職場でずっと女性相手の仕事をしてきているので、やはり小柳さんは普通とは少し違う感覚なのかもしれない。

あるいは、八月下旬に出発する欧州視察旅行のことで頭がいっぱいで、育江の家のことになど関心を向けられなかったのか。

小柳さんは、梅雨が明けたあたりから多忙を極めているようだった。旅の準備もあっただろうし、通常の編集業務の進行に加え、留守中の段取りもしておかなくてはならない。おまけに、八月半ばに発売する九月号は百万部刷ることになっていた。正確にいえば百十万部だ。勝負をかけたといってよい。今度こそ、しくじれないと気合が入っていた。

小柳さんは去年の年末に出た新年号で一度、同様の勝負に出ている。

しかし、結果は惜敗だった。

最終的には百万部の売り上げに届かなかった。といって、これまでで最高の売り上げ部数にはなったのだけれども、営業部からは、百万部刷るにはまだ少し早かった、あまり調子に乗らず部数読みはくれぐれも慎重に、とのお達しがあったそうだ。それでしばらくおとなしく従ってはいたものの、このところ売り上げ率が九割を超えるという良い流れが続き、ついにまた勝負の時がやってきたと判断したらしい。読者の子供たちは夏休みの真っ最中、内容も充実している。唐津先生の週刊デイジーでの人気連載の総集編——別デでも人気爆発中——に、辻内先生の前後編の前編——前月を絵物語にして準備にたっぷり時間をかけたホラー風味のサスペンスドラマ——、蔵野先生、桐谷先生といった手堅いベテラン勢から期待の大型新人のデビュー作まで、バラエティ豊かにみっちり詰まっている。売れる要素しかない。別冊デイジーに対する社内の期待も高まっていた。編集部でも編集作業にはいっそう力が入った。熱気が違った——忙しすぎて、みんな少しおかしくなっていただけかもしれないが——。いけるよ、いける。百万部、いける気がする。うん、これはいけるね、いけますね。そんな会話が校了後に飛び交った。小柳さんも満足げにうなずいていた。

ところが、発売一週間後の実売数が、予想よりやや少なかったのだ。営業部から回ってきた報告を見て、むむー、と小柳さんは険しい顔をして唸っていた。出版とは水物。そうそううまくいくものではない、とわかっていても消沈する。なぜこうなったのか理由もわからないし、いまさら対処のしようもない。そのうえ、次の週の数字が営業部から上がってくる頃には小柳さんは日本を離れている。唸りたくもなるのだろう。国際電報を打ちますよ、と留守を預かる副編集長の副島さんが声をかけていた。次はきっといい数字が出ます、という一言も忘れずに付け加えている。

異国の地でさぞや気が揉めることだろう。

小柳さんが機上の人となり――編集部の数名で羽田空港まで見送りにいった――、その週末に、育江の新居への引っ越しも済んだ。

ついに。

ついに、育江は自分の家を手に入れたのだった。

荷物がそう多くなかったので、引っ越してみたら思っていたより広く感じられた。がらんとしすぎて、なんだか、少し心許《こころもと》ない。

これまで住んでいた賃貸アパートから運び込んだ家具や電化製品がみすぼらしく見えた。新調したカーテンや照明器具も少し安っぽかったように感じる。

それでも。

それでもここは育江の家だった。

すみからすみまで、育江のものだった。

六階のベランダから夏の青空を眺め、手のひらの鍵をあらためてぎゅっと握りしめる。

幻ではない。

これからわたしはここに住む。

なんともいえない深い安堵感《あんどかん》に包まれた。

今までの苦労がすべて報われたような気がした。

これから、少しずつ家具や電化製品を買い替えて、この新しい家を整えていこう。好みのものを揃え、住み心地をよくしていこう。ここで寛げるようにしよう。日々の疲れをここで癒そう。

ここは、わたしの城。

わたしのお城なんだから。

ほんとうに、こんな日が来るなんて夢のようだった。

育江はまだ、幼き日に見た、焼け野原を記憶している。

育江の生まれた街は、原子爆弾に破壊された。

育江は近くの村に住む母方の祖父母に預けられていたので無事だったが、あの時、あのあたりは地獄だった。すぐそこまで地獄が広がっていた。混乱と絶望が生き残った人々をもみくちゃにしていた。普段忘れていても、いつでもその記憶は蘇る。深い悲しみと恐怖とともに。

戦死した父、兄、父の兄弟、その後、病死した母、姉。育江は祖父母のおかげでどうにか生きながらえたけれども、なにか一つ違っていたら、どこかで野垂れ死にしていてもおかしくはなかった。たくさんの人が死んだ。誰が死んで、誰が生きているのかわからなくなるくらい、たくさんの人が死んでしまった。祖父母はなにもいわず、ただ田畑を耕していた。

こんな清々《すがすが》しい夏の青空を見ていても――いや、こんな清々しい夏の青空を見ているからこそ、なのだろうか――、ふいに思い出すのだ。あの夏のことを。

あれが育江の出発点だ。

それを思えば、よくぞここまで生きてこられたものではないかと自分で自分を労いたくなる。

これ以上望むことなど何もない。

そのくらい、育江は今、幸せだった。

こんな満ち足りた暮らしができるようになるなんて、誰に——何に——感謝したらいいのだろう。

デイジーを思い浮かべる。

デイジーにたどり着くまでの道のりを思い浮かべる。

さまざまな偶然や運や縁に導かれたとしかいいようがないが、東京の出版社の、少女雑誌の編集部で働くようになるなんて、あの頃、想像だにしていなかった。しかも、まさか、自分の家まで持てる日がくるなんて。

祖父母が存命なら、ここに連れてきてこの家を見せたかったたと思うし、ゆっくり滞在してもらって、東京見物をさせてあげたかったと思う。祖父母だけではない。死んでしまった人たち、みんなをここに呼びたいくらいだ。

「戸田さん、元気ですねー。戸田さんが、編集部で今いちばん元気なんじゃないですか」

だらりと机に突っ伏した西口克子がいう。

「え、そう?」

「そうですよ。みんなへろへろです。七月からあきらかに無理な進行で仕事してきたんですからね。働きすぎた分、ここへきてどっと疲れが……。わたし、まちがいなく夏バテです。食欲もなくて」

「やあねえ、カッコちゃん、あなた、わたしよりうんと若いくせに、なにいってんのよ」

「若さなんて関係ありませんよ。わたしたちをこんなに働かせておいて、小柳さんは今頃、フランスですかね? 西ドイツですかね? まあ、その分、来月は少し、楽かもしれないけど。あー、ほんと、わたしたち、よく頑張りましたよね。羽田で小柳さんの乗った飛行機が飛んでいくのを見て、わたし、ばんざーい、って心の中で叫んでましたもん」

「ばんざいはまだ早いわよ。あと一歩。十月号を校了してからばんざいしてちょうだい」

校了まであとわずか。だが、それと並行して、すでに、十一月号の仕事にも取りかかっている。

小柳さんは出発前に、十一月号のネームもほぼ確認していった。企画もののラフなどもしっかりみていったし、目次や予告も指示していった。新人への目配りや、週デと連動した秋の全プレに関する諸々も駆け足で済ませていった。恐るべき体力と気力だった。その手足となって動いていたのだから、編集部員全員、仕事量が甚《はなは》だしかった。

育江は、進藤珠代が作っている十一月号の懸賞ページのラフに目を通しながら、煙草に火をつけた。とくに問題はない。これでOKだ。この子もよく働いてくれたと育江は思う。この懸賞ページはすでに先月号から彼女が一人で作っている。今回のラフもなかなか良いセンスでまとめられていた。ズブの素人から、よくぞ短期間でここまで成長してくれたものではないかと育江はあらためて感心する。ほんとうにこの子が戦力になってくれて、ずいぶん助かった。ふーっと勢いよく煙を吐き出したら、西口克子が隣の席で咳《せ》き込んだ。

「あら、ごめんなさい」

手にした煙草を克子から遠ざけ、空いている手でばさばさ扇《あお》ぐ。

「いえいえ、いいですいいです。やっぱり元気ですね、戸田さん」

「そうかしら」

「そうですよ。なんかちがいます。やっぱりあれですか。張り合いが出ますか」

「張り合い？」

ちらっと、うかがうように育江を見る。

あ、もしかして家のことをいっているのかな、と察するが、どう反応すればいいのかわからず無言でいると、すみません、よけいなことをいって、と謝られてしまった。

「あん、いいのよ、ひょっとして、家のこと？　カッコちゃん、知ってるの？」

「なんとなく。噂で」

「噂か」

「引っ越し祝いとか新築祝いとか、おめでたいことなんだから、なにかそういうの、した方がいいんじゃないかな、と思ったんですが、戸田さんからはっきりきいたわけでもないのに、それもどうかな、って」

「ああ、そんなこと。どうぞお気になさらず。それにしても噂になるのって、早いのね。まあ、そうか。オールドミスが借金していきなり家を買ったんだもん。珍しくて噂にもなるか。経理で話しているところ、いろんな人に見られたしね。そっかそっか。もうみんな知ってるんだ」

「あの、でも、悪い噂じゃないですよ。わたしなんかは、さすが戸田さんって感服つかまつりました」

「え、感服？　やだな、そんなたいしたことじゃないのよ。ほんとにちっさな家なの。そのうち遊びにいらっしゃいよ」

「え、いいんですか」

「いいわよ。いかにたいした家じゃないか、一目みればわかるから。なーんだ、って思うはず」

「ご謙遜《けんそん》」

「あとにつづけ」

「え？」

「べつにたいしたことじゃないんだから。そう思わなくちゃだめよ。家くらいカッコちゃんにだって買える。買えばいい。買いなさい」

「は、はあ」

「お嫁にいくことになったら売っちゃえばいいんだし」

「売る。なるほど」

「買って気がついたんだけどね、買ったものは売れるのよ。ね、そう思えば、ぐっとハードルが下がるでしょう？」

「下がります？」

「漫画家の先生方だって、これから、どんどん買うと思うな。ご結婚されているベテランの先生方はもう立派なお屋敷にお住まいだけど、まだ独身の、若い先生方はこれからでしょう。買うわよ。きっと。稼いでる人は稼いでるもの」

「そうかもしれないですね」

「その時、必要なら、わたし、いくらでも相談に乗るわよ。いろいろ勉強したし、経験してわかったこともあったし」

「それは心強いですね」

「どんと来いよ」

そんな話をしていたら、芝厚史がどこからともなく、ひょろひょろっと近づいてきて、二人の間に、くいっと首を突き出し、

「よさそうですよ、数字」

と、にやにやしながらいったのだった。

「なあに？　数字？」

「営業部の数字。いやね、まだ確定ではないんですが、ちょいと小耳に挟みまして。今回の数字、だいぶいいらしいんですよ。少なくとも、新年号の二の舞にはならない」

「え、ほんと？」

西口克子がぴくりと身体を浮かして反転し、芝厚史に詰め寄る。芝厚史が、小刻みにうなずく。ほんとにほんと？　重ねてきく。芝厚史は小刻みにうなずきつづけている。

わー、と西口克子が声をあげた。ばんざーい。

ぬか喜びしたくなくて、育江が、

「ほんとなの？　ほんとにほんとなの？　ほんとにほんとに、ばんざいなの？　まちがいない？」

念を押すと、芝厚史が、いけるような気がしますよ、ぼかあ、とこたえた。

「百万部よ？」

「百万部です」

「超える？」

「超えると思いますよ。営業部の意見もだいたいそのようです。同期がいるんですよ。やつが確認した都内の本屋はすべて、売れ行き好調らしいです。地方の集計待ちですが、いけますよ、今回は」

はあー、っと育江は息を吐き出し、指に挟んでいた煙草を揉み消した。

よかった。

口には出さずとも、気が気でなかったのだ。

今回の数字は、翌月号の発売までの折り返し地点。ここでよい数字が取れるかどうかにかかっている。それに今回は子供たちの夏休み、最後の週でもある。重要度が弥増《いやま》す。ここで売り伸ばさなければば百万部には届かないとみんなよくわかっていた。

「このことは、まだ誰にもいわないでくださいよ。営業部から正式に数字が回ってくるまでは、どうぞ御内密に」

「わかってるわよ」

「わかってる。わかってる」

「ここだけの話ですよ」

「わかってるってば。先走ったことといって、副島さんが国際電報でも打っちゃったら、たいへんだもの。取り返しがつかない」

「そうよ。間違いでした、なんて訂正電報、打てないわよ。あー、それにしてもほっとしたわねえ、カッコちゃん。百万部ですって。ついにその日がきたのねえ」

「いや、ちょっと戸田さん、だから、先走らないでくださいよ。まだ推定ですって、推定。中間地点を無事通過したってだけで」

芝厚史が口を挟む。

推定が推定でなくなるのは、翌月号が出たあとだから、まだ先だ。

「わかってるわよ、でも、うれしいのよ」

「そうよ。私も戸田さんも、どれだけこの日を待ち望んでいたことか。新年号の時の、数字が出た後の小柳さんの機嫌の悪かったこと！　あんなの、もうたくさん。中間地点を無事通過したんなら、もう大丈夫よ。あれだけの中身が詰まった九月号ですもの、この後、失速するわけがない。新学期が始まったら、学校で話題沸騰よ！　加速がつくに決まってる。早く小柳さんに教えてあげたい」

「ほんとよ、なんで小柳さんたら、こんな時にヨーロッパへ行っちゃったのかしら。間が悪いったらないわね」

「肝心な時にいないなんて、悲しすぎます。芝さんなんて、ついこの間、別デに来たばかりだってのに、こんな歴史的場面に居合わせちゃって。ちゃっかりしてる」

「え、なにいってんですか。ぼくがきいてきてあげたんじゃないですか、この重大情報を」

「そういうところも、ちゃっかりしてる」

「ちゃっかりってなんですか、ちゃっかりって。ぼくは幸運の女神みたいなもんですよ。あ、そうか！　そうですよ。ぼくがこの編集部へ配属になって、幸運を運んできたのかもしれないですよ。ってことはあれか？　百万部はぼくの手柄か？」

「バカいってんじゃないわよ。ずうずうしい」

二人がそんな言い合いを――楽しく――しているところへ進藤珠代がラフを受け取りにやってきた。なにかあったんですか？　ときくから、こっそり教えてやった。この子だって我々の仲間だ。隠しておけない。芝厚史が、ここだけの話にしといてくださいよ、まだ秘密ですよ、秘密、と念を押す。

きゃあ、うれしい～、と跳び上がって喜んでいる。

西口克子が目を細めて、

「ね、夏バテも、吹き飛ぶよね、珠ちゃん」

と、うきうきした調子で声をかける。

「吹き飛びます」

進藤珠代が元気にこたえ、勢いづいたのか、

「ねえ、戸田さん、垂れ幕作りましょうよ、垂れ幕」

といいだした。

「高校の時、うちのソフトボール部、国体で準優勝したんです。その時、校舎の窓から垂れ幕でおめでとうっていうの、やったんです。わたし、それを見るたびに、うれしかったんだなー。めでたさ百倍、みたいな感じで。うちのクラスにもソフトボール部の人がいたんですけど、その人も誇らしげで。みんなで祝ってるっていう感じがとてもよかった」

「珠ちゃん、それ、いい！　すごくいい！　小柳さんがヨーロッパから帰国して、初出勤の日にそれを目にすることになるっていうのがまた、輪をかけていい！　小柳さん、びっくりすると思うな。いや、びっくりさせましょうよ。戸田さん、作りましょうよ」

「そんなこと、勝手にやっていいのかしら。会社の窓から垂らしたら、通行人がみんな見るのよ」

「だから余計、いいんじゃないですか。宣伝になりますよ」

「そうですよ、戸田さん、神保町を歩く人、みんなに、見てもらいましょうよ」

「うん、ぼくもいいと思うな。宣伝部に頼んでみたらどうだろう。ぼくが頼んでみましょうか」

「芝さんが？　そういうのは芝さんより戸田さんの方がよくない？」

「え、わたし？　いや、どうかしら？　頼むにしても、わたしからっていうのはおかしいわよ。やっぱり、副島さんに動いてもらわないと」

「あ、そうか。そうですね」

「じゃあ戸田さんから頼んでくださいよ、副島さんに」

というから引き受けた。百万部超えが確実になったら、一つのアイディアとして提案することになった。

副島さんは嬉々として引き受けてくれた。

会社のビルの窓から、〝別冊デイジー百万部突破〟の垂れ幕が下がっている。

藤原修子は通勤途上でそれに気づき、あらまあ、お祭り騒ぎね、と思う。

べつに嫌な気持ちではない。別冊デイジーの百万部突破はだいぶ前から時間の問題だろうと思われていたし、すでにそれに近い数字は何度も叩き出していたから、修子の気持ちとしては、別冊デイジーはとっくに百万部雑誌だった。それゆえ、実際の百万部突破も、もっと冷静に受け止められるものだとばかり思っていたのだが、いつの間にやら、こんな垂れ幕まで作って盛り上がっている。小柳編集長はまだヨーロッパにいるから、戻ってきてあれを見たらさぞ感激するだろう。

立ち止まって、じっくり眺めていたら、

「景気いいですね」

と声をかけられた。

「垂れ幕とはいいアイディアだ」

綿貫誠治が横に立つ。武部俊彦、祖父江久志も一緒にいる。おはようございます、とそれぞれと挨拶を交わす。

「みなさん、お揃いで。朝から、どうかされたの？」

朝、といっても十時過ぎなのだが、それにしたって、三人揃って出勤というのは珍しい。

「泊まったんですよ、風月館に」

「みてくださいよ」

と祖父江久志がよれよれのワイシャツの裾をひっぱりだす。

「何かあったんですか？」

「まんが賞の下読みですよ。締切間際にどさっと来ちまって、急遽《きゅうきょ》、合宿です」

「急がないと間に合わなくなるんで」

「明石《あかし》さんや沖さんは、夜中に帰っていきましたけどね、我々は居残り」

「ああ、そういえば、郵便室がすごいことになってたって、ききましたよ。たった一日か二日かで、千を超える郵便がきたんですってね」

「そうなんですよ。今年は出足が遅くて、少ないなあ、なんて愚痴っていたら、締切間際になってドサッと送られてきちまった」

「ありがたいけど、こちとら、大慌て」

「わかっていたら、もう少し緩い日程を組んだんだけどなあ」

三人が同時にため息をつく。

漫画家の先生方を風月館に集めて選考会を行うのは来月半ば、とすでに決まっているのだそうで、それまでに最終選考に残す作品を選ばねばならないらしい。一次選考で絵の未熟なものを落とし、二次選考でストーリーに問題のあるものを落とし、ある程度絞ったところで漫画班全員と楢橋編集長とで協議をする。それを一ヶ月以内にやらねばならないのだという。

「それは、たいへん。お手伝いすることがあったら、なんでもしますよ。おっしゃってくださいね」

修子がいうと、ありがとうございます、よろしくお願いします、とやけに殊勝な声が返ってきた。よっぽど切羽詰まっているのだろう。

「しかし、とうとう別デは百万部突破か。あの太いゴシック文字が輝いて見えますね」

垂れ幕を眺めながら綿貫誠治がつぶやく。

「お前だって多大な貢献をしてるよ。唐津先生の総集編を三回に分けて、その完結編が載った号が百万部突破なんだから」

祖父江久志がぽんと綿貫誠治の肩を叩く。

「それはおれの貢献じゃなくて、唐津先生の貢献だよ」

「まあ、そう堅いこというな。あれはお前がやった連載だ」

修子は三人の会話を聞きながら、会社の裏口へと一緒に歩いていく。

「別デの百万部に目を眩《くら》まされてるけど、うちだって先月はけっこういい数字だったんだぜ。平均して八十万とか、そのくらいはいってる」

「あ、そうなのか」

裏受付で、順々にタイムレコーダーに出勤カードを差し込み、打刻していく。

「春先に比べたら、十万か二十万は増えてるよ」

「おお、そりゃ、よかった」

「楢橋さんも、一安心ってところだな」

「だな」

それは修子も感じている。長らく伸び悩んでいた部数がここへきて、上昇気流に乗ったようだった。

楢橋さんは就任当初、表紙コンテストをやってみたり、編集長としてひとこと書いてみたり、漫画家の素顔に迫るページを作ってみたりと、手当たり次第というか、やや定まらない感じもあって、別デに似た方向を目指すのかな、とも思っていたのだが、だんだんとそうではないとわかってきた。活版班やグラフ班のテコ入れは一段落し、近頃は漫画班にかかり切りになっている。やはり漫画は恋ものが全盛ではあるものの――そこは変わらない――、明るく元気な別デのテイストとは明らかに異なる、少し骨太の、大人びた雰囲気のものや、実験的なもの――斬新な、長編イラストーリーなんていう、漫画とも絵物語とも違う新ジャンルの作品まで現れた――、どこかしら社会問題に切り込んでいるようなものなども続々と掲載されている。読者ページを作っている修子は、このところの反響の大きさから、部数が上向いてきているのではないか、と少し前から推測していた。

「そういえば、あの方は祖父江さんのご担当でしたよね？　泉田さん。泉田依子さん」

エレベーターのボタンを押しながら、きいてみる。

「そうですよ。ぼくが担当しています」

「先月の、あれ。読みましたよ」

「お、怒濤《どとう》の百ページ、ですか。どうです、がつん、ときたでしょう」

「ええ、きました。それで、ちょっときいてみたかったんですけど、いいかしら」

「ええ、どうぞ」

「うちの漫画は昔から、主人公は女の子でなくてはならないと決まっていた気がするんです。少年漫画ではないんだから、それが少女漫画の少女漫画たる所以だ、って。そのことはもう、よくなったんですか。泉田さんのあれ、男の子が主人公だったでしょう？　ちょっと驚きました」

「ネームの段階で主人公を女の子に変えてもらうという選択肢も、もちろんあったんですが、ＯＫにしてしまったんだな、こいつが」

武部俊彦がちっとも来ないエレベーターに業を煮やしてボタンをがちゃがちゃ押していう。

「だって、いいネームでしたからね。あのままいきたかった」

「しかも百ページ一挙掲載ときたもんだ。それもこいつがねじ込んだんです」

「藤原さん、どう思われますか。わたしの判断、まちがってますか」

ようやくエレベーターの扉が開いたので、乗り込みながら、修子は少し考える。

「まちがってないと思いますよ。読者からのハガキもたくさん来てましたし」

何を隠そう、そのハガキに興味をそそられ、修子は数号前の週刊デイジーのバックナンバーを棚から取ってきて、わざわざ読んでみたのだった。想像以上の大作だった。こんなものを載せるのか、載せられるようになったのかと驚いたし、別冊デイジーと週刊デイジーの違いをまざまざと見せつけられた気がしたものだった。決して楽しい作品ではない。むしろ息苦しいような、辛い作品だ。大人の都合に振り回されて不幸のどん底に突き落とされる少年の過酷な運命。それでも決してねじくれない、彼の無垢《むく》な魂に心を動かされ、修子は胸が痛くなった。読者の子供たちにしてみたら、あらためて無力な自分たちの立場を突きつけられた気がしたにちがいない。誰かに何かを訴えたくもなっただろう。その熱い気持ちが文字になり、感想となって、ハガキがたくさんやって来たのだ。

創刊した頃の週刊デイジーでは決してお目にかかれないような作品だった。これだけのものを描く漫画家が育ってきたのかと思ったし、それと並走するように読者も育ってきたのだな、と修子は思った。漫画家が手渡したものを読者がちゃんと受け取っている。ハガキを読めばそれは一目瞭然だった。百ページだろうと、読ませる力がある作品なら、一挙に載せたってかまいやしない。女の子は女の子の主人公しか受け付けないなんていつまでも思い込んでいたら、道を間違えてしまう。

「ありがとうございます。藤原さんにそういっていただけると心強い。沖さんも楢橋編集長もわたしの判断を尊重してくれましてね。楢橋さん、気に入っているんですよ、彼女の作品。前々から問題作の時は、後押ししてもらってたんです。まあね、こいつは毎度ぶつぶついってるんですがね」

と、武部俊彦をつつく。

「おれはただ、どうなのかな、と思っただけだよ。藤原さんも、さっきいってただろ。少女漫画なんだから女の子を主人公にして描くっていうのは当たり前なんだよ。当たり前すぎるくらいに当たり前なんだ。おれらはずっとそう思ってやってきたわけだし、新人の漫画家にだってそういってきたわけだし。これまでと辻褄《つじつま》があわなくなってしまう」

「そういうところがなあ」

「なんだよ」

「まあまあ、二人とも、世の中は変わっていくんだし、雑誌だって変わっていくと思ったらいいじゃないか。漫画家たちだってそのくらいのことは感じ取ってるよ」

修子の気持ちを代弁してくれたかのような綿貫誠治の発言に、そう、その通り、と思わず修子はうなずく。ぼんやりしていたら読者に置いていかれてしまう。活版班でつねづね感じていることなのだから、漫画班でもきっと同じだろう。読者を見ないと。ちゃんと見ないと。

エレベーターの扉が開いたので、ぞろぞろと四人で編集部へと歩く。

楢橋さんはそれを意識的にやろうとしているのかもしれない、と修子は思う。表紙コンテストなんてものを唐突にやったりしたのも——数ヶ月分の、何十冊もの週刊デイジーの表紙をきれいに撮影し、レイアウトし、プレゼントを用意し、となかなか手間がかかった——、その表れだろう。結果的に、読者の好みは、どれか一つが際立って支持されるというものではなく、万遍なく票を集める団栗《どんぐり》の背比べに終わっただけだったが、それでも、これまでのように慣習的に漫然と作ってしまうというやり方に一石を投じたのは確かだった。

どこを向くか。

どこを向いて雑誌を作るか。

つい忘れがちになってしまうが、それを思い出させてくれたような気はする。

編集部へ入ると三人はばらばらに散っていき、修子も自席へと向かう。

すると、ひょいと祖父江久志が戻ってきて、先週出た号を開いて差し出したのだった。

「藤原さん、これは読んでくれてますか」

　先月スタートしたばかりの泉田依子の新連載だった。

「あー、それはー、ごめんなさい。読んでません。忙しくて」

「そうですか。でも、どうです？　そろそろ、読者コーナーにハガキが来てる頃じゃないですか。感想、どんな感じか、参考のためにきかせてください」

「そうですねえ、来てはいますけど、まだ、連載が始まってうれしい、楽しみにしています、というあたりが多かったように思いますよ。もう少し回数が進まないと感想らしい感想は来ないですよ」

「そうかなあ。インパクトのある話だから、感想、届いていると思ったんだがなあ」

　祖父江久志が雑誌をぱらぱらめくりながら不満げな声をだす。

「ああ、でも、泉田先生へのお便りならずいぶんたくさん来てますよ。先週、アルバイトのお嬢さんが一生懸命、仕分けしてくれましたから、持っていっておあげになったら？　お便り棚の、泉田さんのボックス、この間、位置が変わったんですけど、わかりますよね」

「わかります。ありがとうございます。じゃあ、そうさせてもらいます。励ましのお便りはほんとに励ましになるんで」

「祖父江さんて、高品布美子さんも担当してらしたわね」

「ええ、そうですが」

「高品先生へのお便りもずいぶんたまっているようなので、そちらも、お願いしますね」

「あ、いけね。高品さんの分、そういえば、しばらく持っていってなかったな。すいません。いえね、彼女に、他社の雑誌に描かれてしまいましてね。幸い、すぐにこちらにも描いてもらえたんですが、そのせいで、少しばかりぎくしゃくしてしまって」

「専属契約していなかったの？」

「してましたよ。ですが、いったん専属を止めたいといわれまして。まあ、そうはいっても、他へ移るという最悪の形ではなくて、自由にやりたい、っていう、単なる契約解除だったんで、それならまあ、致し方ないかと。うちでも今まで通り描いてくれるっていうし」

「そんなことがあったんですか」

自由にやりたい。

自由に。

自由。

へええ、と修子は思う。

専属契約をつづけることでもらえるはずの――あるいはよそへ移ればそちらでもらえたはずの――、いくばくかのお金よりも高品布美子は自由を求めたのか。

なんとまあ、豊かな時代になったものだと修子は思い、と同時に、目先の豊かさに翻弄されていない高品布美子の選択に、修子は、ある種のすがすがしさをおぼえたのだった。

まだ若い娘が、自らそんな決断をし、主張する。

己の道を確固とした己の意志で進んでいく。

修子はそれをとても頼もしく感じた。

「そりゃね、藤原さん、こちらとしても、彼女を説得したり、条件を交渉したりしてなんとか翻意を促す手がなかったわけじゃないんですよ。沖さんにも、そういわれましたし。大事ですからね、専属契約は。そんなこた、私だってちゃんとわかってます。でもねえ、あの子はそういうタイプではないような気がしたんだなあ。縛りつけてもよくないというか」

苦渋の表情の祖父江久志をちらりと見て——きっと沖主任とも相当やりあったのだろう——、修子は労うような気持ちになった。

「それでいいんですよ、祖父江さん」

「ですかねえ」

「あの方の漫画を読んでいると、芯がしっかりしてらっしゃるのがわかります。おそらく、よくよく考えてのことでしょう」

「そうなんです。前々から考えてたっていうんです」

「それならもう、どんな条件を提示されても、決心は覆らなかったと思いますよ。だって、そういう漫画を描いてらっしゃるじゃない」

「え、藤原さん、高品布美子の漫画は読んでいるんですか」

「全部じゃありませんよ。でも、いくつかは。ほら、泉田さんとはまた違った問題作もあったでしょう」

「ええ、ありました」

「あれも信念のある女の子の話でした」

「ですね」

「祖父江さんが強引に翻意させようとしていたら、関係がこじれて、余計にやっかいなことになっていたかもしれませんよ。これからもうちに描いていただけるのなら、それで御の字です。ですから、さあ、高品さんへのお便り、早く持っていって差し上げて。たくさんたまってるんで、きっと喜んでいただけますよ」

「わっかりました！」

祖父江久志が元気よく去っていった後で、修子はふと、自分はずいぶん差し出がましいことをいってしまったのではないか、と気がついた。専属契約などという扱いの難しい問題に、祖父江久志の上司でもないくせに、ましてや漫画班でもないくせに、つい首を突っ込んでしまった。まずかったかもしれない。ひょっとしたら主任の沖さんは、専属契約を結び直すようにと祖父江久志をせっついている最中だったのではないか。だとすれば、とんでもない邪魔をしてしまったことになる。

でも、まあ、いいか。

修子はやや開き直ったような気持ちになる。

べつにいいじゃないか、私は思ったことを口にしたまでだ。

祖父江久志との会話を思い出しながら、誰にも悟られないように下を向いて修子はくつくつと笑う。

自由だ、自由、自由。

そうして修子は、今一度、自由、という言葉をじっくりと噛み締めてみたのだった。

8

年の瀬が近づくにつれ、漫画班の忙しさは増していく。

年末進行だから、というだけでなく、週刊デイジーでは、先月、人事異動があって、その影響も少なからず受けていた。

副編集長だった的場《まとば》がサニーティーンへ異動になり、沖主任が副編集長に昇進した。漫画班の主任は明石庸平《ようへい》になった。

順当な人事だ、と綿貫誠治は思う。

祖父江久志でも武部俊彦でもあり得なくはなかったが、やはり明石庸平に主任をやってもらうのが一番収まりがいい。

副編集長になった沖も主任になった明石も、引き続き漫画班の仕事はするが、さすがにこれまで通りというわけにはいかず、活版班から高峯忠道《ただみち》が漫画班に移ってきた。記事ものが減ってきているし、あちらは伊津主任をはじめ、上砂二郎《じろう》、藤原修子といったベテランが揃っているのでなんとか凌げると踏んだのだろう。

「しかし、そうはいっても、このクソ忙しい時期にこういうことされると、かなわんよな」

と武部俊彦はぶつくさいっている。

「チュードウくんはまだ新人だしなあ」

「いやもう、新人じゃないよ。活版で一年半以上鍛えてもらったんだ、漫画班でも十分やれるさ」

「そうかー？　まあ、わりかし、骨がありそうなやつではあるけども」

誠治は時折、付箋紙端会議で高峯忠道――チュードウくん、といつの間にか、皆に呼ばれるようになっている――と話す機会があったが、漫画をよく読んでいるし、よく勉強しているし、自分なりの意見を持っているし、といって真面目すぎず、砕けすぎず、好感の持てる青年だと思っていた。漫画班では当面、中堅やベテランの問題の少ない――締切を守り、打ち合わせもそう必要としない――漫画家のみ、やってもらうことになったが、じきに自分から手を広げていくだろう。

「しかし、それにしたって、人手が足りないよな。もともと足りてないんだから、チュードウ一人じゃ、どうにもならない。四月になったら、新人を一人、ぜひともうちに回してもらわんと」

「回してくれるだろ。新卒の採用、追加募集しているらしいじゃないか」

「そうだってな。どこも慢性的な人手不足だもんな。あれだろ、的場氏がサニーティーンへいったのも、サニーティーンから一人、女性誌へ取られたからなんだろ。あそこ、爆発的に売れてんのに女の編集部員が一人だか二人だか辞めちまって、てんやわんやらしいな。女はすぐ辞めるからな。ようするにうちは貰い事故なんだ。玉突き事故だ。川名親分の優先順位がよくわかる、ってなもんだ」

「べつにうちの優先順位が低いってことでもないだろ」

「いんや、低いね。なにしろ、あっちは今、世間が大注目している雑誌だ。ディスカバージャパンだ。旅行特集が当たって雑誌を手にした女たちが続々と旅に出てるってテレビや新聞で盛んに取り上げられているじゃないか。親分、鼻高々だよ。なにが旅だよ、まったくいい気なもんだ、って俺なんかは思うけどね、社会現象にまでなってるんじゃ、親分の力の入れ具合だって違ってくるさ」

それはまあそうかもしれんと誠治も思う。創刊した雑誌の成功には格別の華やかさがある。しかも川名親分自らが手がけた新機軸の雑誌だ。喜びも一入《ひとしお》だろう。それに比べたら、週刊デイジーは良くも悪くも安定したお子様向けの雑誌だった。今更、親分が目をかける必要はない。

とはいえ、楢橋編集長はやる気に満ち満ちていた。

どうですか、いい漫画家、いますか。面白くなりそうな新人はいませんか。持ち込みの原稿もきちんとみなさいよ。力のある人にはどんどん描かせなさいよ。ページが多少増えてもかまわないから、と、しょっちゅう漫画班に発破をかけてくる。

そんなに都合よく次から次へと有望な新人など現れるものではないし、現在、漫画家の弾はそれなりに揃ってきているのだから、そう汲々《きゆうきゆう》とする必要はない、と思うのだが、楢橋さんは少しも安心しない。それこそが編集長の役割なのかもしれないが――先々の号にまで目を光らせ次の展開を決めていく――、やや焦りが感じられなくもなかった。好調の波に乗る別冊デイジーへの対抗意識からかもしれないし、あれだけ手間暇かけて準備した、秋のまんが賞で入選作がなかったせいもあるかもしれない。

正直、あの時は誠治も驚いた。準入選作があったのだから、少し手心を加えて、入選作にしてしまえばすんだものを、楢橋さんはそうしなかったのだ。選考会の場でも審査員の先生方をへんに誘導したりせず、徹頭徹尾フェアだった。後日、楢橋さんが書いた選評も厳しかった。

楢橋さんは真剣だったのだ。

真剣に有望新人を見つけようとし、育てようとしていた。甘くない世界だからこそ、安易に下駄を履かせて入選させるわけにはいかないという強いメッセージが感じられた。その決意と熱を誠治は受け取ったのだった。

「そういうところがいいですよね」

と、付箋紙端会議で口にしたのは、その頃まだ活版班にいた高峯忠道だった。

「子供って、敏感ですからね。嘘があればきっと見抜く」

黒縁眼鏡の真ん中を人差し指でくいっと押さえていう。

「そうか？」

「そんな気がしませんか。いちばん大事なことって、意外と伝わるものなんですよ」

子供にそこまで見抜く力があるかどうか誠治にはよくわからないが、我々がどういう姿勢で作っているかは、雑誌の端々に表れる、というのはよく知っている。まさに楢橋さんの貼る付箋紙が、それを教えるために存在しているようなものだからだ。

気を抜いたところはすぐにバレる。バレている。

まあ、誰だって気を抜こうとして抜いているわけではないものの、残念ながら、知らぬ間に抜けてしまう時はあるのだった。それを指摘されて、ああ、やっちまった、と付箋紙を眺め、静かに消沈する。

そのうえ気をつけていてもトラブルは起きる。

一つおかしくなると、途端に調子が狂いだす。

誠治は今、テレビ局とのやりとりに疲弊していた。

唐津先生原作の、秋に放映が始まったテレビドラマが好調につき、来年もまた唐津先生の原作でやりたいという熱心な申し出を少し前に快諾したところまではよかったのだが、その後、向こうのやりたいものと、こちらにある原作とで折り合いがつかず、原作はテレビ局側が用意するので、それを唐津先生に漫画にしてほしいという提案をされてしまったのだった。珍しい提案だが、すでに決定している放映時期やキャスティングのこともあるし、まあ、そういうパターンもあるのだろうと軽く考え、その旨、唐津先生に相談した。彼女も原作ものが初めてというわけではないし、まだ先のことなのでとくに嫌がりもせず、では、そうしましょうか、と、そのまま話を進めていたら副編集長になった沖さんにテレビ局の言いなりになんてならなくていいと意見されてしまったのだった。言いなりになったつもりはなかったが、たしかに向こうの言い分をすべて呑んでしまっていたと気づかされた。

「で、どうなったんだ」

と武部俊彦がきく。

「どうなったもなにも、もう話は進んじゃってるんだから、そのまま進行してるよ」

校了明け、夜中近くに、バーのカウンターで二人でうどんをすすり、酒を呷《あお》りながら、ぼそぼそと話す。腹は減っていないと思っていたのに、なぜかいきなり出された卵とじうどんを食べたらやけにうまくて、箸が止まらなくなった。武部俊彦に連れられてきた初めての店だが、どうやらなじみの店らしく、武部がいれているボトルで作った水割りも、椅子にすわると勝手に出てきていた。

「こんなことなら、沖さんにもっと早く、報告しときゃよかったよ。忙しかっただろ。ゆっくり話す暇もなくて」

「仕方ないさ。そう気に病むことはない。あの人ら、テレビに対してへんに強気なんだ。それで時々そういう難癖をつける。テレビに利用されるな、ぺこぺこするな。主体性を持ってやれ。明石さんもいわれてたよ。テレビがやりたいっていってくるならやらせてやったらいいが、うちが協力する必要はないからな、って。雑誌は雑誌、テレビはテレビ。そういや、蔵野先生のテレビ漫画の頃、親分もそういってたな。ああ、だから、あの発想は川名親分の影響があるのかもしれないな。あのあたりの人はまだテレビの威力がわかってないんだ。わかっているようでわかってない。これから変わっていくよ。唐津先生のドラマは人気なんだし、そのまま、進めたらいい。次のドラマも当たるだろ」

「当たるかどうか知らんが、向こうが書いてくる原作ってのが、いいものならいいが、おかしなものだと困るし、今は、その辺りを話し合ってる。当たる当たらないより、そっちが大事だ。唐津先生の作風もあるし、今のうちに擦《す》り合わせておかないと、後々、やっかいなことになる」

「ああ、それはそうだ。しかし、そりゃ、面倒が増えたな。でも、まあ、いいさ。沖さんのことは心配するな。もうなにもいいやしないよ」

「そうかな。そうだといいが」

騒がしく飲んでいた先客らが立て続けに帰っていき、店の中が急に静かになった。そろそろ看板なのかもしれない。うどんの汁を飲み干して、箸を置く。

「で、お前の方はどうなんだ」

「おれか？　おれはお前、楢橋さんと小柳さんとの密談で決まった〝辻内ゆきえ先生週刊デイジー初登場〟の読み切りのネームと、葉山《はやま》楓《かえで》先生の、まったく進まなくなった連載原稿に翻弄されてるよ。

なんで俺がこんな目に遭わなくちゃならないんだ。どっちもたいへんなんだよ。辻内さんはやっぱり別デの人なんだな。あっちとしっかり紐帯《ちゅうたい》で結ばれてる。だからどうしたって別デが優先になる。いきなり俺みたいなのがいっても心を開いてくれない。俺もやりにくいけど辻内さんもやりにくいんだろう。葉山さんは葉山さんでまったく描いてくれんし。どっちも悪魔だよ。俺からすれば」

辻内ゆきえ先生にどうしても一度うちで描いてもらいたい、と楢橋編集長が前々から別デの小柳編集長に頼みこんでいて、ようやく実現した企画だった。来年早々の目玉企画である。その代わり、うちでしか描いていない漫画家に別デで読み切りを一本描かせるという約束がされた、ともきいている。詳細は知らない。編集長レベルで決まったことなので、下の者にはまだ報告されていない。

「辻内さんも葉山さんも明石案件だったのに、主任になって手が回らんとかいって、俺に押し付けてきたんだ。こういうややこしいのはいつも俺に回す。たまには祖父江にやらせたらいいじゃないか」

「ソブさんにはできないんだよ。お前にしかできないって明石さん、思ってるんだろ。それだけ信頼されてんだ。うらやましいよ」

「皮肉をいうな、皮肉を。拝み倒されて引き受けた俺が馬鹿だったよ。あの時は辻内さんはともかく、葉山さんはべつに問題ないと思ってたんだ」

「あの人は問題ないだろ」

「な、そう思うだろ。だから引き受けたんだ。ところがどっこい、まったく描けなくなってたんだ」

「まったく？　原稿、入ってたじゃないか」

「あれは明石さんが先にもらってた分だよ。あと二回分ある。だが、その先がいっさいない。いっさい進んでないんだ」

それで致し方なく、葉山楓も風月館に缶詰にしたのだそうだ。辻内ゆきえも別デの仕事で風月館に缶詰になっているから、双方を担当する武部俊彦としては日に幾度も風月館に赴《おもむ》き、催促をつづけているのだという。

「とんでもない師走になっちまった。手を替え品を替え、お願い行脚をつづけるなんて、俺はもう、まっぴらだ。あーあ、俺には新しい年は来ないかもしれないな」

「スランプなのか、葉山先生」

「スランプというかなんというか」

ああもう、くっそう、と叫んで、武部俊彦は頭を抱えた。ごんごんと苛立たしげに身体を前後に揺する。椅子が傾いで、誠治が咄嗟に支えた。

「恋しちゃったんですって、葉山先生」

カウンターの中からすいっと伸びてきた手が、食べ終えたうどんの丼を下げる。

「ん？」

丼を手にしたまま、女が、にっこりする。

「好きになった男の人のことで頭がいっぱいになっちゃったんですって。好きで好きでたまらなくって、漫画どころじゃなくなっちゃったみたい。ラブよ、ラブ。ラブなのよ。ラブが問題なのよ。アイラブユーなの。愛こそすべて。ああ、なんてロマンチック！　ふふ。綿貫さん、お久しぶりです」

見覚えがあるような、ないような女が親しげに微笑みかけてきた。誠治は首を傾げた。女も同じように首を傾げる。はて、いつからこの女はここにいたのだろう。店に入ったとき、あら、いらっしゃい、と声をかけてきたのはおぼえているが、薄暗い店だし、よく顔を見ていなかった。水割りが出てきたときも、うどんが出てきたときも、そういえば手しか見ていなかった。知り合いだったのだろうか。しばし見つめてみるがよくわからない。女の顔から笑みが消え、眉間に皺《しわ》が寄る。長いまつ毛をばさばさせて女が忙《せわ》しなく瞬《まばた》きする。あれはつけまつ毛だろうか。くるくるとパーマのかかった髪も白いプラスチックの丸い輪っかのでかいイヤリングも、いかにも今時の娘ふうだが、若いのか、それほど若くないのかもよくわからなかった。

「やだ、綿貫さん、あたしのこと、おぼえてないんだ。びっくり」

赤い唇が不満げに尖《とが》る。

ははは、と武部俊彦が笑う。

「こいつはそういうやつなんだ。お前のことなんて、とっくに忘れてら。冷たいやつなんだよ」

「ええと、こちらは」

「こちらは、じゃないわよ、あたしよ、あたし。さんざんお世話になったでしょう。なったのよ。あなた、ずいぶん助けてあげたわよ。おぼえてないの？　あたしよ、あたし、前川福美《まえかわふくみ》」

「前川……？」

「えっ、まだ思い出せないの？　やだなあ、この人、なんなのよ。んもう、ちょっと腹が立ってきた」

ぷうっと頬を膨らませ、つんと顔を背ける。

「お前、ほんとに思い出せないのかよ？　よーく見てみろ。うちで働いてた前川さんだよ、経理補助の。お前が活版にいた頃、経費の精算、してもらってただろ」

「ん？　あッ、あー、ああ、ああ、ああ、ああ」

「思い出したか？」

「なんとなく」

「思い出せてないわね」

「いや、思い出してますよ、前川さん。ああ、なるほど、わかりました。あなたは前川さん……なんですね」

「ほら、ぜったい思い出してない」

「うん、思い出してない」

うっすら記憶が蘇ってきたが、目の前の女と、記憶の中の前川さんとがどうもうまく一致してくれなくて誠治は戸惑う。それで言い訳がましく、雰囲気が変わっただの、お美しくなられただの、制服姿しか知らないので見違えましただのと、あれこれ並べたててみた。

「お前はほんとにそういうのが下手だな」

「ほんとよ。そらぞらしい」

「お世辞にもなってない」

「なってない、なってない」

「さんざん世話になっただろ」

「そうよ。出張精算書、あたしが、何度も書き直してあげたのよ」

「それなのに顔もおぼえていない」

「失礼しちゃう」

そこまで責め立てられることだろうか、と思うが、二人の息はやけに合っていて、にやにや笑いながら、カウンター越しに顔を近づけ、ひそひそ話したりしている。いったいどういうことなのか。それになにより前川福美がなぜこんなところで働いているのか。いまひとつ、わからないのだが、誠治を揶揄《からか》って楽しんでいる二人の、その打ち解けた様子に、些《いささ》かむっとする。そのうちに、はた、と気がついた。この二人、もしかしたら恋人同士なのではないだろうか。恋人、とまではいかないにせよ、それに近い関係なのではないか。脂下《やにさ》がった武部俊彦の弛《ゆる》んだ顔を見ながら、そうか、それで武部のやつ、ここへ連れてきたのか、見せつけるために、と悟る。

「で、どうすんだ、葉山先生は」

わざと無視して話を戻してやった。

「はあ？　葉山先生？　んなもん、わからんよ。俺にはわからん」

「あと二回分しかストックがないんだろ」

「ないっ」

「まずいじゃないか」

「まずいっ」

「どうすんだよ」

「しらねーよ」

「きっとクリスマスが過ぎたら描いてくれるわよ」

前川福美がこちらに向かって、指でピースを作る。

「クリスマス？」

「そう、クリスマス。恋する女にとってはね、クリスマスって、とってもとっても大事なんだなあ。旅館の缶詰抜け出して、きっと彼氏に会いにいくわよ。それで、いいことがあって、ちょっと安心するのよ。ラブラブラブ。そしたら、先生、描く気になると思うな」

「そんなに簡単にいくかよ」

「いくかいかないか、どっちにしろ、けべちゃんは、待つしかないじゃない。その目安はクリスマスよ。まちがいない」

「ふーん、クリスマスか。じゃあ、年明けには原稿もらえるのか。それは、いいな。それなら、ぎりぎり間に合う。ってことは、俺も通うしかないのか、年末年始、風月館に」

「あ、いいじゃない。初詣に神田明神、いこうよ」

「神頼みか」

「いこう、いこう」

いってくれ、いってくれ、と思いながら、誠治は水割りを飲む。前川福美の予想が当たっていればいいが、はずれたらどうするんだろう。神田明神の神様がなんとかしてくれるのだろうか。

「代替原稿は用意してあるのか」

いちおう、きいてみた。

「してないよ。してないけど、なんかあるだろ」

「おれは持ってないよ。ソブさんも持ってないんじゃないか」

「明石さんは持ってるだろ。いくつかあったはずだ。確認しとくよ。そういや、祖父江のやつ、泉田さんが歴史物やりたがってるっていってたな。お前、きいてるか」

「いや、きいてない」

「新連載、始まったばかりだってのに何いいだすのかと思ったら、この連載当てたら、次は歴史物の企画出しますからよろしくお願いします、だってよ。おいおい、子供に歴史物、読ませるのかよ」

「あら、読むわよ。子供はなんだって」

前川福美が口を挟んでくる。

「漫画だぞ？　少女漫画だぞ？　いくらなんでも場違いだろ。歴史物なんて子供にはわからんよ。しかも洋物だっつうんだ。いっそうわからんだろう」

「面白ければ読むと思うけどな」

「読みゃしないよ」

「読むわよ。映画だってさ、いろんなのがあるじゃない。クレオパトラとか、ベン・ハーとか。あ、この間、テレビで皇帝ネロが出てくる映画、やってた。日曜日はあたし、家で映画を見るの。ここ、お休みだから。ねえ、けべちゃん、きいてる？　日曜日はお休みなんですよ。わかってる？　今はさ、映画館にいかなくったって、テレビの洋画劇場で、いろんなのが見れちゃうんだから、子供だってけっこういろいろ見てるわよ」

「それとこれとは別」

「別かなあ？」

「別、別」

「そうかなあ？」

「なあ、けど、武部、泉田さんなら、歴史物だって、やれるんじゃないか？　あの人、うまいよ」

「うまくたって、デイジーではダメだ。祖父江にもそういっといた」

そうだろうか。今まで考えたこともなかったが、泉田依子で歴史物、ありえなくない気がする。彼女はここ一、二年でめきめきと腕を上げた。人気も出てきた。学園ものやロマンチックコメディのように気楽に楽しめる軽やかさはないが、その分、生真面目な強さがある。歴史物というのは、あんがい、作風に合っているのではないだろうか。

「やらせてみてもいいんじゃないか？」

「お前、なにいってんの。祖父江に賛成なの？」

「賛成も反対もないけど、泉田さんはうちのエースになりつつあるよ。ソブさんだって、本人がやりたいってものを描かせないわけにはいかないだろう？」

武部俊彦が、ちらっとこちらを見て、疲れたようなため息をつく。いかにもわざとらしい。気に障ったということをアピールしているのだろう。

気まずくなって空になったグラスを無言で眺めていたら、前川福美が、あといっぱいだけよ、といって、薄い水割りを二人分、作ってくれた。

武部俊彦はグラスを受け取ると、からんからん、と氷を鳴らして遊んでいる。誠治はゆっくりとひとくち飲んだ。前川福美が少し後ろに下がり煙草を吸いだす。腰に手を当て、けだるく煙を燻《くゆ》らせている。渦巻くような煙をぼんやり見ているうち、急激に酒が回ってきたような気がして、誠治は首の後ろを揉んだ。潮時だな、これを飲み終えたら帰るとするか、とあくびをしながら思う。

「まあ、結局、そうなるのかもしれんな」

グラスに口をつけて、武部俊彦が小さくつぶやいた。

「祖父江はやらせるつもりだろう。そのために俺に根回ししたんだ。ふん、俺も賛成するしかないさ。だけどなあ、俺は、違うと思うんだよなあ。泉田さんは現代社会を舞台にしてこそ、良さが出る。今回の連載だってそうだろう？　この社会の理不尽と不幸。導入からしてうまいよ。やりたいものをやらせればいいってものでもないと思うんだがなあ」

まだ、ぐちぐちいっている。

眠気に負けそうになっている誠治は感心する。よくもまあ、こういつまでも、酒を飲みながら、そんなことを考えつづけられるもんだ。ふわーっともう一つ、大きなあくびをする。

武部俊彦には武部俊彦なりの考えがあり、こだわりがあるのだろう。それはわかる。だから漫画班の会議でも、しょっちゅう祖父江久志とやりあっている。その場その場で流されがちな誠治はいつも、おお、熱いなあ、と、やや醒めた目でそれを見ているのだが、もしかして、自分に足りないのはそういう熱さなのかもしれないな、と今にも閉じていきそうな目をこする。

そうして、ふと、以前、編集部にいた香月美紀のことを思い出したのだった。そういえば、あの子もこんなふうによく漫画家や、作品について語っていた。武部俊彦とも意見を闘わせていた。あの子も熱かったな、と懐かしく思う。

今、どうしているのだろう。

こんなふうに——とカウンターの中で煙草を燻らす前川福美を見る——、酒場で働いていたりするのだろうか。そんな可能性もないとはいえまい。もしそうなら、そこへ飲みにいきたいものだと思い、すぐに、いやいや、あの子はこういう仕事には就いていないだろう、と首を振る。なにかもっと別の仕事に……ああ、そうか、そうだよな、あの子はもう結婚しているかもしれないな、と誠治は思う。そうか、結婚か、と思って、はっとする。なるほど、今頃、どこかの集合住宅で、洗濯したり飯を作ったり風呂を沸かしてやったりしているのだろう。誰かのために。

ふーん、と水割りを飲み干す。

いいなあ、とうっすら思う。

嫁さんが帰りを待つ家か。

ちぇっ、それがどうした。

誠治はグラスを向こうへ押しやる。

とっとと帰るか、誰もいない家に、と腰を浮かしかけ、それにしても前川福美と武部俊彦は、ほんとうのところ、どうなっているのだろう、と二人を盗み見る。

わからん、とすぐに投げだし、誠治はまたあくびをする。

さあて、おれはこのまま一人で帰るべきなのか、それとも、武部俊彦に声をかけ、一緒に帰るべきなのか、どっちにすべきなんだろう、と誠治は迷う。


金曜日の夕方、西口克子は風月館にクリスマスケーキを持って行き、その帰り、再び洋菓子店に立ち寄り、もう一箱、クリスマスケーキを買った。今夜は戸田育江の家でクリスマス会なのだ。

なにやら子供じみているようにも思われるが、前々から新居見学を兼ねて遊びにいくことになっていて、そんな折、進藤珠代が懸賞ページの飾り付けに使った廃棄予定のクリスマスツリーを使ってクリスマス会をやろうといいだしたのだった。それなら戸田さんの家で、ということになり、ツリーといっても腰の高さほどの小さなプラスチック製のものなので、戸田育江はすでに今月初めに自宅に持って帰っている。

克子がケーキを調達する係、進藤珠代は、戸田育江に負担がかからないようデパートでクリスマスらしい惣菜を調達してくる係。辰巳牧子は果物を持ってくることになっている。飲み物は戸田育江が用意してくれている。

風月館へクリスマスケーキを持って行ったのは、辻内ゆきえ先生への差し入れだった。クリスマスもそっちのけで仕事をしている辻内先生とアシスタントの子たちに、少しでもクリスマス気分を味わってもらえたら、と思ったのだ。

会社の前の横断歩道で、よれたトレンチコートを羽織った武部俊彦とすれ違ったので軽く会釈《えしゃく》を交わす。

しかし、なぜだか武部俊彦は渡りきらずに戻ってきたのだった。

「西口さん」

おどろいた。わたしに用事があったとは。

「はい、なんでしょう」

「ひょっとして、風月館からの帰りですか」

「ええ、そうですけど」

「辻内先生、いかがですか。そちらの原稿、終わりが見えてきてますか」

ああ、その心配か、と克子はすぐに得心する。辻内ゆきえが週刊デイジーに初めて描くことになり、武部俊彦が担当になっていた。つい先日、風月館でも一度、辻内先生のところで鉢合わせしている。

「このまま順調にいけば、おそらく明日にはもらえるか、と。万が一、先生が突然ページの差し替え、なんてことをやりだしたとしても、」

「差し替え？」

「辻内先生、たまに、最後の最後にこうすればよかった、って思いつくと、時間のことなんて気にせず、描き直してしまうんです。怖いですよ。覚悟しといた方がいいですよ」

「なんですか、そりゃ。やだなあ、へんな脅しはやめてくださいよ」

脅しでいっているのではないのだが、と克子は思うが、実際に経験しなければ、あの恐怖はわからないだろう。そんじょそこらの遅筆作家とはわけがちがうのだ、うちの辻内ゆきえ先生は。驚くなよ。

「ともかく、うちの原稿は、おそらく年内校了に間に合う……はずです。ええ、なんとか」

たとえ差し替えページが発生しても、ぎりぎり月曜日にはもらえるだろう、という意味でいったのだったが、そこまで伝わったかどうか。

「おお。それはよかった。で、そのあとのことなんですが、どうなんですかね。辻内先生は年末年始、ご実家に帰られるんですかね。なにかいってましたか」

「さあ？　うちの原稿が終わったらいったん風月館からは出ることになると思いますが、その後のことは」

次のネームについては小柳さんと辻内さんとでやりとりしているので克子にはわからない。来月もまた締切間際にこのような日々がやってくることだけ把握している。

「うちのネーム、お宅より先に、年末年始にやってくれますかねえ？　どうですかねえ？」

そんなことをきかれても克子にはこたえようがない。うちの原稿でさえ、いつも綱渡りなのに、よその原稿の心配までしていられないというのが本音だ。いや、そもそも、これだけスケジュールが立て込んでいるのに、辻内先生に週刊デイジーで読み切りをやらせること自体、間違っている。克子はそれを小柳さんに一応、訴えてみた。しかし、小柳さんは取り合ってくれなかったのだった。もう決まったことだからね、としかいわない。辻内先生にしたって、こんなスケジュール、引き受けたくなかったに決まっている。どうして引き受けたんだろう。断ればいいのに。断れないと思っているのだろうか。あるいは、そんな選択肢があることを忘れてしまっているのかもしれない。

「あっ、そうだ。葉山楓先生って、武部さんの担当でしたっけ？」

「そうですよ。最近、担当になりました」

「葉山先生も、風月館で缶詰になってますよね」

「なってますよ」

「まだなってるんですか」

「なってますよ。原稿、いただけるまでは缶詰です」

「でも、さっき、お出かけになられましたよ」

「えッ」

「廊下ですれ違ったんです。これクリスマスケーキなんですよ、って箱をかかげたら、今から出かけるからおかまいなく、って、ぴしゃり」

「あー」

葉山楓は、別冊デイジーではほとんど描いていない漫画家で、だから、克子もそう接点はない。それなのに、そんなふうに親しげに話しかけてしまって、そのうえ即座に拒絶されてしまって、じつは少し落ち込んでいたのだった。

「おー、葉山楓、出かけましたかー。そうですかー」

武部俊彦がにやにやして顎に手を当てる。

缶詰にしている漫画家が逃げたら、編集者には大打撃のはずだが、そんなふうにも見えない。

「止めた方がよかったですか？　そりゃそうですよね。すみません。止める間もなく、さーっと行ってしまわれたので、わたし、何もできなくて」

「ああ、いいです、いいです。かまいません。そうですか。出かけたかー。いやー、やられたなー」

と武部俊彦が笑っている。

え、笑ってる？　克子は呆気に取られる。

笑っている場合なのだろうか、と怪訝に思うが、武部俊彦は特段、動じている様子はない。はー、すごいなー、と克子は素直に思う。自分だったら慌てふためいて、大騒ぎしてしまうにちがいない。

「いいんですか。探さなくて」

「探す。ったって、どこへ行ったかもわかりませんしね」

「だけど……すぐに戻ってくるんでしょうか」

「さあ、どうだかなあ。まあ、いいです。西口さんは、どうぞお気になさらず」

「お気になさらず、って、でも、原稿」

「ま、今日はクリスマスイブですしね、野暮《やぼ》なことはいいっこなしだ」

「はあ？」

「そうか、逃げたかあ。さーて、どうするかなあ。や、どうも、貴重な情報をありがとうございます。じゃ、失敬」

へ？　と思っているうちに武部俊彦は横断歩道を渡って行ってしまった。悠々といった感じでトレンチコートを翻《ひるがえ》して歩く姿を眺めながら、ますます怪訝に思う。風月館とは別の方向へ向かっているのだ。先生がいなくなったとはいえ、原稿の進捗状況を確認しにいかなくていいのだろうか。年末のこんな時期に缶詰にしているからには、相当切羽詰まっているはずなのに、かまわないのだろうか。

ローストチキンにかぶりつきながら、そんな話をしていたら、もう諦めてんのよ、と戸田育江がいった。週デの合併号は校了になってるから、ここで数日ロスしても、たいして変わらないんでしょう、とグラスにワインを注いでくれる。お店で出てくるようなワイングラスではなく、江戸切子の小ぶりのグラスで、それもなんだか素敵だな、と思いながら克子は口をつける。さんざん食べて飲んだのに、まだ飲める。下戸の進藤珠代は、さっきからずっとクリスマスケーキを食べている。あんなに甘いものを食べつづけていて気持ち悪くならないのだろうか。辰巳牧子は意外にもワインをかなり飲んでいた。おいしいですー、と調子に乗っているが大丈夫だろうか。

窓際のクリスマスツリーが電飾で色とりどりに点滅している。

てっぺんにつけられた金色の星。緑の枝にのったふわふわの白い綿の雪。小さなサンタクロース、羽を広げた天使たち。

ガスストーブで暖められた、居心地のいい部屋。

まだ新築の香りがしている。

こんな家に住めるなんて、うらやましいかぎりだ、と克子は何遍も部屋を見渡してしまう。

克子だけでなく、進藤珠代や辰巳牧子も同じらしく、訪れてすぐ、あちらこちらを見て回り、それぞれ感激の言葉を口にしていた。戸田育江は嫌がるでもなく進んで案内してくれて、細々解説してくれた。お風呂場や納戸まで。どこもぴかぴかだった。

「それにさ、カッコちゃん、葉山先生って原稿がそう遅れる方じゃないから、もしかしたら、普通の缶詰とはちがうかもしれないわよ。ご近所で工事があるから騒音対策で避難している、とかさ」

「あ、そうか、それも、ありえますね。葉山先生、先週もいたんですよ、風月館に。いわれてみれば長いですもんね」

「だから、武部さんが心配すべきは葉山先生じゃなくて辻内先生なのよ。辻内先生、うちの原稿だってあるんだし、まだネームもできてない原稿を一月にもらおうだなんて無理よ。週デさんは、どう頑張っても二月、へたしたら三月ね」

「そんなにずっと仕事なんですか、辻内先生」

ワインで顔を赤くした辰巳牧子が情けないくらいに悲しげな顔をする。

「なあに、アポロちゃん、そんな顔して。どうしたのよ」

なんてわかりやすい表情をするんだろう、と克子は笑いだしたくなる。

「成人式、行けるんですかね、辻内先生」

「成人式?」

「行けなかったらかわいそう」

「えーと、辻内先生って、もう二十歳になってるけど？」

「なってますけど、先生は早生まれだから、成人式はまだなんです。来月のはずです。同学年の私や沢先生は、もう成人式、すんだんですけど」

進藤珠代が、ええっ、あなたたち同学年なの?!　と目を剝いている。

「そうか、アポロちゃん、今年、成人式だったんだ。どうだったの。晴れ着は着たの」

戸田育江がきく。

「はい、着ました。うちの母、和裁の仕事してるんで。写真館で写真も撮ってもらいました。お見合い写真に使えるからって」

「ええっ、お見合い?!」

「アポロちゃん、お見合いするの?!」

「うっそー！」

「しませんよ。しませんけど、いずれするかもしれないからって無理矢理連れて行かれたんです。結婚なんて、まだぜんぜん考えられないから、こんなの無駄だって思ったんですけど。でも、成人式には、もう結婚してる人も来てたし、それどころか、赤ちゃんがいる人までいたんですよ」

「早い人はそうよね」

「みんないろいろなんだなあ、ってしみじみしちゃいました。働いている人や学生の人、みんな、これからいろんな道を歩いていくんだなあ、これからどうなっていくんだろうなあ、って。わたしも、どうなっていくのかなあ、って考えちゃって」

「ああ、わかる。あたしも、そういうこと、思ってたなあ、成人式で」

進藤珠代が同調する。

克子は成人式に行かなかった。まだ学生だったたし、地元の式にいくのが億劫《おっくう》で突っぱねてしまったのだ。けれども、彼女たちの気持ちはわかる気がした。二十歳だからこそ、感じる未来がたぶん、ある。二十歳の若さでしか味わえないものが、たぶん、きっと、あるのだろうと思う。沢先生との打ち合わせで、今度、そんな話をしてみよう、と克子はちらりと思う。

辰巳牧子と進藤珠代が成人式の話で盛り上がっていくのを微笑みながら眺めていた戸田育江がつと立ち上がり、ガラスの灰皿を手にベランダへいく。

辰巳牧子と進藤珠代は夢中になってしゃべりつづけている。

戸田育江がひとりで煙草を吸っているシルエットが窓越しに見える。

ゆらゆらと身体がかすかに揺れている。

楽しそうにも、寂しそうにも見えた。

気になって克子が窓から顔をのぞかせ、寒くないですか、ときくと、ちょうどいいの、お酒で身体が火照っちゃって、この寒さが気持ちいい、という。克子もスリッパを脱いで外へ出た。サンダルがあったのでそれを履く。あれ、ほんとだ、そんなに寒くないですね、と育江を見ると、いやいや、すぐに寒くなるわよ、と返され、笑い合う。星、見えないですね、と空を見上げる。うーん、目が慣れてくると、少しは見えるんだけどね、明るいからね、東京の夜は、今夜はとくに明るいのかな、と戸田育江が眼下を見る。たいした高さではないけれど、あちこちで煌《きら》めく明かりが、懐かしいような、切ないような気持ちにさせる。

聖なる夜か、と小さくつぶやく声がした。煙草の匂いが鼻をかすめる。聖なる夜、と克子もつぶやく。この空の下、たくさんの家で、今頃、クリスマスを祝っているのだろう。メリークリスマスと言い合いながら。そうして子供たちは、サンタクロースからのクリスマスプレゼントを楽しみに、眠りにつく。

今年も終わるわねえ、と戸田育江がいい、終わりますねえ、と克子が返した。

来年はオリンピックイヤーか。

……ですねえ。

冬の札幌、夏のミュンヘン。冬季オリンピックの開催は日本初。いつも以上に盛り上がるにちがいない。

スキージャンプで金メダル、取れるかな、育江が煙草を灰皿に押し付けていう。下馬評は高いけどね。さあて、どうですかねえ。わたしはスキーっていったことないなあ、カッコちゃんはあるの？ありますよ、学生時代に。へたっぴいで呆れられましたけど。滑るより転んでばかりいました。

その日の雪景色を思い出す。

幸せだな、とふいに思う。なにがどう、幸せなのか、わからないけれど、漠然と、そんなことを思ってしまった。

「戸田さん、来年もよろしくお願いします」

唐突にそういったら、戸田育江が、なあに、と笑っている。

「来年もがんばりますので」

「カッコちゃん、張り切ってるね。でもさ、わたしたちは、まずは、年内校了。そっちが先。校了しないと来年は来ない。ということで、そろそろお開きにしましょうか。明日も仕事だし！」

「そうでした！」

二人で暖かい室内に戻っていく。

第4章
1972年

1

一九七二年――。

おかしな冬が過ぎていく。

一月末、グアム島のジャングルで日本兵が発見された。

ええっ、まだ、戦争が続いていたのか、と綿貫誠治《わたぬきせいじ》は衝撃を受けた。

すっかり忘れていたけれど、ついこの間まで、ああやって男たちは徴兵され、戦わされ、死んでいったのだった。幸い、なのかどうなのか、死なずにすんだ彼は、敗戦後、ジャングルの奥地に取り残され、たった一人になっても潜伏しつづけた。まだ敵がいると信じて。日本とは風土気候のまったく違う、鬱蒼《うっそう》とした森の中で、凄《すさ》まじい孤独な戦いを続けたのだ。二十七年間も。

喉元へ刃先のようなものを突きつけられたような心地がしたものだ。

たまたま少し遅れて生まれてきただけでこうして安穏と暮らしていられる自分は、幸運、なのだけれども、はたして、それを、幸運、などと安易に思ってしまっていいのだろうか。時代が違えば、自分も軍隊で人を殺していたかもしれないのだ。ああしてジャングルを彷徨《さまよ》っていたかもしれないのだ。現に彼——誠治の父親と似た年頃の彼に、つい父の姿を重ねてしまう——はまだあの戦争の只中にいる。奇跡の生還は嬉しいニュースには違いないが、手放しで喜べない苦さを伴っていた。戦後の繁栄の陰に隠れた彼らのような存在を久方ぶりに思い出したのだった。いや、思い出させられたのだ。

そういえば、と誠治は気づく。近頃は、街中で、傷痍《しょうい》軍人を見なくなった。以前は、たまにガード下なんぞで、松葉杖に寄りかかってハモニカを吹いていたりする姿を見て、はっとさせられたものだったが、いつのまにやら街にはビルが建ち並び、戦争の暗い影はなくなっていった。戦災の痕も、遠くへ押しやられ、街は次第に綺麗になった。彼らはどこへいったのだろう。戦後の貧しさから抜けだし、物があふれる豊かな時代の到来を謳歌《おうか》していた人々にとって、だから彼の帰還は冷や水を浴びせられたような出来事なのだった。

と、そう感じていたのは誠治だけではなかったようで、週刊デイジーでも、このニュースは記事になった。

活版記事が減りつづけているなかで、戦争を知らない子供たちにあらためて戦争の惨《むご》さを伝えねばならん、と使命感に燃えたのだろう。活版班主任の伊津《いづ》さんが率先して記事にまとめたらしい。少女たちにはまったく受けない記事だとわかりきっているのに、それでも載せたのは、週刊デイジーは漫画だけの雑誌ではない、という活版班としての矜持《きょうじ》を見せたようにも思われた。

かと思えば、札幌冬季オリンピックだ。

日本兵帰還の直後だというのに、スキージャンプだ、金メダルだ、と日本中が瞬く間にお祭り騒ぎになった。日の丸飛行隊、などと持て囃《はや》すのに、かすかな違和感を覚えつつ、国を挙げて応援してしまう。フォークデュオが歌う札幌オリンピックのテーマソングがあちらこちらで流れ、連日、さまざまな競技がテレビで放送された。あっという間に話題はオリンピック一色となり、皆、浮かれまくった。編集部でも、辰巳牧子《たつみまきこ》がフィギュアスケートの選手に憧れて、似たような短髪にしてきた。経費の精算書を提出しにいったら、わざわざ本人が報告してくれたのだ。いやはや、まったく、おっちょこちょいの極みだな、と呆れ返るが、この素早さ、この勢いこそが少女気質そのものなのだろうとも思う。綿貫さん、どうですか、ときかれたので、うーむ、と眺める。似合っていないわけではないが、金髪ではなく黒髪なので、単なるおかっぱ頭にしか見えない。この子の顔立ちや制服姿とも相まって、いっそう幼く見える。しかしながら、そのようなことをいえばおそらく彼女の機嫌を損ねるにちがいないので、人気沸騰なんだってね、とだけいっておいた。するとたちまち、なにがですか、ときさかえされる。なにがって、だからその、スケートの子だよ、尻餅ついた女の子、とこたえたら、なんでいちいちそういうこと、いうんですか、綿貫さん、ジャネット・リンは、尻餅ついたけど銅メダルを取ったんですよ、銀盤の妖精なんですよ、と突っかかってくる。そうとう熱烈なファンらしい。知ってるよ、と誠治はこたえた。そんなこと、みんな知ってるだろう。そんなやりとりを、通りかかった藤原修子《ふじわらしゅうこ》が見て、笑いを堪《こら》えている。

騒がしいオリンピックが閉幕したと思ったら、息つく間もなく今度は浅間《あさま》山荘事件だ。

これまた、日本中がテレビに釘付けになる。

同じ雪景色とはいえ、なにからなにまで天と地ほど違っている。連合赤軍のメンバーが武器を持って山荘に逃げ込み、人質を取って立て籠《こも》ってから、人質救出までの緊迫した数日間、息を詰めたように日本中が成り行きを見守る。

いったい、この国はどうなっているのだ、と思わずにいられなかった。

光と影が唐突に入れ替わる。

日常生活が、まぶしい光と重苦しい影に、絶えず晒《さら》されているようで落ち着かなかった。

誠治は事件の成り行きを気にしつつ、病院へ見舞いに通った。

串田《くしだ》みつこ先生が盲腸の手術のため、入院しているのだ。

年明けから具合が悪くなり、すぐに盲腸だとわかったものの、しばらく薬で散らして様子を見ようということになり、だが一向に良くならず、というより悪化する一方で、いったん連載を終了し、手術して完治をめざすこととなった。体調が万全になるまでゆっくり休んでもらい、二ヶ月ほどしたら新連載をスタートしよう、と串田先生と話し合ったのだった。

串田先生は悔しがった。

こんなことくらいで休みたくない、連載がなくなるのは嫌だ、と目に涙を滲《にじ》ませながら訴えるのをなんとか説得した。頑強な男性ならともかく、若い娘さんだ。なにかあってからでは遅い。担当編集者として親御さんへの責任もある。痛みを堪えて描いてもらった最終回の柱には、〝すぐに新連載を始めるから待っててね！〟と、しっかり告知した。だから安心して休んでくれ、と言外に思いを込めたのだ。〝盲腸を切る、みつこ先生に、ガンバレー、っておたよりしよう！〟とも書いておいた。読者へのメッセージだが、同時に誠治から串田先生へのメッセージでもある。それに読者から届くハガキは、なにより串田先生の快復を助けるだろう。

掲載誌の見本が出るとすぐに病室に持っていった。

むろん、串田先生は喜んでくれた。

幸い、手術は成功し、術後の経過も悪くなく、一週間ほどで退院と決まった。

病院の待合室のテレビには、浅間山荘が映っていた。

膠着《こうちゃく》状態が続いているので、たいして変化はないのだけれども、映っていれば立ち止まってつい見てしまう。

山荘突入の日は、待合室で数時間、見つづけてしまった。患者や付き添いの者らだけでなく、看護婦や医者もまじって固唾《かたず》を呑んで推移を見守っている。だんだん人数が増えていく。銃声が鳴り響き、鉄球が山荘の壁をぶち抜き、放水の水飛沫《みずしぶき》があがり、銃撃された人が運ばれていく。それらが逐一、カメラを通して映し出される。まるで戦争を見ているようだな、と誠治は思う。こんなことが、現実の日本で起きているのか。学生時代、学生運動には関わらず、ノンポリで通した誠治にとって、犯人らの心情に寄り添うことはできない。できないが、ここまで追い詰められた学生たちにも、戦後の暗い影が垣間《かいま》見えるような気がしてならなかった。一九七二年、敗戦から四半世紀以上が経ち、ずいぶん遠くまできたような気がしていたが、あんがい、そうでもないのだろうか。

この事件についてもまた、活版班は記事にした。

殉職した機動隊員の遺児の少女にスポットをあてた七ページの大特集だ。

「あれ、力、入ってましたね」

不在時にレイアウトマンから預かったメモを渡しにいったついでに藤原修子にいうと、

「入り過ぎ」

と、返ってきた。

「うちの班、先月、おかしなオカルト記事を載せてしまったでしょう。ライターまかせの。眉唾な霊能者の」

藤原修子が受け取ったメモに目を落としながらいう。

「あれですか。未来がみえるってやつ。たしか、読者五十名を特別に取り次ぎます、ってやってましたよね。反響すごかったらしいじゃないですか」

「あれは伊津さんが止めなくてはいけなかったんです。子供だもの、真に受けるでしょう。あなたは高校に受かります、落ちます。病気が治ります。根拠もなしにいうだけなんだから」

　声に苛立《いらだ》ちがまじっている。

「予言ってのは、たいがい、そんなもんでしょう」

「だからタチが悪いんです。占いなら、当たるも八卦《はっけ》当たらぬも八卦で済みますでしょう。けれど、未来がわかるって断言してしまってるんですから」

「まあ、あんなものは遊びですよ。みんなわかってますよ」

　誠治は机の上に並べられた写真をちらりと見る。モデルの女の子が化粧水の瓶を手にして笑っている。美容記事に使う写真だろうか。

「そうだといいんですけど、こういうブームは考えものだなとつくづく思いましたよ」

「クレームでも、きたんですか」

「当然ですよ。あんなこと、五十名も続けさせられるものですか。後始末がたいへんでしたよ。ほんとにもう、大迷惑。伊津さん、名誉挽回に浅間山荘、硬派の記事に舵《かじ》を切ったんでしょう」

「厳しいなあ」

「伊津さんってそういうとこ、あるのよ」

　藤原修子はやさしい口調できついことをいう。しかし、いわれてみれば、七ページはたしかに破格の扱いだし、そういう側面があったとしてもおかしくはない。千駄ヶ谷の葬儀場にまで伊津さんが直に取材にいった、ときいて義憤に駆られて書いた記事かと思っていたが、そうでもなかったのか。

「まあ、でも、なかなかよい記事でしたよ」

「そう？　長過ぎない？」

藤原修子が、並べた写真から三枚抜き出し、どれがいいと思います？　ときいてきたので、一枚選んで指差す。似たような写真だが、モデルの女の子の表情がいちばん明るい気がする。やっぱりこれよね、そうよね、と写真を裏返し丸をつける。

「たまには、あのくらいのボリュームの記事があってもいいんじゃないですか」

手早く写真が片付けられていく。

「そうかしら。まあね、記事ものも、近頃とんと減りましたものね、このくらい頑張ってみてもいいのかもしれないわね」

「いいと思いますよ。活版班、人数が少なくなったから、やりくりは、たいへんでしょうが」

「それがそうでもないの。アルバイトのお手伝いの子もきてくれてるし、みなさん、優秀で。そちらへ移った高峯《たかみね》さんは、いかが。うまくやってます？」

なんとなく、だらだら雑談が続いてしまう。

「やってますよ、想像以上だ」

「あらそう、それはよかった。あの方、もともと漫画がお好きなのよ。漫画がやりたくて、うちの会社にきた、って、ちらっとそんなこと、おっしゃってたもの」

「へえ、そうなんですか」

それであんなに張り切っているのか、と合点がいく。高峯忠道《ただみち》は、誰かについてこい、といわれればどこへでも素直についていき、何時間でも付き合う。断るということがない。そうやって馬車馬のように働き、やり方をどんどん吸収していった。ひととおり漫画班の仕事を覚えてしまうまで時間はかからなかった。漫画家との打ち合わせに同席させても初めからそつがなかったし、危なっかしくもなかった。会話もうまい。なにより、やる気があった。串田みつこ先生のことやなんかで手一杯になり、誠治もいくつか、のっぴきならない仕事を急遽《きゅうきょ》頼んだりもしたが、嫌な顔せず、引き受けてくれた。他の者も似たような感じで仕事を頼んでいるらしく、彼の働きがある分、余裕もできて、漫画班はいつになく、うまく回っている。

そういえば、この間、うちで描かなくなっている漫画家にアプローチしてみてもいいだろうか、と相談されたな、と誠治は思い出す。

こいつ、まだそんな余力があったのかと驚き、その積極性を少々疎《うと》ましく感じたものだったが……。沖《おき》さんか明石《あかし》さんに相談してみろよ、描かなくなってる人にはそれぞれ事情があるんだろうから、ちゃんと確認した方がいい、といっておいたが、その後どうしただろう。

高峯忠道。

あいつがやりたい漫画家って誰なんだろう、と誠治はあらためて思う。

あの時はとくに興味もなかったのでそれ以上詳しくきかなかったが、今更ながら気になってきた。他誌で描いている人か、まったく描かなくなっている人か、あるいは、もっと別のパターンか。

誠治は他誌をほとんど読まないし、うちで描かなくなった漫画家の動向など気にしたこともない。だから、さっぱり想像がつかない。

「どうかなさった?」

藤原修子がきく。

「え、いや」

誠治は言葉を濁す。

そうか、つまり、やつは、そんなところにまで目配りしているわけか。守るだけではなく、攻めているのか。

「ふーん、そうか」

うっかりつぶやいたら、藤原修子が、怪訝《けげん》な顔をした。

「あ、いえね、漫画が好きでここへきたやつって、今まであまりいなかったんで珍しいな、と。少女漫画なんてここへくるまで読んだことがなかった、ってやつが大半でしょう」

「わたしも少女漫画、読んだこと、ありませんでしたよ」

「藤原さんも？」

「創刊の頃なんて、みんな、そんなものでしたよ。ここを作った川名《かわな》さんだって、たぶんそう。長年、副編をやってた浮田《うきた》さんだってそう。あの方なんて、今月、映画雑誌を創刊なさったでしょう。あれがきっと、あの方のやりたかったことなんですよ。うちから離れてのびのびやってらっしゃる。そのくせうちにも宣伝がてら映画関連の記事やってくれ、って、ほら」

引き出しから、配給会社から届いたとおぼしき資料の束を取りだした。

ほう、と手を伸ばす。

「まあ、でもね、そういう時代になってきたのかもしれませんね。大学生だって漫画を読む時代なんですから。昔だったら考えられない。これからだんだん、ああいう、高峯さんみたいな方が増えていくのかもしれませんね」

「ですねえ」

紙の束をぱらぱらとめくる。これから公開される外国映画が写真つきでくわしく紹介されている。プレス用の試写会の招待状も数枚入っていた。よかったらどうぞ、と藤原修子にいわれたので、一枚もらっておく。担当する漫画家の誰かが興味を示すかもしれない。

「でも、おかしいわよね、あの方。床屋さんで切り立てみたいな頭をして、真面目な級長さんみたいな眼鏡をかけて、ぼくは漫画なんて読みません、って顔してらっしゃるのに」

「ほんとですよ、まったく油断ならない」

そういうと、藤原修子がくすっと笑った。

「油断してらしたの？」

「え？　いや、油断というか、なんというか。こりゃ、うかうかしてられんな、と」

「うかうかしてらしたの？」

「え？　あー、いや。今年の冬は、どうにも、おかしな冬だったからなあ。うかうかしているうちに過ぎてしまった」

「そうねえ。たしかに、落ち着かない冬ではありましたよねえ。でももう、春ですからねえ」

藤原修子の目が窓の方を向く。

誠治も見る。

べつに春の景色がそこに広がっているわけではないものの、季節が変化していっているのをなぜだかすんなり感じてしまう。

新人を育てよう、と誠治はふと思う。

攻めればいいってものでもないだろう。

まずは己の手の内にあるものを、しっかりと磨いていこう。

いつぞや、沖さんが、新人を一から育ててヒット作に繋《つな》げるのが、編集者としての醍醐味《だいごみ》だ、と得意げにいっていたのをおぼえている。なにが面白いってな、綿貫、それが一番面白いよ。

その醍醐味とやらを誠治はまだ知らない。

ちょうど一人、誠治は、育ちつつある新人を担当していた。

あの子はまだまだいけそうな気がする、と誠治は思う。

誠治に新人を見る目があるのかどうかわからないが——どちらかといえば、ないような気がしないでもないが——、あの子の応募作品を見た時、なにかある、と誠治は感じたのだ。その勘をとりあえず信じてみるのも悪くない。

春だしな。

新年度が始まるのだしな。

2

進藤珠代《しんどうたまよ》は、もやもやしている。

契約社員として別冊デイジーで働き出して丸一年。

楽しいことも辛いこともあったけれど、おおむね満足している。仕事は面白いし、人間関係もうまくいっている。任されているのは漫画ではなく、口絵だったり、懸賞ページだったり、それに雑用も多いが、それはかまわない。自分がいちばん下っ端だと自覚しているから、当然だと思っている。大大大好きな仕事もある。景品の買い出しに、銀座や新宿のデパートを巡り歩くことだ。こんなに楽しい仕事が他にあるだろうか。他人のお金で好きなものが買えるだなんて——自分の物にはならないし、領収書の整理や、商品のチェックや管理、数の確認など、楽しくない仕事も同時に発生するとはいえ——ラッキーとしか思えない。

だけどなあ。

もやもやする。

この四月に入社した保積賢太郎《ほづみけんたろう》という男性が、社内研修を終えて、別冊デイジーに配属されてきたのだった。

なんでも新入社員が別冊デイジーに配属されたのは創刊以来初めてのことらしい。去年、芝厚史《しばあつし》が週デから別デに移って来たが、それとこれとは別なのだそうだ。売り上げ部数増加に伴い、正式に編集部の人員増加が認められた、つまり別冊デイジーの存在感が社内で増したということらしい。

小柳《こやなぎ》編集長は、いたく喜んだ。

期待のホープが来たよ、と初日、保積賢太郎を皆に紹介した。ホープかあ、と珠代は心の中でその言葉を繰り返す。ホープといえば煙草《たばこ》だけどね、とちゃちゃを入れたくなるが堪える。

「よろしくお願いします」

と、保積賢太郎は爽やかに挨拶した。

ほんとに爽やかな青年だった。

新調したばかりらしいぱりっとした背広と真っ白なワイシャツ。振る舞いもぱきっとしている。くたびれた感じも、馴《な》れ切った感じも、まったくない。ため息が出るほど新鮮だ。

珠代は一応、先輩として、事務処理の仕方であったり、経理関係の書類の整理の仕方であったり、タクシー券のことや食券のことやなんか、細々《こまごま》と教えてあげた。

保積賢太郎はありがたがり、しきりに礼をいう。珠代をちゃんと先輩として敬ってくれる。

といったって、そんなものはおそらく一時的なまやかしに過ぎない、ということもわかっている。珠代はこれから先も相変わらず編集部内でいちばん下っ端なのだ。だって、彼は期待のホープだし。序列が珠代の下になるなんてあり得ない。

まあ、それはいい。

そこはあまりもやもやしない。

わかりきっていることだから。

もやもやするのは、小柳編集長が、あまりにも保積賢太郎に親切なことだった。

そりゃ期待のホープだからだろうけど、あんなにも親切に小柳編集長が誰かに何かを教えているところなんぞ、珠代は見たことがなかった。珠代がここへ来た時だって、あんなふうに教えてもらわなかった。まあ、珠代の場合、漫画の仕事をしていないんだから、直接教えてもらわなくたってなんら困りはしなかったのだけれども、たとえば週デから来た芝厚史だって、あんなふうに教えてもらっていない。芝厚史は漫画の仕事をするにあたって、まずは別デ漫画スクールの担当になった。漫画スクールには、若田《わかた》先生がいらっしゃる。若田先生はもともと漫画家だったけれど、後進の育成に力を入れ、同人誌を主宰し、編集者みたいなこともやっているので、彼の下で仕事をすれば自然にいろいろ学べる。つまり、小柳編集長は若田先生に芝厚史を委ねたわけだ。

とはいえ、保積賢太郎までも若田先生に委ねるわけにはいかなくて、それで小柳編集長が手ずから教えているのだろうか。

そうこうするうち、小柳編集長は、漫画家とのネームの打ち合わせやなんかにまで、保積賢太郎を連れていくようになった。

えっ、と思った。

ちょっとほんとにそれって親切すぎやしないか。

保積賢太郎はべつだん、なんとも思ってやしないから、ふつうに付き従っている。小柳編集長のお供で誰々先生のお宅へいってきましただの、何々先生との打ち合わせにいってきましただのと、話のついでにひょいと珠代にいったりする。珠代はそれをきくたび、もやもやする。

「じゃあ、昨日は午後からずっと一緒にいたの？」

ときいたらへんな顔をしていた。そりゃそうだ。途中で退席なんてできるわけない。

「どうだった？」

ときくと、

「どうっていわれても、とくには」

と、返ってくる。

「とくには、って、だって、けっこう長い時間じゃない」

「そうですよ。話をきいてるだけでも、疲れますよ」

「疲れるって。だって仕事じゃない」

「だから、ちゃんと、すわって話をきいてますよ。ぼくなんかが、そうそう話に加われるものでもないし」

「ふうん」

「けっこう緊張しますよ」

「緊張？」

「そりゃそうですよ。ついこの前まで学生だったんですから。こんな経験、一度もないし」

「そうか、そうよね」

「せいぜい邪魔にならないよう、気をつけてます」

「気をつけてたって、邪魔になってるんじゃない？」

ちょっといじわるなことをいってしまう。

「そうかもしれませんね」

と保積賢太郎は、こたえた。

そうか、邪魔になっていたとしても、小柳編集長は彼を連れていくんだ。また、もやもやする。この人、そのありがたみがわかってんのかな、編集者として特別に勉強させてもらってるんだ、って気づいてるのかな。

わかってなさそう、と珠代は勝手に判断する。そうして、また、なんであの人だけ、と思って、ももやもやするのだった。

だって。

それなら、西口《にしぐち》さんや、戸田《とだ》さんを連れていってあげたらいいじゃないか。ベテランの井森《いもり》さんはべつにしても——彼女は漫画の仕事をほとんどやっていない——西口さんや戸田さんは漫画の仕事をやっている。

これまで、そんな機会はいくらでもあったはずなのに、珠代の知るかぎり、小柳編集長は彼女たちを一度も連れていったことはない。このフロアで漫画家とネームのことやなんかの打ち合わせをしている時だって、小柳編集長は彼女たちを近づけない。近づけるのは、お茶を出しにいく辰巳牧子くらいで——そのついでに呑気におしゃべりに加わるところがいかにも辰巳牧子ならでは、なのだが——副島《そえじま》副編集長だって芝厚史だって同席しない。けれども保積賢太郎は、ちょっとおいで、なんて呼ばれて隣にすわったりしている。

なんで。

珠代は憤る。

保積賢太郎だけ、ずるい。

西口克子《かつこ》も戸田育江《いくえ》も、小柳さんが漫画家と、どんな感じで打ち合わせしているのか、わたしたち、ぜんぜん知らないのよ、とよくいっている。珠代は何度もきいたことがある。

とくに西口さんは漫画家の担当をしているから、どういうふうにアイディアを話し合っていくのか、どういうふうにヒントを出しているのか、ネームのやり取りを小柳編集長がどのように進めていくのか、じつはとても知りたがっている、ということも珠代は知っている。

芝厚史は、そんなものは、自分のやり方で、自分の思うようにやったらいいんですよ、といっているが、そういいつつも、若田先生の真似《まね》をしている面はあるのではないだろうか。我々編集者は一国一城の主なんだ、やり方は自由、なんて偉そうにいっているけど、若田先生のやり方を参考にしていたりはしないだろうか。

戸田さんにしたって、原稿が上がってから入稿までを全部まかされることが多いのに、その原稿がどういうふうに描かれることになったのか、なにひとつ知らされないまま仕事をしている。やりにくくはないのだろうか。

でもまあ、そういうものなのだろう、とも思っていた。

なんかこう、そのあたりは企業秘密みたいなものなんだろうな、と解釈していたのだ。

編集者のやり方ってきっと秘伝のタレみたいなもので、容易に作り方は開陳されないのだろう。

あの人も、この人も、そうやって独自に秘伝のタレを作り上げていったのだろう。

西口さんも、今まさに、秘伝のタレを作り上げようとしているところなのだろうと思っていた。苦労して、苦労して、いろいろ試して、おいしいタレを見つけだそうとしているのだ、きっと。

だから、西口さん、がんばってくださいね、と珠代はひそかに応援していたのだった。

今のところ、珠代は、漫画家の担当をやりたいとは思っていない。でも、いつか、任されたらやるつもりではいる。だって、せっかく別デで働いているのだもの、チャンスがあればやってみたい。正規の社員になれたら、西口さんみたいな仕事がしたい。だからこそ、西口さんには頑張ってもらいたかったのだ。先輩として。

それなのに。

新入りの保積賢太郎には秘伝のタレの作り方が惜しげもなく開陳されている。

いったいどういうことなんだろう。

もやもやする。

秘伝のタレは、秘伝ではなかったのか？

わけがわからなくなってしまった。

おまけに保積賢太郎は、この仕事に就くまで少女漫画を一つも読んでいなかったというのだから、もやもやを通り越して、くらくらする。

そんなやつでもホープなのか。

ホープって、いったいなんなんだ。

そんな人に秘伝のタレのおいしさがわかるのか。わからないんじゃないのか？

そういう愚痴、というか不満を、辰巳牧子に社員食堂でちらりと漏らしてしまったため、

「ホープさん、別デのバックナンバー、二年前まで読み終わりましたよ」

とか、

「ホープさん、このところ、コミックスを読んでますよ。気になる漫画家がいるのかな」

などと、報告してくれるようになった。

珠代は気にしていなかったが、保積賢太郎は、暇ができると、フロアの片隅でせっせと漫画を読んでいるらしい。

「ホープさん、がんばってますよ。受験生みたいに真面目に、集中して、真剣に読んでるんですよ、漫画を。笑っちゃう」

　辰巳牧子はフロアを動き回っているから、保積賢太郎が漫画を読んでいる棚の近くの空きスペースあたりをよく通るらしい。というか、辰巳牧子のことだから、用事のあるふりをして、そばへ近づいていっているのかもしれない。

「いいですよねー、編集部員の方は。漫画読むのが仕事なんですもん。わたしはそうはいきません」

「あのねえ、わたしたちは漫画を読むのが仕事なんじゃなくて雑誌を作るのが仕事なんですけどね」

「わかってますよ。ホープさんだってわかってます。ホープさんは雑誌を作るために、みなさんに、がんばって追いつこうとしてるんです。だいぶ追いついてきてますよ」

「そうなの？」

「泉田依子《いずみだよりこ》さん、いいなあ、って、いってましたもん。これは、ちょっとした文学だなあって。見る目ありますよね」

「へえ、そんな話するんだ」

「わたし、週デで新しく始まった泉田さんの連載、大好きなんです。だから、ホープさんが、泉田さんの漫画を読んでるのを見て、思わず、あっ、泉田さん、読んでるんですね！　って声かけちゃったんです。そしたら、ぱっとこっちを見た顔が、ちょっと涙ぐんでた」

「まさか」

「ほんとですよ。感動した、っていってましたもん。少女漫画も捨てたもんじゃないなあって、照れ隠しみたいにおっしゃって。そうですよ、捨てたもんじゃないですよ。いやもう、それどころじゃないんですって！　泉田さんの新連載、すごいんだから！　ぜったい今すぐ、読んだ方がいいです！

って、よーく教えといてあげました。珠代さん、読んでます？」

「読んでない」

「だめじゃないですか」

「週デまでは読めないよ。でも、なんとなく知ってる。西口さんが、注目の連載、っていってたもん。あれでしょ。歴史物みたいなやつでしょ」

「そうです。さすが西口さん。わかってるなー」

辰巳牧子が腕組みして、満足げにうなずく。そうして、珠代に視線をやり、読むならぜひとも一回目から読んでくださいね、いいですね、と念を押す。はいはい、とこたえておく。

別デ編集部では、漫画の感想を長々語り合ったりはしない。とくに週デに載ってる漫画について、どうこういうことは滅多にない。だから、わざわざ読む必要はない。読んでいる人も、たぶんいない。小柳編集長にしたって、ざっと目を通しているくらいだろう。

けれども西口克子は別だ。大っぴらにはしてないけれど、彼女は毎週毎週きっちり週刊デイジーを読んでいる。珠代はそれを知っている。珠代には隠していないからだ。いや、べつに誰にも隠していないのかもしれないが、珠代にはごくふつうに、それを話す。わりとプライベートのことまで話してくれる。つまり西口克子は珠代を警戒していないのだろうと思う。光栄だ。もちろん、珠代もその期待を裏切らないようにしている。なんでも話してくださいねー、という態度でいるし、よけいなことはいいませんよー、安心してくださいねー、という気配をうんと醸して、信頼関係を築いている。と思っている。

西口克子は、保積賢太郎の存在にも心乱すことなく——と珠代には見える——、坦々《たんたん》と仕事をしつづけている。

ずっとだ。

一ミリも変化していない、ように見える。

一番心乱されていいはずの西口克子があまりにも通常通りなので、逆に珠代の方が心乱されてしまっているのかもしれない。そうして、それにもまた、もやもやしてしまうのだった。

とうとう、というか、ついに、というべきか、珠代は、さりげなく、水を向けてしまった。

ねえねえ、西口さん、なんかあの人、贔屓《ひいき》されてますよね？　贔屓され過ぎですよね、そんなことありません？

西口克子は、うっすらと笑みを浮かべ、そりゃ珠ちゃん、そういうものでしょうよ、若い男の子が入ってきたんだもの、小柳さん、目をかけるわよ、かわいがるわよ、と、平然としている。すると耳《みみ》聡《ざと》い戸田育江がすぐに割って入ってくる。そうよう、珠ちゃん、男の人はね、男の人が好きなのよ、なんだかんだいったって、仕事仲間として認めているのはわたしたちではないの。そんなの、わかりきってるじゃない、百年前からそうなのよ、いちいち目くじら立ててられないわ、と、これまた平然としている。

そうなのか。

いわれてみれば、たしかにそうかもしれない、と珠代は納得しかけるが、もやもやが消えてなくなったわけではない。いや、むしろ、じわじわと、一度消えかかったもやもやがまた大きくなってくる。でも、戸田さん、ここは少女漫画の雑誌を作ってるんですよ、なんかへんじゃないですか、といってしまう。

どうして？　と戸田育江がきく。何を作ってたって、同じでしょ。ここは会社なんだから。そこは変わらないでしょ。会社っていうところはね、どうしたって男社会なの。それはもう、不変。

えー、でもー、そうですかね、だって漫画家は女の人がほとんどじゃないですか、あの人たちがいなかったら、うちの雑誌は作れないんですよ、ふつうの会社とはやっぱりちがいますよ。ちがうはずです、と珠代は反論する。

戸田育江がちょっとぽかんとしている。

先輩に対して生意気だったかもしれない、と悔いるが、口に出してしまった以上、もうどうしようもない。

戸田育江が、ため息をつく。そうしてゆっくりと諭すように、珠ちゃん、あのね、男の人に嫉妬したってしょうがないのよ、という。わたしたちは同じ土俵にいないんだから、嫉妬したって無駄。そこはもう、諦めなさい。

え、嫉妬？ 思いがけない言葉に、珠代はうろたえる。わたしは嫉妬しているんだろうか？ ううむ。いわれてみれば、たしかにそれも、少しはあるのかもしれない。ないとはいいきれない、とまず認める。でも。と珠代は考える。でもでもでもでも、なんかそれだけではない気がする。なんかちょっとちがう気がするのだ。うまく言葉にできないけれど、たんなる嫉妬とはいいきれないなにかがまだあるような気がするのだが……。

うん、まあね、そうだよね、珠ちゃん、なんかへんだよね、それはわかる、わかるよ、と西口克子がふいに賛同してくれた。

へっと思って、西口克子の方を見る。

西口克子は握りしめたボールペンをぐるぐる回して紙に何か書いている。たんなるいたずら書き、だろうか。幾重にも円が重ねられていく。思わずその動きをじっと見つめてしまう。ぐるぐるぐるぐる、そのスピードが速くなる。筆圧も強い。

でもさ、珠ちゃん、そこはもうどうしようもないんだ。ないんだよ。うん。

ぱたっと、手が止まる。

自分にいいきかせるような低い声。

珠代は気づく。

そうか。

西口さんも、もやもやしてるんだ。

西口さんも。

やはり。

このもやもやを。

西口さんだけじゃない。戸田さんだって、口ではきっぱりしたことをいってるけれど、もやもやしてるにちがいない。だって、顔が。顔がちょっと怒ってる。

だがしかし、芝厚史がやってきて、戸田さん、ちょっといいですか、と、漫画スクールの応募作について話しだすと、途端にいつもの顔に戻ってしまう。ふんふんときいてる戸田育江の顔は、いつもより、いくぶん柔和にさえ見える。そうして的確に質問し、きびきびと意見をいう。

いつもの戸田育江が、いつものように仕事をしているだけなのだった。

珠代はそれを少し残念に思う。

西口克子が机の上の紙を丸め、くしゃくしゃにしてゴミ箱に捨てた。

狂う。

3

藤原修子はその文字を見る。

まじまじと見る。

〝この漫画は私を狂わせてしまう〟

泉田依子の連載について、読者からのハガキにそう書かれてあった。

そんな、狂うだなんて、いくらなんでも大袈裟《おおげさ》な、と少し呆れ、けれどもなぜだか修子は、その切実な言葉が嘘ではない気がして、お便りコーナーに載せたのだった。

ですよねー、やっぱり、みんなそうなんですよねー、と素晴らしい速さで反応したのが辰巳牧子だった。おやまあ、この子はこんなコーナーまで丁寧に読んでくれているのか、とこれまた少し呆れ、だがしかし、辰巳牧子がぺこりと頭を下げて、藤原さん、このハガキを選んでくれてありがとうございます、わたしたちの気持ちをちゃんとわかってくださってる、と感激した面持ちで続けるのをきいて、なんだろう？　と不思議に思ったのだった。お礼をいわれるほどのことなのだろうか？

修子はまだわかっていなかったのだ。

なにかが起きてるような気配をうっすら察していたとはいえ。

そんなに面白いの？　と辰巳牧子に問うと、びっくりしたような顔で、面白いなんてもんじゃないです、もう夢中です、わたしも狂ってます、とこたえた。

その時は、ふうん、と思っただけだった。

なにしろ少女たちはすぐに夢中になる。

そういう生き物なのだ。

俳優や歌手にもすぐに夢中になるし、だから、これは、というスターが現れた時はすかさず特集する。近頃では素人同然の新人にもすぐ飛びつくし、手近なお茶の間のテレビドラマにも熱中する。うちの漫画と関連がある場合はいくぶん煽《あお》りもする。といって、彼女たちは移り気でもあるから、今、何に夢中になっているか、絶えず探り当てなければならない。そういえば、少女たちがグループサウンズに熱狂していた時もあったわねえ、と懐かしく思い出す。

そうか、あれに似ているのか、と修子は気づく。ハガキから漂う熱気があの頃と近い気がする。そうして、すぐに、いや、でも漫画で？　と訝《いぶか》しむ。

ほんとうに修子はわかっていなかったのだ。

すでにじりじりと泉田依子宛のファンレターが増えだしていたというのに。

段ボール箱に詰めたファンレターを泉田依子の担当、祖父江《そぶえ》久志《ひさし》に持っていってもらうように告げる。

「あれ、この間、持っていきましたよ？」

「ええ、でも、また、こんなにあるのよ」

そんなことが繰り返されるようになった。

週刊デイジーでは多くの漫画が掲載されてきたし、人気のある漫画もたくさんあった。とはいえ、これほど一人の漫画家に集中してファンレターが届いたことが、かつてあったろうか？

修子を驚かせたのは、量ばかりではなかった。

漫画の中の登場人物に宛てたものまでまじっているのだ。

架空の物語の、架空の人物に、いったい、この子らは、なにを伝えたいというのだろう。

「祖父江さん、これって、どういうことなんでしょう?」

封筒の架空の宛名を目にした祖父江久志がにやりと笑う。

「藤原さん、連載、読んでくれてませんね」

「ごめんなさい。読もう読もうと思ってるうちに、どんどん回数が進んでしまって」

「読んでみてくださいよ。そしたら、一発でわかるから」

「そうなんですか?」

「主人公のキャラクターがね、とにかく秀逸なんだ。ああいうタイプのヒロイン、ん、ヒロインでいいのかな? んんん? ま、いいや。ともかく、ああいう造形の人物は、今まで、うちの雑誌にはなかったんじゃないかな。なにしろ強烈なんですよ。よその雑誌にだって、いないかもしれない」

修子は連載を読んではいないのだけれども、いわれればすぐに、ああ、あの長い金髪の、凛々《りり》しい人ね、とぱっと頭に思い描くことができる。それだけ記憶に残りやすい、目を引く絵柄だった。

「おじょうずですものね。泉田さん、どんどんおじょうずになられて」

「いやいや、藤原さん。それがね、そうじゃないんだ。あの人、あれでもまだ、満足していないんですよ。デッサンを一から学びたいといいだしてる」

「え?」

「驚きますよね。ぼくもね、最初、なにをいっているんだろう、と思いましたよ。新人がいうならまだしも、泉田依子ですからね」

「そんなことがあるんですか」

漫画班ではないが、修子の目から見ても、泉田依子よりも絵の下手な漫画家はいくらでもいるように思われた。新人の原稿など、かなり稚拙なものもある。それでも問題なく掲載されているのだから、泉田依子ほどの人が何をか言わんや。

「少なくともぼくには経験ありません。連載中に絵の勉強をし直すなんて、きいたことがない。しかし、どうやら彼女、本気らしいんだな。あの人の頭の中には、今、すばらしいイメージが広がっているんでしょう。それをもっと正確に描きたいんですよ。完璧をめざしたいんだ。あの人にとって、漫画はたかが漫画じゃないんです。なんかこう、もっとひりひりした真剣勝負なんだ。こりゃ、こちらも、そう思ってかからんといかんな、と褌《ふんどし》を締め直しているところです。資料集めもたいへんですよ。歴史物ですからね。そういう意味でも、これまでの経験とは大いに違います。まあ、だから、絵の勉強が必要なら、今からでも、やればいいと思ってるんです。なんだって、やったらいい。より一層高みをめざすというなら、めざしてもらおうじゃありませんか。ついていきますよ、どこまでも」

　はあ、と修子は間の抜けた声を出す。この人もずいぶん熱くなっているようだ。こういう人だったかしら、と修子は首を傾《かし》げる。そう付き合いがあるわけではないけれども、こんなふうにわあわあと捲《まく》し立てるようにしゃべる人ではなかった気がする。いつも落ち着いていて、わりあいスマートな人だと思っていた。ヒット作を出すと編集者はどことなく雰囲気が変わる。それは修子もよく知っている。自信が出てくるし、充実感もあるのだろう、見るからに力強さが増す。けれども、この人はそれとは少し違うような気がした。なんだか目をぎらぎらさせて、のぼせたような顔つきをして。

　目の前の段ボール箱の中に手を突っ込み、ざらざらと中をかき回してみる。無意識にそんなことをしながら、修子は祖父江久志について考える。封書の角が指先に当たる。ちりちりする。そうか、祖父江さんたら、まるでこの子たちのようじゃないの、と修子は気づく。ひょっとして、この人も、この子らみたいにおかしくなってるんじゃないかしら。

修子が鷲摑《わしづか》みにして取り出した封書の束に、祖父江久志が手を伸ばした。修子が渡すと、祖父江久志は封書の宛名を一つ一つ、じっくりと検分するように見ていく。それからふいっと顔をあげ、修子の目を怖いくらいに強く見つめた。

「なんかねえ、藤原さん。あるんですよ、今回の連載には。漫画家を駆り立てるものが。それが伝わってるんじゃないですかね、この子らにも」

祖父江久志の口調は真剣だった。

なんかあるって、いったい、なにがあるっていうんだろう、と修子は思う。

修子にはわからない。

だが、たしかに、表に見えていること以上に、奥深くでなにかが蠢《うごめ》きだしているような気はしてきている。

祖父江久志が目を細める。口角がわずかに上がる。笑っているのか、いや、怒っているのかもしれない。なにに？ なんだろう？ わからない。なんだか不気味だ。修子は祖父江久志が手に持つ封書の束を見る。それからまた祖父江久志の顔を見る。じっと見る。それに気づいたのか、祖父江久志がうっそりと微笑《ほほえ》んだ。今度はなにやら幸せそうに見えた。ますます不気味だった。

いったいなんなんだろう。

修子は戸惑う。

この人は今、なにを思っているのだろう？

それとも、なにか思い出しているのだろうか？

ようやく、修子にも少しわかってきた。

やはり、なにかが起きているのだ。

これは、まずは読まなくては、と修子は思う。

読まなくちゃ、なんにもわからない。

泉田依子の連載について、藤原修子に感想を求められた時、武部俊彦《たけべとしひこ》は咄嗟《とっさ》にごまかしてしまった。

「好評ですなあ」

といい、

「長丁場の連載らしいんで、このまま行けるといいですなあ」

と気楽な感じで続け、そう、つまり、たいした感想もいわず、そのうえ、

「しかし歴史物ってのはあれだ、歴史的事実に則《のっと》って話が進むわけだから、今後どこまで読者がついてこられるか、だなあ」

などと余計なことを口走ってしまった。

女子供に歴史物なんてわかるもんか、と思っている俊彦の本音が漏れてしまったのだ。

連載が始まる前、俊彦は漫画班の会議でもはっきりとそれを主張した。反対まではしないが――どうせ反対したところで、祖父江のやつはやるに決まってる――、否定的な意見があることを皆に伝えておきたかったのだ。

うまくいくわけないと思っていたし、そらみたことか、という結果になると思っていた。あー、やっぱり武部のいうとおりだったなあ、と会議でいわれるはずだった。

なっ、そうだろ、なんでもかんでも漫画家の希望をきけばいいってものではないんだよ、と大きな顔で祖父江久志にいってやるつもりでいたのだった。

ところがどうだ。

連載がスタートしてすぐに、アンケートで首位に躍り出て、その後、二位に落ちたり、また一位を奪還したりと多少動きはあったものの、三ヶ月経った今では、首位を独走している。ファンレターもどかどか送られてきている。

正直、ここまで人気が出るとは思わなかった。

まったく当てが外れた。

まあ、たしかにこの漫画はよく出来ているとは思う。それは認めざるを得ない。歴史的事実と創作の兼ね合いがいいし、舞台装置やコスチュームもきらびやかで豪勢だ。少女たちが夢中になる要素を自在に創作部分にぶっこんできているのもうまい。特異な人物造形も光っている。祖父江久志が泉田依子で歴史物をやる、といった時に、頭の中で想像したものとは大きくかけ離れていた。

ほお、こういうやり方があるのか。と、じつはひそかに感心もしていた。

だから、まあ、祖父江久志に賛辞の一つも贈ってやったらよかったのだが、やはり俊彦としては面白くない。そのうち失速するだろう、とも思っていた。

賛辞を贈るにはまだ早い。

少女漫画の王道——というか、週刊デイジーの王道——は、どう考えても学園ものであり、恋愛ものであり、ロマンチックコメディだ。少女たちは飽きもせず、それらを求める。そういった王道ものの中から、一つでも強い連載が出てくれれば、じき蹴散らされてしまうだろう。このまま独走態勢がつづくとは思えなかった。なにかくる。必ずなにかくるはずだ。

だから俊彦は、そちらに照準を合わせ、担当している桐谷《きりたに》先生や蔵野《くらの》先生といったベテラン勢に連載を頼んでいた。王道を歩んできた先生方に、王道中の王道を描いてもらおうというわけだ。

そんな話をしていたら、

「やあね、けべちゃんたら、妬《や》いてんのね」

と前川福美《まえかわふくみ》にいわれた。

はぁあ？

見当違いも甚《はなは》だしい。

ったく、なにいってやがる、と若干腹を立て、水割りをがぶがぶ飲んだ。けべちゃんてば、飲み過ぎ、とグラスを取り上げられる。

これまで少女漫画なんぞろくに読まなかったくせに、前川福美はこの連載はしっかり読んでいた。いつぞや、歴史物だって女の子は読むわよ、と啖呵《たんか》を切った手前、読まないわけにはいかなかったのだろう。

面白いわよ、といっている。

どんどん面白くなってるのよ。たまんないわ、と褒めちぎる。

ふん、お前のいうことなんか当てになるか、といってやったら、あーら、ごアイサツね、去年、けべちゃんが困ってた時、あたし、葉山《はやま》先生の原稿はクリスマスが過ぎたら描いてもらえるって教えてあげたでしょ。その通りになったでしょ。あたしのいうことは当てになるのよ、おぼえときなさい、と得意気な顔をする。

しつこいな、いつまでそんなこといってんだ、もう夏だぞ、といい返し、あーしかし、そいや、今年の年初はそうだったなあ、と俊彦は、冬の日の風月館を思い出す。寒い廊下を行ったり来たり、何度も何度も。

たしかに当てにはなったが、明らかに精彩を欠く原稿だった。それ以降、葉山楓《かえで》はどうもパッとしない。アンケートの順位もあっという間に落ちていった。それはそれで頭が痛い。

女の漫画家というやつは、恋愛の占める比重が大きい。良い方に転べば、原稿が今までにない輝きを放ちだすし、悪い方へ転べば恋に気が散るばかりでずるずると駄目になっていく。

おそらく葉山楓は後者なのだろう。

かといって、恋愛を禁止するわけにもいかない。

このままではまずいとわかっていても、打つ手がない。良かれと思って慎重にアドバイスしても鬱《うっ》陶《とう》しがられるだけだし、へたしたら逆効果だ。こんな低い順位が続いたらそのうち連載、なくなるぞ、と脅したところで、どこ吹く風。

まあ、それもいいだろう。

それも人生だ。

本人の選択だ。

いい相手を見つけたんなら、結婚すればいいし、結婚して引退するなら、それもまたよし。葉山楓がどうなろうと、知ったこっちゃない。俊彦は葉山楓の恋愛や結婚になんの興味もない。

だが、そうもいっていられないから、この仕事はやっかいなのだ。

俊彦の仕事と葉山楓の恋愛や結婚は、密接に結びついている。首を突っ込みたくなくても突っ込まなくてはならない。どうするつもりか、どうしたいのか、担当編集者として把握しておく必要があった。漫画はまだ描けるのか。描けそうにないのか。うるさがられようと、煙たがられようと、葉山楓と膝詰めで話さねばならない。

女、女、女。

時折、俊彦はうんざりする。

読者も女なら、描き手も女。

女のことを絶えず考えつづけねばならない。

女が嫌いになる仕事でもあるよなあ、と俊彦は思う。

女に倦《う》む、というかなんというか。

女が嫌いな男なんていないだろうけども、いや、しかし、本当のところ、自分は女というものが心底好きなのだろうか、とだんだんわからなくなる。

俊彦だっていずれ結婚するつもりではいるものの、以前のように屈託なく、結婚について考えられなくなってしまった。俊彦が思い描いていたような理想の嫁さんが、ほんとにこの世の中にいるのだろうか。いるとして、そんな相手とちゃんと巡り会えるものなのだろうか。楢橋《ならはし》さんや沖さんの奥方のような、誰がみても遜色《そんしょく》ない女性はいったいどこにいるのだろう。見合いでもした方がそういう相手に会えるのだろうか。その方が手っ取り早いのか？

前川福美のような女は結婚相手としてあり得ない。それはわかっている。

だが、前川福美となら結婚してもいいような気がしてきている。それも困る。

そんなつもりはないわよ、と前川福美はいう。いくぶん冷たい声で。

で、そういわれるとほっとするのだ。

だよなあ、と返す。そりゃそうだよなあ。

男の責任という言葉が頭にちらつきつつ、おれだってそんなつもりはないよ、とはっきり口にすれば、己の気持ちに決着がつく。そうだよなあ、おれたちにはそんな、結婚なんてものは似合わねえよなあ、とガサツに笑ってやり過ごしてしまう。

「けべちゃん、認めなさいよ、この際、この連載は面白いって」

カウンターの向こうから前川福美が週刊デイジーを広げて、泉田依子の連載のカラーページを突き出してくる。ちらりと見る。うん、ああ、そうだな、わかってる、わかってる、と、もごもごいう。

「だめだなあ、けべちゃんは。そんなんじゃあ、だめ」

「なにがだよ」

「けべちゃんさ、週刊デイジーって、あたしが働いていた頃の週刊デイジーとはなーんか違ってきてるって気づいてる？　ちゃーんとわかってる？」

「ああ」

「うそうそ」

「わかってるに決まってるだろ、おれはそこで働いてんだぞ。釈迦《しゃか》に説法だ」

「そうかなあ？　ほんとにわかってるかなあ？」

前川福美は、鼻歌混じりにページをめくる。

「けべちゃん、鈍いからなあ」

ひとりごとのようにつぶやく。

「はあ？」

「ま、そこがいいんだけどね」

なにいってやがる、お前こそ、ときりきり歯嚙《はが》みしながら俊彦は思う。

うちで働いていた頃とはすっかり違ってきているじゃないか。週刊デイジーどころじゃないじゃないか。前川福美よ、お前、編集部にいた頃、こんな姿、ひとっつも見せてなかったじゃないか。こんな女だとは誰も思っていなかったぞ。まったく女ってやつは。女ってやつは。

「ねえ、なんか食べる？」

「あう？」

「ねえ、お腹すかない？　なにか作ろうか」

「おお」

「けべちゃん、飲んでばっかりだもん。だめよ、ちゃんと食べなくちゃ。雑炊でも作ろうか」

「あたしも食べよ。今日はお客さんも来ないし、暇だし。一緒に食べよ」

「お、おう」

「お、おう」

まったく女ってやつは。女ってやつは。


藤原修子がこのところ、やけに熱心に週刊デイジーのバックナンバーを読んでいると西口克子に教えてくれたのは、辰巳牧子だった。

「この前までホープさんが読んでたんですよね。でも今は藤原さん。藤原さん、お忙しいから、十分か二十分ですぐ席に戻っちゃうんですけどね」

ホープさんというのは今春、別冊デイジーに配属された新人、保積賢太郎のことだ。辰巳牧子が勝手にそう呼び始め、別デの女たちの間でなんとなく定着していった。

「藤原さん、暇を見つけて、ちょこちょこ、ちょこちょこ、読んでらっしゃいます」

「なにか調べたいことがあるんでしょ」

「いいえ、ちがいます。漫画、読んでます。わたし、ちゃんと確認しましたから。たぶん、一回目から遡《さかのぼ》って順番に読んでるんです」

「へえ、なにを」

辰巳牧子が鼻で笑う。

「決まってるじゃないですか」

「あ」

辰巳牧子が鷹揚《おうよう》にうなずく。

「そうです。それです。みんな狂ってますから。んふ。きっと藤原さんもそう」

「藤原さんは、アポロちゃんとは違うわよ」

克子がいうと、辰巳牧子が不敵に笑う。

「同じですよ。わたしにはわかるんです」

ほんとかしら、と思いつつ、でも、もしかしたら、とも克子は思う。克子もむろん読んでいるから、その魅力については、よくわかっている。だから、もしそうなら、今度、藤原さんとちょっと話してみたいものだ、と週デの編集部の方をちらりと見る。

別冊デイジーでは、この連載について、今のところ、とくに話題に上ってはいない。まあ、それはいつものことだ。人気が鰻上《うなぎのぼ》りだという認識は皆にあるようだが、小柳さんも副島さんも至って淡白で、読んでいるのかどうかさえ定かでない。戸田育江や井森征江《まさえ》は読んでいないようだし、進藤珠代はコミックスが出たら読みます、といっているから、つまりまだ読んでいないのだろう。芝厚史が近頃熱心に読んでいるのは将棋の本だ。昼休みにこのフロアで勝負している将棋愛好家たちの中で、誰が一番強いかはっきりさせるため、今度大会を開くのだそうだ。優勝する気まんまんで、定跡本を読んで日々研究している。となると、編集部で唯一、読んでいる可能性があるのは保積賢太郎だが、彼とはそんな話をする気になれない。

つい最近、保積賢太郎はゲンさんこと、瀬田玄次《せだげんじ》の担当になった。耳を疑った。瀬田玄次は今後が大いに期待されている大型新人だ。実力は折り紙付き。これから小柳さんが手塩にかけて育てていくとばかり思っていた。ところが、小柳さんは補佐に回り、保積賢太郎に担当を任せるのだという。そんないきなり、大丈夫なんですか、とつい口を滑らせてしまったら、小柳さんは眼鏡の奥の目をきらりと光らせ、なにごとも勉強です、やれといわれたらやるもんです、と返してきた。

力が抜けた。

もう担当を。

持たせてもらえる。

いずれそうなるだろうと、ぼんやりわかっていたとはいえ、いかんせん、早すぎる。しかも任されたのは並の新人漫画家ではない。瀬田玄次だ。心の整理がつかない。気持ちが追いつかない。

戸田育江はわりと呑気に、彼はゲンさんと年齢も近いし、いい化学反応が起きると思ったんじゃない？　などといっている。なかなか面白い試みだと思うわよ、思い切って彼にやらせてみるのは。

百万部超えが当たり前になってきている今だからこそ、そんな余裕もあるのよ、ともいっていた。何をやっても売れていくんだもの、小柳さん、強気になっちゃうわよ。またさ、そういう時はなんでもうまくいくものなのよねえ。

こんなこと、べつにそう驚くべきことではない。

決定権は小柳さんにあるのだし、小柳さんは保積賢太郎を気に入っている。そして彼はここ何ヶ月、小柳さんの期待に応えてきた。それは皆も認めるところで、編集部の仲間として彼はすでに受け入れられている。

克子だって保積賢太郎が嫌いなわけではない。憎くもない。

少女漫画なんて読んだことがないといっていたのに、いつの間にか、かなりの数の漫画を——それも幅広く——読み込んでいたのには、感心もした。

ただ、それでも、保積賢太郎と、週デの連載について語り合いたいという気持ちにはなれないのだった。

なぜだかわからない。

藤原さんとなら話してみたいけど、保積賢太郎とは話したくないという、この気持ちはいったいなんなんだろう、と克子は考える。

辰巳牧子とは話した。

ちょうど米村《よねむら》先生のお宅へネームをいただきにあがろうと編集部を出たところで辰巳牧子と一緒になったのだ。

とことことこ、と辰巳牧子が早足でくっついてきた。

「なに？　どうした？　どこかいくの？」

外出するらしく、辰巳牧子は鞄《かばん》を提げている。

「すずらん通りへトロフィーを買いに」

「トロフィー？」

「将棋大会で優勝した人に渡すトロフィーです。郵便局の隣にそういうの売ってるお店があるでしょう？　あそこで注文してくるんです。あとで名前を入れてもらうんです。沖さんのポケットマネーで買うんですよ」

「へえ。太っ腹。うんと高いの買っちゃいなさいよ」

「買っちゃいます！」

辰巳牧子は、浮かれていた。

たまたま泉田依子のカラー原画――連載の扉絵――を見たばかりだったからだ。トロフィーのことで沖さんに呼ばれて行くと、祖父江久志がそれを見せながら、なにやら話し込んでいたらしい。

それでね、見ちゃったんですよ、見せてもらっちゃったんですよー、うきゃー、と辰巳牧子は話したくてたまらないといった様子で身を捩《よじ》る。ははーん、それを話したくて、くっついてきたのだな、と克子は悟る。

今にも動き出しそうだったんですよ、頬に血が通ってるみたいで、それはもう美しくって、原画ってすごいですよねえ、きらきら輝いてるんです、たまりませんでした！　と、辰巳牧子が声を張り上げる。あんな人、いたんでしょうか。いたんですよね。わたし、高校の時、世界史、取ってなかったんです、だから、ヨーロッパの歴史に疎くて、読んでてもよくわかんないことがあって、せっかくだから、もっと知りたいと思って、今、勉強し直してるんです。いろんな事実が絡まり合ってて、それぞれの国の事情とかもあって、ちゃんと調べると面白いですね。誰が架空の人物で、誰が実在の人物で、なんてことはどうでもいいんです。それはいいんです。みんないるんですから、あの世界には。でも知りたくて。現実にどういう事件があって、どういう世界だったのか。革命へと向かう世の中がどうなっていたのか。きちんと知っておきたくて。

ふんふん、とききながら、エレベーターを降り、会社の玄関を出る。辰巳牧子はずっとしゃべりっぱなしだ。

登場人物の心境やら、今後の展開の予想やら、最新回の感想やら、辰巳牧子ならではの、あっちへいったり、こっちへいったり、急に話が飛んだり、また戻ってきたり、と気持ちが赴《おもむ》くままの脈絡のない話しっぷりに、克子は笑いを噛み殺す。西口さんはどう思われますか、といきなり話を振られて、思いつくまま、克子も最新回の感想を話す。ですよねー、そうなんですよ、やっぱりねー、といちいち合いの手が入る。さすがです、さすがです、とやたら褒められる。ちゃんときいているのだろうか、と疑わしくもなる。そうして、なんだか、もう、いちいち言葉で語るのが馬鹿らしくなってくる。言葉なんていらないんじゃないの、という気がしてくるのだ。いいわよねえ、ほんとほんと。毎週楽しみよねえ、待ちきれないよね。そんなことをいってるだけでいいような。

そのまま、楽しい気分で、米村先生のお宅にお邪魔した。

米村先生のお宅では赤ちゃんが泣いていた。

まだ半年ほど前に出産したばかりだというのに、先生はすでに週刊デイジーで連載を始めていて、そちらの目処《めど》が立ってきたようなので、近々別冊デイジーで読み切りを描いていただくことになっている。赤ちゃんがいるので以前のように編集部へは来られなくて、それで克子が出向いてきたというわけだった。

すさまじい仕事っぷりだ。

……と、克子は、この日、つくづく実感した。

手が離せないから入ってきて、といわれて玄関から中へ入ると、涼しい室内で米村先生が赤ちゃんをあやしていた。

まだふにゃふにゃした、柔らかい生き物が米村先生にぺっとり張りつき泣いている。米村先生は赤ちゃんに話しかけながら、うろうろ動き回っている。おっぱい飲んだら眠くなっちゃったかなあ。克子にきこえるように赤ちゃんに話しかける。かわいいですね、とのぞきこんだら、米村先生が小さなあくびをした。かわいいけど手がかかるのよ、この子ったらわたしを寝かせてくれないんだもの、こうしているとわたしまで眠くなっちゃう、と赤ちゃんの背中をとんとんと叩く。

克子はせめてものお手伝いをと申し出て、紅茶をいれることにした。手土産に持ってきたシュークリームを皿に載せて出す。まあ、おいしそう、ありがとう、とほんのひとくち食べたところで、眠りかけていた赤ちゃんがまたひときわ大きな声でびえーんと泣きだす。あらあ、どうしたのー、と米村先生はシュークリームをあわてて手放し、再びあやす。赤ちゃんは泣き止まない。耳をつんざくような泣き声が部屋中に響く。そこのタオル取って、といわれて渡すとすぐに、あっと叫んで、突然、おむつを替えだした。こういうことに慣れていない克子はおろおろするばかりだ。

アシスタントもいるはずだし、手伝ってくれる人もいるときくし、子供が生まれたからってなんとかなるものなのだろう、と軽く考えていたが、実際、目にしたらそんなものではなかった。漫画だって赤ちゃんの世話だって、米村先生にしかできないことだらけなのだ。おそらく休む暇なんてないだろう。よくこんな状態で週一の連載がやれるものだと思うし、そのうえ、うちの読み切りまで引き受けてくれたのだから、ありがたいにはちがいないが、しかし、ほんとに大丈夫なのだろうか。身体を壊さないかと心配になる。

ようやく赤ちゃんがくうくうと眠りにつき、米村先生はそうっとベビーベッドに寝かせると、ネームの入った封筒を渡してくれた。

これを小柳さんに持っていくのが克子の役目である。

担当ではないので小柳さんより先に中を見ることはないし、感想を述べることもないが、それでも、手にすれば喜びが湧く。

「小柳さん、ＯＫしてくれると思うんだけど、ともかく一度お電話くださいって伝えてね」

米村先生は冷めてしまった紅茶をごくごくと飲み、シュークリームをぱくぱく食べていく。

「わかりました。ネームを書き写したら、なるべく早くお届けにあがりますね」

「悪いわね、お手間を取らせて」

「いえいえ。こちらこそ、お待たせしてしまって。うちの会社にも、コピーの機械があればいいんですけど。一台導入しようか、って検討を始めたみたいなんですよ」

「コピー？　あの不動産屋さんにあるやつ？」

手をつけていなかったシュークリームを差し出すと、あら、いいの？　といいながら米村先生は手を伸ばす。

「ああいう青焼きのではなくて、もっと性能がいい、普通の紙にぱっときれいに印刷できる機械ができたらしいんです。かなり高価なものだそうですけど」

「へえ。便利なものがどんどん出てくるわねえ」

「鍵付きの部屋を作るとかって」

「部屋？」

「コピーの機械を置くための。大きい機械だし、管理もしっかりしないといけないからって」

「まあ、それはまた大層なものなのねえ」

シュークリームを食べ終えて、米村先生は、ふっと、ベビーベッドを見る。そうして満足そうに微笑む。母親の顔だ、と克子は思う。米村先生は克子より、少しだけ年上だが、ほぼ同年代といってよい。母親になると、人はこんな顔になるのか、と思い、私もいつか、こんな顔になる日が来るのかしらん、と克子もベビーベッドの方を見る。

先ほどまであんなに泣いていたのが嘘のように、赤ちゃん――恵美《えみ》ちゃん――は気持ちよさそうにすうすう寝息を立てている。

克子はベビーベッドに近づいた。

「よく眠ってますね」

「眠っている時は天使」

といって先生が笑う。

「子育てってたいへんなんですね」

結婚についてぼんやり考えることはあっても、子育てまでは考えていなかった、と克子は思う。こうして目の当たりにすると、とてもじゃないけど、自分にはやれそうにない。仕事だけでいっぱいいっぱいなのに、相当覚悟を決めないと、ここへは飛び込めない。

「産んじゃえば、どうにかなっていくものよ。なんとかせずにはいられないし」

米村先生もやってきて、ベビーベッドの中を覗《のぞ》き込む。

「たいへんだけど、かわいいわよ」

「先生は、でも、赤ちゃんのことだけじゃなくて、漫画もありますし、いっそうたいへんなんじゃないですか？　復帰も、早かったですよね」

「うん。どうかなー、って思ってたけど、やってみたら、意外とやれちゃった。えいやっ、って」

「そうなんですか」

「火事場のなんとやら。ま、今まで、ずっとやってきた仕事だし、これがあるとやっぱり張り合いがあるし。描いてると楽しいし。たしかにたいへんではあるけど、なんとかつづけていきたいなあ。やまなべ先生だって蔵野先生だって、お子さんを育てながらずっと描きつづけてらっしゃるじゃない」

「あー、そうですね」

そうか、やまなべ先生も蔵野先生もこんなふうに子育てをしながら、あれだけたくさんの作品を描きつづけてこられたのか、とあらためて感じ入る。今まで深く考えていなかったけれど――というより甘く考えていたけれど――、きっと、それぞれの先生方が、それぞれに苦労して、苦労して苦労して苦労して、それでも手放さず、大切に大切に漫画を描きつづけてきてくださったのだ。これはもう、ある意味、戦いの歴史ではないか、と克子は思う。週刊デイジーも別冊デイジーも、よく考えれば、そういう場でもあったのだ。

「新しい風が吹いてるなあ、とは思うのよ」

「新しい、風？」

「ぱらぱらっと雑誌を眺めてても、そういう風は感じるの。今までとは違う感覚だなあ、って。さっきの、コピーの機械じゃないけれど、時代は変わっていくものでしょう。漫画も変わっていくわよね。そりゃ、そうよ。新人も次から次へと出てきているし。小柳さん、育てるの、うまいし」

「ですね」

「でも、私が描きたい漫画ではないかなあ、とも思うのよ。私は私の描きたいものを描きたい」

「米村先生の漫画は米村先生にしか描けませんよ」

「まあね。みんなそうよね。みんな、描きたいものを描いてる。描いていく。順位がどうとか、人気がどうとか、そんなことより、自分の描きたいものが描けたらそれがいちばん。わたしもずっとそういうふうにやってきた。新人の頃からね。あー、そうなのよねえ。わたしも昔は新人だったのよ。あの頃は若かったなー」

ころころと笑う。

「若かったっていうより、子供だったのかな。今や母親になってしまった。ねー、恵美ちゃーん、ママですよー」

赤ちゃんにささやきかけると、まるで返事をするように恵美ちゃんが、くうう、と声をあげる。

「米村先生の新人時代って、どんなふうだったんですか」

「えー、新人時代ー？　どんなふうだったかなあ。って、もうめちゃめちゃよー。漫画の描き方もろくにわからなかったくせに、漫画家になりたい、なんて一人前に思ってて。高校の進路指導の先生が、なにいってんだ、って呆れてたわ。それでもすぐに、運良く貸本でデビューできて。漫画家が足りない時代だったのね、きっと。あの頃、貸本で描いてた人、けっこういたのよ。蔵野先生もそうだし、やまなべ先生もそう。泉田さんもたしかそうよ。それから上京して、知り合いにくっついて編集部へいって小柳さんに描いたものをみてもらったの。それがデイジーとの繋がりの始まり。わたし、ほんとになんにも知らなくて、失敗した線をホワイトで消すことも知らなかった」

ええーっ、と声をあげると米村先生がうんうん、とうなずく。

「スクリーントーンも知らなかったし、どういう種類のペンがあるのかもよくわかっていなかった。印刷で細い線なんかべたーっと潰れちゃって、えーって驚いたりしてね。描きながらいろいろ覚えていった。小柳さんにネームを見てもらって、ここはこうした方がいいんじゃない、こうしてみたら、っていわれて、なるほどなー、って。とても参考になった。きみ、外国を舞台にしてみたらいいよ、なんてこともあの時いわれたな。いいヒント、くれるのよねえ」

「小柳さんが？」

「あのアドバイスは大きかったなあ。学園ものをね、そのまま外国に移してみたらどうだい、って。それで描いてみたのよ。で、その漫画でデビューしたの。別冊デイジーで。ぴたっとはまった。私の絵や話の雰囲気に合ってたんでしょうね。よし、その線でいこうって。道が決まった。小柳さんて、漫画を見る目がちょっとすごいの。勘がいいのかな、とにかく的確なの。漫画家の持ち味をずばっと見抜く力がある。いつのまにやら週刊デイジーの仕事が増えてしまったけど、だから、わたしは、別冊デイジー出身なの。漫画スクールもまだなかった頃の新人。それもあって、断れないのよ、小柳さんに描いてっていわれると」

困ったような顔で肩をすくめる。

帰り道、ネームの入った封筒を抱えて歩きながら、克子は米村先生の言葉を嚙み締めていた。

小柳さんの底力をあらためて見せつけられた思いだった。

どうしたらそんなアドバイスができるのだろう?

克子は沢《さわ》先生に、そんなアドバイスをしたことがない。

細かいアイディアについて話し合ったり、細かい直しについてなら、だいぶ意見をいえるようにはなってきた。打ち合わせもスムーズにいくようにはなっている。だが、それだけだ。それでいいのだろうか。やるべきことはやっている、やれていると思っていたが、ほんとうにそうだろうか。

のろのろと歩きながら考える。

じんわり汗ばんでくる。

小柳さんがやっていることは、もっと本質的なことなのではないだろうか。

漫画家本人でさえ気づかぬ可能性を示すもの。創作の幅を広げるもの。

小柳さんと巡り会えてよかった、と漫画家が喜べるもの。

私のやっていることとは違う。

ぜんぜん違う。

克子は、ふと、小柳さんが沢さんに貸していた本のことを思い出した。

趣味や興味と合わなくてもあえてそれを貸したのがなぜだったのか、今、その意味に気づく。ああ、と思わず声が漏れてしまう。

担当をやりたい、やらせてくれ、と己の欲ばかりで突っ走ってきたけれど、はたしてそれでよかったのだろうか、と克子は自分に問いかけずにはいられなかった。

私が担当でいいのだろうか。

私は沢先生の邪魔をしていないだろうか。

もっともっと上にいけるかもしれない沢先生を、ひょっとして、足踏みさせていないだろうか。

そんな疑問が次から次へと湧いてくる。

そうして思う。

編集者にも才能が必要なのではないだろうか、と。

小柳さんのように、漫画家の才能を、存分に活かせる才能が。編集者には。

くらりとした。

克子は立ち止まる。歩道の脇に植えられた木に寄りかかっていきそうになりながら、どうにか踏ん張って、日差しの中で呼吸する。

青空にまっすぐに伸びた飛行機雲に目を留める。

どうか――。

白い雲に克子は祈る。

ならば、どうか――。

私にも、それがありますように。

少しでもいい、ささやかでもいい、その力が私にありますように――。

新しい風が吹いている。

それは克子にもわかる。

泉田先生の連載もその一つだろう。

これからまだまだその風は強くなっていくだろう。

週刊デイジーにも別冊デイジーにも風はますます強く吹くはずだ。

その風に克子も貢献したいのだった。

沢先生にも大きく花開いてほしいのだった。

沢先生もまちがいなく新しい風になる人だ。克子にはそれがわかる。その手伝いをしたいのだ。担当編集者として全力で。

克子は沢先生の才能を信じている。

それに。

大好きだもの。沢先生の漫画が。

だから、どうか。

どうか、どうか。

不安と希望が同じくらいの分量で入り混じり、克子の中で渦巻いていた。どちらかに傾けば楽なのに、不安も希望もどちらも消えていく気配はない。同じ分量のまま、克子の中で渦巻いている。

もう一度、克子は空を見上げた。

飛行機雲もまだ消えていない。

まっすぐな雲が、とてもきれいだ。

歩こう。

克子はうなずく。

不安も希望も両方抱えたまま、歩いていくしかないのだろう。

克子は、その日の飛行機雲を何年も忘れなかった。

忘れられなかったのだった。

4

どうしてこんなことになったかなあ、と綿貫誠治は振り返る。どこがまずかったのかなあ、と考えてはみるものの、どうもはっきりしない。まずかったというなら、ボタンの掛け違いは、はなからあったのかもしれない。誠治が気づかなかっただけで。

テレビドラマ化を前提とした原作ものの企画がスタートしたのはすでに何ヶ月も前のことで、誠治としてもそれなりに、丁寧に、慎重に、進めてきたつもりだった。都度都度、相手方と話していたし、大まかな設定についても確認済みだった。提案された内容は、唐津杏子《からつきようこ》の得意とするロマンチックコメディの枠内だったし、まあ、これならいけるだろうと思っていた。

その認識が甘かったといえばそれまでなのだが。

原作を書くのは、売れっ子脚本家でもある関谷徹《せきやとおる》で、そもそも彼はこの企画の中心人物であり、当初から大いに張り切っていた。

だが、原稿は遅かった。予定では二ヶ月前にもらえるはずが、待てど暮らせど上がって来ない。新連載用に空けていた時間が無駄になり、仕方なく読み切りを一つ描いてもらった。

そうしてようやく上がってきた冒頭部分の原稿を急いで持っていったのに、唐津杏子の反応は鈍かったのだった。いや、鈍いなんてものではない。読んでいくうちに顔つきが険しくなっていく。

そうして一読するや否や、該当箇所を指差し、

「なんでこの子はこんなことをいうんですか」

と、いったのだった。非常に硬い声で。

なんで？

いや、なんでっていわれても、さて？　と誠治は思う。関谷先生が書いたんだから、関谷先生にきいてもらわなくちゃわからないよ、といいかけ、それじゃあんまりだと気づいて沈黙する。唐津杏子が、おかしいじゃないですか、ぜんぜん理解できません、とつっかかってきた。

えーと、そんなにおかしかったっけ？　えー、なにが？　と、手元の紙束をぺらぺらめくる。

唐津杏子もぺらぺらめくる。めくりながら、ああだこうだ言い募る。

唐津杏子の訴えを誠治は静かにきく。

だんだん、なんとなく、ではあるが、彼女の言い分がわかってきた。

ようするに、女の子の気持ち、行動原理、そういったものが重要なのだった。男の態度、というのもよくないようだった。気持ち悪いとしきりにいう。しかも、それはこの物語の根幹に関わってくる重要なポイントなのだった。

ふうむ、なるほどなあ、いわれてみればたしかにそうかもしれないなあ、という気持ちに誠治もなってはきたものの、といったって、それはあくまでも、いわれてみれば、にすぎなくて、いわれなければまったく気づかなかった。そんな大問題であろうとは夢にも思っていなかったのだ。そうかあ、おれは、こういう機微が、相変わらず、よくわからんのだなあ、と少し落ち込む。わかっていたら事前に相手方に伝えることもできたのに、コメディタッチなら、なんとでもなると思ってしまった。

「こんなんじゃ描けません」

と唐津杏子がきっぱりといった。

ききまちがいかと思った。

「この原作では描けません」

唐津杏子が原作原稿を突き返してくる。

え？

ええええええ。

顎が外れそうになった。

描けません、ったって、企画は進んでいるのだし、テレビドラマの放映は秋からと決まっているし、その前に週刊デイジーで連載を始めなければならないのだから、原作を書き直してもらう時間はない。といって、唐津杏子が描かないとなったら、計画は総崩れだ。困る。たいへんに困る。

誠治は説得を試みた。初めはちょっと臍《へそ》を曲げてるだけだろうと思っていた。宥《なだ》めすかしてなんとか描いてもらおうと頑張ったのだ。

だが、唐津杏子は頑として、ききいれなかった。

驚くほど頑固だった。

まいった。

唐津杏子を担当して、もうずいぶんになるが、こんなことは初めてだった。どれほどタイトなスケジュールになったとしても文句ひとついわず、きちっと仕上げてくれたし、無理を承知の急な注文にもこたえてくれた。打ち合わせでも楽しく雑談ができるし、穏やかでやさしい人だ。きついことなどいわれたこともない。それなのに今回にかぎり、まったく取り付く島がないのだった。強情というかなんというか、ここまで進んできてそれはないだろう、こちらの事情を察してくれ、といいたくもなるが——いえばますますややこしくなりそうなので我慢するが——、唐津杏子にこちらの事情を忖度《そんたく》する気配はない。これから描く漫画のことしか頭にないようだった。誠治は途方にくれる。

鵺《ぬえ》……。

久しぶりに誠治はその言葉を思い出した。

そうだった。

こいつら、鵺なんだった……。

うっかり忘れていたが、ふつうの人間と思ってちゃ、だめなんだった。若い娘の外見にだまされちゃいけない。こいつは、ちがう生き物なんだ。一皮剝けば、真ん中にあるのは漫画だ。漫画を生み出す生き物なんだ。宥めすかしたってききやしない。

いいたいことをいいたいだけいって、むっつりと黙りこくっている唐津杏子をちらりと見る。表情は険しい。

どこをどう攻めたってこの城は落ちないだろう、と誠治は諦めの境地になる。こうなったらもう、ふつうのやり方ではだめだ。だって鵺なんだから。

では、どうする?

わかりました、と誠治は厳かにいった。

では、唐津先生が描けるように描いてください。

他になにがいえる?

いいんですか、と唐津杏子がきくので、うん、いいよ、と返した。

後は野となれ山となれ、だ。

ともかく、連載をスタートさせなくてはならない。そっちを優先しようと誠治は思ったのだ。

描いてみたら案外この原作ですらすら筆が進むかもしれないし、ペンを動かしているうちに原作への不満も霧消するかもしれない。

甘かった。

初回、上がってきた原稿――時間的にぎりぎりだったので、ネームはすっ飛ばして完成原稿だ――は、原作の設定を大幅に――予想以上に大幅に、大胆に――変更したものだった。

唐津杏子はまったく妥協しなかったのだった。

うおッ、と内心仰《の》け反《ぞ》ったが、顔には出さず、腹を括《くく》って受け取った。

そうか。

こうきたか。

そうか……。

こうなったからには、これでいくしかない。

とりあえず編集長と主任には簡単な報告をしておいた。二人とも、とくに咎《とが》めはしなかった。タイミングが締切ぎりぎりだったし、おそらく、問題のポイントがよくわかっていなかったのだろう。

予定通り、掲載した。

大幅な変更に頭を抱えたのは、関谷徹をはじめとするテレビ局のドラマチームだった。すぐさま連絡が入り、苦情をいわれた。向こうは向こうで関谷先生の書いた原作を基に準備を進めていたのだから当然だ。といって、連載漫画のドラマ化と銘打っている以上、唐津杏子の描いた漫画に近づけなければならない。設定変更を無視できない。怒り心頭のプロデューサーに、唐津杏子が変更した意図を誠治は伝える。視聴する少女たちの支持はこちらに集まるはずだ、と説得を試みる。

あちらを立てつつ、こちらを立てて、誠治は調整役に徹する。

二回目、三回目と進んでも、唐津杏子はまったく譲らなかった。その後やってきた原作も彼女の意に染まないものだったようで、毎度、原作通りには描かれなかった。

四回目、五回目。

すがすがしいまでに、原作を変えていく。

関谷徹の原作との齟齬《そご》は広がる一方だった。

唐津杏子から原稿をもらうたび、誠治はため息をつき、一方で笑いだしたくなった。よくもまあ、これだけ原作を踏み躙《にじ》れるものではないか。原作という言葉の意味がわかってんのか？　原作者への敬意はないのか？　ようするに、嘘がつけないんだな、と誠治は思う。自分に嘘がつけない生き物なんだ、この鵺たちは。

漫画家というのも難儀なものだ。

つまるところ、描きたいという情念でしか動けないのだろう。

この鵺たちに首輪をつけることなどできない。自由にさせてやるしかない。そのためにあちこちに頭を下げなきゃならないのならおれが頭を下げよう。そのくらい誠治は平気だった。

そうこうするうち、関谷徹から会って話し合いたいと申し出があった。このままでは書き継げないと頭を抱えているようだった。そらそうだろうよ、と誠治は思う。まさかこんな落とし穴に嵌《はま》るとは、この人も災難だよな、と同情したくもなる。

唐津杏子にきく。

どうしますか、会いますか。いやなら、断ってもいいですよ。わたしが代わりに話してきますよ。

会います、と唐津杏子がこたえた。

嫌がるかと思っていたので、誠治は少し驚いた。いいんですか、と念を押すと、どうしてですか？と唐津杏子はきょとんとした顔になり、わたし戦う気まんまんですよ、といってのけたのだった。

はー、戦うつもりなのか、と誠治は愕然《がくぜん》とする。

いやはや、いやはや……。

おれはまだまだ、この鵜たちの扱いがわかってないのかもしれないな……。

関谷徹の仕事場で三人で会った。

相手は誠治より年上のベテランだ。テレビ業界ではすでに名をなす人だ。威勢のいいことをいってたって、唐津杏子はまだ二十三歳の小娘だ。怖気づいて何もいえなくなるんじゃないか、と危惧していたが——そうなったら、誠治が代わりに話さねばならない——、杞憂《きゆう》だった。唐津杏子は、ちんとすまして、三十代半ばの大の男を相手に堂々といいたいことをいっている。反論されても怯《ひる》むということがなかった。感情的にもならず、理路整然と語っていく。さすが唐津先生、あっぱれ、あっぱれ。と思ったのは、関谷徹も同様だったようだ。

気を悪くするどころか、面白がっている様子が見てとれた。互いに抱いていた不信感もだいぶ薄れてきたようで、話し合いは徐々にうまく進みだした。

修正点、問題点、今後の展開へのステップについて、忌憚《きたん》なく話し合っていくうちに、今後は、このように週に一度、しっかりと顔を合わせて打ち合わせをし、アイディアを出し合い、双方合意のうえで関谷徹が原作を書き、唐津杏子に渡すと決まった。円満解決、かどうかはわからないが、これが最善の策だろうと落ち着いたのだった。

手間はかかるし異例だし、綱渡りでもあるのだが、当面、このやり方で進めていくしかない。

そんなわけで、誠治は毎週、この話し合いに臨席することと相成った。

「それで、ワタちゃん、毎日、大汗かいて飛び回ってんのか」

笑いながら祖父江久志にいわれた。

「うん、まあ、成り行きで」

ほんとうに、どうしてこうなったのか、振り返ってみてもよくわからないのだった。

「たいへんだなあ。串田さんの連載も毎回たいへんなんだろう」

「ギャグ漫画は、ネームの相談で一日、へたしたら一日半、潰れるからなあ」

「そこへ唐津先生の打ち合わせが半日加わったわけだ」

「まあ、仕方ないよ。わたくしの不徳の致すところでございます、だ」

一週間が七日でなく、十日あればいいのに、というのは、このところ毎週校了前に誠治が思っていることだった。

「単発読み切りもあるよな」

「ある。シリーズのやつな」

「新人もやってたろ、ほれ、あの、去年、研究生に応募してきた、ええと」

「富士島《ふじしま》みつか」

「そうそう、みつか。富士島みつか。今度連載やるよな」

「短めのな」

「四コマの子、あの子もいいよな。いい感じに人気が出てきてる」

「まるみえみこ。乗ってきてる」

「なあ、ワタちゃんや、無理だろ。気の毒になってくるよ。秋にはまんが賞もある。これからどかどかくるぞ。去年も締切間際、すごかったろ」

「そうだったなあ」

遠い目になる。通常業務に加えてあれがくるかと思うと気を失いそうだ。

「明石さんも心配してたぞ。どれか替わってやれ、って内々にいわれてんだ」

誠治の机の脇に立っていた祖父江久志がやや身体を前に傾ける。あっ、これは、内々の相談ってやつだったのか、と察する。

自分ではどうにかやれているつもりでいたけれども傍《はた》から見たらそうでもなかったんだな、と誠治は知る。単発の仕事のいくつかはすでに高峯忠道に渡したし、自分なりに対処していたのだが。

「チュードウに渡すのはもう、やめてやれ。頼むと、あいつ、無理でもやっちゃうから」

見透かすように祖父江久志が指摘する。

「わかってる」

「けべちゃんも無理だぞ」

「わかってる。だけど、ソブさんはソブさんで、泉田さんの連載があるだろ」

「まあな。でも、あっちはペースが摑めてきてるし、なんとでもなるよ」

「しかし、あの連載は万が一にも落とせないぞ。今、あれを落としたら大ごとになる」

「だから気を遣ってますよ。週デ一の人気連載なんだから。おい、ワタちゃん、あのファンレター、見たか？　週デ、始まって以来の量だってさ。郵便室の人たちもびっくりしてるよ。熱狂的なんだよ。あの手紙の主たちが、みんな楽しみに待ってる」

「だからさ、あなたにおれの仕事なんか頼めないよ」

「なんでだよ。頼んでくれよ。不肖祖父江、他にはたいしたことやってないんだ。高品布美子《たかしなふみこ》にも逃げられちゃったし。いや、彼女にはそのうちまた、ぜったい描いてもらうつもりでいるけどさ。あの子もなあ、唐津杏子じゃないけど、一筋縄ではいかない子でなあ」

「泉田さんだってそうだろ？」

「あー、うん、そりゃもちろんだよ。あのお方はあのお方で、一筋縄ではいきませんよ。厳しいお方ですよ。それだけ真剣ってことなんだろうけども。なんというのかなあ、彼女には毎度驚かされるね。

ばけもんだよ。描きながら成長していくんだ。ありゃ、なんだろうな。取り憑《つ》かれてるんだな、あの連載に。担当編集者つったって、不肖祖父江、今や、なんにもしておりませんのでね。いかに邪魔せず、ご機嫌を損ねず、集中して描いていただくか。むしろそっち。描くこと以外、わたしが、ぜんぶ引き受けますって。ま、そういう感じだから時間はあるの」

「彼女、まだ大学生だったよな」

「七年生だよ、たしか。このままだと卒業は危ういんじゃないかなあ。本人も覚悟を決めつつあるようだが、成績、いいらしいから、もったいないよな。卒業を諦めてでも、この連載は止められないんだろう。それで人生が変わってしまったとしてもだ。そりゃ週刊デイジーとしても止めてもらうわけにはいかないが、彼女自身、あそこまで打ち込んでしまったら、抜け出せまいよ。学費を稼ぐために始めた漫画だったらしいが、才能が開花しすぎて本末転倒になってしまったわけだ」

「強烈だな」

「みんな強烈だよ。強烈な女たちだよ。翻弄されるばかりだよ、おれたちは。おれもおまえも」

唐津杏子の顔を思い浮かべる。原作を突き返してきた、あの時の顔。串田みつこの顔を思い浮かべる。入院する寸前まで連載を止めたくないと訴えつづけていた、あの時の顔。他にも思い浮かぶ顔が次々出てくる。遠目に見れば、うら若き乙女たちだが、近づけばまるで別の顔だ。彼女たちに引きずられて、誠治の一週間は飛ぶように過ぎていく。消えていく。

これ以上は無理かもなあ、とようやく誠治は認める。

すでに許容範囲は超えている。このままだと、いずれ、どこかで誰かに迷惑をかけるだろう。もっと恐ろしいのは、知らず知らず手を抜いてしまうことだった。七日で足りぬ仕事を七日で収めようとすれば、どこかで必ず歪《ゆが》みが出る。

「ソブさん」

「ん？　なんだ」

「富士島みつか、やってくれるか」

「富士島みつか」

「今回の短い連載を終えたら、次にやりたいものがあるらしいんだ。その話を近々、きくことになっていたんだが延び延びになってて。担当を替えるなら、このタイミングだろう」

咄嗟に、歪みの煽りをいちばん食いそうな名前を出していた。富士島みつか。大きく育てようと、少しずつ、短期連載を積み上げてきたところだった。成果も出てきていた。本人のやる気もある。そろそろ勝負か、という気がしていた。しかしながら、このところ、ゆっくり関われなくなっていたのだった。大事な時期だというのに、忙しさにかまけて後回しにしてしまう。

「よし、わかった。おれがやるよ」

あっさり受諾された。

ありがたい、と思うと同時に、悔しい、と思う。

一から新人を育て、大きなヒット作を出すという編集者ならではの醍醐味を誠治は味わってみたかったのだった。それをやろうとしていたのだった。やれそうな予感があったのだ。

こんちくしょう、と心の中で舌打ちする。

なんでこうなった。

祖父江久志が早速手帳を開いて引き継ぎの段取りを始める。追い立てられるように誠治も手帳を開き、淡々と決めていく。

でも、まあ、しかたないか、と誠治はぎっしり予定が詰まっている手帳のページを眺める。

祖父江久志に富士島みつかを委ねるのは、彼女をいっそう大きく育てるためなのだ、と誠治は自分に言い聞かせた。彼女もまた鵺だ。一筋縄ではいかない鵺だ。祖父江久志なら適任だろう。

それにしても富士島みつかが、その後、あそこまで大きく化けるとは、正直、誠治も予想していなかった。四ヶ月後の、新年合併号からスタートした富士島みつかの新連載は、あれよあれよという間に、泉田依子の連載と人気を二分するまでの勢いになっていったのだった。

「なにかくるとは思っていたが、富士島みつかだったとはな」

武部俊彦がそうつぶやくのを誠治はきいた。

彼女が大きく育つのを願っていた――心から願っていた――誠治だったが、あまりの速い展開に、鳶《とんび》に油揚げを攫《さら》われた心地になったのも無理はない。

あの夜、あの段ボール箱の中から富士島みつかの原稿を拾い上げたのが誠治だったと、武部俊彦は憶《おぼ》えているだろうか。ほらみろ、あの箱は当たりだっただろうと、つい思ってしまうのも虚《むな》しかった。

泉田依子と富士島みつかの超人気連載を同時に抱えるという離れ技をやってのけた祖父江久志の評価はますます高まり、べつに羨むわけではないものの、誠治はたまに、手帳を開いて引き継ぎの相談をした日のことを、ぼんやり思い出したものである。

とはいえ、それから程なくして、誠治も意外なロングランヒットを飛ばす。

まったく予想もしなかった串田みつこのギャグ漫画の新連載が大当たりしたのだった。

5

来年――一九七三年――は、週刊デイジーが十周年を迎える。

秋も深まり、活版班では会議その他でその話題が出ることが多くなった。楢橋編集長を交えた班別の会議も増え、すでに藤原修子は海外が絡んだ来年の特別企画の内容を精査しだしている。

漫画班でもまんが賞――今年は千二百編以上の応募があり、選考や発表をやや遅らせたらしい――と並行して、十周年記念企画を固めだしたようだ。

まずは、七週連続で大作読み切り漫画をスタートさせるという。

「編集長、ほんとは新年早々から、どかんとやりたかったらしいんですが、今からでは、さすがに無理で。桐谷先生や蔵野先生、それから泉田先生にも描いてもらおうっていうんですから、引き受けてもらうだけで精一杯。それでも、なんとか二、三ヶ月遅れでスタートできそうです」

と、高峯忠道が教えてくれた。

彼は、そのラインナップに自分が担当する漫画家――水沢《みずさわ》よしえ――を入れたくて画策中らしい。豪華ラインナップに並んでも引けを取らない作品を描く人なんですよ、絵に艶があるんだ、逸材ですよ、と力説する。漫画編集者になりたかったというだけあって、漫画への熱意が言葉の端々に感じられる。活版班にいた頃よりも、明らかに生き生きしている。

十年経つと、こういう青年が現れるわけか。

と、修子はしみじみする。

十年前のデイジーは、ここまで漫画に重きを置いていなかった。あくまでも少女向けの週刊総合雑誌であり、雑多なものをいろいろ詰め込んだ、まさに〝雑誌〟だったのである。受け取る側の少女たちが、漫画を好み、漫画を愛し、雑誌を少しずつ、このような形へと変化させてしまったのだった。

編集者や編集部が雑誌を作っていると思ったら大間違いで、コントロールしているのはじつは読者の女の子たちなのだ、と修子は思う。とくにデイジーはアンケートを重視しているから、彼女たちの好みを反映しやすい。

それゆえ、十周年に向けての準備をしていくなかで、アンケート下位の、時事問題や社会問題などを扱った硬派の活版記事は、近々、一旦すべてなくすことになってしまった。ページも人手も当面こにには割けないと、編集長が判断したようだった。今年はグアム島で生き残っていた日本兵の帰還や、あさま山荘事件、沖縄返還と、大きな事件やニュースが相次ぎ、力の込もった記事をいくつかやってきていただけに、いずれ復活するにしても——と伊津さんはそういい、楢橋さんも同意した——、このタイミングでの消滅は些《いささ》か残念だった。

十周年だからこそ、むしろ初心に還って、週刊総合雑誌としての矜持を見せたらいいではないか、と思うのだが、もはや、そんな余地を見出せないほど、週刊デイジーは週刊〝漫画〟雑誌になっているともいえた。活版班でも漫画家たちのニュースや、漫画に絡んだページが増えている。

漫画、漫画、漫画。

このところの漫画の勢いはすさまじい。

この十年、少女たちは常に漫画を求めたし、漫画もまたそれに応え、変貌を遂げてきた。少女たちの中から、漫画の作り手も現れた。続々と。

少女漫画は、少女たちの思いを受け止めつづけたし、ともに歩みつづけた。

いや、どんどん進んでいったのだ。

少女たちと手を携え、ともに変わっていった。

修子は、今、まざまざとそれを感じている。

泉田依子の連載はその象徴だろう。

修子も毎週欠かさず読むようになった。

長く勤めているが、修子にとって、これはたいへん珍しいことだった。

以前は幼稚に思えた漫画が、大人の鑑賞に堪えられるだけの、読み応えのあるものになっている。歴史物としての面白さ、ドラマティックな展開、翌週への強い引き、理由はいろいろあるが、それだけではない。読んでいると修子の奥底に眠っていた葛藤が呼び覚まされるような気がするのだ。

まだ大学へ行く女が珍しかった頃に、修子は大学へ行った。

女が大学を出ても——いや、大学を出たからこそ——働ける場所が限られていた時代に、修子は働くという選択をした。大袈裟なことではない。男たちがふつうにしていることを修子もしたかっただけだ。自立したかったのだ。ただそれだけだ。

いつもすんなりとはいかなかった。

いくわけがなかった。

新しい時代だ、民主主義だ、自由だ、平等だ、と建前こそ勇ましかったが、女のくせになぜ、という目はいつもあった。

いつまでも結婚せず、働きつづける女は白い目で見られた。わかっていても、修子は独身のまま、働きつづけた。

諦めたもの、捨ててきたもの。

なかったといったら嘘になる。

諦めても、捨てても、修子は働きつづけた。

そうやって、女だてらに一人、生きてきたのだ。

白い目はついて回った。

ついて回っている。今も。

修子はそれを知っている。知りつつ、気づかぬふりをしてやりすごしている。べつに悪いことをしているわけではない。軽蔑される理由など、ないはずだ。

思い起こせば、一つ一つが、それは戦いだったのだ。

一つ一つ、たんなる選択でありながら、修子はいつも戦っていたのだった。いちいち葛藤を抱えていたのだ。わたしは恵まれている、と自分で自分に暗示をかけながら。だから平気だ、と思い込んで。そういうものを心の奥深くに封印して。見ないことにして。

そうか。

少女漫画とはわたしたちの物語であったのか、と修子は気づく。わたしはもう少女ではないけれども、かつて少女であった者ならば——その記憶がある者ならば——、当然少女に含まれるのだし、もしかしたら、今もまだ、わたしは少女のわたしをどこかに抱えて生きているのかもしれない、とも思うのだった。そんなこと、これまで、これっぽっちも思ったことはなかったのだけれども。

そうして、全国の少女たちが、この物語に熱狂しだした気持ちも、なんとなくだが、わかるような気がするのだった。

少女たちは、これから生きていく世界で、自分たちがどのように扱われ、どのように苦しむか、すでに知っているのではないだろうか。修子が味わってきた思いを、彼女たちはすでに予感しているのだろう。だから、あんなにもたくさんファンレターが届くのだ。なにかをいわずにはいられないから。言葉にせずにはいられないから。

きらびやかな歴史物語の奥には、硬派の活版記事が扱ってきた社会問題や時事問題の根本も含まれている。平等とはなにか。権力とはなにか。自由とはなにか。泉田依子という漫画家はもともと、社会派の漫画を得意としていた。おそらく彼女の本質は変わっていないのだろう。いかに生きるか。いかに愛するか。いかに戦うか。いかに守るか。己を。たいせつな人を。たいせつなものを。なにがたいせつか。あなたはどう考えますか。泉田依子は、少女たちに静かに問いつづけている。いや、泉田依子自身が自分に問いかけながら描いているのかもしれない。

週刊デイジーは週刊〝漫画〟雑誌になっていったけれど、週刊〝総合〟雑誌としての核は失われていないのではないか、とも思えた。

ひとしずく、ふたしずく、と漫画の中へ流れ込んでいっていたのだ。

「活版班は何をするんですか」

高峯忠道がきく。

「え？」

「十周年企画」

「ああ。ええ、いろいろ考えてますよ」

「たとえば？」

「そうねえ。読者を夏休みに二週間、ヨーロッパへご招待」

「うお。あれですか、デイジーモードプリンセスでしたっけ。あれをまた？」

「いいえ。今回はああいう、スポンサー付きのものではなくて。十周年企画ですからね。あなたもデイジーの編集長になろう！」

「へ？」

「そういう企画なんですよ。あなたが週刊デイジーの編集長だったら、どんな雑誌にしたいですか、って。それを、作文に書いてもらうんです。まだ細部までは詰めきれていないんですけれど、方向性はこれで決まり」

「楽しそうですね。読者はどういう雑誌にしたいんだろう？　ぼくも知りたいです」

「面白い意見がきっとたくさん来ますよ。子供は侮《あなど》れない」

「わかります。だからこそ、楢橋編集長は子供たちの意見が聞きたいんだろうな。あの人はそういう人だ」

「ええ、そう。ただね、準備がたいへんなんですよ。やったことのない企画だから、どのくらいの応募があるかわからないでしょう。その数次第でスケジュールも変わってくる。真剣にやればやるほど、生半可な手間では済まない。おまけに海外でしょう。そちらの手間も別途かかるんです」

「なるほど」

「しかも、海外企画は他にもあって。スターとアラスカへ行こう！　そちらはスポンサー付きなんですけど、応募者をただ抽選して決定、ではつまらないから、詩だの作文だの、作品を送ってもらって審査して決める形にしようっていいだして」

「編集長が？」

「もちろんですよ。十周年だから力が入るのはわかりますけど、ほんとにやれるのか、心配になってきましたよ」

楢橋編集長は創刊した時からデイジーに在籍している。その後、創刊からじきに立ち上げた別冊デイジーの初代編集長になり、十年の節目を迎える今、週刊デイジーの編集長の職にある。つまり、彼はずっとデイジーの中心に居つづけているわけだ。楢橋さんほどデイジーとともに歩んだ人はいない。それゆえ、十周年への意気込みは並々ならぬものがあった。しかも、それを後押ししているのが週刊デイジー初代編集長の川名親分なのだ。彼なら思う存分やらせてくれるだろう。川名さんは、その後立ち上げた女性誌を大成功させ、今をときめく実力者として上の立場にいる。権限も大きい。彼にしたって、出世の糸口になった週刊デイジーの十周年なのだから、感慨深いはずだ。

修子だって感慨深い。

無事、ここまで来られたことがまず感慨深いし、まさか、十年経って、会社を引っ張るまでの雑誌に成長を遂げているとは、驚きでしかない。

「漫画班も気合い入ってますよ」

高峯忠道は、なんだか楽しそうだ。

「ぼくね、高品布美子さんの担当になったんです」

「あら」

「高品さん、このところ、デイジーで描いていないでしょう。気づいてましたか」

ええ、と修子はうなずく。

高品布美子が専属契約を破棄し、他社でも仕事をするようになったというのは、いつぞや祖父江久志に教えてもらった。その後、ぽつりぽつりとうちでも描いてもらっていたようだが、このところしばらく、そういえば、見ていない気がする。

「新たな担当として、アプローチするつもりです」

「でも、高品さんって方は、ご自分で、描きたいように描いていかれる方でしょう？　あれこれいっても、どうなのかしら。ご自分でお決めになるんじゃないですか」

「藤原さん、そんな甘いこと、いってちゃだめですよ。だからこそ、くどきおとさなくちゃ。さきほど話に出た水沢さんも、うちでは描かなくなっていた人なんです。でも、描いてもらったらやっぱりいいんですよ。あの人にしか描けないものなんです。高品さんだって、まちがいなくそうだ。あの人はデイジーに描くべき人だ。必要な人なんです。もっと描いてもらわなくては」

「あの方の担当は祖父江さんでしたよね」

「ええ。今はまだ彼がなんとか繋ぎ止めてますけど、放っておいたら離れていってしまうでしょう。祖父江さん、今度、泉田さんの連載に加えて富士島みつかさんの連載を立ち上げるんです。しかもかなりの力作になりそうで、高品さんをやれる余力がないと気づいて、ぼくが立候補したんです」

えへっ、と笑う。

「まあ。抜け目ないのね」

「だって、もったいないじゃないですか。高品さんはうちで育った人なのに、よそに取られてしまっている。水沢さんだってそうでした。うちの漫画班、そういうことに鈍感なんだ」

たしかに、そういうところがうちの編集部には無きにしも非《あら》ずだ。殿様商売ではないけれど先頭を走っている雑誌にありがちな現象なのかもしれない。他誌の動きを誰もがたいして気にしていないし、そうガツガツしていない。一人や二人出て行っても、去る者は追わずになってしまう。漫画班はとくにそうなのだろう。漫画家の層も厚くなり、新人も育ち、漫画家が足りないと必死になっていた頃とは隔世の感がある。

「祖父江さん、今は、泉田さんに夢中ですものね」

「まあ、そうなるのは致し方ないんですが、富士島さんの新連載もなかなか強そうなんですよ。この間、ちらっと、ネームを見せてもらったんですけど、あれ、人気が出るんじゃないかな。一回めのボリュームを増やして、扉カラーで、派手に始めたいって主任に交渉中らしいです」

高峯忠道は人差し指で黒縁眼鏡の中央をくいくいっと押しあげ、漫画班の十周年は期待できますよ、と自慢げにいう。ちょっとやそっとでは他誌は真似できないんじゃないかな。

見るからに自信があふれている。

彼が活版班にいた頃にはなかった雰囲気だ。これは個人的な自信なのだろうか、それとも漫画班の一員としての自信なのだろうかと考えながら眺めていると、高峯忠道は、にやりと笑って、ぼくもその一端を担いますよ、と付け加えた。

修子は思わず笑ってしまう。ついこの間まで、まだお坊ちゃんのような気配を残していた子が、いっぱしの口をきいている。

頼もしい、と修子は思う。この自信が彼を一回り大きく育てるだろう。

「漫画の時代ですものね」

修子がいうと、

「少女漫画の時代です」

高峯忠道がすかさず訂正した。

「藤原さん、来年は、かつてないほどに、少女漫画が隆盛を誇る年になりますよ。それこそが週刊デイジーの十周年を飾るにふさわしいんです」

修子は素直にうなずく。

かつてないほどに。

その言葉に、修子はいたく感じ入る。

そうだ、ほんとうにそうだ。

修子でさえ、少女漫画を読むようになったのだ。

かつてなかった時代の到来だ。

綺羅《きら》、星のごとくデイジーに少女漫画が輝く時代。

そうして、高峯忠道もまた、この後、いくつもの星を誕生させていく。

第5章
1973年

1

週刊デイジーが今年——一九七三年——創刊十周年なら、うち——別冊デイジー——だって十周年のはずなんだけどな、と戸田育江《とだいくえ》は思う。どうして小柳《こやなぎ》さんは無視しているのだろう。いっしょにお祭り騒ぎをすればいいじゃないですか、と副編集長の副島《そえじま》さんに漏らすと、まあ、本誌はあちらですからね、と軽くいなされた。それに、うちは、一九六三年創刊といっても十二月ぎりぎりだし、当初は季刊だったしね、いわば、おまけみたいな雑誌だったんですよ、と冷たい。

それより、部数ですよ、部数。

今や、うちはあちらより、遥かに良い数字を叩き出してますからね。平均して三、四十万部は差がついているでしょう。週刊と月刊の違いはあるにせよ、存在感は十分だ。

小柳編集長のプライドはそちらで保たれている、とでもいいたいらしい。

部数は連続八ヶ月、百万部を突破し、小柳さんは編集長コラムに「日本一のまんが月刊誌としてトップを独走しています」と鼻高々に書いていた。

〝小学生も、中学生も、高校生も、みんな読んでる！〟というおなじみのコピーには、大学生とＯＬが追加された。

〝小学生も、中学生も、高校生も、大学生も、ＯＬも、みんな読んでる！〟

長い。

だが、嘘ではない。

長くなっても、小柳編集長がどうしても強調したくなるほどの大きな変化なのだった。

いつ頃からか、読者からのハガキに、大学生やＯＬからのものが増えだしていた。理由はわからない。会社で回し読みをしている、夜勤の看護婦さんたちが眠気覚ましに読んでいる、学校は卒業したけど、漫画からは卒業できなかった。そんな声がきこえてくるようになった。子供向けに作っていたはずなのに、大人からも反響がある。恐ろしいまでの浸透力で、知らぬ間に、別冊デイジーはこちらが意図していなかった爆発的な広がりを見せていた。

年末の忘年会でも、話題になった。

この調子なら、ますます部数が伸びますね、と保積賢太郎《ほづみけんたろう》がいい、百五十万部突破もありえちゃいますね、と進藤珠代《しんどうたまよ》が調子良く持ち上げ、ようし来年はそこを目指しましょうや、と芝厚史《しばあつし》が声をあげた。お酒が入っていることもあって、皆、威勢がいい。小柳編集長も上機嫌だった。副編集長が、忘年会の場でありつつも、やや冷静に、具体的な数字、実売数だの、伸び率だのを口にし、井森征江《いもりまさえ》と西口克子《にしぐちかつこ》が毎度部数が伸びる全プレの号や新学期の売れ行きについて、最近の傾向を述べた。

ですから編集長！　私、次の全プレは、今回のバッヂみたいなお子様向けのものではなくて、大人でもちょっといいな、と思える品にしたいんですよね、と、ここぞとばかりに進藤珠代が主張する。懸賞ページを担当している彼女が、近頃、全プレも担当するようになっている。

これまでの全員プレゼントは週刊デイジーと連動していたため、担当といってもそう出る幕はなかったが、昨秋、編集長同士が話し合い、今後は独自でやっていく部分を増やそうと決まったばかりだった。彼女が張り切るのも無理はない。

「でもね、戸田さん、あの時は、編集長も副編も、ふむふむ、ってうなずいていたくせに、いざとなると、腰が引けちゃって」

進藤珠代がぶつくさいっている。

「小柳さん、忘年会の時は、そうだな、少し大人っぽくしてもいいかもしれんな、なんていってたのに、企画を進めていくうちに、どんどん子供っぽい方に流れちゃって」

「五月号、六月号の全プレは、スカーフでしょう。いいじゃない、スカーフ。大人っぽいじゃない」

「スカーフったって週デと一緒に発注した安物の生地だし、冒険するとしたら色とデザインでしょう？　だったらシックなブルーグレーかモスグリーンにして、イラストを洒落《しゃれ》た感じに入れようって考えてたんです。でも、地味だっていうんです。これじゃ絵もよくわからないって。意見をきいて直していくうちに、なーんか、結局、いつものテイストになっちゃって」

育江は、二人の話し合いの過程が目に浮かぶようでおかしくなる。小柳さんは、うーん、と唸《うな》ったまま、きっと彼女の案になかなかOKを出さなかったのだろう。見せてごらんなさいよ、と試作品を持ってこさせる。ピンクにシルバーを組み合わせて、悪くない出来栄えだ。なかなかお洒落ではないか。そう褒めると、進藤珠代が相好を崩す。

「わかっていただけます？　イラストをね、一人の漫画家に決めないで、複数の方に描いてもらったんです。そこがミソ。デザインも工夫して、きれいに配置してもらって」

「そんなに子供っぽくないわよ」

んじゃない？」

「そうですか？　戸田さん、欲しいな、って思います？」

「え、わたし？　いや、わたし、は、どうかな。でも、ほら、アポロちゃんなんか、喜んで首に巻く

　二人で顔を見合わせ、ぷっと吹き出す。

　さっそく辰巳《たつみ》牧子《まきこ》を呼んで、スカーフを見せると、うわあっと歓声を上げた。手を伸ばし、いいですねー、とひらひら宙に掲げて眺める。あー、これは唐津《からつ》先生の絵ですねー、あっ、こっちはまるみ先生だ、お、桐谷《きりたに》先生、蔵野《くらの》先生も。勢揃《せいぞろ》いなんだー、豪華ー。辰巳牧子の頭の中がそのまま声になって漏れてくる。進藤珠代が、気をよくして、ねえ、このページ、どういうふうに紹介するのがいいかしらね、などと辰巳牧子に意見をききはじめる。辰巳牧子が嬉々として、しゃべりだす。

　育江は、そうっと二人から離れた。

　この二人がわあわあしゃべりだすと、とてもじゃないがついていけない。

　棚の前に移動して、若田《わかた》先生のところへ持っていく漫画スクールの応募原稿の箱詰め作業に取りかかった。担当の芝厚史が、あまりに忙しそうなので、このところ、下準備は育江がやるようになっている。送られてくる数が半端ではないので、気を抜くとすぐに溜まってしまうのだ。

　漫画スクールは、四月号から、誌面上で、特別指導作品制度というものを導入することになった。優秀作品を一つ取り上げ、若田先生にじっくりと講評してもらい、その講評と共に作品も載せるという試みである。講評も今までのような短いものではなく、かなり詳細に長いものを書いていただく。全国の漫画家志望者たちが、それを見て、漫画を実践的に学べるようにという配慮からだった。丁寧すぎるほど丁寧な、応募者へのフォローでもある。かねがね若田先生と小柳編集長との間で、デビューしても、すぐ消えていくようではだめだ、デビュー前から本当の実力を養うことが大事だ、と幾度

となく話し合っていたらしいが、その結果、こういうことを思いついたらしい。

おまけに今年は、漫画スクールの出張指導というものを始める。まだ準備段階だが、地方の漫画家志望者たちをプロの漫画家に会わせ、話をさせたり、生原稿に触れさせたり、持参した原稿に直接指導を行ったりと、これまでにない画期的なものにするつもりでいる。しかも、ゆくゆくは全国津々浦々を巡り、各地で開催していこうと目論んでいる。

育江は感心する。

小柳さんの、衰えることのない漫画への情熱に。

週刊デイジーのように、おおっぴらに十周年を謳《うた》ってはいないものの、これこそが小柳さんにとっての、別デ十周年の仕事なのではないだろうか、と育江はひそかに感じている。長らく一緒に働いてきて、漫画スクールが小柳さんにとって成功の鍵になったことを育江はよく知っているし、これこそが別冊デイジー快進撃の基盤になっていると、よく理解しているからだ。十年の節目に漫画スクールのいっそうの充実を図ることは、別冊デイジーの存在意義をますます高めることになるだろうし、ひいては、次の十年への投資にもなるだろう。十年つづいた別冊デイジーの、次の十年を作るのは漫画スクールから生まれる新しい漫画家たちなのだ。

「漫画には無限の可能性があるのです」

と小柳さんはいう。

「漫画は、まだまだ未開拓の分野なんだ。新しいものを生みだす余地がある。新しい才能を発掘しましょう」

小柳さんの信念には揺るぎがない。

畑を耕す。

耕しつづける。

そうして畑をどんどん広げる。

たくさん花が咲いても、それで終わりにならない。

もっともっと、もっともっと。次に咲く花、次に咲く花。かぎりなく求める。

別冊デイジーの厚みは、小柳さんの情熱の賜物だと育江は思っている。

別冊デイジーは百六十円。

この物価高に、月刊化した八年前から三十円しか上がっていない。

だいたいラーメン一杯分くらいの値段だが、厚みは五割増になっている。勘案すれば、むしろ値下げしているといってよい。

三百ページほどで始まった別冊デイジーは、今や四百五十ページにまで膨らんでいる。小柳さんが見つけた新人、小柳さんが育てた漫画家たちの活躍で、百花繚乱《ひゃっかりょうらん》。畑は今、まばゆいばかりだ。

育江はこのどっしりとした厚みに、他誌の追随を許さない、王国としての安定を感じている。

それはすなわち、働くうえでの安心感でもあった。

部数が好調だからというわけでもないだろうが、別冊デイジー編集部はこのところ、和気藹々《わきあいあい》としたチームワークが保たれ、いい空気が流れている。

進藤珠代や、配属されてまだ一年足らずの保積賢太郎といった下の子たちが自由闊達《じゆうかったつ》に動いてくれるのもよい影響を与えているのだろう。メンバーが相互に阿吽《あうん》の呼吸で助け合える感じになってきているので、仕事が滞らず、気持ちに余裕がうまれている。

育江は職場でありながら、なんとなく家族のような気配を感じるようになっていた。

父がいて、兄や姉がいて、弟たち、妹たちがいて、気楽にものをいい、笑い合い、助け合い、日々を過ごす。そういうものに恵まれなかった生い立ちゆえか、勝手に仮託してしまうのかもしれないが、少なくとも、ここで働きだしてから、このような気持ちになったことは今までなかったように思う。自分の家を買い、経済的に安定し、将来への不安が減ったからだろうか。仕事から得る満足感がこれまでとは少し変わってきている。

段ボール箱に応募原稿を重ねていきながら、このままずっとこのメンバーで働けたらいいのに、と思う。会社という組織に属している以上、そんなことはありえないとわかっていても、なるべく長く、誰も異動せず、このまま働けたらいいのに、と思ってしまうのだ。別デはわりあい異動が少ない編集部だから、部数が伸びつづければ、このままいけるのではないだろうか、などと期待してしまう。

そのためにも、この応募原稿の中から、新しい漫画家が誕生してくれることを願わずにいられない。

指で触れる。

砂浜に寄せる波のように、原稿は日々やってくる。

くる日もくる日も、次々送られてくる。

今、この瞬間だって、応募するためにペンを走らせている子はまちがいなくどこかにいるはずだ。

その彼女が。

きっと現れる。

いつか、ここへ。

すばらしい才能とともに。

育江はなぜか、確信する。

一昨年、欧州視察旅行から帰ってきたばかりの小柳さんが、日本の漫画は質、量ともに外国に負けてませんよ、といっていたのを憶《おぼ》えている。

欧州各地を回り、書店や出版社だけでなく、世界中から書籍が集まるブックフェアなどにも足を運び、日本は世界一の漫画大国だと確信したのだという。

その日本で別デは最大級の漫画月刊誌になった。

「つまり、別デは世界一というわけだ」

小柳さんは、そう高らかに宣言した。

急に世界だなんていわれて戸惑うばかりの編集部員を前に小柳さんはこうつづけた。

「だから、みなさん、誇りを持って働いてください」

あの時は冗談のようにきいていたけれど、育江の中で、確かに誇りのようなものが芽生えてきているような気が、しないでもない。

世界一か……。

まさかそこまでは、と思いつつ、でも、もしそうならすごいことだとも思う。神保町の片隅で働いているわたしたちが、世界の頂にのぼりつめていただなんて。

段ボール箱にガムテープで封をしながら、やだわ、わたしったら、小柳さんの熱に当てられちゃったのかしら、と苦笑し、とはいえ、世界というものを視野に入れると、別冊デイジーの未来がどこまでも広がりそうで、気持ちよかった。

東洋の魔女たち。

オリンピックの金メダルを手にした彼女たちの姿が頭に浮かぶ。

ということは、鬼の大松《だいまつ》が、うちの小柳さんか。

笑いだしたくなる。

どちらも、いかにも名将だ。

名将が率いているかぎり、この王国は安泰だろう。

永遠に、とまではいわないまでも、あと十年くらいはたぶん。十年つづいたんだもの、あと十年はきっと。

未来のことなど、つくづくわからないものだ、と子供の頃から、いやというほど味わわされてきたくせに、未来が裏切らないことをつい期待してしまうのだから、人とは愚かなものだ。育江は、ここが小柳王国でなくなる日がくるなんて、まったく想像していなかった。

だがしかし、たとえ期待通りの未来がこなかったとしても、どうにかして乗り越えていってしまうのだから、人というのは愚かながらも、たくましくできているものなのだなあ、と育江はまたひっそりと気づかされることになる。いや、むしろ、乗り越えられるだけの力をすでに与えられていたことに、のちのち大いに感謝したものだった。

進藤珠代が、試作品のスカーフを前に辰巳牧子と話し込んでいると、保積賢太郎が重そうな紙袋を提げて近づいてくるのが見えた。

あ、ホープさんだ、と辰巳牧子が小さくつぶやき、ちょっと目を伏せ、顔を赤らめる。うえっ、なに、この子、なんてわかりやすいんだろ、と進藤珠代は一瞬ひるみ、でもなんだかいじらしくて、用もないのに保積賢太郎に呼びかけ、立ち止まらせた。

「なに」

保積賢太郎は、怪訝《けげん》な顔をする。

「ねえ、なに、その紙袋」

「え、資料」

と短くこたえる。

「なんの」

「ゲンさんの」

「瀬田《せだ》さん」

「そう」

おしゃべりな辰巳牧子が、いつもと違って、しとやかに口を閉じている。

「これでいいのかどうか、わからないけど、そこら中から、かき集めてきた。もう時間もないし」
二、三冊、中身を出して、見せてくれる。
大判の図鑑や図録のようなものだ。瀬田玄次《げんじ》に頼まれた中世ヨーロッパの資料なのだそうだ。珠代は、厚ぼったい表紙をめくり、中を見る。

「瀬田さんが中世の話を描くの？」

「そうだよ」

「なんで」

「知らないよ。とにかく描きたくなったんだろ」

「イメージ湧かないけどな、瀬田さんの作風からは。なーんか、あれよねー、この頃、大流行りよねー、昔のヨーロッパ」

「そう？」

「そうよ。辻内《つじうち》先生もこの前、描いてたじゃない。革命で放り出されるお姫様の話。あ、そっか、辻内先生のところへいって、資料借りてきたらいいのよ。たぶんまだ残してるわよ」

「あれはだめだよ、あれは四百年くらい前の話だ。ゲンさんが描くのは、八百年前。百年でも違えば、

くなっちゃうのかな」

「わかるわよ。わかるけど。あれかしらね、泉田《いずみだ》先生の影響かしらね。ああいうの、みんな、やりたくなっちゃうのかな」

「あのね、そうでないものをあえてやろうとしているんだよ、ゲンさんは。わからないかな」

「架空にしたらいいじゃないの。漫画は架空なんだから」

「架空ではない現実の過去の世界を舞台にしようって時にそれはだめだよ。意味がなくなる」

「漫画なんだから、適当にまぜこぜにして描いちゃえばいいのに」

衣装やら風俗やら、まるきり変わる」

「そんな安易なものじゃないよ。影響というより、現実の過去の世界を舞台にした漫画を描いてもOKという空気が出来てきたからだろうね。縛りが解けたんで、みんな食いつきだしたんだ。鼻がきくからね、漫画家は。やれるとなれば、創作意欲を刺激される」

けっ、生意気なこと、いってら、と珠代は内心、毒づき、けれども、顔には出さない。彼がそれなりに漫画について勉強し、小柳編集長にも認められているという点は、珠代もよーくわかっているからだ。彼の意見があながち間違いだとも思っていない。とはいうものの、しれっと一人前に漫画編集者としての意見を述べる保積賢太郎に、一抹の苛立《いらだ》ちを感じてしまうのを止められないのだ。

「ああ、いっそ、タイムマシンがあればなあ！」

唐突に保積賢太郎が声を張り上げた。

「八百年前のヨーロッパに行って、写真を撮ってくるんだがなあ」

まじめにいっている。

「そしたら、生の資料を、ゲンさんに渡せるのになあ」

「はー、タイムマシンですか。たしかにタイムマシンがあればね。ハッハ。ほーんと、あったらいいよねー、なんだって出来ちゃう。ねー。ねっ」

一緒に茶化そうと辰巳牧子に話しかけるが、はい、とおとなしくうなずくだけだ。

「ちょっと、タイムマシンだよ？」

「はい」

微笑《ほほえ》みを絶やさず、潤んだ瞳。

「ちょっと、アポロちゃん」

「はい」

これはあれだ、恋する乙女だ。

「アポロちゃん、ってば」

「すてきです、タイムマシン」

「うー、う、うん」

いやちがう。

この子のはあれだな、恋に恋する乙女だな。

と、珠代は思う。

保積賢太郎は、若干引き気味に、辰巳牧子を見ている。辰巳牧子は伏し目がちに、まだうっすら微笑んでいる。うっへえ。

この子はおそらく、この職場で浴びるように漫画を読んできて、漫画みたいなロマンチックな恋をしたくてたまらなくなって、けれども、残念ながら、これといった相手に恵まれず、うずうずうずうずしていたところに折よく現れたのが保積賢太郎だったのだろう。崩れた、というか疲れたおじさんたちと違って、彼にはまだぱりっとした爽やかな青年らしさがある。

しかしまあ、ようするに誰でもいいんだろうな、とも珠代は思う。なんかこう、恋してるっぽい感じが味わえたらそれでいいのだろう。だからもう、必要以上に、しおらしくして、漫画のヒロインにでもなった気分でいるのだろう。ほんと、へんな子。

つい数分前まで、スカーフ片手にべらべらしゃべりまくっていたくせに！

そして、そんな辰巳牧子の方がよっぽど辰巳牧子らしくてよかったのに。

辰巳牧子は、スカーフに使われたイラストの、まるみ先生のみるどちゃんが、別デの新しいマスコットになると力説していた。それでですね、じつは週デの方もそれをねらってるんですよね、まるみ先生のきゃんとりんが隠れたマスコットになりつつあるんです、と教えてくれた。おもしろいでしょう、楢橋《ならはし》編集長と小柳編集長が奇《く》しくも同じことを考えていらしたんです、つまりマスコットの取り合いなんですね、これは、と自説を披露する。週デは背表紙にきゃんとりんのイラストがちょこんと入るようになったのだそうだ。え、背表紙！　あんた、そんなとこまで見てるの！　と驚く。はー、隅から隅までよくもまあ、でも、ちゃんと大事なポイントに気づくんだから、たいしたもんだ、と褒めると、当然ですよ、わたしもこの編集部で働いているんですから、と辰巳牧子はこたえる。働いているといったって、この子は編集部員ではなく編集管理、そんなチェックをする仕事ではない。やっぱりへんな子なのだ。泉田依子《よりこ》の週デの連載を、珠代に、読め読め、読め読め、と百回くらい、しつこくいいつづけたのも辰巳牧子だった。うるさくてしょうがないから、コミックスが出たところでようやく読みだした。面白かった。とんでもなく面白かった。たまげた。ふーん、アポロちゃん、伊達《だて》に漫画を読みつづけているわけじゃなかったんだね、見る目あるよ、というと、これを面白くないなんていう人はどこにもいませんよ、今頃なに寝ぼけたことといってんですか、と返された。そうして、目を三角にして、別冊デイジーは、そもそも泉田先生に気づくのが遅いんです、ようやく今頃になって、去年の連載の総集編なんか載せだすんだから、もうね、遅い遅い、遅すぎてひっくり返りますよ、と文句をいう。たしかにそうかも、と珠代も思う。そのあたりは、上の人が決めているから、致し方ないのではあるが。珠代もいつしか泉田先生の連載を毎週追いかけるようになっていた。すると、今度はしょっちゅう、感想を求められる。辰巳牧子は偉そうに、感想についての意見をびしばし返してくる。そのうえで、さまざまな蘊蓄《うんちく》をきかされるのだ。蘊蓄といったって歴史的な方面での蘊蓄ではなく、読者の反応であるとか、担当編集者である祖父江久志《そぶえひさし》の奮闘ぶりであるとか、社内の受付嬢や他部署の同僚や小学生の姪の感想だとか、あるいは泉田依子先生についての噂やなんか、辰巳牧子がそこらじゅうで拾い集めてきた蘊蓄だ。それがあんがい面白いから困る。ついついきいてしまう。近頃は、富士島《ふじしま》みつか先生の新連載を熱心に勧めてくる。読め読め、読め読め、と、たぶんもう三十回くらいはいわれている。まだ読んでいないが。

保積賢太郎が資料の本を紙袋に戻し、じゃ、と手を挙げ、去っていく。

辰巳牧子はうっとりとした目で見送っているが、どうにもわざとらしい。

「あの人、恋人いるよ」

珠代がいうと、

「知ってますよ」

と平然と返す。

「え、知ってんだ」

「知ってますよ。もう、ほんとうに、珠代さん、お願いですから、邪魔しないでください。わたしはこうして、憧れてるだけで満足なんですから。放っておいてください」

「憧れてる。へええ。それはそれは」

「べつに、わたしは、ホープさんの恋人になりたいとか、そういうんじゃないんです。ホープさんが、こうして、どんどん編集者として立派になっていくところを横から眺めているのが楽しいんです。だって、あの人、ここへ来るまで、漫画のこと、なあんにも知らなかったんですよ。それなのに、もう、しっかりと瀬田先生に信頼されて、その信頼にこたえるためにタイムマシンで資料を集めたいなんていっちゃってるんですよ。すごいじゃないですか、タイムマシン。そんなもの、ぜったいないけど、その心意気がいいっていうか。やるじゃないですか」

「うーん、そうかなあ」

「わたしだって、誰かの担当になったら、タイムマシンに乗って、資料、探しにいきますよ」

「へー」

「あの人にできることくらいわたしにだってできると思うんです」

「ん？」

「あ、いえ」

「え、なに？　タイム、マシン？」

「え？　いや、いいです。すいません。へんなこといっちゃって。仕事に戻ります。経費の計算しなくちゃならないし、領収書の確認も残ってるし。はいはい、やりますよ。やりますとも」

ふらふらと席に戻っていく。

珠代は、むむ？　と首を傾《かし》げる。想像していたのと、なんだか少し違ってるような気がしてきて、じわりと心に波風が立つ。そう単純な話でもないのだろうか？　あの子、あんなふうに見えて。

スカーフをビニール袋に丁寧にしまい、せっかくだから、このスカーフを紹介するページのラフを作っておこうと紙を広げる。

あの子にもいろいろあるんだろうか、とペンを走らせながら思い、そりゃあるだろう、とラフ用に作ったメモを見る。スカーフ一枚にしたって、こんなにあれこれ考えられる子なのだ。でも、あの子には、それを活かす道がない。

うーん、でも、そうはいってもあの子はここでずっと働きつづけられるんだからいいよなー、と珠代はため息をつく。保積賢太郎のようにはなれなくとも、あの子の身分は保障されている。

珠代はまた、ため息をつく。

下に見えるけど、実質、あの子の方が上なのだ。

つい、また考えてしまう。

珠代は去年、中途採用試験を受けられなかった。小柳編集長に資格がないといわれたのだ。きみはまだ、ここで働きだして一年と少しなので、申し訳ないが、だめなんだよ。その時は、そうだろうな、と思っただけだった。予想通りでもあった。まあ、あと三年くらいしたら受けさせてもらおう、と軽く考えていたのだった。ところが、今年になって、こういう形での中途採用試験は今回が最後、ときいて慌てた。この先もずっと試験はあるとばかり思っていたのに、なんてことだ。それなら、今年、なんとしても受けたい、と人事課に話をききにいった。話の流れによっては、受けさせてくださいと頼むつもりだった。だが、今年は技術嘱託《しょくたく》の試験のみなのだと門前払いを食わされてしまったのだった。技術嘱託。わたしはちがうんですか、ときくと、ちがうという。カメラマンやデザイナーといった技術系の専門職の人たちに限定したものなのだそうだ。あなたも、もう少し前から働きだしていたらよかったんだけれども、あれは、そういう長く働いてきた人たちを対象に始めた試験だから、一定の役割を終えたんだ、そのうち、また別の形で中途採用は実施するようになるはずだから、少し待ってみては、というのが人事課で相談に乗ってくれた人の意見だった。いつ、どういう形で再び実施されるんですか、くわしく教えてください、と食い下がったが、わからないの一点張りで、ほんとに実施されるのかどうかさえ、不明だった。そんなあやふやなものを信じて待っているうちに、転職の機会を失ってしまわないだろうか、と不安になる。

懸賞品の撮影ですっかりなじみになったカメラマンの田辺守《たなべまもる》に、あなたは試験を受けるの、ときいてみた。試験？　ああ、あれか、迷ってるんだよなー、と田辺守は、はっきりしない。おれはべつに、このまま嘱託でかまわないんだよ、だけど、とにかく、嘱託のカメラマンはみんな受けろってうるさいし、仕事はしたいんだよな、今はこれで食ってるわけだし、だから受けるしかないかなあ。ぐずぐずつづける田辺守に、贅沢《ぜいたく》ね、と珠代はいってやった。あたしが代わりに受けたいくらいよ。受けたくったってね、受けられない人がいるってことをよーく覚えておいてちょうだいね。ぱしっといってやった。田辺守が、ふーん、と珠代を見る。きみも嘱託なのか。うん、と珠代はうなずく。そうか、ふーん、代わってやってもいいんだけどな。代わってやるよ。ふいにそんなことをいわれ、珠代は、うっかり泣きそうになる。嘘でも冗談でもうれしい。ありがとう、でも、わたし、カメラ、下手だし。珠代がいうと、田辺守がぷっと噴き出した。なんだよ、カメラマンとして受けようと思ったのかよ、ずうずうしいな。

田辺守はタバコに火をつけ、一服した。

きみらにはわからないかもしれないけどさ、カメラマンってのは、フリーが偉いってとこがあるんだよ。ふーっと煙を吐き出す。アート系でも報道系でも、会社員のカメラマンなんてのは、下に見られるんだ。通信社や新聞社のカメラマンならまだしも、こういう柔らかめの出版社で、わざわざ試験を受けて社員になって、ちまちま懸賞品の物撮《ブツど》りしてるなんてのはさ、あんまり、かっこよくないわけさ。

べつにいいじゃない、受けなさいよ、と珠代は勧めた。いやになったら辞めたらいいんだし、かっこいい人はどこで何してたってかっこいいんだから、気にすることないわよ。あなた、腕は確かよ。将棋も強い。将棋？　と田辺守がききかえす。あなた、去年、トロフィーもらってたじゃない。うちの編集部の芝さん、あなたに負けてそれはもう悔しがってたんだから。芝さん、優勝するつもりだったのよ。前評判も、トトカルチョの人気も一番だったんだって。それなのにあなたにころっと負けちゃって。面目丸潰れ。

ははは、と笑いだす。

はははは、と珠代も笑った。

あなた、ついてるのよ。珠代はいう。わざわざ会社があなたたちを採用してくれるっていってんだもん。それに引き換え、あたしはついてないの。とことんついてないの。やんなっちゃう。

戸田育江や西口克子にはすんなり開かれていた門の扉が、珠代の前で閉まってしまう。ごごごごーと重い扉が閉まっていく音が聞こえるようだった。

まあさ、そうはいってもだな、ツキなんてものは、波があるんだよ、と田辺守がいう。ずうっとついてるってことはないんだし、ずうっとついてないってこともないんだぜ。おれ、カメラやってるからよくわかるんだ。風向きは変わる。ふいにな。その瞬間を見極めたもんが勝ちなんだ。あ、だからおれ、将棋も強いのかもな。田辺守は励ましてくれているつもりらしかった。

大まかなラフを作り終え、まあね、そうかもしれないわね、と珠代は思う。

世の中は絶えず変化していくんだものね。そのうち、わたしにツキが巡ってくることもあるでしょうよ。それが少しでも早いといいんだけどなあ、と思いながら、珠代はラフをファイルし、引き出しに仕舞った。

2

四月から千秋《ちあき》は小学五年生になった。

早いものだわねえ、と周りの大人から、よくいわれる。ほんとに、あっという間に大きくなるねえ。子供の成長は早いのだそうだ。

そうなんだろうか。

自分ではぜんぜんそんな気がしない。

それどころか、遅い。

待ちくたびれるほど遅い。

一週間は長いし、一ヶ月は果てしがない。一日も長い。とくに半ドンの土曜日が長い。教室の椅子にすわっているとむずむずしてくる。土曜日は週刊デイジーの発売日なのだ。だから、早く本屋さんへ行きたいのだ。それなのに黒板の上の丸時計はちっとも進まない。教科書に書いてあることを先生がずっとしゃべってるのを黙ってきいていなくちゃならない。掃除当番だと帰る前に掃除もしなくちゃならない。牧子ちゃんの会社は、今年から第一土曜日が休みになったので、それとあともう一回土曜日が休みなので、その場合は牧子ちゃんが午前中に買ってきてくれることになっているが、そうじゃない時は、千秋が本屋さんへ行くことになっている。前は牧子ちゃんが仕事帰りに買ってきてくれていたけれど、もうそれまで待っていられなくなってしまったのだ。革命が近づいているのだ！　それで相談して千秋が買いに行くことになった。週刊デイジーは牧子ちゃんの奢《おご》りで、でも、別冊デイジーは千秋がお小遣いで買う。一つくらい自分で買いなさいよ、お小遣いもらってんだからさ、といわれてそうなった。その代わり、牧子ちゃんはちょくちょくコミックスをくれる。これいいのよー、千秋におすすめー、と、デイジー以外のやつもくれる。

待ちに待っていた週刊デイジーだけど、読みだすとあっという間に読み終えてしまう。あっという間、というのはこういうことをいうのだ、と千秋は思う。子供の成長、とかではなくて。

革命が近づいていると思っている子は、五年生の新しいクラスにもう一人いて、千秋はその子と話すようになった。去年の秋の全プレの桐谷先生のチャームポーチを持っていたから、週デの読者だとすぐにわかった。千秋もすぐにチャームポーチを持って行った。わたしもそうだ、と知らせるために。そうして少し話せば、すぐにいろいろわかってくる。

世界の歴史の本を千秋はすでに読んでいたが、その子も読んでいた。やっぱりね、と千秋は思う。週刊デイジーを読んでいると、そういう本も読みたくなるのだ。次々読みたくなって、千秋はもうだいぶ前から学校の図書室の常連だったが、その子は区立図書館で借りてくるといっていた。なるほど、そういう手もあるのか、と千秋は知る。でも、小学五年で、そんなものを次々読んでいる子は滅多にいないので、学校でそういう話は誰ともできなかった。その子もそういっていた。浅沼《あさぬま》さん。

二人で夢中になって身分制度の話とか、人権の話とかをした。虐げられている人々の気持ちになって涙した。自由、平等、博愛の精神についての意見も交換した。週末に読み込んできた物語の感想をひそひそと語り合った。漫画にはなにもかもすべてが描いてあるわけじゃない。描いてないことも多い。このコマの次はこのコマになってるけど、この人はこの後どうしたんだろう。このコマでこの人は何もしゃべってないけど次に出てくる時にこうなっているのは、あの時、こう思っていたからじゃないだろうか。想像する余地がたくさんある。あなたはどう思うのか。わたしはこう思うけど。

別冊デイジーを読んでいる子はクラスに何人かいたけれど、週刊デイジーを読んでいる子はまだあまりいなかった。読んでいない子が多いんだから、こういう話をするのは少し遠慮した方がいい、と小学校も高学年になると、なんとなく思うようになっている。みんなにはわけわかんないから、たぶん嫌がられる。それに、あの子たち、ちょっと変、と警戒されるのは避けたい。

革命が近づいている。

主人公は死ぬのだろうか。

そんな話に夢中になっていると、クラスで浮いてしまうのだ。

浅沼さんが、ちょっと変、というのは千秋も気づいている。だから気をつけないと、と思っている。

浅沼さんも、千秋を、ちょっと変、と思っているが、そのことに千秋は気づいていない。

恋愛、というものについては二人ともあまりよくわかっていないから、感想もちょっと的外れになる。そりゃ、小学生だって、クラスで、誰それさんが誰それさんを好き、とか、誰それさんと誰それさんが付き合ってる、とか、そういうのはもちろんある。どの男子が人気があるか、とか、誰が誰に恋してる、とか、ラブレターを渡した子がいるとか、バレンタインデーにチョコをもらった子がいる、とか、学校ではそういう噂話には事欠かないし、女子はそういう話が好きだ。だが、千秋はだんだん、それを恋愛という括《くく》りに入れるのは間違っている気がしてきていた。前はそうでもなかったんだけど。

これもまた、泉田依子先生の連載の影響だと思う。

浅沼さんも同意見だ。

もっと崇高よね。

すうこう。

そういう言葉も知っている。

お互い、国語の授業よりも漫画や本で覚えた言葉の方が多いのだが、それもまた、浮いてしまう要因になるから、使う時は気をつけなければならない。

子供たちにはわからないのよ、あの崇高さは。

浅沼さんはいう。

浅沼さんはたぶん、自分も子供だということをすっかり忘れている。千秋もそうだ。自分が子供だということをつい忘れてしまう。そして、自分が子供だということを突きつけられるたびに打ちひしがれるのだ。なんでわたしはまだ子供なんだろう。いったい、いつまで子供をやっていなくちゃならないんだろう。

子供はあっという間に成長するなんて嘘ばっかりだ。

小学校もまだ行かなくちゃならないし、そのあと中学校もある。高校もある。大人になるのはまだうんと先だ。

考えると、気が遠くなる。

でも仕方ない。

我慢するしかないのだ。いろいろ。

千秋としては、漫画や本やテレビだけでいい、と思っているんだけど、そういうわけにもいかないのが、つらいところだ。

子供をつづけるのってつらい。

浅沼さんも、たぶん、そうなんだろうと思う。

だから漫画や本やテレビの話がたくさんできる。

別冊デイジーの話もする。

浅沼さんは、辻内先生の大ファンだ。

まあ、みんな、だいたいそうなのだが。

そして、瀬田先生の大ファンになったばかりだ。

これまた、だいたいみんな、そうなのだが。

瀬田先生のこの間の前後編は、千秋も浅沼さんも十回くらい読んだ。何回読んでもおもしろい、と浅沼さんはいい、千秋も賛成した。辻内先生だけでもすごいのに、瀬田先生まで現れちゃって、別冊デイジーは豪華なんてもんじゃないね、と千秋がいうと、浅沼さんが、週刊デイジーと別冊デイジー、どっちかになんて決められないよね、という。わかる。すごくわかる。そうだよね。その通り！　千秋は小学一年生から週刊デイジーと別冊デイジーの両方を読んできて、時期によっては、こっちの方が断然好きだなー、ということは当然あったし、それがわりとくるくる変わってきたものだけど、今はもう、どっちもすごい、としかいいようがない。しかも、両方ともどんどんすごくなっていく。どんどんおもしろくなっていく。どうなっちゃったんだろう。まだいける。まだいける。まだまだいける、まだまだだ、まだまだ、と、風船がぱんぱんに膨らんでいって今にも破裂しそうになっている感じ。たまらん。もうこうなってくると、当分、どっちかなんて決められないだろう。

そういえば、千秋が小学一年生から毎月別デを読んでいるといったら、浅沼さんはものすごくびっくりしていた。わたしは三年生くらいからだと思う、といったので、千秋が、週デも小学一年生から読んでいるよ、といったら、ますますびっくりしていた。浅沼さんは、最初は別デだけで、しかも、時々読んでいたくらいなのだそうだ。浅沼さんがあんまりびっくりしていたので、種明かしというか、牧子ちゃんのことを教えてあげた。漫画好きのおばちゃんがいたからなんだよ。

とはいえ、牧子ちゃんがデイジーの編集部で働いているということはなんとなく、いいそびれてしまった。

なぜだかわからない。

ちょっぴり恥ずかしかったというのもあるし、自慢してると思われたら嫌だな、というのもあったし、嘘ついてると思われないかな、という心配も少しあった。だって、やっぱり、かなり特別なことだと思うから。

昔、牧子ちゃんと一緒に編集部に行ったことがあるということも、だから、浅沼さんにはいえなかった。もうほとんど忘れてしまっているし、わたし、ほんとに行ったのかな、と自分でもちょっと自信がないくらいだから、人にはいえない。ケーキを食べたこととか、ぼんやりと編集部の中の感じはおぼえている気がするのだけれども。

あの時、写真、撮ればよかったよね、と牧子ちゃんはいう。

せっかくだから、四人で写真撮ればよかったなー。すっごい記念になったのに。カメラはさ、編集部にいつもあるんだよ。だから撮ろうと思えば、あの時、撮れたんだよ。思いついたらよかったのにな。ほんとに残念。

千秋はその後、週デの百万部パーティの写真に写っていた小柳編集長の顔と、けべちゃんの顔をなんべんも見て、それでしっかりとおぼえた。別デの一番後ろのページにある小柳編集長のコーナーは毎月必ず読んでいて、そのたびに、あの顔を思い浮かべている。小柳編集長は千秋のことをおぼえていて、たまに牧子ちゃんにきいてくるのだそうだ。あの子は毎月読んでくれてるかい？　おもしろがってくれてるかい？　と。牧子ちゃんは、千秋の感想をちゃんと伝えてくれているそうだ。ほんとうだろうか。ほんとうなら、なかなかうれしい。

別冊デイジーの編集長が千秋のことを知っていて、千秋の感想が別冊デイジーの編集長に伝わっているなんて、すごすぎないかな。

やっぱりこれは、あまりにもすごすぎて、浅沼さんには、いえない。

身分を隠すというのはこういうことなのだろうか、と千秋は、泉田先生の連載を思い浮かべながら、思う。あの漫画では貴族が身分を隠して平民のふりをするシーンがあった。特権階級というほどではないにせよ——そりゃそうだ——、でも、なんかこう、正体を知られないようにしてる感じって、似てないかな、と思うのだ。

牧子ちゃんには、ばかだねー、といわれた。

べつにいえばいいじゃんか、そんなの、隠すことでもないでしょうが。で、二人で、見学に来たらいいんだよ、編集部にさ。

デイジー編集部にはよく見学の小学生や中学生がやってくるのだそうだ。社会見学とか、修学旅行の時にグループでやってきたり、とか。

うちの編集部はさ、そういう子たちを決して邪険にしないんだよ、ちゃんと見学させてあげるんだよ、と牧子ちゃんがいう。みんな、すっごく喜んで、目をきらきらさせてあちこち見てるよ。かわいいよ。手が空いてる人が、説明したりしてさ。質問にこたえてあげたりしてさ。まあ、でも、最近は、ちょっとそういうのが多くなってきたから、申請してもらうようになったんだけどね。千秋が、その浅沼さんって子と一緒に見学に来たいんなら、あたしが頼んであげるよ。あたしが頼めば、ぜったい大丈夫だよ。原画だって見られるよ。ひょっとしたら漫画家の誰かに会えたりするかもよ。

どうしよっかなあ、と千秋は迷う。

いきたいような。

とってもいきたいような。

そりゃいきたいよね。

いきたい、いきたい。

けれども、すぐさま、いや、でもやっぱりやめとこうかなあ、という気持ちにもなるのだった。

平民のままでいいような。

全国の読者のみなさんと同じでいいような。

ここでもまた、泉田先生の連載でいろいろ考えた、平等についてが、気になってくる。

千秋はでも、ぼんやりと、いつか大人になった時に編集部へは行けるような気がしてならないのだった。今行かなくても、いつか、きっと。

漫画家は諦めたけど、別の形で。

浅沼さんも、漫画家になるのはとっくに諦めたといっている。

わたし、絵が下手なんだよね、といいながら、辻内先生の真似《まね》をして描いた絵を見せてくれたが、ほんとうに下手だった。千秋と、どっこいどっこいだ。ほんとだ、これじゃあ、漫画家は無理だね、わたしも下手なんだよね、と千秋も自分が描いた絵を見せると、うわ、下手だねー、と浅沼さんが叫んで二人で笑い合う。

わたしはね、作文は好きなんだよね、だから、そういうのになろうかなあ、小説とかさ、物語を文章で書くみたいな人。と浅沼さんがいう。漫画スクールみたいなやつって、文だけでもあるのかなあ？　あるんじゃない？　どこかにはあるよ。そうだよね、あるよね。じゃあそうしよう。うん、そうしなよ。ああいうのがあれば、なんとでもなる、なんにでもなれる、と千秋と浅沼さんは思っている。

あ、そうだ、あれに出してみたら？　あなたも週刊デイジーの編集長になりませんか?!　ってやつ。

ほら、やってたじゃん、あー、でも、あれはもう締切終わっちゃってるか、と千秋がいうと、浅沼さんが、はっ、とした顔になり、出した、と小声でいう。えっ、出したんだ！

浅沼さんは少しばつが悪そうな顔で、うん、出した、一応ね、でもだめ、ぜんぜんだめ、恥ずかしい、とますます小声でいう。じつは千秋も出したかったのだが、これといって「すばらしい雑誌をつくるためのアイディア」というのが思い浮かばず、それに、「デイジーの感想」といったって、応募の決まりに書いてある二千字なんて、千秋には到底書けるはずもなく、早々に諦めたのだった。

ってことは、二千字も書いたんだ、浅沼さんは。

ほへー、たいしたもんだ。

千秋はひたすら尊敬する。

二千字というのは原稿用紙五枚分。よくもまあ、そんなにたくさん、書くことがあったものではないか。なにを書いたの？　ときいたら、ふだんしゃべってることだよ、と浅沼さんがいった。え、それで二千字も書けるの？　書けるよ。浅沼さんは、かんたんにいう。感想みたいなのは、書けちゃうけどさ、どんな雑誌にしたいか、っていうのは、うまく書けなかったんだ。だからだめだと思う。雑誌のアイディアとか、そういうのってむずかしいね。

うーん、もしかしてこれは謙遜《けんそん》ってやつではないだろうか、と千秋は思い、ってことは、ひょっとして、夏休みに二週間、浅沼さんがヨーロッパへ行くかもしれないぞ、とドキドキしてくる。自分が応募したわけでもないのに、勝手にいろいろ想像しながら当選者発表を待つことになった。

ヨーロッパってどこなんだろう。どこの国へ行くんだろう。そこまでくわしく書いてないからわからないけど、二週間も行くんだから、あちこち見て回るよね。浅沼さん、フランスにも行くのかな。そりゃ行くよね。ってことは、パリにも行くのかな、そりゃ行くよね。ぜったい行くよね。首都だもん。ベルサイユにも行くね。行くに決まってるね。うひょー、写真撮ってきてもらわなくちゃ、お土産も買ってきてもらおう。

むろん、当選はしなかった。

当選したのは小学六年生と中学三年生の女の子だった。

でも、少し経ってから、浅沼さんのところへ、スイス製のハンカチが送られてきたのだった。なんと、浅沼さんは六位の四百名に選ばれていたのだ。

牧子ちゃんにいったら、それはすごい、とてもすばらしい、立派、と褒められた。だって千秋、あの企画、応募総数三万四千通だったんだよ。あの号の週デ、探してきて、よく見てごらんよ。当選者発表のページにちゃんと三万四千通って書いてあるから。予想を遥かに超えた数で、しかも、みんな、びっしり、原稿用紙に書いてきたって担当の藤原《ふじわら》さんがいってたよ。力作が多かったって。だから、六位って、すごいことなんだよ。藤原さんなんかさ、応募の作文の読みすぎで、目の下に隈、作ってたんだから。

浅沼さんと千秋は、しかしもう、その頃には、そんなことはどうでもよくなっている。それどころではないのだった。革命がいよいよ、始まりつつあった。今にも火を噴きそうなほど、事態は差し迫っていた。

長い。

それにしても長い。

一週間が長すぎる。

もう、本気で嫌になるくらいに長くて長くて、待ちくたびれるほど首を長くして次の週のデイジーを待たなくてはならなかった。

なんかさ、あれだよね、夏休みって始まるとすぐ終わっちゃうじゃんか、夏休みになったら、時間、早くなるのかな、と浅沼さんがいい、どっちだろう、と千秋は考える。たしかに夏休みはいっつも早く過ぎていくけれど、今度の夏休みもきっとそうなんだろうけど、でもたぶん一週間は長いままなんだろうな、子供はあっという間に大きくなるっていうけど、ちっとも大きくならないし、週デの発売日まではやっぱり長いままなんだと思う、と千秋がいうと、あーなるほど、そうだね、と浅沼さんもうなずいた。二つあるよね、時間。

物語が進むごとに、千秋と浅沼さんの気持ちはどんどん高まっていく。身悶《みもだ》えするほど強く激しく、物語の中に入り込んでいく。

みんな無事でいてほしいよね。

いてほしい。

死なないでほしい。

泣きそうな気持ちで、だいじな人たちの無事を祈る。

刻々と、彼らは大いなる運命に巻き込まれていこうとしている。

そこにもまた別の時間が流れている。

三つの時間の流れる夏休みが、だんだん近づいてきていた。

3

武部《たけべ》俊彦《としひこ》は汗を拭いながら、耳をすませていた。

楢橋編集長が受話器を手に、ええ、ええ、と慇懃《いんぎん》にこたえている。

はっきりとは聞こえないが、わずかに漏れてくる気配で、電話の向こうの相手が、まだ、かなり興奮しているのはじゅうぶんに感じ取れた。

あの電話を最初に取ったのは俊彦だった。

お盆休み明けの週なので、外に出ている人間が多く、編集部には人が少ない。なんの気なしに受話器を取ると中年女性がいきなり金切り声で、訴えてきたのだった。あなた方、いったい、どういうおつもりですか！　あんな淫らなものを子供の目に触れさせるなんて、正気の沙汰とは思えません！なんという、ふしだらな。わたくし、目を疑いましたよ。恥ずかしげもなく、よくもまあ！

なんの話かと思えば、泉田依子の連載漫画への苦情なのだった。ああ、あれな、と俊彦は思う。入稿前にすでに編集部では一度話し合いが持たれていた。あまりにも露骨なベッドシーンが描かれていたためだ。掲載は無理だろうと俊彦は思っていた。週刊デイジーで許容されるのは、キスシーンまで。昔はそれでさえ、許されなかった。今はともかくそこまではぎりぎり許されてはいるものの、それ以上はだめだと、暗黙の了解で決まっている。それなのに、なぜこんなもの描いたんだ、と目にした瞬間、呆れ果てた。泉田先生だってそのあたり、わかっているだろうに。俊彦がそういうと、物語の必然だ、と担当の祖父江久志が、けろりとした顔で返してきたのだった。いいシーンだよ、心血を注いで描いている人に、やめろとはいえないよ。

いやさ、そういうことじゃなくてさ、と俊彦が、裸で抱き合う二人を指差す。もう少し、ソフトに描いてもらうわけにはいかなかったのか。これじゃ、載せられないよ。

俊彦の指摘に、祖父江久志が色をなす。どこがだよ、よく見ろよ、ソフトに描いてあるじゃないか、これだけソフトに描いてあるものを、これ以上、どうしろっていうんだ。わかんないか？

俊彦が該当ページを選《よ》り分ける。

このページと、このページ、あと、ここ。この三枚は要らないな。なくたって、十分、意味は通じる。俊彦は、そのページを抜きにして、もう一度、流れを確かめてみる。うん、いける、と確信する。これだけ仄《ほの》めかしてるんだ、この三枚がなくとも読者にはわかるよ。年長の読者にはわかるし、年少の読者にはわからない。それでちょうどいいじゃないか。

だめですよ、と割って入ってきたのは高峯忠道《たかみねただみち》だった。

ここまで読んできた読者がそれでは納得しませんよ。ためてためてためてためて、みんなが待ち望んでいたシーンなんです。ある種のクライマックスです。美しいシーンじゃないですか。わかる、わからないの問題じゃないんだ。この二人が辿《たど》り着いた場所に読者も連れていってやらないと。ここにはエログロの要素なんて一つもありませんよ。だいたい、こんなの、ベッドシーンなんていうほどのものではないでしょう。目くじら立てる方がどうかしてる。

なにを！ と俊彦は睨《にら》みつけた。チュードウごときがなにを生意気な、と心の中で思う。

明石《あかし》主任が、うん、まあ、そうだな、とうなずいた。それほど刺激的でもないし、そうあからさまでもないし、心配するほどのことはないだろ。

耳を疑う。

週刊デイジーは小学生も読んでるんだぞ？

人気があるからですか、と俊彦は嫌みったらしくいってやった。人気があれば、なんでも有りなんですか。

たけベー、あのなあ、これはなあ、文学なんだ、と明石主任がいった。文学的帰結なんだよ、よく読めばわかるだろう、扇情的なセックスシーンなんかじゃないんだ。誤解するな。

どうやらそれは楢橋編集長の意見でもあるようだった。

文学ねえ。ふーん。

俊彦は不承不承、引き下がった。ようするに、編集長が責任を取るといっているのだ。だがやはり、世間の見方は違っていたわけだ。先ほどのキンキン声が耳に蘇る。うるさ型のPTAのおばはんたちは黙っていない。

受話器を右手から左手に持ち替え、楢橋編集長が、なるほど、ご意見ごもっともです、おっしゃる意味はよくわかります、といっている。お子さんへの悪影響をご心配になるお母さんのお気持ち、よく理解しております。

ほーらな、だからいわんこっちゃない、と俊彦は嘆息し、楢橋さんの顔を見る。彼の額にもうっすら汗が滲《にじ》んでいる。暑い夏だ。クーラーの効きも悪い。だがあの汗は、それだけではないだろう。なにしろPTAはうるさい。しつこい。騒ぎ出すとすぐにヒートアップする。そうして束になってかかってくるのだ。悪書追放などといって、すぐに漫画を槍玉に挙げてくる。さあ、どうする、楢橋さん。もうな、とっとと謝っちまえ。ぐだぐだ相手してないで、さっさと逃げろ、と俊彦は心の中で声援を送る。以後気をつけますって、詫《わ》びてるふりして煙に巻くんだ。

「しかしながら、このシーンだけを取り上げてそのような御判断をなさるのはいかがなものでしょう」

ほお？

今、なんていった？

「まずは一度、この漫画を最初っから、きちんと読んでいただけませんか。虚心坦懐《きょしんたんかい》に、すべてをお読みいただけたら、お気持ちも変わると思いますよ。そのうえで、やはり同じご意見だというのであれば、あらためて、お電話ください。その際には、しかるべき処置を取りましょう。お約束します」

楢橋編集長の口調はあくまでも丁寧だったが、声には並々ならぬ決意が漲《みなぎ》っていた。やや、もしや、これは宣戦布告か、と俊彦は驚く。

「いいんですか、あんなこといって」

受話器が置かれると同時に、俊彦はきく。

「ん？」

「しかるべき処置って、どうすんです。下手な約束をして、ややこしいことになりませんか」

「ならないだろ。最初っからちゃんと読んでくれたら、同じ意見にはならないはずだよ。きみもそう思うだろう？」

「え、いやあ、しかし、世の中にはなんにでも難癖つける輩《やから》はいますからねえ。いつまでもいちゃもんをつけてくる人間はけっこういるんですよ」

「そうだなあ。いるなあ」

楢橋編集長は、ぽりぽりとこめかみを掻《か》く。

「だが、まあ、それはそれ。あのお母さんが一から読んで、それでも尚、なにかいってくるのであれば聞こうじゃないか。どんな難癖をつけられるか、聞いてみたい気もするしね」

ずいぶん強気じゃないか、と俊彦は思う。

「しかし、編集長、今の御婦人が納得したって、また別のが湧いてきますよ。似たような電話、また来るんじゃないですか？　どうするんです？　全員を納得させられますか？」

「やー、それは、どうかな。そんなに来るかな？　だが、まあ、編集部に苦情が来たら、こちらとしては相手にならざるをえないからね。いいでしょう。ああいう電話がかかってきたら、すべてわたしに回しなさい。わたしが相手になろう」

と砕けた調子で宣言した。

作品の力、というやつだろうか。

楢橋さんは、それを恃《たの》みに強気でいられるのだろうか。

人気がすべて、ではなく、作品がすべて、ということなのか？

それならば、と俊彦は考える。

あれはどうなる、ミザリエンヌ。

俊彦はやまなべ先生の絵柄を思い浮かべる。

俊彦は、担当として、やまなべ先生のミザリエンヌにゴーサインを出さなかったのだ。

打ち合わせの段階で、やまなべ先生から、次の連載はこういうものが描きたい、といわれた時、あまりにも刺激が強すぎる内容に怖気づいてしまったのだった。悪の権化のような幼女、ミザリエンヌが本能のおもむくまま、次々、冷酷な殺人を犯すという、とんでもない話で、先生は凄惨なシーンもしっかり描く気でいるらしかった。子供に読ませるわけにはいかない、と俊彦は思った。やまなべ先生は大御所だ。俊彦としても、ぜひともうちで連載をつづけてほしい。というより、つづけてもらわねば困る。しかしながら、この話では到底無理だ。なんとか他のものをお願いしますと必死に頼んでみたが、先生は首を縦に振らない。どうしてもこれが描きたいという。だめですか。だめよ。どうしてもだめですか。だめだめ。漫画家というのは、こういう時、やたら頑固だ。やまなべ先生の場合、描きだす前に決定していることは至って大まかなものだから、うまく誘導すれば描いていくうちになんとかなるかもしれない、と思わないでもなかったが、根幹、というか、ベースになっているものがいかんせん残虐すぎた。連載を断念せざるをえなかった。担当としては忸怩《じくじ》たる思いで、明石さんや沖《おき》さんにお伺いを立てた。先生が別のものを描きたいとおっしゃるまで少し待とうと思いますがそれでいいか。

けべちゃんに任せるよ、と二人はいってくれた。おそらくいいたいことは山ほどあったろう。そんな提案がなされる前に、なぜもっと密に、やまなべ先生と打ち合わせをして、こちらの求める方向性を指し示さなかったのか。翻意していただくことはできなかったのか。やまなべ先生の興味を引く別の提案ができなかったのか。しかし彼らは、なにもいわなかった。担当である俊彦の判断を尊重してくれたのだった。

やまなべ先生にしてもショックだったろう。長らく描いてきた週刊デイジーで連載を断られたのだ。あれだけ貢献してきたのにひどい仕打ちだと怒りを覚えたのではなかろうか。あるいは、先生は早々にこちらが折れるだろうと思っていたのか。

ほんとうに苦渋の選択というやつだった。

ミザリエンヌは春から他誌での連載がスタートした。

やまなべ先生からあれは他社の雑誌で描くことにしました、と報告を受けた時、俊彦はあんぐりと阿呆のように口を開けたものだ。ええっ、しっ、しかし、先生、先生とうちとは専属契約を、と訴えたが、だめだった。あらだってそちらが拒否したんでしょう、破棄したのはそちらよ、といわれ、二の句が継げなかった。専属契約といってもやまなべ先生の場合、信頼関係に基づいた、ごく緩やかなものだ。それほど縛りが強くない。といったって、衝撃だった。迂闊《うかつ》だった。まさか他社へ持っていくとは思わなかった。あのエレガントなやまなべ先生がそんなことをするとは。

すさまじい執念だ、と俊彦は思った。

描かない、という選択肢はやまなべ先生にはなかったのだ。そこまで読めなかった自分が情けなかった。

ミザリエンヌは大ヒットになった。

俊彦としては二重、三重の打撃だった。

沖さんも明石さんも、この話になると苦虫を嚙《か》み潰したような顔になる。

仕方ないさ、あれはうちには合わなかったんだ、くよくよするな、と慰めてくれたが、みすみすヒット作をライバル誌に攫《さら》われたのだ、本心では腹を立てていただろう。

あの判断はまちがいではない。

俊彦は今でもそう思っている。

だが、ほんとうにそうだったんだろうか。

心が揺らぐ。

ベッドシーンがOKなら、残虐シーンもOKだったのではないか？　作品に力があれば。

あるよなあ、ミザリエンヌ、と俊彦は思う。

俊彦は、こっそりとやまなべ先生の連載を読んでいた。わざわざ他誌の掲載作を読むのはほとんど初めてのことだったが、俊彦は知っておきたかったのだ。やまなべ先生が何を描きたかったのか。この目で確認しておきたかった。

凄惨なシーンは多々あった。凍りつくような恐怖シーンも多々あった。子供向けなのにここまで描くかと目を背けたくなるほどのすさまじさだった。しかし、それだけではなかったのだ。ただ徒《いたずら》にそういうシーンを繰り出しているのではなく、そこには特異ではあるが、一人の娘の現実があった。その娘と、彼女に関わる家族のドラマがあった。善とは、悪とは、無垢《むく》とは、愛とは、そういう問いかけが根底に流れていた。やまなべ先生らしい、と俊彦は思った。今まで読んだことのないような、ふしぎな魅力のある作品なのだった。目を背けたくなるのに、その奥を凝視したくなるような。

まさに、力があった。

作品に力が。

であるならば、もしや、うちで連載してもよかったんだろうか？

おれさえ、ＯＫすれば……。

今更ながら、考え込んでしまう。

ＯＫしていたら、大手柄だったのになあ、と思っていたのだ。

あの時、俊彦は、そろそろ何かくる、と思っていたのだ。

いつまでも泉田依子の一人勝ちなんてありえない。追いつき、追い越す連載が必ずじきに現れるはずだ。そんな予感が確かにあった。だからこそ、やまなべ先生に、大御所の先生ならではの、これぞ、というものを是非ともお願いしたかったのだ。ああ、そうか、だから、今になって思えば、もしかしたら、あの時、やまなべ先生にも予感があったのかもしれない。この時期に週刊デイジーで連載を開始するなら、これくらいのものでなければならない、という、なにか予感めいたものが。それであれが出てきたのかもしれない。ミザリエンヌ。

ふーっと俊彦は息を吐き出す。

だとしたら、大チョンボだったたな。

ダークホースは富士島みつかだったが、やまなべ先生のミザリエンヌが先に躍り出てきた可能性はじゅうぶんにあった。あれはうちでやったとしてもすぐに人気が出ただろう。連載延長に持ち込んで、今頃は、特色の異なる三作品の、三つ巴の熾烈《しれつ》な争いになっていたかもしれない。泉田依子につづけて富士島みつかまで大きく当てた祖父江久志の高く伸びた鼻を、多少なりともへし折ってやれただろうに。ちぇっ、惜しいことしたな。

だがなあ、たとえ、もう一度、あの時点にまで遡《さかのぼ》れたとしても、おれはやっぱり、ゴーサインを出せない気もするんだよなあ、とも思うのだった。

作品に力があろうとなかろうと、自分にとって、譲れない線があってもいいじゃないか、と俊彦はあらためて思い直す。あって然《しか》りじゃないか？

つー、と俊彦は頭の中で線を引く。

おれだって長らく週刊デイジーで漫画を担当してきたんだ。おれにはおれの見識がある。週刊デイジーにも週刊デイジーの、これまで積み重ねてきた歴史がある。培ってきた信用がある。うちの雑誌はこういう雑誌だと胸を張っていえなくてどうするんだ、と俊彦は思うのだ。

やまなべ先生との関係は、幸い、悪化しなかった。それは、おそらく、やまなべ先生にも俊彦の思いが伝わっていたからだろうと思う。創刊号からの長いお付き合いである先生には、うちの雑誌がどういう雑誌か、ご理解いただけているのだろう。

そんなことを少し話してみたくなって、編集長の方を見たが、すでに席は空だった。

また会議か。

このところ、編集長クラスの会議が頻繁に行われている。部長会議や役員会議も多い。九段に新しいビルを建てる計画が持ち上がっているからだ。それにともない、手狭になったこのビルから、いくつかの編集部が隣に建つ仮ビルに移ることになっている。

うちも移るらしいぞ、というのはなんとなくきいている。仮ビルといったって、プレハブ造りの簡易なもので、工事が始まったら、ぱぱぱぱっと、建ってしまうのだそうだ。ってなわけで、今のうちから、引っ越しの準備を進めておいた方がいいらしいぞ、ともいわれていた。あんな狭いところにプレハブで四階だか、なんだかを建てて、ほんとに大丈夫なのか、なんだか恐ろしいな、という声もきく。そんな安普請じゃ、地震が来たら一溜まりもないな、お陀仏《だぶつ》だ、と冗談が飛び交う。まあな、仮住まいだからな、そう長くは居ないんだろう。

いずれ、このビルも近代的な設備の立派なものに建て替えられる計画なのだそうだ。景気のいい話だ。

九段と神保町。二つもビルが必要なほど、うちの会社は今、急速に規模が拡大しているのだった。出版物の点数も増え、社員数も増えた。どちらも右肩上がりで、業績も順調らしい。うちの会社に勢いがあるのか、はたまた日本全体に勢いがあるのか。

漫画も雑誌も好調だ。

とくに川名《かわな》親分の立ち上げた女性誌の部門は絶好調で、彼の勢いは止まらない。やがて社長になるだろうと皆、噂している。本人もそう思っているのではないだろうか。デイジーなどの少女漫画雑誌の勢いも、彼の出世の後押しをしているのはまちがいない。近頃では女性誌の陰に隠れがちだが、少女漫画隆盛の時代の礎《いしずえ》を築いたのは川名さんなのだ。

十周年を迎えた週刊デイジーの存在感は社内でも大きい。

姉妹雑誌、別冊デイジーの方は百五十万部をいよいよ突破した。

部数的にはあちらほどではないものの、たとえば、ファンレターの数なんかでは、週デが圧倒的に多い。これは社内でも群を抜いているのだそうだ。仕分けをするアルバイトの子らが毎日悲鳴を上げているという。泉田依子宛だけじゃない。富士島みつか宛のものも負けず劣らず多くなっている。秋からのテレビ放映が始まれば、人気にいっそう拍車がかかるだろう。この二大連載を担当する祖父江久志は二人にかかり切りで始終走り回っている。忙しい忙しい、おれはお盆休みは返上だなあ、と何度これ見よがしに叫ばれたことか。他にも、ついこの間まで連載していた水沢《みずさわ》よしえ。あの子もぐんと伸びた。連載の終わり頃にはアンケートでの人気がこの二強に肉薄してきていたのだから驚く。あれはチュードウが当てたのだ。あの子には力がある。まだ上をねらえるだろう。高品布美子《たかしなふみこ》もたまに読み切りを描くと反響がある。なんとかうちに繋《つな》ぎ止められているのもチュードウの手柄だろう。串田《くしだ》みつこのギャグ漫画もここへ来て、ついに人気爆発だ。ああいうタイプの漫画がこれほどまでに支持を得るのは珍しいのではないか。これは綿貫誠治《わたぬきせいじ》の手柄だ。などと挙げていけばキリがないのだけれども、皆で力を合わせた十周年記念の大型目玉企画、読み切りのシリーズも大成功だった。

ふうむ。

こうなると、おれも何か大きいのを一発、当てたいところだよなあ、と俊彦は立ち上がる。しかしながら、今や、ちょっとやそっとのヒットでは、まったく目立たなくなってしまったから、大いにやりにくいのだった。さて、どうするかなあ、と、肩をとんとんと叩く。次の仕込みについて考える。今年はあと四ヶ月。ぼやぼやしてられんな、と俊彦は明石主任の机の上の巻紙に手を伸ばした。

くるくると解けば、おお、と思わず呟《つぶや》きたくなるほどの、どっしりとしたラインナップが現れる。眺めれば眺めるほど、隙がなかった。よくもまあ、これだけの漫画を取り揃えたものではないか。それぞれの担当が、それぞれの思いを込めて、きちきちと書き込んでいた。付箋紙も貼ってある。連載が延びた、早く畳みそうだ、この読み切りは後ろへ。これは前へ。バツ印、丸印。注意！と書かれた星印。訂正の二重線。なにやら巻紙自体が熱を発しているような気すらする。もちろん俊彦の文字もある。こうして見れば、俊彦だってよく働いていると思う。それでも、うかうかしていると埋没していきそうだから恐ろしいのだ。

漫画班の電話が鳴った。

ぎょっとする。

うう。またあれかな。

じりりん、じりりん、と鳴りつづける。

苦情かな。

やんなるなあ、と思いながら手を伸ばす。

おっと、楢橋さんてば、いないじゃないか。

ちっ、致し方ない、おれが相手になってやるか、と俊彦は受話器を摑《つか》む。

4

決心したのは夏の始めだった。

梅雨明けの頃。

それでもしばらく愚図愚図《ぐずぐず》していた。

七月末の校了を待って、西口克子は小柳編集長に、沢《さわ》つかさ先生の担当を降りたいと自ら申し出たのだった。人に聞かれたくなかったので、時間を取ってもらい、会社の隣の喫茶店で話すことにした。

小柳さんは、寿退社の相談とでも思ったのかもしれない。少しだけ、うきうきとした気配を漂わせ、席に着くなりアイスコーヒーを頼み――克子も同じものを頼む――、なんだい、話って、たずねる声もいやに優しかった。いいにくくなってしまったが、思い切って告げると、途端に表情が険しくなる。

「どういうことだい」

「わたしには無理だと思うんです」

克子がいうと、

「なにが、どう、無理なんだ」

不機嫌な声になる。おしぼりでごしごしと手を拭いながら――ついでに首の後ろも拭きながら――、じろりと克子を見る。ひっ、と声をあげそうになる。ネームを見てもらっている漫画家たちを震え上がらせているのは、眼鏡の奥の、この目だ、と克子は思う。

小柳さんは、ごぶごぶと水を飲んだ。

そうしてまた、克子をじろりと見る。

「あの、わたしじゃないほうがいいと思うんです。沢先生には誰か、別の方のほうが」

「なにか……あったのかい。沢先生と」

「いえ、とくには」

「なにかあったんなら、正直に話しておいてくれなくちゃ困るよ」

「いえ、ほんとに、なにも」

「だったらなんで」

「わたしより適任の方がいると思うんです」

「適任？　だれ」

「保積さん」

「保積くん？」

小柳さんが、意外そうな顔をした。

「なんで保積くんなんだ？　西口さん、きみ、しっかりやってくれているじゃないか。保積くんはそりゃ、優秀だけど、きみだって優秀だよ？　いったいどうしてそんなことを突然いいだした」

「突然じゃないんです。わたし、ずっと考えてたんです。わたしじゃだめなんです。わたしには力が足りません。力不足です。これ以上つづけていたら、沢先生にご迷惑をかける」

「トラブルは……ほんとに、ないんだね？」

「はい」

小柳さんが首を傾げる。

「わからんな」

「瀬田さん……」

「瀬田さん？　ゲンさんかね？」

「はい。瀬田さん、一気に伸びましたよね。デビューから、たった二年で、今や、うちの二枚看板です。瀬田さんがあんなふうになるなんて、わたし、正直、思っていませんでした。もちろん、実力のある方だとは思ってました。でも、想像の何倍も大きくなられた。とくにここ最近の、保積さんが担当になられてからの瀬田さんは、目を瞠《みは》る快進撃で、今や、辻内先生に迫る勢いです」

うんうん、と小柳さんがうなずく。

「彼はね、辻内さんと似たタイプなんだね。切磋琢磨《せっさたくま》できる、いいライバルが現れてくれたよ。お互い、意識しあっている」

「そういうことも、わたしにはわかっていませんでした。瀬田さんが、ああいうスケールの大きい物語を得意とする方だなんて。アットホームなものを描かれていかれるものとばかり思ってました」

「まあ、それはね、いろいろな引き出しを持ってるものだからね、作り手は」

ウェイトレスがアイスコーヒーを二つ、テーブルに置いていく。小柳さんが、シロップとミルクを入れて、くるくるとストローでかきまぜる。克子は手をつけない。緊張で少し手が震えているような気がするからだ。

「わたしが担当していたら、きっと、その引き出しは、閉じたままだったと思うんです」

克子は一度、大きく息を吸った。テーブルの下で手のひらをぎゅっと握りしめる。

「卑下《ひげ》しているわけではないんです。わたしだったら、こんなに早く、瀬田さんをこんなふうに上へ押し上げられなかった」

「おいおい、なんだい、いったい。まあね、そりゃ相性ってものはあるからね。あの二人は新人同士の組み合わせで、果敢に挑めたというのがあったんだろう。うまくいったパターンだね。だからといって、きみがだめだということではないよ」

小柳編集長はやや困惑した面持ちだった。アイスコーヒーを飲みながら、なにやら考え込んでいる。克子がいわんとすることがよく呑み込めないのかもしれない。

「わたしがしゃしゃり出たばっかりに、沢先生が力を発揮できないのはいやなんです」

少し大声になる。

小柳編集長の眉間に皺《しわ》が寄る。

「いったい、なにをいっているんだ。沢さん、力を発揮しているじゃないか。この間の、シリアスな現代物、あれ、よかったよ。読者からの反響も大きかった」

「そうです。だって、あれは……、あれは沢先生がずっと温めていらしたものを思う存分、描かれただけですから。わたしは何もしていません」

克子はそれでも、うっかり口出ししそうになったのだ。もう少し、明るいシーンを加えてはどうですか、少し話が暗すぎやしませんか。沢先生の持つ明るさが足りていないのではないか、と感じたからだった。けれども、すんでのところで思い止まった。ネームに取りかかる前に、長年温めてきたものだ、と聞かされていたし、いつもと雰囲気が違うものだけれど描かせてほしい、どうしても描きたい、と懇願されていたからだった。完成原稿は素晴らしいものになった。コメディを得意とする沢先生には珍しい直球勝負の社会派ドラマでまとまりもよく、新鮮に感じられた。暗い話ではあるものの、先生の特徴ともいえる、からりとした明るさは残っていた。口出ししなくてよかった、と克子は胸を撫《な》で下ろした。

そうして、つくづく思った。

そんな担当がいるだろうか、と。

なにもしない方がうまくいくだなんて。

克子は、なんとなくだが、沢先生は、自力で作品世界を広げようとしているのではないか、と感じてしまったのだった。沢先生は自らの手で懸命に新しい地平を切り拓《ひら》こうとしている。担当が役に立たないから。なんのヒントもアドバイスもくれないから。期待できないから。

ほら、ここに道がありますよ。

この山を登ってみてはいかがです?

そういう提案ができる人でありたいと思っているのに、克子は、なにひとつできない。そつなく仕事はしているけれども、わたしでなくてはならない仕事ではまったくない。つらい。それを自覚すればするほど、つらくてつらくてたまらなくなる。不安ばかりが膨らんだ。瀬田先生がトップに躍り出るようになって、いっそう、このままではいけない、と真剣に思い悩むようになった。

保積賢太郎はいったいどうやって瀬田玄次をあれほど一気に飛躍させたのだろう。

恥を忍んでたずねてみた。

保積賢太郎は、当たり障りのないことしかいわない。ぼくのやってることなんてみんなやってることですよ、ぼくなんか、たいしたこと、してませんよ、とにこやかにいう。克子は諦めなかった。しつくたずねた。保積賢太郎は、探るような目つきで、西口さん、どうしちゃったんです？　ぼくより西口さんの方が詳しいでしょうに。

うん、そうだよね、わたし、あなたの先輩だもんね。克子がいうと、そうですよ、先輩、と屈託なく返す。克子は少し、みじめな気持ちになる。けれども、保積賢太郎はそんなことにはまったく頓着せず、ぼくなんか、なんにもしてませんよ、たまたまうまくいっただけですよ、と謙遜するのだった。そうかしら、それにしてもすごいじゃないの、と克子は重ねていう。そうして尚も聞きだす。すると、保積賢太郎が観念したように、渋々、まあ、つまり、ぼくなんかは、小柳編集長の真似をしているだけなんですよ、と打ち明けるのだった。みんなもそうでしょう？　ヒントになりそうな本を貸したり、刺激になりそうな映画や舞台、音楽なんかを教えてあげたり、そんなことをやってるだけですよ。勘弁してくださいよ。瀬田先生の場合は、瀬田先生がすごいってだけで、ぼくなんか、打ち合わせで、延々、馬鹿話をしたり、酒を飲んだり、飯を食ったり、そんなことをしているだけです。ただ、まあ、しょっちゅう話していると、だんだんチューニングが合ってくるっていうのかな、それは感じられるようになりました。ゲンさん、これ好きだな、これに興味を示すだろうな、っていうのがわかるようになってきて、だから、ヒントになりそうなものを拾いやすい。話も弾む。あとはまあ、彼の場合、いつ缶詰にするか、ですかね。そこに一番気を遣ってます。そのあたりも、小柳編集長の薫陶です。遅すぎず早すぎず。タイミングを計れ、決めたら、とっとと連れてこい。

べつに目新しい話ではなかった。

だから余計、妬ましかった。

小柳編集長の真似。

遠くから見ているだけの克子には、たぶん、それがわからないのだろうと思う。真似のようなことをしてみても、どこかズレてしまう。小柳さんの手足となって長らくやってきたが、克子はあくまで手足に過ぎなかった。小柳さんの頭脳、思考。漫画を見る目。それを活かす方法。導き方。そういうものを克子はわかっていないのだろう。けれども近くで見てきた保積賢太郎にはそれがわかる。その違いは大きい。彼は編集者として小柳さんに育成された人だ。いや、それだけではない。編集者としての才能も、もしかしたら、もともと彼には備わっていたのかもしれない。だから小柳さんはあんなにも目をかけたのかもしれない。彼の活躍に克子は打ちのめされる。そうして打ちのめされるのにほとほと疲れてしまったのだった。

それに。

それに小柳さんに育てられた漫画家たちは、無意識に、わたしたち——女の編集部員——を手足としか認識してくれていない節があった。そこが一番痛かった。手足ではなく、小柳さんそのものを求める。そこをどうしても乗り越えられないのだ。乗り越えるだけの圧倒的な力が克子にはない。足掻《あが》いても足掻いても、それはどうしようもなかった。

「そう神経質になることはないんだ。きみはきみのやり方で、沢くんを支えたらいい。ほらほら、飲みなさい、氷が溶けてしまうよ」

うなずいてグラスに手を伸ばす。もう手は震えていない。アイスコーヒーを飲みながら、ぼんやりと克子は頭に飛行機雲を思い浮かべる。わたしの希望。希望の象徴。まだ見えている。でも、もう、それに縋《すが》るのはよそうと克子は思う。これは沢先生のためなのだ。シロップを入れ忘れたアイスコーヒーは苦い。ミルクも入れなかった。けれども克子はそのまま飲みつづける。ぜんぶ飲む。飲み終えると少しすっきりした。小さく頭を振る。沢先生もそれを望んでいるはずだ。たぶん。いや、ぜったいに。

グラスをテーブルに置く。

悲しいくらいに克子は沢先生からその気配を感じ取ってしまっていた。

わたしは求められていない。

そういうところだけはやけに敏感に察知できる。

これもまた、そういう能力を必要とされつづけてきたからだろう。

「沢先生、ハードボイルドをお描きになりたいそうです」

「ほう」

「明るい学園ものや、今までやってきたコメディとは違うものをやってみたいって」

「いいじゃないか」

「でも、わたしには、その良し悪しがわからない気がするんです。そういう系統のものに疎《うと》いし、知識もない。なじみがなくて。スパイものだの、アクションものだの、これから勉強するには遅過ぎます。付け焼き刃で知識は蓄えられても、センスのようなものはすぐには無理なんじゃないかと」

「うーん、まあ、たしかに、そういうものは女の人より男の方が得意かもしれんね」

小柳さんが窓の外を眺めている。克子も見る。歩道を人が行き交い、その向こうの大通りを車が行き交っている。

夏の強い日差しがアスファルトに照り付けている。

気持ちが楽になっていた。

手放してしまう悔しさはもちろんあるが、ようやく吐き出せたという思いの方が大きい。

このことは誰にも相談していなかった。自分一人で考え、自分一人で結論を出した。戸田育江にも相談していない。せっかくのチャンスを活かせなかったという後ろめたさがあって、ずっと応援してくれていた彼女に、どうしてもいえなかったのだ。

「じゃあ、保積くんに頼むか」

「はい。それがいいと思います」

落ち着いて、そういえた。

仕事を辞めるわけではない。

たった一つ、たった一つ仕事を手放しただけだ。

落ち込む必要はない。

大丈夫。

大丈夫。

克子は静かにそんな言葉を心の中で順番に唱える。

それから少し、小柳さんと雑談、というか、今後の打ち合わせめいた話をした。

小柳さんからは発破をかけられた。

西口さん、これで、ほっとしてもらっちゃ困りますよ、仕事は減りませんよ、増えるかもわかりませんよ。覚悟しといてくださいよ。

うわー、たいへんですね、といいつつ、厳しいふりをしているけれども、これが彼のやさしさなのだろう、と克子は感じる。

「長くなりそうなんだよ。辻内さんの連載」

「半年の予定でしたよね」

「いや、それがねえ、どうも、もっと長くなりそうなんだなあ。かなり長くなるよ。歴史を踏まえた壮大なドラマでね、一回めの冒頭のカラーページ、扉を含めて八枚が、じきに上がってくるはずだから、読めばわかるよ。たいへんだろうが、面白いものになると思うから、よろしく頼むよ」

もっと長くって、どれくらいなのだろう。

たずねてみるが、小柳さんにもよくわからないらしい。

来月号からスタートする辻内ゆきえ先生の連載は、読み切り主体の別冊デイジーではかなり珍しいものだった。予告も大きく、破格の扱いといってよい。

それが半年以上つづくとなれば、これはもはや、珍しいどころではなく、別デにとって初の試みになる。

じつは克子たちは、すでに戦々恐々としていたのだった。

遅筆で鳴らす辻内先生の連載が、すんなり進むわけがない。うまく転がってくれればいいが、連載には連載の、読み切りとはまた違う苦労があるだろう。

どれくらいつづくのかわからないほどの長期連載になるとなれば、ますます気を引き締めてかからねばならない。別デ編集部にとっても初体験だし、辻内先生にだって、初挑戦になるはずだ。当然戸惑うことも出てくるだろう。

辻内先生がやりたいとおっしゃったのか、はたまた小柳編集長が勧めたのか。くわしいことは克子たちには不明だが、これが成功して別冊デイジーで長期連載が解禁ということにでもなれば、雑誌の色合いまで変わってくるように思う。大きな冒険になりそうだった。

はっとする。

ひょっとして。

ちらりと克子は小柳さんを盗み見る。

この人は、週刊デイジーを意識しているのだろうか。

連載主体の週刊デイジーと、読み切り主体の別冊デイジー。

前々から棲《す》み分《わ》けはできている。

それなのに、そんな長い連載を、わざわざ始めようというのだから、なにか意図するところがあるはずだ。

週刊デイジーでは現在、泉田先生と富士島先生の二強連載が一大ムーブメントを巻き起こしている。毎週毎週今までになかった熱気が雑誌から立ち上っている。

あれに刺激されたのだろうか。

うちにもああいう熱気が欲しいと思ったのだろうか。

だから辻内先生なのか。

あれほどの熱気を作れるとしたら。長期連載に耐えうる引きの強い、大きなうねりのあるドラマを作れるとしたら。うちでは辻内ゆきえ先生以外にない。なんといっても彼女は別デの女王なのだ。

そういうことか。

なるほどね。

面白い戦いになりそうではないか。

週刊デイジーと別冊デイジー。

別々の雑誌でありながら、根っこは繋がっている。

意識していないようでお互い意識し合っている。

似ていないようで似ているし、近づきすぎず、離れすぎず、絶妙な関係を築いてきている。絶えず影響し合っているのだ。影響し合いながら大きく成長してきた双子の姉妹のようなものである。

同じフロアの隣同士。

別冊デイジーは週刊デイジーからうまれたのだし、週刊デイジーの楢橋編集長は、もともと別冊デイジーの編集長だった。いずれ楢橋さんの後釜として、小柳さんが次の週刊デイジーの編集長になるという噂もあった。じつはすでにそんな打診はされていて、小柳さんが断ったらしいという話まで、まことしやかにささやかれている。

この人の野心はどこにあるのだろう、と克子は小柳編集長の様子をうかがう。相変わらずのポーカーフェイスで、なにも摑ませてくれそうにない。

「おっと、こんな時間だ。わたしはこれから会議なんだよ。会議ばかりでいやになるが、ともかく、これで失敬するよ。来月の札幌の件も、よろしく頼むよ。じゃ」

そういい残し、伝票を摑んでそそくさと去っていく。

唐突に取り残されて、克子は一人、ぽかんとしていた。

なんだか力尽きてしまって、ぼんやりと水を飲んだ。

来月の札幌というのは、漫画スクール出張指導のことだ。準備一切を克子が任されている。会場を押さえたり、参加予定者の出欠の確認をしたり、小柳編集長、若田先生を始め、こちらから行く数名の先生方の飛行機や宿の手配から、あちらで配付する資料作り、参加者全員に差し上げる予定の原画複製見本の作成、等々と、細々《こまごま》あってたいへんなのだが、参加を決めた漫画スクール出身の新人や、新人の卵たちの反応がすこぶるよくて、やっていて張り合いがあった。彼女たちの、楽しみにしています、という元気な声をきくたび、こちらまでうれしくなってくる。

まだわたしはこの仕事をつづけていくんだなあ、と克子は思う。二十代後半、思うことはいろいろあれど、辞めるという選択肢は今のところ克子にはない。だからまだ先は長い。

これを挫折、とは思いたくない。

挫折は挫折だけれど、この挫折は挫折として、これからの糧にしていこう、と克子は決意する。

他社の少女漫画誌では、漫画家の担当に女性がつくケースも出てきたときく。まだほんのわずかな例に過ぎないとは思うけれど、少しずつ、増えていくのではないか。独特の感性を持つ新しい漫画家たちが他誌でも続々誕生している。少女漫画の勢いは止まらない。となれば、これから新規参入する会社もあるだろう。変化は起きやすいはずだ。

うちの会社だって、女性誌では女性編集者がたくさん働くようになっている。新規採用枠ができたせいか、社内ですれちがう女性が、この一、二年でぐんと増えた。これからも増えるだろう。女性誌の読者は女性だから、女性誌の編集者も女性なのだ、と皆がなんの躊躇《ためら》いもなく口にするのをきいていると、ならば、デイジーだって、と思わずにはいられない。

それにつけても。

いや、それだからこそ。

ここでくじけるわけにはいかないのだ、と克子は思う。

がんばろう。

くじけずに進んでいこう。

その時、ふと、克子は、彼女のことを思い出したのだった。

香月《こうづき》さん。香月美紀《みき》さん。

あの人、今、どうしているのだろう。

克子は窓の外を眺める。

平日の昼間、男たちにまじって、克子と似たような年頃の、身綺麗な女たちが、けっこう歩いている。制服姿の人もちらほらいる。神保町で働く女たち、だろうか。

道行く人のなかに、あの人は、いないだろうか。

目を凝らす。

いないとわかっていても、そこにいるような気がしてしまう。

あの人も、きっとどこかで、こんなふうに、ため息をつきながらも、まだがんばっているんじゃないかな、と克子は考える。彼女の涙を思い出す。あの日の涙を思い出す。あの涙がわたしたちを繋いでいる。

いつまでも繋いでいくのだ、と克子は気づく。

5

編集部に電報が届く。

電報……。

それも架空の登場人物に宛てた電報だ。

郵便室で受け取った藤原修子《しゅうこ》は、さすがに驚きを隠せない。

週刊デイジー編集部に長く在籍し、読者からの郵便物に関しては百戦錬磨の修子だけれども、架空の登場人物に宛てた電報を受け取ったのは初めてのことだった。泉田依子の連載が佳境に入り、読者がどんどん熱くなっている。

この連載は歴史物だから、ある程度、先が読める。どの登場人物がどういう運命を辿るのか、史実を調べればわかってしまう。たとえ架空の人物であったとしても、立場や境遇、これまでの流れを踏まえれば、大方想像がつく。ある意味、読者は神の視点を持つことが可能なのである。だからこそ、手を差し伸べたくなってしまうのかもしれなかった。ここから私があなたを見ている、あなたの生き様をちゃんと見ている、と本人に伝えたくなってしまうのかもしれない。本人に……？　いや、そうなると、もはや、その人物は架空であって架空ではないのだろう。神の視点から見届けていると思えば、下界にいる者らこそが現実になり、そうなれば天上界こそ非現実。そんな具合に、少しばかりの反転、錯覚が起きるのかもしれなかった。

一昨々年《さきおととし》だったか、他社の少年漫画誌の人気連載で、登場人物の一人が死んだ時、出版社の講堂で盛大に葬式が執り行われたというのが大きく報道されたものだが、それと似ているようで、少しばかり趣《おもむき》が違うように修子には感じられた。架空の人物を現実に存在するかのように扱っている点では似ているものの、少女たちはもっとひそやかに、もっと個別に繋がろうとしている気がする。いや、すでに繋がっているのだろう。その証《あかし》が電報であり、大量のファンレターなのだ。

修子がその電報を担当編集者の祖父江久志に渡すと、

「今度は電報ですか」

と、文面を一読する。

「ほう、これはまた……真面目な電報だな」

「真面目ですとも。痛々しいほど真面目ですよ」

冗談の欠片《かけら》もないと修子は思う。死にゆくであろう人を思い、居ても立ってもいられず、夢中で打電したのだろう。

「ふうん。この電文は、あれだな、革命に殉ずる運命の人への供花のつもりなんだな」

祖父江久志が電文を朗々と読み上げる。無駄のないカクカクした文面に、花を捧げてほしい旨、確かに記されている。

チチ、キトク、スグカエレ、なんて電文が、昔はよく飛び交っていたものだけれど、電話が普及して以降、祝電や弔電を除き、めっきりお目にかからなくなった。そのせいか、なにやら、少し、懐かしいような気持ちになる。

「読者コーナーにも、お便りがたくさん来てますよ。死なないで、どうかどうか、って、悲鳴みたいなのが、それはもうたくさん」

「うーん、しかし、そうはいっても死ぬからなあ。いや、もうね、死にました。つい先日、校了したんです。派手に死にます。泉田さん、これでもか、ってくらい劇的に死なせましたから。ケレン味たっぷりに。泣けますよ。名シーンです。またハガキやら手紙やらがいっぱい来るんじゃないですか。まあ、あれですよ、死ぬだろうってことはね、みんな、わかってるんだ。この電報の主だってわかってる」

ぴん、と指で弾いた。

「だから、この文面になる」

「それはまあ……そうですね」

修子だってわかっている。毎週読んでいれば、誰だってその日が迫っていると感じている。辰巳牧子も、藤原さん、藤原さん、来月ですよね、来月……九月になったら、きっと死んじゃいますよね、なんかそんな気がしますよ、ああ、どうしよう、と先月、いっていた。すでに校了していると知ったら、あの子はなんというだろう。

それにしても、これほど騒がしい連載はかつてなかったと修子はあらためて思う。これまでにもさまざまな人気連載がうまれてきたが、読者がこれほどまでに囂《かまびす》しかったことはない。昔の読者はもっと控えめだった。だからこそ、編集部は、あの手この手でアンケートを集め、懸命に彼女たちの声を吸い上げようとしていたのだ。今や、みんなが勝手に叫んでいる。心に思うことを外に向かって吐き出している。声を上げることに躊躇《ちゅうちょ》がなくなったようである。

「しかし、まだ連載は続くからなあ。担当としては、ここで人気が落ちないことを祈るばかりです」

「落ちませんよ」

落ちるわけないじゃないか、と修子は思う。これほどの人気を得てもなお、担当編集者というのは心配になるものなのだろうか。

「だって、祖父江さん、このお話はこの後も、劇的な展開が続くわけでしょう？」

歴史的事実に鑑《かんが》みれば、そうならざるをえない。

「続きますねえ。暴風雨の嵐の中を進んでいくようなものだ」

「そうでしょう。それなら、みなさん、目が離せませんよ」

「そう願いたいなあ。最後まで人気沸騰のまま終わりたいものです」

「あと、どのくらい続くんです？」

「年内に終わります。そうだなあ、あと十回かそこらかな。連載延長の可能性も探ってはみたんですが、歴史物となると、やはり難しくて。事実が厳然としてあるわけですから、むやみに引き延ばせない。泉田先生のお気持ちも、すでにラストスパートに向かいつつあるようです」

今年で終わるのか。

それはいい、と修子は思う。

この大人気連載の最終回をもって、週刊デイジーの十周年の幕を閉じる。すばらしいではないか。こういうことは狙ってやれるものではない。好評であればあるほど連載は延長しがちだし、この連載も、そうなるだろう、と思っていた。ここできっぱり終わるときくと、なにやら運命的な気がしてしまう。

泉田依子と富士島みつか。

この二人の連載は、本当に、十周年を祝う、大きな打ち上げ花火だった。どかんどかんと大輪の花を咲かせてくれた。それにつられて、たくさんの花火があがったし、誌面も賑々《にぎにぎ》しくなっていった。

近頃の、漫画班の男たちの誇らしげな様子といったらどうだろう。むろん、もっとも誇らしげなのが祖父江久志であるのはいうまでもないが、ひよっこだったはずの高峯忠道でさえ、近頃はベテランみたいな顔つきで仕事をしている。

盛り上げられるだけ盛り上げようと、活版班も、この二つの漫画の特集記事を組んだりもした。漫画人気に引っ張られた記事が増えるのはもう仕方ないことだ。ただし、それでも、活版班は、一度だけ、ベトナム戦争停戦後の悲劇についての記事なんぞを載せてみたりもしたのだった。

二百年前の歴史に目が行くのなら、今の、この世界の悲しみにも目を向けてほしい。美容や恋愛もいいけれど、戦争の惨禍でそれどころではない苦しみに悶える人がすぐそばにいるのだと気づいてほしい。榾橋編集長や伊津《いづ》主任ともそんな話をした。二百年前の人々の苦しみや悲しみに気づいた少女ならば、この悲惨な現実にも今までとは違う気持ちで向き合えるのではないか。

漫画は漫画。

娯楽は娯楽。

それはそう。

それはそうだと修子は思う。

だが、漫画に生き方を教えられることはある、と、たくさんの読者の声に耳を傾けるうち、修子は思うようになっている。

実際、そのようにハガキに書いてくる子もいる。

生き方を教えられました。

わたしもこんなふうにまっすぐに生きていきたいと思います。

べつに少女漫画は、教科書ではない。漫画家が教師のようにそれを教えているわけではない。それなのに、彼女たちは、なにかしら学んでいく。なにかしら糧になるものを摑み取っていく。若くて柔らかな感受性がそうさせるのだろう。

漫画家たちにしたところで、教え諭すつもりなど毛頭ないだろう。彼女たちは、ただ懸命に、純粋に、作品を作っているだけだ。その懸命さ、純粋さが、漫画の中に入り込んでいく。おそらく、ロマンチックコメディにだって、彼女たちのすべてが注ぎ込まれている。女の子たちに、女の子としての誇りや強さが手渡される。

作り手と受け手は、ともに歩んでいる。

少女たちの好む、美しい世界を求めて。

高い理想を求めて。

こんな世界にそんなものがほんとにあるのか？　と疑うほどには、まだ現実世界を生きていないから、まだ子供だから、彼女たちは、それがどこかにあると、たぶん信じられるのだろう。

漫画がこのようなものであるとは、修子は長らく思っていなかった。

漫画は幼稚だ、と思ってきたし、今もまだ、思っている。その幼稚であるがゆえの美点に気づいていなかったのだ。幼稚さは未熟さではない。幼心は、高潔だ。

少女漫画は、少女たちの声だ。

声そのものだ。

少女漫画家たちの声をきき、読者の少女たちもまた声をあげだした。おしゃべりするみたいに、大きな声で、あの子らは常に語り合っている。

修子はもう、彼女たちのおしゃべりに加われるほど若くはないし、立っている場所も違うのだけれど、それでも、そんなことが感じられるほどには、ともに歩んできたのだろうと思う。

「楽しみにしてますよ」

といったら、祖父江久志が、ほへっ、とへんな声を漏らし、目を丸くする。

「あら、なんですの？」

「いや、藤原さんにそういっていただけるとは思っていなかったんで。ひゃー、こりゃ、百人力だな」

「んまあ、なにをおっしゃるやら。百人どころか、百万人の読者がついているじゃありませんか。コミックスの売れ行きもたいへんなものなんでしょう？」

祖父江久志が、くしゃっと顔を崩して笑う。

「そうなんですよ。いやね、コミックスが明らかに追い風になってます。新しい巻が出るごとに、倍々で読者が増えていく感じなんですよ。こういうことは今までなかったなあ。コミックスの売り上げの記録を塗り替えそうです」

得意げな声。いつも澄ました顔をしている印象の強い人だけれど、こうして笑っていると無邪気な子供のようだ。

そういえば、辰巳牧子が、祖父江久志は富士島みつかの連載の担当編集者というだけでなく、じつは登場人物のモデルにもなっているのだ、と、この間、こっそり教えてくれた。藤原さん、どう思われますか？　祖父江さんって、あんなにかっこいいかなあ？

辰巳牧子はそういって、くるくる瞳を動かし、富士島みつか先生には、祖父江さんがきりっと素敵に見えているんでしょうかね？　ふしぎですよね、まったく似てないわけじゃないけど、うーん、わたし、漫画を読んでる時に祖父江さんの顔がちらつくようになっちゃって、困ってるんですー、と口を尖《とが》らせた。この娘ときたら、ひらひらと蝶が舞うように、編集部のあちこちへ飛んでいき、ちゅうちゅうと噂の蜜を吸う。そうして、またひらひらと飛んできて、修子の耳元で、おかしなことばかりささやくのだ。

まったくあなたね、そんな噓か真実《まこと》かわからないような噂話をぺらぺらと他人様《ひとさま》に吹聴するものじゃありませんよ、と少し強く窘《たしな》めると、はーい、と元気よく返事をし、すみません、と悄《しょ》げる。しかし、すぐさま、でもね、藤原さん、といって、くすくす笑う。この噂は本当らしいんですよ、祖父江さん御自身が、認めてらっしゃるんですって、満更でもなさそうだってききましたよ、とつづけた。やれやれ、と思うしかない。睨んでやったら、肩を竦《すく》めて、ひらひらとまたどこかへ飛んでいった。

モデルねえ……。

本当なのかしら、と修子は祖父江久志の顔を見る。じっと見る。良くも悪くもこの人たちは漫画家に影響を与えずにはいられない存在なのだな、と思いつつ、あらためてじっくり見てみれば、漫画に描かれるほどの二枚目ではないにせよ、なかなか味のある顔のような……気がしないでもない。にやにやしていたら、眉を顰《ひそ》めた祖父江久志に、なんですか、藤原さん、気持ち悪いなあ、といわれてしまった。

ほほほほ、と笑ってごまかし、

「その電報、泉田先生にお渡しする前に、編集長にも、お見せになってね、とても珍しいことですから、報告がてら」

といっておく。

「もちろんですよ。こういうことは、きちんと報告して、記録しておかないといけません。あ、そうだ、写真に撮っておこうかな。何かに使えるかもしれない」

颯爽《さっそう》と祖父江久志が去っていった。

6

唐津杏子《きょうこ》の新連載を、とてもとても面白いといってくれたのは辰巳牧子だった。

十月に入り、新連載の出足のアンケート結果が気になりだしたところだったので、綿貫誠治は安堵《あんど》する。辰巳牧子の感想は、アンケート結果と、わりあい一致するのだ。

関谷徹《せきやとおる》とすったもんだになったテレビドラマは、丸一年もつづいて、九月末にようやく最終回を迎えたところだった。人気があると延びるというのは、どの業界でも同じらしい。予定よりかなり延びたため、週刊デイジーでの連載はとっくに終了していたが、その後に、もう一本、関谷徹の原作で連載をした。唐津杏子の人気を当てこんで、このコンビでもう一本、と要望されたからだった。ドラマがヒット中に、しかも、いずれこれもドラマ化したいという押しの強い企画であったがゆえ、上もすんなり通してしまったようだ。

しかしながら、これが戦争物だったから参ってしまった。

唐津先生は引き受けてくれたが、どう考えてもミスマッチだった。戦争孤児だの、母娘生き別れだの、唐津先生の絵柄とは相性の悪い、シリアスな暗い展開ばかりが長々とつづく。だが、唐津先生は前回と違って静かだった。戦争経験者の関谷徹が思い入れたっぷりに書いた原作に、若い唐津杏子が意見しにくいというのもあったのだろう。

淡々とネームを作り、文句ひとついわず、優良進行でペン入れをしてくれる。ありがたかったが、誠治としては、どうにも居心地が悪かった。関谷徹と戦った前回よりも、むしろ、発散できない今回の方が唐津先生には、よくない気がした。

まずいなあ、と誠治は気が重くなっていった。

唐津先生の顔色は冴えない。

機嫌が悪いというほどではないものの、口数が少なくなり、雑談もしにくくなった。うまい人だし、センスも抜群にいいから、原作を見事に漫画化してくれてはいるのだけれども、それでもやはり出来栄えは精彩を欠く。

この鵺《ぬえ》、息も絶え絶えなんじゃないだろうか、と誠治は感じた。

このままだと死んでしまうんじゃないか?

誠治はなんだか恐ろしかった。

わけのわからない鵺ゆえに、わけもわからず死んでいきそうで心配になってくる。まさか、ほんとに死ぬことはないだろうと思いつつも、人間として生きることと、鵺として生きることは別なんじゃないか、とも考えられる。鵺たちは、こんなふうに苦しく描いていては、だめなのではないだろうか。もっと伸び伸びさせてやらないと、力を失うんじゃないだろうか。鵺の持つ、鵺としてのエネルギーを食い潰していっているような気がしてならない。

「唐津先生、これが終わったら、一発、どかんと楽しいやつをやりましょう。コメディタッチのやつはどうですか。そうだ。次は外国を舞台にしましょう。がらっと違うものがいいですね」

そういって励ましつづけた。

唐津杏子がそれを励ましだと感じてくれていたかどうかは定かでないが——耳に届いていなかったかもしれないし、うんざりさせただけだったかもしれない——、それが誠治に出来る精一杯だった。

その頃、辰巳牧子も、綿貫さん、なーんかこの連載、唐津先生らしくないですよね、といっていた。いつまでつづくんですか、という声に不満が隠《こも》っている。三ヶ月の予定だった。延長もない代わりに、早く終わることもできない。三ヶ月かあ、と辰巳牧子はつまらなそうにいう。その声と響き合うように、アンケート結果も地味に沈んだ。こんな程度の順位に甘んじている人ではないのに、上位に食い込めない。二強連載に割って入れるだけの力はあるのに、この作品では勝負にならない。唐津杏子のせいではまったくなかった。持ち味を封じた連載をやらせている誠治の責任だった。担当編集者として、申し訳なかったし、サラリーマンとして、上に楯突けない己の性分を呪うしかなかった。

敗北だ。

これはおれの敗北だ、と誠治は認める。

そのくせ、唐津杏子に詫びることもできなかった。

詫び方がわからなかったのだ。それに、へたに詫びて、継続中の仕事に支障が出たら困る、と姑息《こそく》なことを思ってしまった。詫びるというのは非を認めることだ。そんな仕事なら止めたいと、唐津杏子にいわれたらどうしたらいいのか。

ともかく早く関谷徹と縁が切りたかった。いや、関谷先生は悪くない。彼は彼で、唐津杏子をいたく気に入ってくれている。だからこそ、反戦への思いを込めた物語を書き、信頼する唐津杏子に託したのだ。今時の少女たちが、敗戦直後の日本の少女たちの不幸に思いを馳《は》せてくれるようにと、今時の少女に人気抜群の唐津杏子に賭けたのだ。不幸な巡り合わせになってしまったとしか、いいようがない。誠治がもっと早くこの企画に関わり、きちんと交通整理をすべきだったのだ。編集者の仕事は多岐に亘《わた》るものだと、あらためて感じ入る。どれほど目配りしても、し過ぎるということはない。いや、し過ぎるくらいで、ちょうどいいのかもしれない。ドラマ化の話も、おそらく関谷徹はやる気まんまんなのだろうが、連載の人気がもう一つだったせいか、あまり進んでいないようだった。

辰巳牧子は、架空の外国を舞台にした新連載のラブコメを気に入ってくれたようで、唐津先生は、こうでなくっちゃね、と誠治にいう。

「唐津先生のかわいさ爆発ですね！　元気いっぱいだし！　待ってました、って感じです」

「そうだろう。打ち合わせから、ああしようこうしようって、盛り上がっていたからね」

忙しいのに、うれしくて、つい相手になってしまう。

「わかります。そんな感じがします。ぽんぽん弾けてますもん。きらきらした玩具箱みたい。とにかくかわいいし！　ぱあっとしてて、賑やかだし、お茶目だし、読んでて楽しい。泉田先生や富士島先生の連載を息を詰めて読んでるから、唐津先生のページになると、ぴょーん、って気持ちが晴れ晴れするんです。王子様はかっこいいし。でも、かっこよすぎないとこが、またいいんですよね。ちょっと、ぼーっとしてて。だんだんそうなってきたような？　綿貫さんのせい？」

「え。なんだい、そりゃ。聞き捨てならないな」

「やっぱり、担当につく人によって、なんとなーく、漫画の中に滲みでてくるものがちがうんですよ」

「そうかあ？」

「そうなんです。わたし、だんだんそういうところにも目がいくようになってきたんです。大きな声じゃいえませんが、って、大きな声でいうと怒られちゃうんで、小さな声でいうんですけど、祖父江さんて、ほら、富士島みつか先生の漫画の、あの方の、モデルらしいじゃないですか。それをきいてから、わたし、漫画の中に、担当編集者の誰かさんがいるんじゃないかなって、気にするようになったんです。えへへ。編集部で働いている役得ですね。つい、さがしちゃうんです。遡ってさがしてみたり。そうするとね、見つけちゃうんです。たまにいますよね、編集部の誰かさん」

「いるか?」

「いるじゃないですか。唐津先生の漫画にだって。ドジで憎めない男の子が」

「なんだい、そりゃ」

「歴代の男の子の中に、ちゃんといるんですよ、綿貫さんが。透けて見える」

「やめてくれよ。あのなあ、ソブさんの、あれ。あんなの、真に受けてちゃいけないよ。ああいうのはね、大袈裟《おおげさ》に伝わってくるものなんだよ。真偽不明なの。だいたいソブさん、あんなにニヒルな二枚目じゃないだろう」

「うーん、でも、いわれてみれば、ちょっと面影があるじゃないですか。あのくらいでいいなら、綿貫さんだっていますよ。そうかっこよくはないけど、やさしげで女の子に振り回されて。ろくでもない目にばっかり遭わされちゃうのに、しょうがないなあ、って女の子のためにひょろひょろ動いちゃうの」

「なんだよ、ひょろひょろって。褒められてるのか、けなされてるのかわからないな」

辰巳牧子は、けたけたと身を折って笑う。

「そうですね、ひょろひょろはないですね」

「ぴしっとしてる時はぴしっとしてるだろ」

「してます、してます。わたし、いちばん最初に綿貫さんとたくさん話した時って、怒られた時なんです。ぴしっと怒られました。おぼえてますか」

「え？　おれが？　怒ったの？　なんで？」

「柱、吹き飛ばしちゃって」

「柱？」

そんなことがあったかな、と記憶を探るが、まるで思い出せない。

「恐かったですよー。綿貫さん、ただでさえ、大きいし。学校の先生に叱られたみたいで縮みあがりました。それでね、そのあと、わたし、飛ばした柱を渡されて、貼ったんですよ、原稿に、柱を」

「えっ、きみに？　そんなことをさせたの？　おれが？　なんで？　って、いや、それは、また、すまないことをしたね。いやあ、なんでまた、そんなことを素人のきみにさせちゃったかなあ？」

「急いでやらなくちゃならなかったんです。わたし、柱なんて貼ったことなくて。教えてもらいながらセメダインで貼ったんです。あそこにすわって、二人で」

と、辰巳牧子が窓際の隅の席を指さす。

ふっと閃《ひらめ》くものがあった。

ああ、そういえば、いつだったか、ずいぶん前に、そんなことが、あったような、と誠治はぼんやりと思い出す。突如、風が吹き込んで、柱が飛ばされて。あれは、たしか、明石さんが交通事故で入院したかなにかで、急に回ってきた仕事だったんじゃなかったか。

「よほど切羽詰まってたんだな。そうか。それにしても、悪かったね。そりゃ災難だ」

「えっ、なに」

辰巳牧子が、いえいえ、と手を振る。そうして、ありがとうございます、と突然礼をいう。

「あれは、わたしの、ひそかな自慢なんです」

「え。自慢？」

「あの柱」

「柱？　え、柱？」

「あの柱、貼ったの、泉田先生の漫画だったんですよ。おぼえてますか」

上目遣いに辰巳牧子がじっと見る。

「いや、すまない。まったくおぼえてない」

「そうですか」

といって、辰巳牧子は、その時の週刊デイジーの号数を告げた。って、告げられたところで、なにひとつ思い出せないのではあるが、辰巳牧子は、その号の週刊デイジーをちゃんと取ってあって、今でも大切にしているのだという。そうして、あの頃はまだ、そうたいして目立っていなかった泉田依子がどんどん売れっ子になり、押しも押されもせぬ大人気漫画家になり、すばらしい作品を次々作り出しているのを心から誇らしく思っているのだ、と、まさしく誇らしげに誠治に語ったのだった。

「泉田先生の漫画の横に、わたしの貼った柱があるなんて、わたし、そんな貴重な体験をさせてもらって、綿貫さんには本当に感謝してるんです。わたし、このこと、一生、忘れないと思います」

「い、一生？」

「一生は無理かな？　忘れちゃうかな？　うーん、でも、今のところ、一生の思い出になりそうな気がしてるんですよね。宝物なんです、あのデイジー。それに、あの柱。月面着陸した、アポロの宇宙船が月にアメリカの旗を立てたじゃないですか。あれなんですよ、あれ」

唐突に、へんなことをいいだした。アメリカの旗って、星条旗か。飛躍しすぎて、話についていけない。そういえば、この子は、アポロちゃん、なんて、おかしなニックネームで皆に呼ばれていなかったか。

「旗がね、はためいているんです、ひらひらって。あの時のあの柱が。わたしの頭の中で」

「ふーん」

よくわからないが、ぼんやりと誠治はそれをイメージしてみた。記憶の中に、はためく柱。あの細い紙。脳みそのどこかにそれが突き立てられたわけか。

「あの柱があるかぎり」

ふっと、辰巳牧子が夢見るような顔になる。

「あるかぎり?」

「わたし、思い出せると思うんです。いつか、ずーっと先の未来で、わたしは、もうおばあさんになってるんです。だけど、ある日、思い出すんです、あの柱のことを。孫がいて、その孫が、寝っ転がって、泉田先生の漫画を読んでるんです。それを見て、はっ、って。それでね、孫に、わたしはね、って、話しかけるんです。わたしは昔、それを作ってた編集部で働いていたのよ、って、ちょっと自慢するみたいに。月の話をするみたいに、孫に、この星の話をするんです。柱が目印になってるから、わたし、ずーっとおぼえていられるんです。きっとそう」

この星って、どの星だ? と誠治は思う。

この星ってここか? そうなのか?

「どんな星だよ」

と、誠治はきいてみた。

「さあ?」

辰巳牧子が首を傾げる。

「なんだ、わからないのか」

「んー、たぶん、遠くにいかなきゃ、わかんないんだと思うんです。だって、月だって、遠くから見なくちゃ、わからないでしょう？　月面のでこぼこのクレーターの上にいたら、月がどういう感じか、わからないじゃないですか。だからね、きっと、この星のことは、わたしが、おばあさんになる頃に、やっとわかるんじゃないかなー」

「なんだか、いい加減な話だなあ」

「えー、そんなことありませんよ。いつか、綿貫さんにも、わかるはず」

「ふうん、じゃ、つまり、ここはデイジー星、ってわけか」

辰巳牧子の話につられて、誠治は編集部をぐるりと見回してしまう。辰巳牧子が、ひゃっ、と声をあげる。

「なんだよ」

「デイジー星？」

辰巳牧子が、両手をぱんと合わせた。

「そうか、そうですね。綿貫さん、うまいことといいますねー！　そっか。そういう意味か」

「そういう意味か、ってなんだよ、そういう意味じゃないのかよ？」

「んー、わかんないけど、そういう意味だったような気がしてきました。なんにせよ、この星は、まだ、うまれたてのほやほやなんです。だって、まだ、たった十年ですもん。十周年、ですもん」

「そうだな。十周年だな。たった十歳だ」

「うまれたての星です」

なんだか、おかしな会話だが、それでも成り立つから不思議なものだ。鵺たちと日々、会話しているうちに、誠治も、こういう会話が自然とできるようになっている。男同士ではこうはならない。というか、男同士でこんな会話にはぜったいならない。なんとなく、コツを摑んだのだろう。屁理屈のように聞こえても、屁理屈だと切り捨ててはならない。飛躍しすぎのような気がしても、あんがい、そうでなかったりするから、辛抱して続きを待たねばならない。意味不明と思われても、投げ出さずに聞いていると意味が通ってくる。はっきりいえば、どこかしらファンタジーでもある。だが、そんなことを、いちいち気にする必要はない。受け入れてしまえば、それなりに楽しい。

アポロちゃーん、という声が別冊デイジーの島から聞こえてきた。

はーい、と辰巳牧子がこたえる。

ちょっとこの領収書、これで通るか、確認してくれないかしらー、といわれて、わかりましたー、と返事をするのと同時に、辰巳牧子は誠治にぺこりと頭を下げて、とことことこと歩きだす。

頼りなげに歩く、ぺらぺらした体つきは、辰巳牧子こそ、あの細い紙の柱を彷彿《ほうふつ》とさせる。

あの子がおばあさんになったところなんて想像がつかないな、と誠治は思い、すぐさま、でも、おれだって、いつか、じいさんになるんだもんな、そりゃ、そうだよな、みんな歳を取るよな、と思い直す。まるでピンと来ないが、いつか自分もじいさんになって、この編集部のことを思い出すのだろうか、と、その後ろ姿を見ながら想像する。

その時、おれは、さて、どんなことを思うのだろう。

あの頃はたいへんだったなあ、だろうか。それとも、あの頃は楽しかったなあ、だろうか。

まあ、少なくとも、よくがんばったなあ、くらいは思うような気はするな、と誠治は思う。

よくがんばりました、って、その時はいってやろう。

さーて、そのためにも仕事仕事、と誠治は気合を入れ直し、串田みつこ先生に電話をかけようと受話器を持ち上げた。早いとこ、ネームの進捗具合を確認せねばならない。といって、彼女に詳細をたずねる必要はない。声を聞くだけで誠治には、どんな状況かわかってしまう。なんなら呼び出されて電話口まで階段を降りてくる足音だけで、スケジュールを組み立て直せる。もしもし、という声をきく前に、青ざめた顔まで見えてくる。はちゃめちゃなギャグ漫画が、こんなに苦しみ抜いて作られていることに、読者は気づいているだろうか。

そうか、がんばってるのはおれじゃなくて、漫画家の先生か、と誠治は苦笑し、ダイヤルを回した。もちろん、番号は暗記している。

7

青天の霹靂《へきれき》とはこのことだった。

戸田育江は、あまりの驚きに天を仰ぐ。

小柳編集長が辞めるのだという。

それも、編集部を辞めるのではなく、会社を辞めてしまうのだという。

ここからいなくなるのだ。

そんなことがあるだろうか。

前兆もなければ、それらしい気配もまったくなかった。

いきなりだ、いきなり。

いきなり、退社だ。

正式発表はまだだけれど、十月末の校了を待って正式に発表され、十一月は編集業務から退き、十一月末で退社すると、副島さんからきかされた。

「どういうことですか？　何かトラブルでもあったんですか？　上と揉《も》めたとか、そういうことですか。そんなこと、いきなりいわれたって、全然わかりません」

「まあまあ、落ち着いて」

副島さんが、紳士的に育江を宥《なだ》める。編集部の人間が出払っているタイミングだったので近くには誰もいない。それでおそらく話したのだろうが、育江は驚きのあまり総身にへんな力が入って、副島さんの机の横で、いつの間にか仁王立ちになっている。

「落ち着いてなんていられませんよ。いったい何があったんです？　まさか馘首《くび》？　小柳さん、馘首になったんですか？　えっ、そうなんですか？」

副島さんが、眉尻を下げ、首を横に振る。

「じゃあ、なんなんです？　馘首じゃないなら、自分から辞めるってことですか？　そんなまさか。小柳さんが自分から辞めるなんて、わたしには信じられません。何があったか知りませんけど、いえ、ぜったい何かあったんですよ。ともかく、考え直してもらいましょうよ。引き留めましょうよ。いきなり辞めるなんていわれても困ります。だって、どうしたらいいんですか。小柳さんにしかわからないこと、たくさんありますよ。なんで急に辞めなくちゃならないんです？　わけがわかりません」

育江が詰め寄ると、

「新しい会社で、新しい少女漫画雑誌を創刊するんだってさ」

と副島さんがいった。

「え、なんですか、それ」

さっぱり理解できない。

「創るんだってさ、会社を。小柳さんは、そこで少女漫画の雑誌をやるそうだよ」

「会社を創る？　創るって、独立するってことですか？」

「どうかなあ。川名さんが後ろについてるようだからなあ。雪村《ゆきむら》さんが社長で経営面を、編集一切は小柳さんが、って感じなのかな。独立というより枝分かれしていく、と考えた方がいいだろうね」

またしても青天の霹靂だった。

育江はあんぐりと口を開け、ぱくぱくと開けたり閉じたりする。そうして、ようやく、

「会社？」

と、たずねた。

「そう。会社。新会社」

一瞬、ぽかん、となり、すぐに頭を必死で巡らせる。

「ちょっと待ってください。なんでわざわざ会社を？　新しい雑誌を創りたいなら、うちの会社でやればいいじゃないですか。それこそ川名さんにいえば、いくらでもやらせてくれるでしょう？　どうしてそんな、別の会社でやらなくちゃならないんです？」

ばん、と机に手のひらをつく。

少し力が入りすぎたのか、副島さんの机に積まれた紙の束だの、本だのが、雪崩《なだれ》を起こしそうになっている。副島さんがあわてて、手で押さえた。

「そういう問題じゃ、ないんだよ。ポストのこともあるしね。うちの会社は今、飽和状態だから、その辺りも鑑みて、川名さんが彼らにそういう方向性を示したんじゃないか？　新雑誌は、うちではなく、外で創る。誰がどういう思惑で動いているのか、わたしにはわからないから、軽々にいうことはできないけど、そういう流れみたいだよ。その流れに小柳さんが乗ったんだろうね」

副島さんの手で、机の上が手早く整理され、山は安定を取り戻した。

「失敗したらどうなるんです？」

「失敗？　失敗って、新しい会社が？」

「だって新雑誌が当たる確率なんて五分五分ですよ。いくら小柳さんだからって、百パーセントうまくいくとはかぎらない。だめだったらどうするんです？　会社まで創っちゃって、廃刊だけではすまないでしょう？」

「そうだね。それでも持ち堪《こた》えられるだけの余力があるか。まあ、おそらく、ないだろうね。そうなったら、小柳さんは路頭に迷うことになる。川名さんって人は、ああ見えて、非情なところがあるからね、いざとなっても助け舟は出さないだろうね。ましてや、手を差し伸べて、こちらに戻してやる、なんて情け深いことは、決してすまい。そこは小柳さんも覚悟の上だろう。選んだのは小柳さんなんだ。彼が決めたんだよ」

「それでもやるんでしょうか」

「やるんでしょうねえ。まあ、ともかく、そういうことに決まったようなんで、今後のことを急ぎ、相談しなくちゃならないんです。小柳編集長が担当していた漫画家は分散して受け持つことになるし、先々の企画は慎重に引き継がねばならない。どういうふうにやっていくか、ざっと方針を決めないといけない。それで戸田さんに話しておこうと……」

　副島さんがあれこれ話すが、彼の声は育江の耳を素通りしていく。

　心が千々《ちぢ》に乱れ、集中できない。

　ひどい裏切りに遭ったような、見捨てられた子供のような、強い怒りと深い悲しみ、悶えるような悔しさ、腹立たしさ、そんなもので揉みくちゃになっている。そんなに急に、これからのことなんて考えられない。頭が切り替えられない。

あんまりだ、と育江は叫び出したかった。

小柳さんが別冊デイジーを放り出すなんて、そんなバカなこと、あってたまるか。

ここは小柳さんの王国じゃないか。

自らの手で、自らの王国を崩壊させるのか。

そんなこと、許されない、と育江は憤る。

なにが不満だったというのだろう。

すべて小柳さんの差配でやってきたではないか。わたしたちもしっかりやっていた。とてもうまくいっていた。ここ数ヶ月、最高潮にうまくいっていた。

なにもかも、すべて。

すべてにおいて、だ。

百五十万部がその証ではないか。

小柳さんだって喜んでいたではないか。

王国は安泰だ、と育江は思っていた。

そんな時に、いったい、どうして。

新しい雑誌を必要とする理由がいったいどこにあるのだろう。

正式発表を待つまでもなく、小柳さんの退社と新会社設立についての噂は、あっという間に広まっていった。小柳さんもとくに隠そうとはしていないようだった。

編集部内でも、おおっぴらに、今後についての話し合いが持たれるようになった。

校了を待たず、早くも自然に、副島編集長による新体制が稼働しはじめた。

スムーズといえばスムーズだが、皆、どこか、ぼんやりとしていた。小柳さんの下で長く長く働きつづけたから、小柳さんのいない別冊デイジーがどうなるのか見当がつかないのだ。とりあえず、機械的に新しい分担を取り決め、スケジュール調整や、掲載予定の確認をしていく。小柳さんからもこの先の台割が渡された。今後の漫画スクール関連等については、若田先生と細かく相談し、情報を共有する。校了作業と並行してやっていかねばならないので、人手が足りず、やけに忙しくなった。近日中に一人、異動してくることにはなっているが、はたして即戦力として期待できるかどうか。それに、なによりも、漫画家への対応を考えねばならなかった。大半は小柳さんの担当だから、動揺は大きいだろう。

「漫画家に、小柳さんとどうしてもやりたい、といわれたらどうするんです？　どうしたらいいんです？」

西口克子が不安を口にする。

「そんなこといわれたって、いないんだもの。やれないって説得するしかないじゃないの」

「それでもやりたいっていう人はいると思いますよ」

西口克子の生真面目な声で皆に不安が伝播《でんぱ》する。誰しも、うすうす気づいていることだから、困惑するばかりだ。

「わたし経験しているからわかるんです。小柳さんに絶大な信頼を寄せている漫画家は一人や二人じゃないですよ。小柳さんて、たぶん、別格なんです。わたしたちで代わりが務まるでしょうか。代わりとして、やれるでしょうか」

西口克子の訴えに、やれる、と自信を持ってこたえられる者は皆無だった。それでも話しているうちに、やるしかない、という結論に落ち着いていく。

話し合いのたびに、育江は暗い気持ちになっていった。

十一月になったら、漫画家たちに対して一気に動く手筈《てはず》になっているが、はたしてうまくいくだろうか。

副島さんは、漫画家を新雑誌に引っ張られるんじゃないか、というのをいちばん恐れていた。別冊デイジーに支障が出るようなことはやめてくれ、と小柳さんには直接、伝えたそうだ。

「むろん、そんなことはしませんせん、と約束はしてくれたがね。まあね、そこはね、わたしも信頼してるんだ。しかしだよ、漫画家の方が勝手についていく、ついていきたい、といいだしたら、これは、ちょっとやっかいだ。止められないからね。小柳さんにしてみたら、願ったり叶ったりだから、諸手を挙げて受け入れるだろうよ。こちらとの専属契約を破棄されて、小柳さんの会社と専属契約を結ばれた日にゃ目も当てられない」

「そんなこと……」

ありえるんですか、といいかけて、ありえる、と育江は思う。漫画家たちは、それぞれ強い意志を持っている。それはそうだ。あの子たちは、己の才能のみを恃みに、人生の荒波の中を航海している。どの航路を行くか、決めるのは彼女たち自身だ。まだよちよち歩きの新人ならともかく、ある程度実績のある漫画家なら、自分の意志で航路を決めるだろう。誰とやりたいか、どの雑誌でやりたいか。その時、小柳さんという個人よりも、別冊デイジーという雑誌を選んでもらえるかどうか。

何人かは、小柳さんについていくだろう。

西口克子がいうように、あの人は別格だ。

誰がどう動くか……。

まったく読めない。

読めないし、繋ぎ止めるにはどうしたらいいのかも、育江には、まったくわからない。

「小柳さんはどういう雑誌を創るおつもりなんでしょうか。なにかおききになってます？」

「いや、なにもきいてない。こちらからはそんなこと、きけないし」

副島さんが呑気にいう。

「でも、少しくらい、なにかおっしゃってませんでした？」

「いうわけないよ。それこそ、企業秘密でしょう。とはいえ、想像はつく。おそらく、別デと似たような雑誌になるだろうね。似せるつもりがなくとも、あの人の得意技で創るにちがいないんだから、どうしたって似てくるだろう。それはもう、致し方ない」

はっはっは、と笑う副島さんは、なにやら、さばさばしていた。いつまでもぐずぐずしている育江とちがって、頭も気持ちも、すっかり切り替えがすんだのだろう。あるいは、新編集長としての自覚とやる気が出てきているのかもしれない。

「つまり、ライバル誌が誕生するということですね」

「そういうことになるね」

「いつ、出るんでしょうか」

「さあ？　すべて一からだから、ある程度、時間は必要でしょう。といって、そう悠長にもしていられないだろうから、どうかな、遅くとも来年の夏頃には出るんじゃないかな。いや、春、か。春かもな。小柳さんなら、春創刊もやりかねない」

「早いですね」

「わからないけどね」

「うちの部数、落ちませんかね」

「そりゃあ、落ちる可能性もあるでしょう。なにしろ小柳さんが相手だ。安穏としてられませんよ。

そこは我々の頑張り次第だ」

「頑張ったって、いくらかは持っていかれますよ。部数減は避けられないんじゃないでしょうか。どのくらいの部数に留まれるか」

このところ、部数が増えていくばかりだったから、減るという事態が恐ろしくてならない。雑誌の部数が減るというのは、雑誌の生死に関わる。育江は、暗澹《あんたん》たる思いでため息をついた。

「大丈夫でしょうか。別冊デイジー、潰れないでしょうか」

「あのねえ」

と、副島さんが、困ったような顔をする。

「小柳さんが相手だから、そりゃね、少なからず影響はありますよ。だけどね、戸田さん、そんなに悪いことばかり考えてはだめだ。もっと前向きに、そうだなあ、未来は明るい。そう思ってごらん」

「明るい……ですか？」

「明るい、明るい」

そういわれても、そんな気持ちにはとてもなれない。

「戸田さん、べつに、我々は、小柳さんと部数の奪い合いをするわけじゃないんですよ。戦国の世で陣地争いをしているわけではないの。考えてもごらんなさい。別デの部数は百五十万部。三年前に想像できましたか？　五年前に想像できましたか？　漫画人口は増加の一途を辿っているんです。一つや二つ、新しい雑誌が増えたからって、陣地が拡大して、すぐさま吸収してしまえるでしょう。だからこそ、小柳さんも、挑戦する気になったんだ。いける、と思わなきゃ、こんな勝負に出ませんよ。それに、拡大していく市場なら、いずれデイジーだけでは物足りなくなるかもしれない。いい刺激になって、却《かえ》ってよい影響がうまれるかもしれませんよ」

それほど楽観的には考えられないが、いわれてみれば、それも確かに一理あるような気もしてくる。

副島さんが、先月号の別冊デイジーのページを開いて、こちらに差し出す。

育江がのぞきこむと、まんがコンクールの記事だった。

年に一度、読者が今年別デに掲載された漫画で一番面白かったものを選んで投票した結果が発表される。

これまでは、辻内ゆきえ先生が必ずトップだった。それはもう、圧倒的な強さで、他をいっさい寄せ付けなかった。それこそ別デの女王の、女王たる所以だった。

ところが今回、ついにトップの座を瀬田玄次先生に明け渡したのだった。常勝だった辻内先生が初めて負けたのだ。しかも、瀬田先生は一位だけでなく、三位にも入るという快挙を成し遂げた。

「瀬田先生がデビューしたのはほんの二年前だ」

副島さんがいう。

「いいですか、戸田さん。まだまだ膨らむ余地があるのは読者の数だけではないんですよ。才能ある漫画家だってそう。これからまだ、どんどん出てくる。我々はそれをうまく吸い上げなくちゃならない。小柳さんがいなくなってもね」

「いなくなっても……。ええ、そうですね」

「と同時に、別デが育てた優秀な漫画家の面々には、これから先もうちで活躍してもらわねばなりません。そこはね、とても大事な点です。小柳さんの雑誌に誰が描くのかはわかりません。おそらく何人かは描くでしょう。何人までに抑えられるか。それが今回の勘所です。たとえ、あちらで描くと宣言されても、こちらの手は簡単に離してはなりません。古巣はうちです。いいですか、別冊デイジーをスカスカには出来ない。この厚みと質は守りましょう。みんなでしっかりやっていきましょう」

はい、と育江はうなずく。

たとえ王が去ろうとも、別冊デイジーは少女たちのもとへ届けなくてはならない。小柳さんがいなくなったからといって、別冊デイジーがつまらなくなったといわれたくない。

別冊デイジーは王だけのものではない。

みんなのものだ。

やっと育江の気持ちも切り替わってきた。

わたしたちが創るのだ。

百五十万の読者が、いや、実際にはそれ以上の数の少女たちが、毎月別デを楽しみに待ってくれている。

読者にとって、編集長が誰であろうと関係ない。

王がいなくなっても別冊デイジーはわたしたちが創る。

育江は編集部の面々の顔を思い浮かべる。

彼らとならやれる。

望むと望まざるとにかかわらず、変化の時はやってくるのだ。

いや、すでに、変化の時が、やってきていた。


大きく膨らんで、ぱん、と弾けた。

西口克子はそんなふうに思っていた。

百万部、百五十万部。

大きくなって、大きくなって破裂した。

小柳さんが、ぱん、と割ってしまったのだ。

夏に喫茶店で話した時のことを思い出す。あの時の小柳さんは、こんな展開になることを微塵《みじん》も想定していなかったにちがいない。だって、そうでなければ、あんなにも熱心に今後の別デの話、辻内ゆきえ先生の連載の話なんてしないだろう。だから、たぶん、急に決まって、急に動いたのだ、と克子は想像する。

十一月になり、編集部員は漫画家たちへの説明に追われていた。克子ももちろんそうだが、どうにも実感が伴っていなかった。

漫画家たちが一様に驚き、ほんとに辞めるの？　ときくたびに、ほんとに辞めるんだろうか？　と思ってしまう。信じられない、嘘でしょう？　といわれるたびに、信じられない、嘘だよね？　と思ってしまう。とはいえ、そんなことは曖《おくび》にも出さず、粛《しゆく》々《しゆく》と説明を繰り返していった。口でいっていることと、心の中が一致しなくて、ざわざわした。

世間もざわざわしていた。

トイレットペーパーがなくなるという噂で関西では買い占め騒ぎが起き、なにそれ、たかがトイレットペーパーでそこまで？　と驚いているうちに、全国に波及していった。そうなると克子もつい、買ってしまう。物がなかった戦後の話は親からよくきかされていたし、幼い頃のまだ貧しかった日本をまったく記憶していないわけではないものの、実際に物がなくなることに怯《おび》えるなんて、生まれて初めての経験だった。このところ物価もどんどん上がっているし、物不足が深刻になっているのだろうか。半信半疑ではあったけれど、石油ショックで紙が不足しつつあるのは本当らしく、減産体制が敷かれるのではないか、と出版業界では囁《ささや》かれだしていた。楽観論と悲観論が入り乱れ、何を信じたらいいのかわからなくなる。それにしたって、もし、そんなことにでもなったら、雑誌はどうなるのだろう？　暗雲というほどではないにせよ、不穏な空気が流れだしているのはまちがいなかった。

それもこれも小柳さんのせいだ、と八つ当たりしたくなった。部数増をつづけた別冊デイジーと、経済成長をつづけた日本。中東戦争の影響で石油が不足しだし、先行きが危ぶまれる日本と、小柳さんを失ってこれまでのようにはいかなくなるであろう別冊デイジー。軌《き》を一《いつ》にしてはいないだろうか。大きな落とし穴が口を開けているような気がしてならない。

克子がそうこぼすと、戸田育江に、ばっかねえ、カッコちゃん、あなたはいっつも考えすぎなのよ、と一笑に付された。そんなことより、辻内先生の連載原稿、今月は少し早めにもらってちょうだいね。来月は年末進行だから、少し余裕を作っておきたいのよ、と肩を突《つ》かれた。

なるほど、そうだった。そんなことを考えている暇があったら手を動かせ、足を動かせ。今こそ、一つ一つ、着実に仕事をこなしていかねばならない。ブルドーザーのように突き進まねばならない。

小柳さんはもうあまり編集部へ来ないのだけれども、来れば克子とも普通に話した。あまりにも普通で拍子抜けするほどだった。だからといって、小柳さんにこれから先、たとえば、ひと月先、ふた月先のことについてはもう、きくたって、きけやしない。相談もできない。恨み言の一つもいいたくなるが、我慢する。

小柳さんに直接会って事情がききたいという漫画家がいれば、きちんとセッティングした。編集部としては、なるべく避けたいのだけれども、漫画家が望むのなら、拒否はできない。保積賢太郎や芝厚史などが同席して、おかしな事態にならないよう牽制《けんせい》した。

克子が知るかぎり、小柳さんの創刊する雑誌に描く予定の漫画家はまだいなかったし、そのような要望を口にする者もいなかった。ありがたいことに別冊デイジーから離れる気配のある人も今のところ、いない。まあ、そうはいっても、動きが出てくるのは、新会社に目鼻がついてからだろうが、当面、別デの台割は変更しないで済んでいる。〝厚みも質も落とさない〟を合言葉に、編集部一丸となって頑張っている。全力を尽くしましょう、と後任編集長の副島さんが絶えず発破をかけている。彼の意気込みは皆に伝わっている。

そんな折も折、残業になって出前の折詰弁当を食べている最中に、隣で一緒に食べていた進藤珠代が、小柳さんの会社に移るつもりだ、と唐突に打ち明けたのだった。

「えっ！」

大声が出てしまい、あわてて周囲をうかがう。別デの島には誰もいないが、週デの島にはまだ人がけっこう残っている。だが克子の声に反応した者は皆無だった。

「それはつまり、辞めるってこと？　ここを？」

「はい。まだ誰にもいってないんですけど、わたし、小柳編集長に直談判して、連れて行ってもらうことにしたんです」

「う、そ、でしょう」

心臓がドキドキと音を立てている。不意打ち過ぎて、どう言葉をつづけたらいいのかわからない。せめて落ち着いているふりをしようと、克子はひとくちごはんを食べた。途端に喉に詰まらせそうになり咳《せ》き込んでしまう。進藤珠代が湯呑みを手渡し背中をさすってくれる。お茶を飲んで胸を叩く。

「すいません。驚かせちゃいましたかね」

克子は素直にうなずく。こほんこほん、と咳が出る。

「まだ口約束みたいなものなんですけど、いちおう、小柳さんの新会社の編集部で働かせてもらえることになったんです。といっても、会社が出来たからって、すぐに編集部が動きだすわけではないので、様子を見つつ、なんですけどね。たぶん、採用は来年の二月くらいになるだろうって」

「ねえ、どうして。どうしてなの。みんなで頑張っていこうっていってたじゃない」

「んー、そうなんですけど、やっぱり、これはチャンスですから」

進藤珠代が動かしていた手を止めて、こちらを見る。ひどく真剣な眼差しだった。

「仕事に不満があるわけじゃないですよ。だけど……だけど、私、へんな時期にばたばたとお手伝いすることになってここへ入っちゃったでしょう。ようするにアルバイトみたいなものじゃないですか。かといって、中途採用の試験は、当分、なさそうだし、いつか復活したとしても、その時にその試験を受けられる資格が私にあるかどうかも、はっきりしないし。私だって、ずっとこの仕事をしていきたいんです。これから先も、まだまだ働きたいんです。でも、そう思えば思うほど、なんだか、不安で。トイレットペーパーがなくなる世の中ですよ。物価高で暮らしはきつくなる一方だし。このままだと怖いじゃないですか。おそらく、小柳さんも、そこのところを察して、連れて行ってくれることにしたんだと思います」

「ちょっと待ってよ、小柳さんと、そんな話をしていたの？　いつの間に？」

「ひそかに。水面下で」

進藤珠代が、うふふ、と笑って、得意気な顔をする。まったく気づいていなかったので克子には驚きしかない。抜け目のない後輩の強《したた》かさに恐れ入るばかりだ。

「驚いた。珠ちゃんたら、油断も隙もないなあ。びっくりしちゃう」

「そうですか？」

「ちょっと裏切られたような気分」

「えー、甘いなあ」

といわれた。

きょとんとしていると、

「煮付けのことじゃないですよ、いや、ここの煮付けも、いつもちょっとばかし甘いけど」

進藤珠代が箸でつまみ、ぱくりと食べる。

「西口さん、水面下で動いているのは私だけじゃないですよ。漫画家の中でも何人かはすでに、小柳さんに、いつでも描きますよって、いってるようですよ。表には出てきてませんけど。誰とはいいませんけど」

「えっ、そうなんだ」

いわれてみれば、それは十分にありうることだった。

ほんとに甘い。

煮付けも甘いが、私も、いやんなるくらい甘い、と克子は衝撃を受ける。上辺だけみて、呑気に構えていた。

「ちなみに、そういう動きは漫画家だけじゃないですからね」

「え？　どういうこと？」

「保積さんにも、その気持ちはあったようですよ。さすがに、思いとどまったみたいですけど」

「保積さん？　保積さんって？　うちの？　ええっ、まさか」

「ほんとです。私、なんとなーく、そうなんじゃないかなー、って気がして、本人にきいてみたんです。だって、保積さんが行くってなったら、私は行けなくなっちゃうかもしれないでしょう。死活問題ですもん。二人とも行けるとは限らないし、そうなると、小柳さんは、私なんかより、保積さんが欲しいに決まってるし。だから焦っちゃって。そしたら、行きたい気持ちはとてもあるけど、行かない、って。行かない、じゃなくて、行けない、だったかな？」

若手のホープがそんなことを、と克子は愕然《がくぜん》とする。

甘いなんてもんじゃないな、バカだな、私は、バカすぎるな、と自嘲する。一番そんなことをいいそうにない人が、そんなことを思っていただなんて。

編集部一丸となって、別デを作っていくのだとばかり思っていた。

一枚岩だと信じていたのに。

副島さんが知ったら、どんな顔をするだろう。

他の編集部員が知ったら。

戦意喪失ではないが、よいムードに水を差されたような気持ちになるにちがいない。

「誰にもいってないわよね？　いっちゃだめよ」

「もちろんです。今ちょっと、口が滑っちゃいました。保積さんに叱られちゃう」

「そうよ。もうね、ややこしいこと、いわないでよ。保積さんは出て行かないんだから」

「私のことも、しばらく黙っててくださいね」

「もちろんよ。まだ正式に決まったわけじゃないんでしょ？」

「え。ま、まあ、そう、ですね。口約束ですもんね。はい、そうです。正式というわけでは……ないです……。とりあえず、保積さんが、行かなくてよかったです」

「ほんとよ。よかった。危ない、危ない」

「ほんと、危なかったです」

危なかった、の意味が少し違うような気がするが二人で安堵する。

「他はどうなの。芝さんは？」

「芝さん？　芝さんは、大丈夫ですよ。来年、ご結婚なさるそうで、今、会社を辞めるなんて、できないはずです」

「え、結婚？　芝さん、結婚するの？」

「そうなんですって。私も知らなかったんですけど、お相手は、何年か前に編集部へ持ち込みをしにきた人らしいですよ。びっくりですよねー。銀行にお勤めの方だったかな？　持ってきた漫画は箸にも棒にもかからなかったけど、それでも何度か持ってきて、しかも、ぜんぜんうまくならないのにノンシャランと持ってくるところがたいそう面白かったそうで、ひそかにお付き合いが始まっていたんですって。と、ききました。いや、きいたのは私じゃなくてアポロちゃんなんですけどね。だから、やや怪しい噂？　かもしれないですが」

「へええ」

それから黙って二人で弁当を食べる。

未来はさまざまだ。

もくもくと食べていくうちに、

「そうか、珠ちゃん、辞めるのか。寂しくなるなあ」

思わず、つぶやいてしまう。

といって、引き留める気にはなれなかった。なぜって、この子が、この選択をする気持ちも克子にはよくわかるから。

中途採用の試験を受けた、あの夏の日。

この子はおそらく、あの時の私と同じ気持ちなのだろう。

私だって、今、この子の立場だったら、同じ選択をするにちがいない。降って湧いたようなチャンスに動かぬわけがない。むしろ、よくぞ素早く動いたと褒めてやりたいくらいだった。

食べ終えた折詰弁当の蓋を閉め、机の上を片付ける。

進藤珠代も同じように片付けている。

こうして、机を並べて働いてきたけれども、それももう残りわずかの日々なのだな、と思うと知らず知らずため息が出てしまう。

編集部も弾けたんだな、と克子は思う。

ほんとうに大きく膨らんで破裂したんだ、という気がして、じんわりと悲しくなる。つらつらと、そんな思いの丈を進藤珠代に話してみた。克子にとって進藤珠代はこの編集部で初めて出来た後輩だったし、だからこそ、格別親しみもあったし、共に頑張ってきたという思いも強かった。そういうものがごちゃまぜになって、少ししんみりした口調で、ゆっくりと語る。

すると、共感してくれるものだとばかり思っていた進藤珠代が、あっさりと、

「やめてくださいよ」

と笑い飛ばすのだった。

「あー、もう、やだやだ。西口さんたら、湿っぽいです。そんなに湿っぽい人でしたっけ?」

「湿っぽいかな?」

「湿っぽいですよー。べつに破裂したっていいじゃないですか。ぱーんと割れて、飛び散るんですよ。ぱーん」

一度縮こまった後、椅子に腰掛けたまま、進藤珠代が、ぱーっと大きく両腕を広げる。突然の動きに克子がひるむと、握り拳をぐいっと突き出し、克子の目の前で、ぱっと開いた。それから右や左に手を突き出して、同じ動作を繰り返す。

「ね、こうやってね、あっちやこっちにぱーんぱーんぱーんと飛び散った欠片が、あっちでもこっち

でも蠢《うごめ》きだすんです。だからね、分裂ですよ、分裂。これは細胞分裂。欠片は新しい細胞なのです」

「細胞、分裂」

「そうです。分裂して、あっちでもこっちでも、ぴかぴかーって輝くんです。どっちの細胞も元気にやっていくんです。私もそれなんです。欠片になった細胞。飛んでいった先でね、ぴかぴかーって輝きだすんです。その予定です」

　ほんとうに輝く笑顔の進藤珠代なのだった。

「おっきな生き物なんですよ。私たちはきっと」

「生き物」

「だから死なないの。いや、だって、それどころか！　西口さん、デイジーだけじゃないですよ。近頃、他の会社の編集部だって勢いづいてきているじゃないですか。油断できませんよ！　とくにうちの隣。あそこは侮《あなど》れません。西口さん、気づいているでしょう」

　さすがにここで大声で肯定するのは憚《はばか》られるので、小さくうなずくだけにしておくが、うちの隣に建つ会社のライバル誌がこのところ独自のセンスを持つ漫画家たちを着実に花開かせているのは周知の事実なのだった。これまでとは違う、デイジーにはない路線を生み出しつつある。別デというより、いずれ週デの強敵になりそうな予感はあった。

「小柳さん、やる気ですよ。隣になんて負けてられませんからね。あそこもね、小柳さんみたいな強烈な編集者がいるらしいんですよ」

「そうらしいね」

「あ、知ってます?」

「なんとなく」

「だからね、小柳さんは、きっと、思いっきりやりますよ。別デを超えるすごい雑誌を創りますよ。小柳さんって、そういう人ですもん。うん、まちがいない」

「ちょっと、やめてよ」

ふふふふ、と進藤珠代が笑う。

「どうしてですか。楽しみじゃないですか。読者の女の子たち、びっくりしますよ。どうせ創るんなら、日本中の女の子たちをびっくりさせなくちゃ面白くないじゃないですか。私たちも、びっくりしましょうよ。そうして、小柳さんが去った後の、新しい別デもびっくりさせてくださいよ。私、びっくりしたいですよ！」

寂しい、なんて感傷的にいってる場合じゃないな、と克子は思う。進藤珠代に奮い立たされた、いや、活を入れられた、といってもよい。ようし、と克子は隣の席へとそろそろと身体を倒し、進藤珠代に思いっきり顔を近づける。そうして耳元で、別デを甘く見るなよ、とささやいてやった。

はっと動きを止めた進藤珠代がこちらを見る。

大きな目がいっぱいに開かれている。

「そう、ですね。……そう、でした」

「そうよ」

進藤珠代の口元がにいっと横に開く。

「楽しみです」

やっぱり笑顔が輝いている、と克子は思う。

未来があるからだ。

「珠ちゃん、きらきらしてる」

「そうですか？」

「きらきらよう。あー、もう。せっかく育てた後輩が逃げていくんだもんなー、やんなるなー、きーっ、悔しいっー！　懸賞ページ、どうすんのよー！　誰がやるのよー」

「また西口先輩がやってくださいよ。それも楽しみにしてますよ。私より素敵な懸賞品満載でひとつお願いします」

「きーっ。んもう、腹立つなー。こっちも楽しみにしていてやるからな！　今頃、珠ちゃん、小柳さんに絞られてるだろうなあって。泣いてないかなあって」

「うわ、やめてくださいよ。いじわるだなあ」

そのあと、ぽつりと、

「ほんとに連れてってくれますかね、小柳さん」

と心配そうにつぶやく。

「大丈夫よ。約束は守る人だもん。口約束だって約束は約束でしょ。だけどさ、小柳さんって、厳しいよー。それはもう、本気で育てるとなったらあの人、容赦しないからねー。あの目！　怒ってる時の、眼鏡の奥のあの冷たい目！　新人漫画家が緊張し過ぎて震えて倒れたことがあるくらいなんだからね。新規で立ち上げる少数精鋭の編集部となったら、きっとスパルタだよ？　珠ちゃんも、びしびしやられるよ？　わかってる？」

「望むところです」

「ほー、私を甘く見るなよ、ってか」

「その通り！」

けたけた笑う。

私を甘く見るなよ。
そうだ、そうだ。その通りだ。
私を甘く見るなよ。
私たちを。
私たちを、甘く見るなよ。
ふと克子の心に、そんな言葉が湧き起こる。
私たちを、いつまでも甘く見てもらってちゃ、困る。困るんだ。
きらきらと輝こう。この子みたいに。
克子はあらためて進藤珠代を見る。
彼女の向こうに未来を見る。
デイジーの誌面だって、きらきらと輝かせてきたではないか。
少女漫画のヒロインたちの瞳には、いつでも星がきらきらと瞬いている。
輝く星を宿した目だ。強い光を放つ目だ。
それは少女たちが求める光であり、輝きでもある。
デイジーのページをめくれば、星がいっぱい。
そんなたくさんの輝く星に思いを馳せれば、気持ちがふわりと軽くなった。
気持ちが若やぎ、華やいだ。
分裂して飛んでいくのは星の欠片だ。
輝く欠片を私も持っている。
克子は胸の辺りを静かに触ってみた。

ここにきっと、それはある。

8

放心したように週刊デイジーのページを閉じ、辰巳牧子は、ほうっと息を吐き出した。

ついに終わった。

泉田依子先生の大人気連載が、今号で最終回を迎えたのだった。

この最終回に向かって週刊デイジーでは、特製品や物語にちなんだ品々のプレゼント大懸賞やカラーポスターの綴《と》じ込《こ》み付録や泉田先生のサイン入りミニ色紙や額縁入り原画の読者プレゼント等々、次から次へと趣向を凝らして盛り上げていった。盛り上げるというか、盛り上げてくださったみなさんへの感謝というか。牧子も役得でカラー原画を拝ませてもらったりもして大興奮の毎日だった。

ファンレターも最終回に向かっていちだんと増え、アルバイトの子たちが鬼の形相で仕分けをするのを牧子は半分呆れながら眺めたものだ。

最終回の載った週刊デイジーの見本誌は、一昨日の午後、すでに編集部に届いていた。

あっ、あれは、と思い、牧子は表紙をちらりと見る。

楢橋編集長がいつものように一番上の一冊を無造作に取り、自席でじっくりと検分するのを遠巻きに眺める。

あの見本誌を読もうと思えば読めなくもないのだった。

だが、読まない。

読まないと牧子は決めていた。

校了前の原稿をのぞきこむ人たちもいたが、その時も牧子は近寄らなかった。誰かが口にする感想をひとつも耳に入れたくなかったからだ。

牧子はともかく、じっくりと読みたかった。

一コマ一コマ、誰にも邪魔されず、存分に、心ゆくまで味わいたかった。

先週の、最終回の一回前だってあんなにすごかったんだから、最終回を読むにはそのくらいの覚悟がいる。

発売日、半ドンだったけど、あいにく少し残業になってしまい、仕事を終えると、牧子は一目散に帰宅した。部屋に入ると千秋が買ってきた週刊デイジーが机の上に置かれてあった。ありがとう千秋、と心の中で礼をいう。

千秋はすでに読んだのだろう。

あの子は読むのが速い。でももしかしたら、泉田先生のところだけ、読んだのかもしれない。

そうして、お友達のところへ出かけて行ったのだろう。

最近の土曜はいつもそんな感じだったから、牧子は千秋を探さない。今頃、きっとお友達と最終回の感想を熱心に語り合っていることだろう。

牧子は上着を脱いで椅子に引っ掛け、週デを摑んで窓際のベッドの端に腰掛けた。それから徐《おもむろ》にページを開く。

心が沸き立つ。

この一週間、この瞬間のために働いてきたといっても過言ではない。

うん、と一度うなずく。

目に力が入る。

雑誌を持つ手にも。

だが、ページを繰るうちに、なんともいえない寂寥感《せきりょうかん》に包まれていったのだった。読み終わるのが寂しいんじゃない。そんな単純なものではない。切なさに身を切られる思いがするのだった。どんどん苦しくなって、牧子は何度も立ち止まる。次のページにすぐに進めない。

ようやく最後の一コマに辿り着く。

じっと見つめる。

そこに書かれた文字を読む。

それから静かに牧子は週刊デイジーを閉じた。

しばらく、牧子は動かなかった。

ぼんやりと虚空を眺め、何度もため息をつく。

無意識にデイジーの角を触っていた。触りつづけていた。かさかさとかすかな音が立つ。

指先から伝わる物語の余韻に浸る。

窓ガラスの向こうの西日がまぶしかった。

冷たい空気が、薄いガラスと窓枠の隙間から入ってくる。

牧子は、ただ黙って膝の上に載せた週刊デイジーの重みを感じている。泉田依子先生の渾身《こんしん》の力を感じている。

たくさんの登場人物が牧子とともにあった。

歴史の荒波を駆け抜けていった彼らの人生とともに、長い旅路の果てに辿り着いた場所に牧子はいた。

生きたことのない時代。

行ったことのない国。

見目麗しい登場人物たち。

長い長い連載の、印象深い出来事、事件の数々。

まるで牧子もそこにいたみたいな気持ちで振り返る。

そうやってぼんやりと頭を巡らせているうちに、牧子はなぜか自分自身のことに思いを馳せていったのだった。高校を卒業して入社試験を受け、採用通知をもらった日。初出勤した朝の、会社の玄関に立って眺めた空。初めて会社の制服を着た時の晴れがましさと、社会人になったのだ、という緊張感。経理課で先輩に教えてもらいながら、一つ一つ、仕事を覚えていった。まちがえないように、まちがえないようにと心の中で唱えながら弾いていた算盤《そろばん》の珠《たま》の感触。八階の社員食堂の窓から見た神保町の景色。そのあと、三ヶ月ほどして、たまたま配属されたデイジー編集部で、辞めていく先輩から引き継ぐ仕事の説明を受けたのだった。経理補助。あの時の名前は経理補助だった。編集部で働く経理補助が、どういう仕事なのか、あの時はまるでわかっていなくて、おろおろしていた。それが牧子の新しい日々の始まりだった。そうして牧子は少女漫画と出会ったのだ。

生意気にも小柳編集長に感想を述べたりしたこともあった。千秋と一緒に休みの日にずうずうしく編集部に上がり込んでみんなでケーキを食べたこともあった。牧子とほとんど同じ年齢の漫画家の先生方にもたくさん会った。沢先生とは、ビルの中を案内したついでに電話交換室にも行った。あの日の電話交換室が漫画に出てきた時には、牧子はひっくり返りそうなほど驚いたものだ。まさかあんな数分の出来事が漫画になるなんて思ってもみなかった。

楽しいこともあったし、落ち込むこともあった。もう辞めたいと思うことだって、なかったわけじゃない。大学に行かなかったことを悔いる時もあった。今更悔いたって仕方ないのに、これでよかったんだ、と思い切れない自分がいると牧子はとうに気づいている。弟の慎也《しんや》が浪人までして私立大学に入ったことに——慎也にはそれが許されたことに——じつは少し傷ついてもいたし、今もまだちょっとむかついている。それなのに、あいつときたら、もう大学にはなにもないんだ、兵《つわもの》どもが夢の跡だ、とほざいている。革命に失敗したあとの残骸の上をノンポリどもがうろうろ歩いているだけさ、おれもその一人だ、挫折の季節なんだ、と宣《のたま》う。牧子は頭にきたから、慎也に泉田先生のコミックスを、読んでみよ、と押し付けてやった。なんだよ、と鬱陶《うっとう》しそうな顔をするから、いいから読みな、とぐいぐい押す。ちぇ、なんだよ漫画かよ、少女漫画かよ、と蔑《さげす》むから、そうだよ漫画だよ、少女漫画だよ、ときっぱりいってやる。これ、姉ちゃんの会社で作ってんのかよ、面白いのかよ、とたずねたので、そうだよ、面白いよ、あんたもちょっと、こういうの、読んでみたらいいよ、とこたえる。アホな慎也にだって読めばわかるはずだ。多少なりとも、なにかがわかるはずだ。きっと続きを貸せ、といってくるにちがいない、と牧子は思っている。

私も生きてるんだ、と牧子は思う。

ぜんぜん劇的でもないし、ドラマチックでもないけれど、私も生きてるんだ、と眩しい西日に手をかざす。漫画家の先生たちのような才能があるわけでもないし、編集部で働く西口克子さんや藤原修子さんたちのようにかっこいい仕事をしているわけでもないけれど、私も私なりに生きている。

なんかあれだよね、恥ずかしくないように生きたいよね、と牧子は週刊デイジーの表紙を撫でながら思う。この人たちに、恥ずかしくないように生きるっていうかさ、今、こういう気持ちでいる自分に恥ずかしくないように生きるっていうかさ。

地味で平凡な毎日がこれからも続いていくんだろうけど、私にだって私の物語があるんだもんね、どういうふうに生きていくのか決めるのは私だもんね。

牧子はそんなようなことをつらつら思いつづけ、ふと、今頃、こんなふうに、こんなようなことを考えながら、いろんな気持ちを抱えてぼうっとしている人が、全国にたくさんいるんじゃないかな、と想像する。

ねえ、あなた。

どこかにいるあなた。

あなたも今、こんな気持ちでいるのでしょうか、と話しかけてみたくなる。

それからベッドに寝転がってデイジーを開いた。ぱらぱらとページをめくる。読みたい漫画は他にもたくさん載っている。たまには夕飯の手伝いくらいしなくちゃなあ、と思いつつ、でもまだもう少し、デイジーを読んでいようと牧子は思う。

ねえ、あなた。

どこかにいるあなた。

あなたも今、こんな気持ちでいるのでしょうか、と香月美紀は原宿の路地裏の喫茶店の奥まった席で週刊デイジーのページに目を落とす。

毎週楽しみにしていた泉田依子先生の最終回を読み終えたところだった。手をつけるのを忘れたブレンドコーヒーはすっかり冷めてしまっている。煉瓦《れんが》風の壁に身をもたせかけ、感極まって、少し泣きそうな気持ちになっている。

あなたも信じていたよね。こういう漫画がうまれるのはもう間近だって、あなたも信じてたよね。

思い浮かべているのは西口克子のことだった。

こういう漫画がいつか必ず現れると私たちは信じていた。

それが本当に現れたのだ。

ね！　ほらね、ほらね。

どこかにいる西口克子と手を取り合って、ぴょんぴょん飛び跳ねているような心地だった。私たちの思ってた通りだった。

この連載が始まってから、毎週、週刊デイジーの発売日に本屋に走り、必ず読んでいた。もしかしたら、これは……と、心をざわつかせるものがあったからだった。歴史物というだけでも驚かされたのに、ここには女として生きている自分、働く女としての自分に寄り添ってくれる何かがあった。奮い立たせてくれる何かがあったのだった。

これは私たちの漫画だと美紀は思った。

週刊デイジーの空気が、がらりと変わったようにも感じられた。

殻が破られたのだ。

めりめりめりと殻が破られ、卵が割れた。

美紀が編集部にいた頃から、ぴしりぴしりと殻に罅《ひび》は入っていて、罅の隙間からぽこりぽこりと小さな気泡はうまれていた。もうすぐだという予感はあった。もうじき割れる。もうじきうまれる。

あなたも気づいていたよね。

もうすぐだ、って。

殻が割れて、今や、次から次へ、先を争うように、新しい、大きな漫画がうまれている。一つのうねりとなりつつある。黄金時代の到来だ。

この時期に編集部という現場に居合わせられなかったのがつくづく残念ではあるけれど、でもいいの、あなたがいるから、と美紀は思う。

美紀は、毎月、別冊デイジーも読んでいた。編集者たちの動向についてちらりと書かれる編集後記ふうのコラム記事をいつもしっかりチェックしていた。イニシャルで書かれていても、どれが西口克子かすぐにわかる。彼女が相変わらず別デ編集部で元気に働いているらしい様子は見て取れた。

あなたがいるから。

美紀はそれを支えに、未練を断ち切っていったように思う。

デイジーを辞めてからしばらくの間、未練なんかあるもんか、と強がってはいたけれど、未練はやはりあったのだった。

どうしてわたし、もう少し、あそこで頑張らなかったんだろう、頑張れなかったんだろう。抑えつけても、抑えつけても、その思いがあふれてくる。

神保町へ行く用事があると、美紀はうろうろと会社のあたりを歩き回ったものだった。いつだったか一度、経理補助の女の子——辰巳さんといったっけ——に遭遇したことがあった。喫茶店で少しおしゃべりをした。あの時、美紀は知ったのだ。あと少し、思いとどまっていたら、中途採用の試験が受けられたということを。

運命を呪った。

己の運の悪さを嘆いた。

でももう、どうしようもない。

覆水盆に返らず、だ。

悶々《もんもん》としながら働いた。働くしかない。もうそれしかない。少しずつ、新しい仕事になじんでいった。なんとかやっていけるかな、大丈夫かな、と思いかけた頃、泉田先生の連載が始まったのだった。

ほんとうにすばらしい作品だった。

最終回までみごとに走り抜けてくれた。

この連載から、美紀はどれほど力を得たことか。

職場でもよく話題に上った。

とくに同世代の女性たちの人気が高かった。皆、夢中になって読んでいた。

大人の女が、嬉々として少女漫画の話をする。そういう時代になっていたのだった。彼女たちの感想を美紀は熱心にきいたし、美紀も話した。そういえば、泉田先生も私たちと同世代だったな、と美紀は気づく。だからなのかもしれない。漫画家の先生方だって働く女たちなのだ。私たちが味わっている見えない苦しみを彼女たちも知っている。

こういう男がいてくれたらいいよねえ、ほんとよねえ、こういう男に支えられたいよねえ、でもいないのよ、いないいないない、いるもんですか、感想を述べあい、くすくす笑った。

ふしぎなことに、連載が進んでいくにつれ、長く囚《とら》われていた週刊デイジーへの未練がなくなっていったのだった。

いつしか美紀は一人の読者に戻っていた。

あなたがいるもの。

私じゃなくたっていい。

美紀は今、広告業界で少しずつ、自分の居場所を見つけつつある。認めてもらいつつある。責任ある仕事に食い込めるようになってきている。手応えも感じる。たぶん、この仕事は自分に合っているのだろうと思う。これから先も、ここでやっていくのだろうとだんだん思えるようになってきた。今付き合っている人と、たとえこの先、結婚したとしても、子供をうんだとしても、仕事はつづけていくだろう。だって楽しいもの。辞めるもんか。

近頃は、神保町へ行っても、用事をすませたらさっさと戻るようになっている。

もううろうろしない。

それなのに、この間、会社の近くを通りかかったら、偶然、製版所の鯉沼《こいぬま》さんを見かけてしまったのだった。あっと思った。鯉沼さんは背広を着て、会社の北の裏通りをすたすた歩いていた。あれは原稿を受け取りに編集部へ行くところだろうか。姿勢正しく、早足で歩いていく。ちっとも変わらないな、と美紀は目を細めた。あの人は、いつもあんなふうに、日に何度も編集部へやってきていた。原稿が一つ上がるたびに製版所に連絡がいき、鯉沼さんが取りにくる。さっと現れ、さっといなくなる。美紀も口絵やグラビアの版下部分のやり取りを、鯉沼さんと何度もしたことがあった。鯉沼さーん、と呼びかけようとして、いや、やめておこうと伸ばしかけた手を止める。鯉沼さんは、美紀のことなんて、もう憶えてやしないだろう。

それでいいんだ、と美紀は思う。

懐かしいなあ、と思う。

なにもかも、懐かしい。


ねえ、あの子、どうしてる?

前川福美《まえかわふくみ》がきいた。

トイレから戻ってきたところだった綿貫誠治が、椅子に腰掛けながら、誰?　ときく。

酔い潰れてカウンターに突っ伏している武部俊彦の頭を指先でふわりふわりとやさしくなでながら、あの子よ、あの子、私の後を継いで経理補助になった子、という。

ああ、辰巳さんか、あの子なら元気でやってるよ、相変わらずだよ、おっちょこちょいでとんちんかんで、だけど案外仕事はしっかりしてるんだ、と綿貫誠治がいうと、ふうん、といって、ちょっと笑った。

「なんでそんなこと、きくんだ？」

前川福美が、ちらっと、後ろの棚に視線を走らせ、さっき、週刊デイジーを読んでて思い出しちゃったのよ、とこたえる。酒瓶が並んだ段の下に何冊か本が積んであるのが見えた。薄暗いのでよくわからないが、週刊デイジーもあるのだろう。

前川福美はふた月ほど前、この店をオープンしたばかりだった。カウンターだけの狭いバーだが、居心地がいい。

「ふうん、バーのママさんになっても週デを読んでくれてるんだ、ありがたいねえ」

「そりゃ読むわよ。編集部にお得意さんがいるんだし、ぐっと面白くなってるし。泉田先生の連載、終わっちゃったね。あれ、楽しみだったんだけどな」

「終わったねえ」

「けべちゃんさ、ついに文句をいわなくなったのよ。女子供にも歴史物はわかるんだ、って世の中から突きつけられちゃったもんだから、もうなにもいえない」

あはは、と笑う。

「まあ、それはさ、武部だけじゃないよ。おれたちみんな、そうだよ。固定観念に縛られてちゃいけないな、ってみんな思うようになってきてる」

「そうよ。もっと自由でなくちゃ。このお店を出すことにしたときもけべちゃん文句いわなかったのよ。わりと頭が固いからさ、なにかいうかな、って思ってたんだけど」

つんつん、と頭をつつく。

たしか、輸入雑貨店を一緒にやるつもりだった姉が仕事先で知り合った人と結婚したため、その夢が泡と消え、代わりに、この店をやることにしたのだときいている。誠治は前川福美と武部俊彦はそろそろ結婚するんじゃないか、と思っていたから少し意外で、しかし関係はつづいているらしかった。

「強い女の話だったわねえ。戦う女の話だった。泉田先生は戦う女ね」

「え、そうかい？」

「そうよ。だからみんな読んだのよ。わたしさ、あの編集部にいた頃、うんと下に見られてたじゃない。まあね、それはいいの。若い女の事務員なんてそんなもんだし、べつに嫌でもなかったし。そこを上手にやっていくのが女の手腕だと思っていたし。だから、あの子にもそう教えちゃったのよね。男の人たちのいうことをきいて、はいはい、って、うまく立ち回りなさい、って」

「辰巳牧子に」

「そう。辰巳牧子さんに」

「ふうん」

そんなにあの子は、はいはい、ということをきいてるようにも見えないがな、と誠治は思う。

「へんなこと教えちゃったな」

前川福美が、後ろへ手を伸ばし週刊デイジーをカウンターに置く。ぺらぺらとページを繰る。

「週刊デイジーにおとなしい女はいないわね」

「え？　辰巳牧子？」

「え？　ちがうわよ。漫画の中の話。漫画に出てくるのって、強い女ばかりじゃない。ちがう？ん？　あれ？　辰巳さんもそう？」

「ええ？　いや、どうかなあ。あの子は強いという感じではないなあ。といって弱くもなさそうだ。

いまどきの子はあんなものかもしれないが、昨日もさ、辞めていく小柳さんと写真を撮りたいって大騒ぎしてたよ。それで、うちのカメラマンに頼んで撮ってもらってるんだぜ。仕事でもないのにプロのカメラマンに頼んで。ずうずうしいだろ」

前川福美が笑いながら、かわいいじゃないの、という。

カメラマンの田辺守が快諾して、二人を壁際に立たせて撮っていた。ライバルになる雑誌をこれから創刊しようっていう人の退職だから、めでたい退職とはいい難く、どういう態度で送ったらいいのか皆、悩むところだったのに、辰巳牧子はどこ吹く風と好きに振る舞っていた。

あんなことして、苦々しい思いでいる人もいるんじゃないか、と内心ひやひやしたが――実際、少し空気がひんやりしたようにも感じられた――、あらあ、辰巳さん、いいわねえ、私も記念に撮ってもらおうかしら、入れていただいてもいい？　と藤原修子が声をかけて隣に立ち、それで一気に場が和んだのだった。

もしかして、藤原さん、気を遣ってくれてるんじゃないかな、と思いながら眺めていると、近くにいた戸田育江が、へえ、珍しい、とつぶやき、そういえばそうか、あの二人、古株同士ですもんね、長い付き合いよね、と誰にいうともなくいった。

アポロちゃん！　そんな顔してないで、笑いなさいよ、笑顔笑顔、と戸田育江が声を飛ばす。辰巳牧子は顔をくしゃりと歪《ゆが》め、泣き出しそうになっている。藤原修子が、あらあら、と驚いている。笑って笑って、アポロちゃん、泣かないの、と戸田育江がまた声をかけたら、はいっと元気な声が返り、にこっとした。小柳さんも、うんうん、とうなずいている。

あの子、小柳さんにかわいがってもらっていたから、と戸田育江が誠治に話しかけた。ええ？　編集部員でもないのに？　と誠治が怪訝な顔をすると、そうなの、編集部員でもないのに、あの子ったたら、漫画を愛するという一点で小柳さんに気に入られてたのよ。おかしいでしょう？

へえ、いいじゃないか、と誠治は思った。とてもいいじゃないか、いい職場だ、とその時誠治は思ったのだった。

そのあと、藤原修子と小柳さんのツーショットになり、すると戸田育江も、ようし、私も撮ってもらおう、と近づいていった。デザイナーの女の子も、私もいいですか、と小走りにやってきて、そうなると、ちょっとした写真撮影会になってしまい、撮りたい人がわらわらとやってきて、田辺守も悪ノリしてポーズに注文までつけだした。

「最後には、武部まで撮ってもらってたんだぜ。驚いたよ」

「あら、なんでよ？　この人、ひそかに小柳編集長に私淑《ししゅく》してたのよ。知らなかった？」

「え、そうなの？　武部が？　初耳だな。小柳さんは、ずっと別デじゃないか。今まで接点、ないだろう？　楢橋さんのまちがいじゃないの？」

「楢橋編集長のことは、そりゃ、もちろん一目置いてるわよ。ここにも開店早々連れてきてくれたくらいだし。でもさ、それとはべつに、けべちゃん、小柳編集長のことも尊敬してたみたいよ。けべちゃんさ、休みの日も編集部に行きたがるでしょ、あたしが文句いったらさ、ちょっと小柳さんと話したいことがあるんだ、とかなんとかいうのよ。そういうことが何度かあってさ」

酔い潰れていたはずの武部俊彦が、がばっと頭をあげ、よけいなことをいうな、と突如介入してきた。あれ、起きたのか、と誠治が話しかけようとすると、前川福美が制して、はいはい、よけいなことはもういいません、よしよし、いい子いい子、おやすみおやすみ、と頭をなでる。むにゃむにゃと少しだけ声にならない声で抵抗して、またぽてんと頭を落とし静かになっていく。寝ぼけてんのよ、疲れてんの、もう少ししたら起きるわ。起きなかったら起こす。前川福美はこの人の扱いはお手のものよ、といった感じで、水割りの入ったグラスを片付けている。

突っ伏したまま、ぷうっぷうっと息を吐き出すたびに、のんきな音を立てている武部俊彦は、安らかな顔をしていた。安心しきっている。ふうん、と若干うらやましいような気持ちになってその顔を眺めているうちに、こっちまで眠くなってきた。夜も更けたし、そろそろ日付も変わる。このままこいつが起きるまで待っててやってもいいが、べつに待たなくったって、前川福美がいるからどうにでもなる。そう思ったら阿呆らしくなってきて、じゃあ、おれは帰るかな、と立ち上がった。

つけといてくれ、というと、うん、わかった、と前川福美がうなずき、ねえねえ、と誠治に話しかける。

「なに」

「今度さ、連れてきてよ、辰巳さん。辰巳牧子さん。あの子、どんなふうになったか、見てみたい。会ってみたい。それと、藤原さん」

「藤原さん？」

「あんたたち、藤原さんが帰宅するタクシーに便乗してここまでしょっちゅうきてるんだからさ、たまには、一緒に飲みましょうって強引にタクシー降ろしてここまで引っ張ってきなさいよ」

「ああ、うん」

それはけっこうハードルが高い。

「ここ、女の人でも、気軽に立ち寄れるお店にしたいんだよなー。女の人も安心して飲めるお店にさ。だから、連れてきてよ。漫画家の先生も大歓迎。あ、そうだ。辰巳さんを連れてきたら、あたし、あなたのキューピッドになってあげるよ」

「はあ？　いらんよ、そんなもん。いらん」

「またまた強がっちゃって。隠さなくたっていいって」

「いらんいらん。悪い冗談はやめてくれ」

「えー、うまくやってあげるのになー。まあ、いいや。とにかく一度、連れてきてよ。デイジーの女の子たちはさ、三十パーセントオフにしとくからさ。どんどん宣伝してちょうだい。昔の同僚がやってんだから、縁があるってことで！」

「一国一城の主ともなると、さすがに抜け目ないねえ。くわばらくわばら」

「つけにしといてよくいうよ」

「おっと、そうだった。んじゃ、おやすみ」

「おやすみなさい」

木製の扉を開ける。冷たい風が吹き付ける。空を見上げる。星が見える。

デイジー星か、と誠治はつぶやく。

連れてきてやろうかな、と誠治は思う。

辰巳牧子は前川福美をおぼえているだろうか。


その日、千秋は浅沼さんの家に夕方までいた。

遊ぶ約束をしていたからだ。

その日は週刊デイジーの発売日で土曜日だった。

泉田依子先生の連載の最終回が載る号だ。

だからもう、どうしても遊ぶ約束をしておかなくちゃならなくて、千秋は最終回を読み終えるや否や、細いでこぼこ坂道を自転車に乗ってやって来たのだった。坂はきついけれど、近道だから。ぜえぜえと息を切らし、必死でペダルを漕《こ》ぎながら、読んだばかりの最終回を反芻《はんすう》していた。

あれも話そう、これも話そうと気が急いていたのに、実際、会ってみると、なぜか、なにも話せなかった。浅沼さんも同じだった。

話したいことがたくさんありすぎると話せなくなるのだろうか。それに、なんかこう、しゃべってしまうのがもったいないような、言葉にしてしまってはいけないような、そんな気もしていた。言葉にならないものを、言葉にならないまま、胸の奥深くにしまっておきたい。

終わったねえ。

うん、終わった。

終わっちゃったねー。

うん、終わっちゃったねー。

そんなことをいって二人でうなずきあう。

そこから先がどうしても続かなかった。

そんなわけで、浅沼さんちの座敷で、週デや別デや、他の漫画雑誌やコミックスを読んだり、おばさんに出してもらった紅茶を飲んだり、お菓子を食べたりして過ごした。

浅沼さんちにはお兄さんのテニスラケットがあったから、勝手に借りて、庭でボールを打ってみたりもした。ブロック塀にあたってはねかえってくるボールを打ち返す。狭い場所だから気をつけないといけないし、続けるのが難しいからすぐに失敗する。連続して打ち返せた数を数えて競い合った。うまくいってもいかなくてもげらげら笑った。富士島みつか先生の漫画のようにはいかないが、運動神経の鈍い千秋でも、まあまあ楽しい。

それから縁側にすわってミカンを食べた。

「あたしさあ、デイジーの編集部に行ったことがあるんだよね」

と千秋はいった。

急にいいたくなったのだ。

浅沼さんは、へえ、といった。それから、ちょっと首を傾げ、なんで？　ときいた。

「あのさー、時々話にでてくる牧子ちゃんっているじゃん？」

「ああ、うん。叔母ちゃん、だっけ。漫画が好きな」

「そうそう。その牧子ちゃん、じつはさ、デイジーで働いてるんだよね。編集管理って仕事してんの」

千秋は、手を伸ばし、畳の上に放り出してあった別冊デイジーを一冊引き寄せ、後ろのページを開く。編集部員が登場するコラムを指差す。

「こういう人たちとはちがうんだけどさ、編集部にはいるんだよね」

「ほーん」

浅沼さんがのぞきこむ。

「わたし、このコーナー好きだよー。なんかこういうの楽しいじゃんね。こういう人が作ってるんだなー、っていろいろ想像するのが好きなんだよねー。TさんとかNさんとか、どういう人なのかなー、ってよく考えてた」

「あー、なんかわかる。浅沼さんってそういうの、好きそう。あたしさ、この人、この小柳編集長にはね、会ったことがあるんだよねー。もうさ、すっごい昔だけど。一年生の時」

「へー、わたし、最後のページの編集長のコーナーもぜったい読んでるよ」

「わたしも読んでる。辞めちゃうんだって」

「え？」

「小柳編集長、別冊デイジー、辞めちゃうんだって」

「えーそうなのー」

「って、牧子ちゃんがいってた」

「編集長が辞めるとどうなるの」

「ん、どうなるんだろう？　よく知らないけど、べつの人が編集長になるんじゃない？」

「まあ、そうか。そうだよね。ねえ、どういう人だった？　編集長。会った時、どんな感じだった？　怖い感じ？　どんな話、したの？」

「えー、もうさあ、ぜーんぜんおぼえてないんだよー。ぜーんぶ忘れちゃった。やさしかったような気はするんだけど。一緒にケーキ食べたし」

「わあ、いいなあ」

あ、いけない、なんか自慢してるみたいになってる、と千秋はあわてた。

「あのさあ、だからさあ、一緒に、編集部へ行ってみない？　牧子ちゃんに頼めば、見学させてもらえるんだって。行く？」

「え、わたしも行けるの」

「うん。行けると思う。漫画家の先生に会えるかもしれないよ。行きたくない？」

「行きたい」

「冬休みに行かない？」

「行く。でもさ、冬休みって、会社、休みじゃないの？」

「あっそうか。休みか。じゃあ、そのあとだね。三学期になったら頼んでみるよ」

浅沼さんは、うん、といったけど、それ以上、なにもいわなかった。この時、千秋は知らなかったのだけれども、浅沼さんは、お父さんの仕事の都合で二学期が終わったら引っ越すことになっていたのだった。どうして教えてくれなかったのだろう。その時点ではまだはっきり決まっていなかったのか、なんとなくいいだせなかっただけなのか。それとも、千秋が急にそんな話をしたものだから、頭の中が混乱して忘れていたのかもしれない。

浅沼さんは、千秋ちゃんの叔母ちゃんって、すごいんだね、びっくりしちゃった、と感心し、何度も、すごいね、を連発した。そんな叔母ちゃんがいるって、なんで教えてくれなかったの、というから、ごめんごめん、なんかいいにくくって、と千秋はいった。

浅沼さんは、わかる、という顔でまじめにうなずいてくれた。千秋はうれしかった。

それから千秋は、浅沼さんにきかれるままに、牧子ちゃんのことや、牧子ちゃんからきいたデイジーの編集部の話をした。浅沼さんはなにしろ質問がじょうずなので、千秋はぺらぺらとなんでもかんでもしゃべってしまう。どんどんどんどんしゃべってしまう。けべちゃんの話なんか、とくに熱心にしゃべった。だって会ったことあるし。保積賢太郎さんや、進藤珠代さんや、西口克子さんや、藤原修子さんや、戸田育江さんのことも熱心にしゃべった。牧子ちゃんがよく話す人のことは、千秋も詳しい。浅沼さんは楽しそうにきいている。

漫画家の先生の話になると、週刊デイジーや別冊デイジーを膝の上に開いて、この先生だね、なんて確かめながら話した。辻内先生や瀬田先生がいつも締切ギリギリまで描き終わらなくて、編集部はたいへんらしいという話には千秋もやけに熱が入る。牧子ちゃんから面白おかしい編集部のドタバタ騒ぎをいろいろきかされているからだ。

「そういう人たちが、これを作ってるんだね」

と浅沼さんが笑いながら、別冊デイジーを触る。

「そうそう。こっちもね」

と千秋が週刊デイジーを触る。

「なんか、おもしろいね」

「うん」

「笑っちゃうね」

「うん」

夕方になっていた。

暗くなる前に帰ってこいと、いつも口を酸っぱくしていわれているから、千秋は帰ることにする。

またね。

手を振って別れた。

自転車をすっ飛ばしながら、千秋は満足していた。

泉田先生の最終回の話はしなかったけれど、今日は、今までずっといえなかったことをいえちゃったし、しかも、浅沼さんはそれを楽しくきいてくれちゃったし、二人でいろいろ想像して、話している間中、ずっと面白かった。

ペダルを漕ぎながら、ときどき思い出して笑いだしそうな感じだった。

浅沼さんは終業式の日まで引っ越しのことはまったくいわなかったから——いいたくなかったのか、いいそびれてしまったのか——、それ以降、二学期の最後まで普通に過ごした。終業式の当日になって、突然、引っ越しのことをきかされて、千秋はぽかんとしていた。教壇で先生がまず、そのことを告げ、黒板の前に呼ばれた浅沼さんも隣に立って、ぺこり、と頭を下げ、簡単な挨拶をした。

みんなもぽかんとしていた。

ちょっとだけざわざわしたけど、それで終わった。

終業式の日は、通信簿をもらうという大イベントがあるので、みんなそれどころじゃないのだ。

帰りがけ、千秋は浅沼さんの席へ行く。

ほんとに引っ越すの？　ときくと、うん、という。

いつ？　ときくと、明後日、という。

え、そんなに早く？　と驚くと、うん、そうなんだよ、なんかさ、どんどん決まっちゃって、今、大忙し、という。

じゃあ、もう遊べないの？

浅沼さんは、口をちょっとへの字にして、うん、という。

もうずっと遊べないの？　というと、そうだね、という。

でもさ、週刊デイジーと別冊デイジーはずっと読むよ。引っ越ししても、ぜったいに読む。

そりゃそうだよ、わたしもずっと読むよ。どこに行ったって、売ってるんだし。読まなきゃへん。

そうだよねえ、と二人で笑った。

わたしさー、千秋ちゃんに手紙書くよ、感想の手紙。

え、ほんと？　書いて書いて。わたしも書く、と千秋は意気込む。

これからは手紙で話そ。

うん、そうだね、手紙で話そ。

ああ、そうか、じゃあ、三学期になっても浅沼さんとはもう一緒にデイジーの編集部へは行けないんだな、と千秋は気づく。でも、黙っていた。口にしたら、浅沼さんを、がっかりさせてしまいそうで。それに、千秋もがっかりしてしまいそうで。

でも、すぐに、いいんだ、いいんだ、わたし、もう編集部へは行かなくったっていいんだ、と千秋は思う。浅沼さんと行けないんなら、もう行かなくったっていい。牧子ちゃんにも、もう頼まないでいい。

とはいえ、今、行かなくっても、きっといつか行くような気は、どうしてもするんだけど、と、かすかにちらりとどこかでは思っている。

ちぇっ、そっか、明日からせっかく冬休みだっていうのに、浅沼さんとは遊べないのか、と千秋は思う。ちぇっ、つまんないや。

その日が浅沼さんとのお別れの日になってしまったというのに、ほんとのところ、千秋はあまり深く考えていなかった。それほど寂しいとも思っていなかった。残念だな、とは思ったけれど、まあ、いいや、と思っていた。しょうがないや、と思っていた。仲の良かった友達が引っ越すのは初めてだったので、あまりよくわかっていなかったのかもしれない。

だから、その日も、
またね。

またね。

といって別れた。

じゃあね。

うん、じゃあね。

浅沼さんも千秋も、わりあい淡々としていたような気がする。そうして浅沼さんは遠くへ引っ越していき、そのあとしばらく、手紙のやり取りがあったようには思うのだけれど、それもやがて自然に消滅していった。

千秋は翌々年、中学生になり、その三年後に高校生になる。

それから三年後には大学生になる。

出版業界で働きたいと一念発起する日がいずれやってくるのだが、それはまだ、かなり先のことである。

浅沼さんが、やがて、物書きになり、あの頃のデイジーの編集部について書きたいと一念発起する日も、いずれやってくるのだが、それもまたかなり先のことである。

そう、かなりかなり先、うんと先のことである。

デイジーから受け取ったきらきら光る欠片を胸に秘め、二人は、世界を歩きつづけた。

いや、二人だけではない。

たくさんの少女たちが歩きつづけていった。

長い年月のうちに、見た目は少女でなくなっても、少女たちは歩きつづける。

彼女たちの胸の奥に、欠片はまだあるはずだ。

忘れてしまっているかもしれないが、ささやかな欠片はまだきっと持っているはずだ。

思い出した瞬間に、その欠片はひときわ美しい光を放つだろう。

彼女たちの胸の、奥深くで。

本書の執筆にあたり、漫画家の河あきら先生、忠津陽子先生、西谷祥子先生、美内すずえ先生、本村三四子先生、小長井信昌さんをはじめとする漫画編集者の方々、少女漫画を作り上げてこられた数多くの関係者の皆様から貴重なお話を聞かせていただきました。心より感謝申し上げます。なお、本書の文責はすべて著者にあります。

主な参考文献
『わたしの少女マンガ史』小長井信昌　西田書店
「週刊マーガレット」集英社
「別冊マーガレット」集英社　他多数

初出
「小説すばる」2022年9月号〜2023年5月号、2023年8月号〜2025年3月号
単行本化にあたり、加筆・修正を行いました。

装画　mame
装丁　池田進吾（67）

うまれたての星《ほし》

2025 年 10 月 30 日　第 1 刷発行

著　者　大島《おおしま》真《ま》寿《す》美《み》
発行者　今野加寿子
発行所　株式会社集英社
〒101-8050　東京都千代田区一ツ橋 2-5-10
電話【編集部】03-3230-6100
　　【読者係】03-3230-6080
　　【販売部】03-3230-6393（書店専用）

印刷所　TOPPAN クロレ株式会社
製本所　加藤製本株式会社

ISBN978-4-08-770016-9　C0093

JASRAC 出 2506562-501

大島《おおしま》真《ま》寿《す》美《み》

1962年愛知県生まれ。1991年「宙《そら》の家」が第15回すばる文学賞最終候補作となる。1992年「春の手品師」で第74回文學界新人賞を受賞しデビュー。2012年『ピエタ』で第9回本屋大賞第3位入賞。2019年『渦　妹背山婦女庭訓 魂結び』で第161回直木賞受賞。『それでも彼女は歩きつづける』『空に牡丹』『結　妹背山婦女庭訓 波模様』『たとえば、葡萄』ほか著書多数。